VIE SAUVAGE

ENCYCLOPÉDIE LAROUSSE DES ANIMAUX

le sanglier

Des repas à base de glands

Des baignades collectives
dans la boue

Un laboureur de la forêt

N° 125
hebdomadaire

Larousse

M 1431 - 125 - 21,00 F

145 FB / 145 FL / 6,30 FS / 3,45 $ CAN

Avec VIE SAUVAGE,
la nouvelle encyclopédie Larousse des animaux,
découvrez la vraie vie des animaux sauvages du monde entier.

Chaque semaine, partez à la rencontre d'un nouvel animal. Surprenez-le dans son intimité, grâce à des photos fortes, prises sur le vif par de grands reporters. Apprenez à connaître son comportement et ses mœurs, racontés par les plus grands experts de la faune sauvage : scènes de chasse, bains, premiers pas des petits... Vous découvrirez les grands principes écologiques de la lutte pour la vie et de l'équilibre de la nature.

Constituez-vous une collection complète des animaux sauvages du monde entier, en les regroupant selon les 11 grands milieux naturels où ils vivent :

Savanes et prairies : éléphant, lion, girafe, bison, kangourou...
Forêts tropicales : tigre, orang-outan, jaguar, perroquet...
Forêts de conifères : loup, aigle royal, lynx, hermine...
Forêts de feuillus : koala, renard, cerf, sanglier, coucou...
Mers et océans : dauphin, baleine, requin, pieuvre...
Côtes marines : otarie, tortue géante, fou de Bassan, iguane...
Rivières et fleuves : hippopotame, loutre, piranha, castor...
Étangs et marais : pélican blanc, crocodile, vison, libellule...
Montagnes : grand panda, condor, ours brun, macaque japonais...
Déserts et steppes : guépard, caméléon, criquet, scorpion...
Toundras et glaces : phoque, caribou, lemming, bœuf musqué...

VIE SAUVAGE est le fruit d'une collaboration entre Larousse et le WWF (Fonds Mondial pour la Nature - France). Cette encyclopédie est née d'une volonté commune d'agir en faveur de la protection des animaux sauvages.

© : 1986. Copyright WWF.   ® : WWF propriétaire des droits.

SOMMAIRE

N° 125   LE SANGLIER   *Forêts de feuillus*

LE SANGLIER ET SES ANCÊTRES 1
LA VIE DU SANGLIER
  Des animaux facilement adaptables et très sociables 4-5
  Un mâle conquérant, une mère attentive 6-7
  Des glands aux charognes, le sanglier mange tout 8-9
POUR TOUT SAVOIR SUR LE SANGLIER
  Sanglier 12-13
  Les autres suidés 14-15
  Milieu naturel et écologie 16-17
LE SANGLIER ET L'HOMME 18-20

DICTIONNAIRE DES SAVANTS DU MONDE ANIMAL
  Georg Wilhelm Steller

LES TEXTES DE CE NUMÉRO ont été rédigés par **Marc Vassart**, docteur vétérinaire, École vétérinaire de Toulouse ; **Thérèse de Cherisey, Monique Madier**.

CARTE de **Catherine Robin**.

DESSINS de **Thierry Chauchat**.

PHOTO DE COUVERTURE : Laie et marcassins. Simon D. et S.

CRÉDITS PHOTOGRAPHIQUES p. 1, Simon D. et S. ; p. 2/3, Danegger M. - Jacana ; p. 4, Wothe K. - Bruce Coleman ; p. 4/5, Simon D. et S. ; p. 5, Varin J. Ph. - Jacana ; p. 6, Varin J. Ph. - Jacana ; p. 6/7h, Simon D. et S. ; p. 6/7b, Simon D. et S. ; p. 7, Reinhard H. - Bruce Coleman ; p. 8, Maier R. - Animals Animals ; p. 8/9, Danegger M. - Jacana ; p. 9m, Brunet - Jacana ; p. 9b, Allard Ph. - Wildlife Pictures ; p. 10/11, Simon D. et S. ; - p. 12/13, Tauran B. - Colibri ;

p. 13h, Baranger C. ; p. 13b, Nardin C. - Jacana ; p. 14m, Klein J. I. et Hubert M.L. - Bios ; p. 14b, Seitre R. - Bios ; p. 15m, Cavignaux R. - Bios ; p. 15b, Compost A. - Bios ; p. 17, Meyers S. - Ardea ; p. 18, Varin J. Ph. - Jacana ; p. 19, Vialle G. - Colibri ; p.20, Chantelat J. Cl.
3e de couv., page de titre de *Relations de voyage au Kamtchatka*, par G. W. Steller, publication en 1777. Phot. Bibl. centrale Muséum hist. nat., Paris.

Photocomposition : Dawant. Photogravure : Graphotec. Impression : Jean Didier.

VIE SAUVAGE est édité par la
SOCIÉTÉ DES PÉRIODIQUES LAROUSSE
Directeur de la publication : Bertil Hessel
Directeur éditorial : Claude Naudin
Directeur de la collection : Laure Flavigny
Rédaction : Brigitte Bouhet, Catherine Nicolle
Direction artistique : Henri Serres-Cousiné
Direction scientifique : Christine Sourd, docteur en écologie, Conservation Officer au WWF-France
Conception graphique et mise en pages : Frédérique Longuépée assistée de Blandine Serret
Couverture : Gérard Fritsch
Correction-révision : Service de lecture-correction de Larousse
Documentation iconographique : Anne-Marie Moyse-Jaubert, Marie-Annick Réveillon
Composition : Michel Vizet
Fabrication : Jeanne Grimbert

EN VENTE TOUS LES MERCREDIS

Directeur du marketing et des ventes : Édith Flachaire

Service des ventes :
PROMEVENTE - Michel Iatca
Tél. : 45 23 25 60 Terminal : EB6

Service de presse : Régine Billot

L'encyclopédie Vie Sauvage se compose de 144 fascicules pouvant être assemblés en 9 volumes sous reliure mobile.
La publication est hebdomadaire, mais en juillet et en août, il ne paraîtra que deux numéros au lieu de quatre.

Administration et souscription :
Société des Périodiques Larousse
1-3, rue du Départ 75014 Paris
Tél. : 44 39 44 20

© 1992, Société des Périodiques Larousse
17, rue du Montparnasse, 75006 Paris.
Imprimé en France (Printed in France).
Distribution N.M.P.P. pour la France.

Conditions d'abonnement :
Écrire ou téléphoner à
la Société des Périodiques Larousse

Prix du fascicule et de la reliure

	Fascicule	Reliure
France	21,00 FF	49,00 FF
Belgique	145,00 FB	350,00 FB
Suisse	6,30 FS	15 FS
Luxembourg	145 FL	350 FL

Vente aux particuliers d'anciens numéros pour la France.
Envoyez les noms des fascicules commandés et un chèque d'un montant de :
— 25,50 FF par fascicule
— 61,00 FF par reliure
à GPP. BP 46, 95142 Garges-lès-Gonesse

NUMÉROS PRÉCÉDENTS :
L'éléphant. Le tigre. Les dauphins. Le loup. Le grand panda. Le lion. L'aigle royal. Le gorille. Le rhinocéros. La baleine. Le kangourou roux. Le condor. L'orang-outan. Les requins. L'ours brun. La girafe. Le guépard. L'hippopotame. Le chimpanzé. Le chacal. Le phoque. La gazelle. Le lynx. Le koala. Le pélican blanc. Le jaguar. Les perroquets. L'hyène. Le renard roux. Le bison. Le crocodile. Le puma. Les abeilles. Les lamas. L'ours blanc. Le macaque. L'autruche. Les chameaux. Le zèbre. Le buffle. Les scorpions. Le caribou. La pieuvre. Le fourmilier. Le manchot. Le coyote. Les lièvres. Le castor. Le chamois. Le guépier. Les termites. Les calaos. Le mouflon. Les coraux. La marmotte. Le coucou. Le criquet. L'orque. Les caméléons. Le bœuf musqué. Les méduses. La moufette. Les tortues géantes. Le monarque. Le paresseux. Le combattant. Le morse. L'élan. L'opossum. Le gnou. Les plongeons. Les renards volants. Le cygne. La poule d'eau. L'hermine. Les fourmis rousses. Le paon. Le suricate. Le crotale. Le saumon. Le maki. Les tisserins. Le daim. Le flamant rose. Le vampire. Le blaireau. Les papillons de nuit. Le cerf. Les colibris. Les paradisiers. Le pécari. Les boas. Le raton laveur. La cigogne. Le triton. Le martin-pêcheur. La loutre. La chouette. Le rat musqué. Le fou de Bassan. Le lycaon. Le grand cormoran. Les étoiles de mer. Le pronghorn. L'ourson coquau. Le coati. L'iguane vert. Le crabe violoniste. Le faucon pèlerin. L'ornithorynque. La mouette rieuse. Le tatou. La tortue luth. La grue cendrée. Les martres. Le pic épeiche. Le lamantin. Le pygargue. L'albatros.

PROCHAINS NUMÉROS :
Le vison. La poule des prairies. Le phoque moine. Le chien de prairie. La mésange. Le homard.

LE SANGLIER

Habitant, depuis environ 700 000 ans, les forêts et les régions boisées d'Europe, le sanglier n'a pas changé. Les prodigieuses facultés d'adaptation dont il fait preuve lui ont permis de s'acclimater avec aisance sur tous les continents où l'homme l'a conduit et de devenir le grand mammifère le plus répandu à la surface du globe.

Les artiodactyles, ruminants ou non, sont des ongulés. Ils se reconnaissent à leurs deux doigts centraux qui se terminent en sabot. Les plus primitifs d'entre eux sont les non-ruminants, appelés les suiformes, qui se composent des sangliers, phacochères, hylochères, potamochères et babiroussas (ou suidés) et de leurs proches cousins, les pécaris d'Amérique (ou tayassuidés), d'une part, et les hippopotames africains (ou hippopotamidés), d'autre part.

Les plus anciens artiodactyles connus vivaient en Amérique du Nord à l'éocène inférieur, il y a une cinquantaine de millions d'années. Ces dichobunidés étaient petits et possédaient encore 5 doigts à chaque membre. Ils évoluèrent et se transformèrent pour donner les chameaux, de nombreux ruminants et quelques non-ruminants, les suiformes. La lignée de ceux-ci semble être la première à s'être séparée du tronc commun des artiodactyles au tertiaire, mais ses représentants ont conservé des traits qui rappellent les dichobunidés : morphologie du crâne et des membres, denture presque complète et estomac à structure simple.

Le premier représentant connu de la famille des suidés est *Palaechorus*, qui portait déjà des canines tournées vers le haut, caractéristique des sangliers. Cet ancêtre de petite taille peuplait les régions boisées de l'Inde, il y a quelque 35 millions d'années.

Durant les époques suivantes, la famille s'adapte parfaitement aux changements climatiques et, au miocène, prolifère. Certains de ses membres traversent l'Asie et parviennent jusqu'en Europe. Parmi ces migrants, le plus ancien connu est *Sus minor*, qui vivait au pliocène, entre 4,5 et 2,5 millions d'années. D'autres fossiles plus récents témoignent également de la présence de *Sus strozzi*, sans doute l'ancêtre du sanglier de Java actuel. Il semble que cette espèce ait disparu de l'Ouest paléarctique il y a quelque 700 000 ans.

Les premiers restes retrouvés de *Sus scrofa*, le sanglier européen actuel, datent de cette époque.

Largement répandue en Europe et en Asie, l'espèce se rencontre aussi en Afrique et dans toutes les contrées où l'homme l'a introduite et où elle s'est adaptée : Amérique du Nord et de nombreuses îles, notamment. Seul artiodactyle sauvage non ruminant d'Europe, le sanglier est à l'origine du cochon domestique. □

Aussi bon nageur que rapide coureur, le sanglier franchit aisément les ruisseaux qu'il rencontre au cours de ses promenades nocturnes. Son agilité à grimper la berge dans une gerbe d'éclaboussures surprend de la part d'un animal à l'aspect aussi massif.

De violents combats opposent les mâles adultes pendant la période du rut, en hiver. Le reste de l'année, ces animaux, d'ordinaire pacifiques et solitaires, utilisent les mêmes souilles parfois, mais à tour de rôle.

Les groupes de sangliers sont composés de femelles adultes et de leurs petits âgés de moins de 2 ans. Chaque groupe est dirigé par une laie imposante, la doyenne.

Des animaux facilement adaptables et très sociables

■ Le sanglier s'adapte à toutes sortes de milieux, forêt, garrigue, maquis, marais ou zones à forte dominante agricole, à condition d'y trouver de l'eau pour s'abreuver et prendre son bain de boue. Demeurant dans son gîte pendant la journée, il sort au coucher du soleil et parcourt son territoire pendant une partie de la nuit.

Très sociables, les sangliers se déplacent par groupes matriarcaux de 2 à 5 animaux, constitués des laies et de leur progéniture. La femelle dominante est la plus âgée et la plus massive. Les jeunes mâles de 1 à 2 ans vivent en périphérie du groupe. Hormis en période de rut, les mâles de plus de 2 ans sont plutôt solitaires.

Dès que l'occasion se présente, les sangliers profitent des trous d'eau et des flaques pour se rouler dans la boue. Ces souilles, parfois utilisées par plusieurs d'entre eux à la fois, sont ainsi des lieux de rencontre privilégiés. Lorsque, enfin, l'animal décide que son bain a assez duré, il va se frotter sur les arbres avoisinants, marquant aussi les troncs à coups de canines, ceux des conifères de préférence.

Souffles, grognements, cris, ébrouements ou crissements de dents accompagnent les activités du sanglier. Parmi les sons les plus fréquents, un long soufflement est signal d'inquiétude ou d'alarme, un long grognement bas traduit la méfiance, un grognement sourd (« vrouff ») annonce la fuite.

Un vaste domaine vital

Marchant presque toujours au pas alterné ou au trot, le sanglier parcourt de 2 à 14 km par nuit. En forêt, il utilise toujours les mêmes passages, créant des coulées. Les gîtes, ou bauges, où il passe la journée sont établis à même le sol (bauges de plain-pied) ou légèrement creusés avec le boutoir et les pattes antérieures. En règle générale, ils diffèrent d'un jour à l'autre, sauf pour les laies suitées ou proches du terme, qui sont plus sédentaires. Selon les travaux des Français Douaud, Mauget et Spitz, un sanglier sillonne en moyenne en 24 heures un domaine vital de 50 à 75 ha. Le domaine vital mensuel et annuel d'un mâle, plus important que celui d'une femelle, varie de 300 à 15 000 ha. Les sangliers d'un même groupe matriarcal exploitent le même domaine vital saisonnier. D'un groupe à l'autre, les domaines peuvent se recouvrir, mais, alors, ils ne sont pas utilisés simultanément.   □

UNE ARMURE POUR LES COMBATS

Les mâles cherchent plutôt à s'éviter, sauf en période de rut. Alors, ils s'affrontent violemment. S'élançant l'un contre l'autre, ils se frappent de la tête et tentent mutuellement de se renverser en se servant de leurs canines acérées comme armes. Avant le rut, une véritable armure protectrice se forme sur les épaules, l'échine et les flancs. Souvent renforcée par une couche de résine que le sanglier acquiert en se frottant aux troncs des conifères, cette masse de tissu conjonctif, recouverte par une peau pouvant atteindre 6 cm d'épaisseur, ne plie pas et, lorsque l'animal marche, elle fait un mouvement de va-et-vient au-dessus des muscles.

La « souille », ou « souillard », est un site humide où les sangliers d'une même communauté ont l'habitude de venir se vautrer dans la boue. Ce peut être une simple flaque d'eau boueuse, dépression naturelle dans l'humus de la forêt, un petit ruisseau ou un bas-fond marécageux. C'est un lieu très important pour les contacts sociaux au sein du groupe, car il est fréquent que plusieurs de ses membres y prennent ensemble leur bain de boue.

Un mâle conquérant, une mère attentive

■ Pendant la période du rut, de novembre à janvier, le mâle adulte recherche activement les femelles réceptives, au point d'en négliger souvent son alimentation. Dès qu'il approche d'une harde, il chasse les « bêtes de compagnie » (les jeunes de l'année précédente) encore dans le groupe. Et, si cela est nécessaire, il livre combat contre ses rivaux pour conquérir des femelles, trois le plus souvent, mais quelquefois jusqu'à huit.

Durant les préliminaires, parfois longs, le sanglier mâle salive, urine, émet des sons amoureux et flaire le groin, les flancs et la région ano-génitale de la laie en lui donnant de légers coups de boutoir sur le ventre. Si elle s'éloigne, il la poursuit puis pose son groin sur son dos. Si la femelle refuse l'accouplement et s'arrête pour uriner, il flaire son urine, dont l'odeur le renseigne sur l'état sexuel de celle-ci. L'accouplement, qui peut durer assez longtemps et se renouveler plusieurs fois, a lieu lorsque la laie s'immobilise et prend une posture rigide, reins cambrés.

Lorsqu'il a couvert toutes ses conquêtes, le mâle les abandonne et retourne à sa vie solitaire.

La fécondité croît avec l'âge

La gestation est en général de 3 mois, 3 semaines et 3 jours. Peu avant la mise-bas — celles d'un même groupe sont souvent synchrones —, chaque femelle gestante s'isole à l'abri d'un arbre ou d'un buisson épais et prépare un nid en forme de chaudron, parfois tapissé de végétaux. Une jeune laie met bas 3 marcassins ; une laie plus âgée et plus lourde a, en moyenne, 6 petits presque glabres et fragiles. Elle ne les lèche pas et ne mange pas le délivre, mais elle les flaire fréquemment. Pour allaiter, elle se couche sur le côté et les appelle avec un grognement bas et continu : chaque marcassin s'approprie une mamelle, qu'il stimule par des massages afin de faire monter le lait. La tétée, toutes les 55 minutes environ, dure quelque 400 secondes (6 minutes 40) la première semaine et moitié moins la deuxième semaine.

Les groupes matriarcaux se reforment de 1 à 5 semaines après les mises-bas. C'est alors une période très importante pour la socialisation des jeunes. Les jeunes mâles de l'année s'éloignent entre la fin de décembre et la fin de février, et gravitent quelque temps en périphérie du groupe. Les jeunes femelles ne quittent la harde qu'à la fin d'avril. □

Jusqu'à 6 mois, les marcassins ont le tour des yeux et du boutoir noir. Ils sont rayés de brun avec une raie sur le dos, deux raies doubles puis une raie simple sur les flancs.

À l'imitation de la laie, les jeunes marcassins commencent, dès la deuxième semaine, à rechercher une nourriture plus variée. Mais ils doivent attendre 3 ou 4 mois pour être totalement sevrés.

La tétée est l'occupation majeure des marcassins durant les deux premières semaines. Après la naissance, les petits sont très sensibles au froid et restent au nid près de leur mère.

Le marcassin qui s'éloigne trop est rappelé à l'ordre par un grognement bas et continu. Mère vigilante, la laie défend son petit avec agressivité contre tout étranger au groupe. Certaines adoptent les marcassins orphelins.

Chaque portion de sous-bois est source de nourriture pour les sangliers. Du groin, ils arrachent les parties vertes des plantes forestières au printemps. En hiver, ils fougent, à la recherche de racines.

Un tronc d'arbre mort fourmillant d'insectes est une aubaine pour le jeune sanglier qui se nourrit volontiers d'animaux. À l'automne, l'animal consomme aussi les champignons qui y ont élu domicile.

Des glands aux charognes, le sanglier mange tout

■ Le sanglier est un omnivore qui se nourrit en grande partie de végétaux tout au long de l'année. En Europe, son alimentation est variée : les études ont montré que l'espèce consommait plus de 52 plantes différentes. Au printemps, il a une prédilection pour les tiges (chaumes) et les feuilles de graminées. Les fleurs et graines (diaspores) de céréales cultivées et d'essences forestières seraient primordiales en été et à l'automne. Ainsi, au mois d'août, dans l'Hérault, les fèces de sanglier collectées dans des cultures à gibier seraient constituées pour 81 % de leur poids sec par des restes de blé, alors que les restes des glands de chênes verts forment 93 % de celles récoltées dans le maquis. En fin d'hiver, l'animal peut également se contenter des baies du lierre, par exemple, mais en général ce sont les parties souterraines (bulbes et racines) qui lui permettent de vivre en cette saison et qu'il recherche en « fougeant » le sol du groin.

Selon les travaux de Dardaillon, en Camargue, le riz et le maïs représentent environ 80 % de l'alimentation des sangliers entre septembre et octobre. En hiver, ceux-ci les remplacent pas les bulbes de *Scirpus maritimus* et les pousses de *Phragmites communis*.

En Europe centrale, glands et faines sont les plus consommés, en saison, mais les sangliers mangent aussi des feuilles de fougère grand aigle (*Pteridium aquilinum*), des épilobes (*Epilobium*), de la berce spondyle (*Heracleum sphondylium*), de l'herbe aux goutteux (*Aegopodium podagraria*) et du plantain (*Plantago*).

Des insectes aux poissons

La part des éléments animaux est loin d'être négligeable. Elle serait d'ailleurs plus importante pour les jeunes sangliers, sans toutefois dépasser 20 % de leur alimentation. Le sanglier peut se nourrir de charognes diverses, de lièvres et de chevreuils blessés par les chasseurs, de rongeurs comme les souris, d'œufs et de petits oiseaux, de lézards, de serpents, de grenouilles, de moules, de sauterelles, de crustacés.

Au cours de ses déplacements, il vermille : avec le groin, il fouille, à la recherche des vers ou les parasites des arbres tels que larves de hannetons et de mouches à scie, ou chenilles de papillons. En colorant les soies des annélides avec de l'acide picrique, les zoologistes français Conner, en 1982, et Cluzet, en 1984, ont démontré l'importance des vers de terre (lombricides) dans les selles de sangliers, et donc dans leur alimentation. Le sanglier se nourrit aussi d'insectes (notamment des imagos de coléoptères). Les sangliers observés en Camargue profitent même, en hiver, des poissons trouvés morts. □

Lorsque le sanglier vermille, il creuse des sillons dans l'humus pour en extraire vers de terre ou insectes. Dans cette occupation, son groin, doté d'une grande sensibilité tactile, est un atout appréciable. Ce faisant, l'animal remue la terre et l'aère, laissant une trace de son passage, que l'on appelle « boutis ». Son odorat très développé l'aide également dans sa quête et compense la faiblesse de sa vue pour repérer sa nourriture sous les fougères.

Durant la journée, le sanglier se repose de sa quête de la nuit et s'installe pour dormir dans une bauge, creux peu profond ou établi à même le sol, y aménageant parfois une litière sommaire.

Double page suivante : les marcassins ont un pelage roux clair et brun doré. À six mois, les jeunes deviennent « bêtes rousses ». À un an, ce pelage commence à foncer et à ressembler à celui des adultes.

Sanglier
Sus scrofa

■ Le sanglier est un mammifère de taille moyenne avec une tête allongée et pointue, un cou trapu, des pattes très courtes et un corps massif de forme cylindrique. Le groin, mobile, est tronqué et muni d'un cartilage circulaire à son extrémité. Il est renforcé par un os spécial, le prénasal, situé sous l'extrémité des os nasaux du crâne. La mauvaise vue est compensée par un odorat, une ouïe et un goût développés.

Le pelage se compose de très grosses soies noires longues de 10 à 13 cm à l'endroit du garrot et de 16 cm au bout de la queue. Leurs pointes sont rousses et souvent bifides ou même plus divisées. Ces soies dépassent d'une épaisse bourre de poils très serrés. L'ensemble du pelage a une coloration noire, grisâtre ou roussâtre, plus grise en été et plus noire en hiver. Les pattes et le pourtour du boutoir sont noirs. Ce dernier est nu et gris. Les poils des joues sont plus clairs et longs. Une crinière suit la ligne du dos à partir du front et se hérisse en cas de colère.

→

	SANGLIER
Nom (genre, espèce) :	*Sus scrofa*
Famille :	Suidés
Ordre :	Artiodactyles
Classe :	Mammifères
Identification :	Stature épaisse, cou court et pattes fines ; pelage dense, museau long et effilé ; canines saillantes chez les mâles adultes. Marcassins : rayures brunes longitudinales
Longueur :	Jusqu'à 1,80 m. Hauteur au garrot : jusqu'à 1 m
Poids :	Entre 50 et 350 kg
Répartition :	Europe (sauf Grande-Bretagne, Irlande, Islande et Scandinavie), Asie centrale et méridionale, Afrique ; introduit en Amérique du Nord
Habitat :	Forêts de feuillus
Régime alimentaire :	Omnivore
Structure sociale :	Solitaires (mâles) ou petits groupes de femelles avec petits
Maturité sexuelle :	De 8 à 20 mois
Saison de reproduction :	Rut en hiver, naissance au printemps
Durée de gestation :	3 mois, 3 semaines et 3 jours
Nombre de jeunes par portée :	Jusqu'à 10 marcassins ; parfois 2 portées par an
Longévité :	Moyenne : 10 ans (potentielle, 27 ans)
Effectifs :	Plusieurs centaines de milliers d'animaux en Europe
Statut :	Espèce chassée, non menacée
Remarque :	Le porc domestique est issu de cette espèce

Queue.
La queue, ou vrille, se termine par une touffe de soies. Généralement droite et tombante, elle se redresse en cas d'alerte.

Pelage.
Son épaisse toison de soies et de bourre protège le sanglier du froid. Les poils de l'échine sont érectiles.

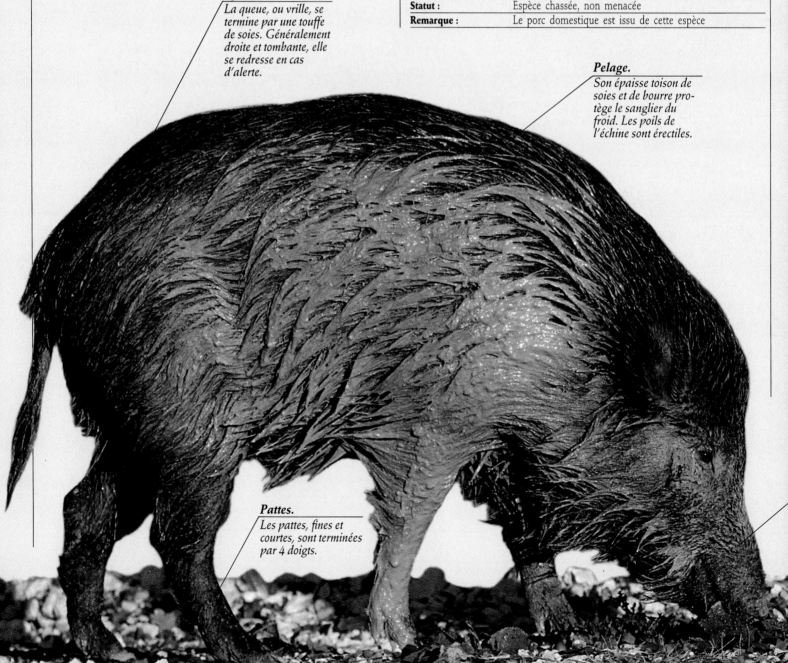

Pattes.
Les pattes, fines et courtes, sont terminées par 4 doigts.

→ La mue annuelle a lieu en mai-juin, plus tard chez la laie suitée. Elle débute par la perte de la bourre du ventre et finit avec la perte des soies de la crinière. Le sanglier de 6 mois a le poil plus long, rude et roux : on l'appelle « bête rousse ». À un an, il fonce et devient « bête noire », ou « bête de compagnie ». L'année suivante, les défenses sortent de la gueule du mâle, alors appelé « ragot ». Il quitte la compagnie, puis devient successivement « tiers-an », « quartanier », « vieux sanglier » et « grand vieux sanglier » (au-dessus de 6 ans). Un vieux mâle qui vit seul est dit « solitaire ».

Un mâle est dit « miré » vers l'âge de 5 ans, quand ses défenses (canines inférieures) se recourbent, ou lorsqu'un grès (canine supérieure) est cassé ou manquant et que la défense correspondante se recourbe jusqu'à pénétrer la peau.

Le sanglier ne transpire pas, à cause de l'atrophie de ses glandes sudoripares. Les bains de boue assurent sa régulation thermique.

Le sanglier est un animal monogastrique : il n'a qu'un seul estomac à 2 chambres, contrairement aux ruminants comme les antilopes, qui ont un estomac à 4 chambres. Malgré cela, son côlon et son cæcum contiennent des acides gras volatils qui résultent de la fermentation microbienne de la cellulose, comme dans le rumen des ruminants.

La laie est mature sexuellement entre 8 et 20 mois, elle pèse alors au moins 35 kg. Le mâle est mature à 10 mois en moyenne, lorsqu'il pèse 30 kilos.

On distingue plus de 25 sous-espèces de sanglier sur des critères morphologiques et en fonction de leur répartition.　　□

Museau.

Le groin, ou boutoir, est un organe olfactif et tactile très développé. Les canines inférieures, ou défenses, recourbées et à croissance continue, s'usent contre les canines supérieures, ou grès.

Signes particuliers

Canines

Les canines continuent à pousser pendant toute la vie de l'animal. Le mâle a 4 canines très développées ; celles du bas, ou défenses, qui se recourbent en arrière avec l'âge, sont caractéristiques des suidés ; elles s'aiguisent contre les grès, ou canines supérieures, et sont coupantes comme des rasoirs. Le record de longueur pour les défenses serait détenu par un sanglier mâle abattu en Pologne en 1930 (défenses de 30 cm). Les défenses de la laie sont appelées « crochets »; elles restent petites et sont invisibles à gueule fermée. La dentition complète définitive est typique d'un omnivore. La formule dentaire est, par demi-mâchoire : I 3/3 ; C 1/1 ; PM 4/4 ; M 3/3.

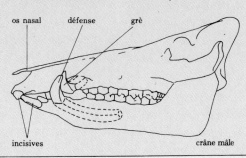

os nasal　　défense　　grè

incisives　　　　　　　　crâne mâle

Groin, ou boutoir

Le groin cartilagineux est un organe à la sensibilité tactile très développée. L'odorat est également très performant et permet à l'animal de repérer ennemis ou nourriture à plus de 100 m de distance.

Pied

Le sanglier a 4 doigts à chaque pied (les doigts 2, 3, 4 et 5), mais les doigts 2 et 5 sont rudimentaires. Les doigts proprement dits comprennent chacun un métatarsien qui est prolongé de trois phalanges. Sur les empreintes du sanglier (de 6 à 7 cm de large), les gardes, ou doigts 2 et 5 (postérieurs, marquent le sol à toutes les allures, quel que soit le terrain. La longueur du pas d'un sanglier adulte est de 30 à 40 cm.

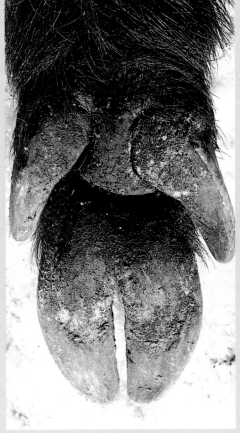

Les autres suidés

■ La famille actuelle des suidés compte 5 genres. Elle est répartie en Eurasie au sud du 48ᵉ parallèle, latitude nord, sur toutes les îles continentales telles les Philippines et les Célèbes, sur toute l'Afrique et à Madagascar. Elle comprend aussi bien des espèces communes comme le phacochère ou le potamochère que des espèces en voie de disparition tels le sanglier nain d'Inde, le babiroussa ou le sanglier à moustaches. Les rapports entre les différentes espèces et sous-espèces de la famille ne sont pas encore fermement établis ; au sein du genre *Sus,* des sous-espèces ont été récemment élevées au rang d'espèces *(Sus cebifrons,* qui habite les îles Bohol, Cebu et Mascate, et *Sus philippensis* des Philippines). De même, une deuxième espèce de phacochère a été distinguée. Les techniques de génétique moléculaire (A.D.N. mitochondrial par exemple) ou de cytogénétique devraient permettre de mieux préciser les relations au sein de la famille. Les autres espèces de suidés sont : □

SANGLIER À MOUSTACHES

Sus barbatus
Identification : longueur de 90 à 180 cm ; poids de 50 à 150 kg. 6 paires de mamelles chez la femelle. Favoris clairs s'étendant du coin de la bouche jusqu'aux oreilles ; faible pilosité. Marcassins rayés horizontalement.
Répartition : Malaisie, Sumatra, Bornéo, Philippines. Selon les travaux du zoologiste australien C. Groves, deux sous-espèces de *S. barbatus* correspondraient en fait à 2 espèces : *Sus cebifrons* et *Sus philippensis*.
Comportement : groupes de 4 ou 5 animaux, parfois plus, se cachant le jour et se nourrissant sur les cultures la nuit. Les populations du nord-est de Bornéo entreprennent deux fois l'an une migration vers le sud.
Reproduction : peuvent avoir jusqu'à 11 petits.
Effectifs, statut : intensément chassés sur une grande partie de leur aire de répartition, là où il n'y a pas de tabous alimentaires à l'encontre des cochons. Sont souvent considérés comme nuisibles, même si leurs effectifs se sont considérablement réduits.

SANGLIER DES CÉLÈBES

Sus celebensis
Identification : longueur de 90 à 180 cm ; poids de 50 à 350 kg. 6 paires de mamelles chez la femelle.
Répartition : Célèbes.
Effectifs, statut : espèce menacée.

SANGLIER À VERRUES

Sus verrucosus
Identification : longueur de 90 à 180 cm ; poids de 50 à 350 kg. 6 paires de mamelles chez la femelle. Trois verrues de chaque côté de la tête : une en avant de l'œil, une sous l'œil et une à l'angle inférieur de la mandibule.
Répartition : Java, Célèbes, Moluques, Philippines.
Effectifs, statut : a été chassé et empoisonné car considéré comme nuisible à l'agriculture. Localement abondant.

SANGLIER NAIN

Sus salvanius
Identification : longueur de 50 à 65 cm ; hauteur au garrot de 23-30 cm (mâles) ou de 20-22 cm (femelles) ; queue de 22-36 mm. Poids : mâles de 7 à 12 kg, femelles de 6 à 7 kg. Les mâles sont plus grands et ont de plus grosses canines.

3 paires de mamelles chez la femelle. Groin pointu, parfois une bande de poils blancs sur les joues, crête de soies sur l'échine. Nouveau-nés uniformément gris-rose puis rayés.
Répartition : nord-ouest d'Assam (Inde).
Alimentation : racines, tubercules, insectes et autres invertébrés.
Comportement : petits groupes familiaux. Gestation d'environ 100 jours, portée de 2 à 6 petits. Naissances d'avril à juin.
Effectifs, statut : de 100 à 150 individus dans le sanctuaire de Manas (Inde). Espèce redécouverte en 1971 et menacée par les incendies, qui détruisent son habitat en saison sèche, et par la pression des populations humaines.

POTAMOCHÈRE

Potamochoerus porcus
Identification : longueur de 1 à 1,5 m ; poids de 75 à 130 kg. De brun acajou à noir avec des bringeures blanches ou jaunes. Les jeunes sont rayés. Oreilles longues et pointues avec touffe de poils terminale. Canines supérieures de 76 mm ; canines inférieures de 165 à 190 mm.

Phacochère (Phacochoerus africanus).

Sanglier à moustaches (Sus barbatus).

Répartition : toute l'Afrique au sud du Sahara, Madagascar, Mayotte (Comores). Certains auteurs pensent que les potamochères de l'est et du sud de l'Afrique seraient d'une espèce différente, *Potamochoerus larvatus*.
Alimentation : omnivore ; racines, baies et fruits, parfois reptiles, œufs, oiseaux.
Comportement : grégaire et nocturne, se repose la journée dans un terrier ; court vite et nage bien.
Effectifs, statut : espèce largement répandue, a profité de la disparition du léopard et de l'extension des surfaces cultivées. Considérée comme nuisible, elle est aussi chassée pour sa viande.

PHACOCHÈRE

Phacochoerus africanus
Identification : long. de 90 à 150 cm ; poids de 50 à 150 kg. Canine supérieure de 255 à 635 mm (mâle), de 152 à 255 mm (femelle). Peau et poils noirs. Replis de peau proéminents sur la tête du mâle. Queue redressée lorsqu'il court.
Répartition : Afrique au sud du Sahara. Presque éliminé de l'Afrique du Sud.
Comportement : diurne. Dort, élève les jeunes et se protège des prédateurs dans des terriers naturels ou creusés par un cochon de terre (oryctérope). Peut courir à 55 km/h. Beaucoup moins destructeur des cultures locales que les autres cochons sauvages.
Effectifs, statut : très chassée pour sa viande, l'espèce est abondante au sud du

Sahara, sauf en Afrique du Sud où elle a presque été éliminée.
On distingue maintenant une nouvelle espèce de phacochère : *Phacochoerus aethiopicus*, le phacochère du Cap, ou du désert, qui n'a pas d'incisives supérieures et dont les incisives inférieures sont réduites. Il survit au Kenya et en Somalie.

HYLOCHÈRE

Hylochoerus meinertzhageni
Un des derniers grands mammifères au monde à avoir été découvert.
Identification : longueur de 150 à 190 cm ; poids de 160 à 275 kg. Pelage long et noir. Peau nue autour des yeux et à la partie supérieure des joues. Excroissance de peau sous et derrière les yeux. Canines supérieures horizontales.
Répartition : milieux forestiers du Liberia au sud-ouest de l'Éthiopie et jusqu'au nord de la Tanzanie. 3 sous-espèces.
Comportement : diurne ; passe la nuit dans une cavité. Le groupe, dirigé par un vieux mâle, défend un territoire. Les mâles chargent souvent sans raison apparente.
Effectifs, statut : espèce menacée.

BABIROUSSA

Babyrousa babyrussa
Identification : longueur de 87 à 106 cm ; hauteur au garrot de 65 à 80 cm ; queue de 20-32 cm ; poids jusqu'à 100 kg. Poils rares. Peau grise à marron. Replis de peau

sur le ventre. 2 paires de mamelles. Les canines supérieures traversent la peau du groin et se recourbent vers l'arrière. Les habitants des Célèbes disent que les canines sont comme les bois du cerf, d'où le nom « babirusa », qui signifie « cochon cerf ».
Répartition : île des Célèbes, Togian, Sula et Buru. Sa présence sur ces deux dernières îles résulterait de l'introduction par l'homme. Forêts humides, berges des lacs et rivières. 4 sous-espèces.
Alimentation : feuilles et fruits.
Comportement : principalement nocturne. Ne creuse pas. Nage très bien et

peut atteindre de petites îles.
Reproduction : gestation de 5 mois. 1 petit, rarement 2 ou 3, par portée. Jeunes non rayés de 15 à 20 cm.
Effectifs, statut : espèce menacée à cause de la chasse et de la destruction de son habitat. De 500 à 1 000 spécimens sur les îles Togian ; sur les autres îles, les effectifs sont inconnus. Situation critique sur l'île Buru. Protégée par la loi en Indonésie depuis 1931 ; inscrite en annexe I de la Convention de Washington.
La moitié des animaux détenus en captivité (30 mâles et 25 femelles dans 8 zoos en 1982) sont au zoo de Surabaya.

Potamochère (Potamochoerus porcus).

Babiroussa (Babyrousa babyrussa).

Milieu naturel et écologie

■ Espèce largement chassée, le sanglier a une vaste aire de répartition naturelle. On le rencontre pratiquement de l'Atlantique au Pacifique et il était originellement présent sur les îles suivantes : Irlande, Corse, Sardaigne, Sri Lanka, Andaman, Japon, Taiwan, Hainan, Sumatra, Java. Il a été exterminé dans les îles Britanniques, en Scandinavie et en Égypte. En revanche, il a été introduit dans de nombreuses autres îles et aux États-Unis.

Les premiers cochons débarqués aux États-Unis sont ceux qui furent emportés par les Polynésiens aux îles Hawaii au Xᵉ siècle et par les Espagnols dans le sud-est du pays au début du XVIᵉ siècle. Le sanglier européen a également été introduit pour la chasse. Aux États-Unis, il est maintenant présent du Texas à la Floride et aux Carolines, en Californie, sur les 8 îles principales d'Hawaii, à Porto Rico et sur les îles Vierges. En France, on trouve des sangliers sur tout le territoire, excepté en haute montagne au-delà de la limite des alpages dans les Alpes ; mais l'analyse de la répartition des tableaux de chasse montre que les plus faibles densités se situent dans l'Ouest et l'extrême Nord. Les plus fortes concentrations sont dans le Midi et en Corse (9 600 bêtes ont été abattues en Corse en 1985-1986, par exemple).

Le sanglier s'adapte à toutes sortes d'habitats pourvu qu'il y ait de la nourriture, une végétation haute où il puisse se dissimuler, de l'eau pour boire et prendre ses bains de boue. Les grands massifs forestiers feuillus ou mixtes sont son domaine de prédilection, surtout s'ils sont peu visités et si leur étage inférieur est riche en fourrés, ronciers ou bruyères, où il peut se bauger au sec et à l'abri du vent. Mais on le rencontre aussi dans le maquis méditerranéen, les garrigues, les landes ou les marais. Il peut même habiter des zones de culture où la surface boisée résiduelle n'atteint que 10 %. En montagne, l'été, il peut monter jusqu'aux alpages les plus élevés. S'il le faut, il nage bien et longtemps. Il supporte aisément les rigueurs de l'hiver grâce à son pelage qui, d'octobre à mai, est constitué de grosses soies et de bourre épaisse.

Il aménage la forêt et détruit des « nuisibles »

Fouillant la terre à longueur d'année, le sanglier l'aère et la modifie. En contribuant à la dissémination et à l'enfouissement des graines, il joue un véritable rôle de paysagiste pour la forêt : il provoque le remplacement de certaines espèces d'arbres par d'autres, ainsi celui des chênes par des bouleaux ou des épicéas, et, selon le zoologiste Génard, participe de façon importante au brassage génétique des champignons zoochores (disséminées par les animaux), notamment de ceux à fructifications souterraines (hypogés).

En limitant le nombre de souris qu'il trouve occasionnellement en fouillant la terre, et en mangeant quantité de chenilles et de larves, le sanglier favorise le bon état sanitaire des arbres et peut même être utile aux agriculteurs. Ainsi a-t-on trouvé dans un estomac de sanglier 2 litres de chenilles de bombyx, de 1 500 à 2 000 vers blancs et 1,4 kg de chrysalides de sphinx du pin et de tenthrèdes. Le goût du sanglier pour les vers de terre l'expose à une grave maladie : la parasitose pulmonaire à *Metastrongylus*. Une étude menée par J.-F. Humbert, de l'université d'Orléans, a montré qu'en forêt de Chambord, sur les sites de nour-

Le sanglier s'adapte aux habitats les plus variés et supporte aisément le froid et la neige grâce à son pelage d'hiver constitué de grosses soies et de bourre épaisse. Sa préférence va aux vastes forêts, mais on le rencontre aussi dans le maquis, la garrigue, les landes, les marais ou les zones de cultures. L'important est qu'il y trouve de la nourriture, bien sûr, mais aussi des fourrés bien abrités et de l'eau pour boire et prendre ses bains de boue. Ceux-ci lui sont indispensables pour éliminer ses parasites.

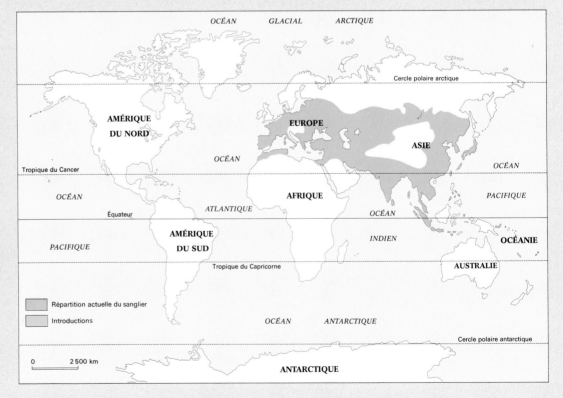

L'aire actuelle de répartition du sanglier s'étend de l'Atlantique au Pacifique. Il est toutefois absent des déserts et plaines arides continentales de Chine et de Mongolie. L'animal était originellement présent sur de nombreuses îles, mais il a disparu des îles Britanniques et d'Irlande. On ne le rencontre plus ni en Scandinavie ni en Égypte, où il a également été exterminé. En revanche, l'espèce, très prisée pour la chasse, a été introduite aux États-Unis et dans de nombreuses îles. Elle est maintenant présente du Texas à la Floride, en Californie sur les îles Carolines, sur les 8 îles d'Hawaii, à Porto Rico et sur les îles Vierges.

OCÉAN   GLACIAL   ARCTIQUE

Cercle polaire arctique

AMÉRIQUE DU NORD

EUROPE

ASIE

OCÉAN

Tropique du Cancer

OCÉAN

AFRIQUE

OCÉAN

PACIFIQUE

Équateur

ATLANTIQUE

AMÉRIQUE DU SUD

INDIEN

OCÉANIE

PACIFIQUE

Tropique du Capricorne

AUSTRALIE

Répartition actuelle du sanglier

Introductions

OCÉAN   ANTARCTIQUE

Cercle polaire antarctique

0   2 500 km

ANTARCTIQUE

rissage favoris des sangliers, 100 % des vers de terre étaient porteurs de larves de *Metastrongylus*. Cette maladie pourrait entraîner des pertes importantes par pneumonie parasitaire chez les jeunes sangliers au sevrage non encore immunisés.

Concurrents et prédateurs

Le blaireau occupe une niche écologique voisine de celle du sanglier et peut donc être pour lui un compétiteur. Il y a également des similitudes saisonnières entre le régime alimentaire du sanglier et celui d'autres ongulés sauvages, comme le mouflon ou le chevreuil.

En Europe occidentale, les prédateurs du sanglier sont rares. On cite souvent le renard du fait d'observations de poils de sanglier dans les laissées de cet animal, mais rien ne prouve qu'il ne s'agit pas plutôt de cas de nécrophagie. Les chiens errants ont peut-être un rôle dans la mortalité des marcassins. En tout cas, il est certain que les loups, dans les régions où ils sont encore abondants, ont une influence sur la dynamique des populations de sanglier. Ainsi, dans la réserve du Caucase, les loups détruisent-ils parfois des hardes entières de sangliers. Mais ils s'en prennent surtout aux petits à la mamelle et aux jeunes, évitant les laies et les mâles aux belles défenses. Les lynx, les chats sauvages, les panthères des neiges et les léopards peuvent également être des prédateurs du sanglier. Les ours ne le sont qu'occasionnellement ; à la différence du tigre, dont le sanglier peut représenter la nourriture principale dans le Sud-Est asiatique.

En France et dans les pays européens, de nos jours, c'est la chasse par l'homme qui est responsable de la plupart des morts de sanglier. □

Chassé, poursuivi ou élevé depuis des millénaires

Les humains ont des rapports contradictoires avec le sanglier : les uns recherchent sa viande comme un mets apprécié, d'autres refusent de la manger par conviction religieuse. Les uns l'élèvent, d'autres le massacrent... Source d'abondance ou objet de mépris, le sanglier et son descendant domestique le cochon servent à nourrir une grande partie de l'humanité.

Symbole du courage ou personnification du démon ?

■ Dans le monde indo-européen, le sanglier a souvent été symbole d'autorité spirituelle. Cela tient à sa vie solitaire dans la forêt, à sa capacité de repérer les truffes (produit de la foudre divine, symbole de la révélation cachée) et au fait qu'il se nourrit des fruits du chêne, arbre sacré par excellence.

Nombre de divinités se sont incarnées en sangliers : c'est sous les traits d'une truie aux défenses en forme de croissant de lune que Perséphone aurait tué Adonis, sous ceux d'un sanglier que Seth aurait tué Osiris. Au Japon, le sanglier est associé au courage et à la témérité et sert de monture à Kami, le dieu de la Guerre. En revanche, dans la Roue de l'Existence bouddhique, il apparaît au centre sous forme d'un animal noir, symbole de l'ignorance et des passions.

Pour les Gaulois, le sanglier, dédié à Lug, constituait la nourriture sacrificielle de la fête de Samain. Dans la tradition chrétienne, au contraire, il symbolise le démon : goinfre, lubrique et impétueux. Au XVᵉ siècle, Guillaume de La Marck, assassin de l'évêque de Liège, se glorifiait du surnom de « Sanglier des Ardennes ». □

Religion et protection

■ Les sangliers sauvages ont bénéficié de l'extension de l'islam, qui proscrit le cochon. Ainsi, à Bornéo, les Dayaks, population indigène et chrétienne à l'intérieur de l'île qui chasse le sanglier à moustaches (*Sus barbatus*) pour s'en nourrir, se virent imposer des limites par les musulmans. En 1954, les Dayaks massacrèrent tant de sangliers que les cours d'eau furent obstrués par les cadavres. La grande majorité de la population de l'île qui, elle, est indonésienne, côtière et musulmane, ne pouvant utiliser cette eau impure, leur déclara donc la guerre et fit cesser ce carnage.

L'interdiction de consommer du porc ou du sanglier imposée par l'islam est reprise de la tradition hébraïque. Diverses hypothèses ont été avancées pour expliquer son origine : risque de maladie transmise par la consommation de l'animal, danger de manger de la viande, qui se détériore rapidement sous des climats chauds, opposition entre les nomades, qui n'élèvent que des bovins, et les sédentaires, qui nourrissent des porcs... Mais aucune de ces explications ne fait l'unanimité. □

Du sanglier au cochon

■ Il y aurait environ 500 millions de cochons domestiques à travers le monde, dont 250 dans la seule Chine où le porc représente 80 % de la consommation de viande.

Les premières tentatives de domestication du sanglier auraient été faites, 6 500 ans avant J.-C. au Proche-Orient. Depuis, de nombreuses races ont été sélectionnées, car le cochon présente plusieurs avantages : sa maturité sexuelle est précoce, le nombre de petits par portée est important et il se nourrit de tout.

L'Occident médiéval a été surnommé la « civilisation du porc », car les cochons assuraient alors le service de voirie des villes. Mais ce n'était pas sans entraves pour la circulation : ainsi le fils aîné de Louis le Gros se tua-t-il en tombant de cheval devant un porc dans une rue de Paris. Dès le XIIᵉ siècle, les cochons furent interdits en ville, mais on en trouvait encore dans Paris quatre siècles plus tard.

En Extrême-Orient, le porc aurait été domestiqué à partir de *Sus scrofa vittatus*, et en Nouvelle-Guinée à partir d'un hybride de la sous-espèce *Sus scrofa vittatus* et de *Sus verrucosus*. □

Dans les cultures de maïs, les sangliers font diverses sortes de dégâts. Ils cassent les tiges avec leurs dents pour en manger les épis. Mais ils en laissent aussi à terre, qui seront enfouis par les labours et qu'ils viendront déterrer lorsque ces restes seront fermentés, creusant alors des trous dans le sol, profonds parfois de 60 cm... Dans les champs de blé, ils couchent les tiges pour atteindre plus facilement les épis qu'ils consomment. On reconnaît leur passage aux petites balles de céréales agglomérées qu'ils laissent tomber sur le sol après les avoir mastiquées.

Les faiblesses de l'élevage en France

■ Même si en France l'élevage du sanglier est soumis à autorisation depuis l'arrêté du 8 octobre 1982, il est difficile de connaître avec précision son importance. Il y a environ 1 100 élevages déclarés, mais ils n'assuraient en 1985 que les deux tiers de la production française de viande de sanglier, le reste étant produit par des élevages clandestins.

Les élevages sont surtout concentrés dans le Centre. Pratiqués le plus souvent sur 1 à 2 ha avec de 2 à 4 reproducteurs seulement, ils ne représentent alors qu'une source de revenus annexe. La réglementation de ces élevages est draconienne en France mais peu souvent appliquée. Elle oblige à nourrir les adultes avec au moins 75 % d'aliments naturels : pâturage ou agrainage. Résultat : la production est très insuffisante, puisque les importations (surtout de carcasses congelées) représentent la moitié de la consommation française, les principaux exportateurs étant l'Allemagne, la Pologne, la Hongrie et l'Australie. Ce dernier pays est le premier fournisseur français avec 40 % du tonnage importé, même s'il ne s'agit pas de sanglier à proprement parler mais, en fait, de cochons sauvages !　　□

L'art de détecter les hybrides avec le cochon domestique

■ Le problème de « pollution » génétique des espèces ou sous-espèces de sangliers sauvages par des cochons domestiques retournés à l'état sauvage se retrouve sur toute l'aire de répartition des suidés, car les sangliers se croisent encore très facilement avec le porc domestique. Le porc domestique est doté de 38 chromosomes, la sous-espèce de sanglier *Sus scrofa scrofa* en a 36 seulement. La différence entre les deux caryotypes (garniture chromosomique) résulte de la fusion des paires chromosomiques 15 et 17. Cette différence est utilisée pour vérifier la pureté des sangliers d'élevage. Le test est réalisé au laboratoire de cytogénétique de l'École vétérinaire de Toulouse à partir d'un prélèvement de sang. La pureté génétique des sangliers d'élevage est un réel problème : en effet, 30 % des sangliers d'élevage ont 37 ou 38 chromosomes et sont donc considérés comme des hybrides.　　□

L'homme a su utiliser l'odorat extraordinairement développé *du cochon domestique pour l'aider dans sa quête de truffes au pied des chênes. Ce mode de récolte disparaît.*

Mini-cochons de laboratoire

■ Le porc domestique est surtout élevé comme source de nourriture, mais c'est également un animal de laboratoire irremplaçable, car sa physiologie digestive (comme l'homme, c'est un omnivore), cutanée et vasculaire ressemble beaucoup à celle de l'homme. Il est également utilisé en chirurgie expérimentale lors des études sur les transplantations d'organes et constitue un très bon modèle pour les recherches sur le diabète. Aussi de très nombreux médicaments sont-ils d'abord testés sur le porc avant les premiers essais cliniques sur l'homme.

Pour diminuer les coûts d'entretien des cochons de laboratoire, l'homme a créé, dans les années 1950, le porc miniature. Ce dernier fut obtenu par sélection génétique à partir de races pures de cochons sauvages de petite taille (comme le *Micropig Yucatan*) ou par croisement entre plusieurs races dont une au moins est sauvage et de taille naturellement réduite (comme le porc miniature de Göttingen et l'*Europig* miniature). Les porcs miniatures de laboratoire ne pèsent qu'environ 15 kg à 6 mois et 40 kg à l'âge adulte.　□

La chasse au sanglier pratiquée depuis la préhistoire

■ Le sanglier est chassé depuis la préhistoire. Ainsi les nombreux vestiges de carcasses retrouvés dans une vallée suisse témoignent-ils que ses habitants à l'âge de pierre, environ 4 000 ans avant J.-C., avaient pour plat de viande favori le rôti de sanglier.

Au Moyen Âge, le sanglier était le seul gros gibier que serfs, paysans et roturiers étaient autorisés à chasser, les cerfs, chevreuils et autres grosses pièces étant réservées aux seigneurs. Mais ces derniers ne dédaignaient pas pour autant le sanglier, qu'ils traquaient avec des chiens et achevaient à la lance. C'était là une chasse dangereuse, car le sanglier ne ruse pas et fait face, chargeant avec force.

Cette chasse donna lieu à des termes de vénerie spécifiques. Les équipages de chasse à courre au sanglier sont des « vautraits ». Une fois rattrapé, l'animal doit être « coiffé », c'est-à-dire que les chiens doivent réussir à le saisir par l'un des seuls endroits qui permettent la prise : les écoutes (oreilles) ou les suites (testicules). La curée s'appelle la « fouaille ».

On chassait également le sanglier à l'arc ou à l'arbalète. En 1872, il y eut une véritable invasion de sangliers en Argovie (Suisse) et le canton versa une prime de 50 francs suisses par sanglier de plus de 50 kg abattu (environ 1 500 francs suisses actuels).

Aujourd'hui, on chasse d'un mirador, à l'approche, à la traque, à la poussée, à l'appât ou en battue (des rabatteurs étant chargés de diriger le sanglier vers des chasseurs placés en ligne). En France, le sanglier est classé « gibier » ou « nuisible » selon les départements et les années. S'il est « gibier », la chasse est limitée par un quota, s'il est « nuisible », c'est-à-dire si les dégâts aux cultures sont importants, le nombre de sangliers à tuer n'est pas limité.

En Suisse, seules les laies suitées et leurs marcassins sont protégés toute l'année par la loi fédérale. Dans les cantons à permis, la chasse n'est autorisée que pendant les derniers mois de l'année ; dans les cantons à chasse affermée, c'est le locataire de la chasse qui décide quand tirer les sangliers. Lorsque la laie chef de harde est tuée, la harde se met à vagabonder, augmentant l'incidence des dégâts aux cultures !　□

Un dévastateur de cultures

■ Depuis que l'homme est devenu agriculteur, il défend ses récoltes contre les sangliers. En Argovie (Suisse) par exemple, au XVIIIᵉ siècle, il arrivait que des villages entiers parcourent la forêt armés de tambours et de fanfares pour faire fuir les sangliers. Le montant actuel des indemnisations versées par l'office national de la chasse (O.N.C) aux agriculteurs en France pour compenser ces dégâts est de 60 millions de francs.

Le sanglier consomme surtout du maïs aux stades des semis et de la maturation, et du blé au stade laiteux. Lorsqu'il mange le maïs, il laisse souvent une partie des épis, qui sont alors enfouis dans le labour. Et, lorsque l'agriculteur sème du blé à la suite du maïs, le sanglier fait alors de plus graves dégâts encore, car il s'attaque non seulement au blé, mais il creuse pour déterrer les épis fermentés et les manger.

En France, les travaux de Vassant ont montré que les clôtures électriques et l'agrainage dissuasif (plantation volontaire de pieds de maïs en forêt destinés aux sangliers) pouvaient être efficaces. Le zoologiste Hainard cite également l'utilisation de répulsif tel que des chiffons imbibés de pétrole et fixés sur des baguettes plantées dans le sol. Cette odeur éloignerait aussi les cerfs, les chevreuils et les lièvres.

Dans le canton de Genève, la pose de clôtures électriques a largement fait diminuer le montant des dégâts, qui, estimés à 75 659 F en 1977, sont passés à 11 850 F en 1979.　□

Le sanglier est, avec le chevreuil, le grand mammifère le plus chassé en France avec 135 000 têtes par an. Les sangliers chassés en Corse appartiennent à la sous-espèce Sus scrofa meridionalis, peut-être une ancienne forme domestique redevenue sauvage.

STELLER
(Georg Wilhelm)

Windsheim, Franconie, 1709 - Tioumen, Sibérie, 1746

Naturaliste allemand

Steller, qui accompagnait Vitus Béring lors de son ultime voyage d'exploration, fut le premier naturaliste à débarquer en Alaska. Lors d'un hivernage forcé sur une île de la mer de Béring, il découvrit un grand mammifère sirénien aujourd'hui disparu, la rhytine.

■ Après avoir suivi des cours de théologie luthérienne à Wittenberg, Georg Steller s'inscrit en 1731 à la faculté de médecine de Halle, mais il s'intéresse surtout à l'histoire naturelle. En 1734, on le retrouve à Dantzig (Gdansk), où il se fait accepter comme médecin par l'armée russe qui occupe alors la Pologne. Il ne reste pourtant pas dans ce pays et gagne Saint-Pétersbourg, où il devient l'assistant d'un botaniste membre de l'Académie des sciences. Au printemps de 1738, il est nommé adjoint de cette même académie, mais il n'occupera pas son poste car il se trouve à Ienisseïsk, en Sibérie. Il a demandé, en effet, à faire partie de la nouvelle expédition dirigée par Vitus Béring, l'explorateur danois au service de la Russie qui avait découvert, une dizaine d'années plus tôt, le fameux détroit qui porte son nom, démontrant ainsi que les continents asiatique et américain n'étaient pas liés l'un à l'autre.

L'expédition de Béring à laquelle Steller participe est chargée notamment de reconnaître la côte américaine du Pacifique nord.

En 1740, Steller est à Okhotsk. Il se dirige ensuite vers le Kamtchatka avec Béring. En juin 1741, il embarque, avec l'explorateur danois et une partie des membres de l'expédition, à bord d'un vaisseau dénommé le *Saint-Pierre*, pour procéder à des relevés cartographiques de la côte sibérienne et de la côte américaine qui lui fait face. Le bateau arrive le 15 juillet en vue d'une contrée sauvage et montagneuse, avec des sommets couverts de neige (il s'agit de la région du mont Saint-Hélie, l'une des plus élevées de l'Amérique du Nord). On mouille au large d'une petite île. Pendant que l'équipage se réapprovisionne en eau douce, Steller se rend à terre. Il y trouve quelques traces humaines et fait une ample moisson de spécimens d'animaux et surtout de plantes, qu'il dessine aussitôt. À son grand désespoir, il a été autorisé à séjourner à terre seulement une dizaine d'heures. Il écrira, amer, dans son journal de voyage, que l'on avait fait le voyage uniquement pour rapporter de l'eau d'Amérique en Asie...

En fait, la situation n'est pas favorable. La saison s'avance et le scorbut commence à sévir parmi les passagers du *Saint-Pierre*. Béring lui-même est atteint. Deux mois durant, le navire va longer les îles Aléoutiennes en essuyant de sévères tempêtes. Les réserves de vivres diminuent, le nombre des malades augmente.

Le 4 novembre, l'expédition arrive en vue d'une côte que l'on prend d'abord pour celle du Kamtchatka, mais il s'agit d'une île inhabitée à laquelle sera donné le nom de Béring. Le bateau étant endommagé et l'équipage très affaibli par le scorbut, on décide d'y passer l'hiver.

Steller, qui résiste mieux que d'autres à la maladie grâce à un tempérament robuste et à une inlassable activité, rend les plus grands services, par ses connaissances zoologiques et médicales, aux membres de l'expédition. Ceux-ci se nourrissent, pour survivre, de la chair des renards qu'ils chassent et de celle des animaux marins, notamment d'un sirénien inconnu jusque-là que l'on appellera la « rhytine de Steller » en hommage au naturaliste ; n'ayant jamais vu d'hommes, l'animal se laisse harponner facilement.

Béring et une trentaine de ses compagnons succombent au scorbut pendant ce terrible hiver 1741. Les survivants de l'expédition construisent un nouveau bateau avec les débris du *Saint-Pierre*.

Ainsi, ils pourront finalement quitter l'île au début d'août 1742. Le 27 août, ils rejoignent leur point de départ, le port de Petropavlovsk, sur la côte sud-est du Kamtchatka. Steller choisit de rester momentanément dans cette presqu'île au climat très rude pour étudier les mœurs des autochtones et poursuivre ses travaux sur la faune et la flore de Sibérie. En 1746, il se décide à regagner la Russie. Il est arrêté en route sur l'ordre du tsar pour insubordination. Relâché peu après, il meurt des fièvres. Pionnier de l'étude de l'histoire naturelle et de la géographie de l'Alaska et de la Sibérie, il a laissé des manuscrits qui furent publiés après sa mort. □

> *Pionnier de l'étude de l'histoire naturelle et de la géographie de l'Alaska et de la Sibérie, il découvre la rhytine, qui disparaîtra 27 ans après.*

DÉCOUVERTE ET MORT D'UN GÉANT DES MERS

La rhytine, dite « de Steller » car le naturaliste allemand est le seul à l'avoir observée et décrite soigneusement, a disparu par la faute des hommes un quart de siècle seulement après sa découverte. Ce mammifère sirénien vivait aux alentours des îles du Commandeur, dans le sud de la mer de Béring. D'une longueur d'au moins 7 mètres, il pesait jusqu'à 4 tonnes. Sa peau, selon Steller, était « noire ou brun-noir, épaisse d'un pouce et dure comme le bois des sabots ». À la place des dents, il avait « deux plaques larges et allongées ». Il se nourrissait d'algues et sa chair était excellente. Une grande solidarité existait chez les rhytines : si l'un des animaux était blessé, les autres restaient autour de lui pour essayer de le sauver. Les chasseurs de loutres et de phoques qui vinrent après les membres de l'expédition Béring firent un grand massacre des rhytines dont ils utilisaient la peau à la place des planches pour leurs canots. Aussi les « vaches marines » disparurent-elles rapidement.

La dernière fut tuée en 1768 sur le littoral de l'île où Steller avait découvert l'espèce.

Paysage illustrant la page de titre de l'ouvrage posthume de G.W. Steller, Description du Kamtchatka, 1774.

VIE SAUVAGE
ENCYCLOPÉDIE LAROUSSE DES ANIMAUX

le blaireau

Un terrassier hors pair
Mangeur de crapauds
Un voisin peu farouche

N° 88
hebdomadaire

Larousse

M 1431 - 88 - 19,50 F
139 FB / 139 FL / 5,90 FS / 2,95 $ CAN

WWF — Fonds Mondial pour la Nature

Avec VIE SAUVAGE,
la nouvelle encyclopédie Larousse des animaux,
découvrez la vraie vie des animaux sauvages du monde entier.

Chaque semaine, partez à la rencontre d'un nouvel animal. Surprenez-le dans son intimité, grâce à des photos fortes, prises sur le vif par de grands reporters. Apprenez à connaître son comportement et ses mœurs, racontés par les plus grands experts de la faune sauvage : scènes de chasse, bains, premiers pas des petits... Vous découvrirez les grands principes écologiques de la lutte pour la vie et de l'équilibre de la nature.

Constituez-vous une collection complète des animaux sauvages du monde entier, en les regroupant selon les 11 grands milieux naturels où ils vivent :

Savanes et prairies : éléphant, lion, girafe, bison, kangourou...
Forêts tropicales : tigre, orang-outan, jaguar, perroquet...
Forêts de conifères : loup, aigle royal, lynx, hermine...
Forêts de feuillus : koala, renard, cerf, sanglier, coucou...
Mers et océans : dauphin, baleine, requin, pieuvre...
Côtes marines : otarie, tortue géante, fou de Bassan, iguane...
Rivières et fleuves : hippopotame, loutre, piranha, castor...
Étangs et marais : pélican blanc, crocodile, vison, libellule...
Montagnes : grand panda, condor, ours brun, macaque japonais...
Déserts et steppes : guépard, caméléon, criquet, scorpion...
Toundras et glaces : phoque, caribou, lemming, bœuf musqué...

VIE SAUVAGE est le fruit d'une collaboration entre Larousse et le WWF (Fonds Mondial pour la Nature - France). Cette encyclopédie est née d'une volonté commune d'agir en faveur de la protection des animaux sauvages.

© : 1986. Copyright WWF. ® : WWF propriétaire des droits.

SOMMAIRE

N° 88   LE BLAIREAU   *Forêts de feuillus*

LE BLAIREAU ET SES ANCÊTRES 1
LA VIE DU BLAIREAU
  Une même odeur pour tout le clan 4-5
  Des terrassiers hors pair 6-7
  Un grand amateur de crapauds et de lombrics 8-9
  Des accouplements toute l'année 10-11
POUR TOUT SAVOIR SUR LE BLAIREAU
  Blaireau européen 14-15
  Les autres blaireaux 16-17
  Milieu naturel et écologie 18
LE BLAIREAU ET L'HOMME 19-20
DICTIONNAIRE DES SAVANTS DU MONDE ANIMAL
  Robert Cushman Murphy

LES TEXTES DE CE NUMÉRO ont été rédigés par François Moutou, docteur vétérinaire, Maisons-Alfort ; Denise Le Dantec ; Monique Madier.

DESSINS de Thierry Chauchat, Guy Michel.

CARTE de Edica.

PHOTO DE COUVERTURE : Jeunes blaireaux cherchant leur nourriture. Phot.

Photocomposition : Dawant. Photogravure : Graphotec. Impression : Jean Didier.

CRÉDITS PHOTOGRAPHIQUES p. 1, Varin J.P. - Jacana ; p. 2/3, Heuclin D. ; p. 4/5, Taylor K. - Bruce Coleman ; p. 5, Hunford D. - Planet Earth Pictures ; p. 6, Mc Carthy G. - Bruce Coleman ; p. 6/7, Mc Carthy G. - Bruce Coleman ; p. 7, Redfern R. - Oxford Sc. Films ; p. 8 bg et p. 8 bd, Rouse A. - Planet Earth Pictures ; p. 8/9, Reinhard H. - Bruce Coleman ; p. 9, Dalton S. - NHPA ; p. 10, Kinns G. - Biofotos ; p. 10/11, Hunford D. - Planet Earth Pictures ; p. 11, Hunford D. - Planet Earth Pictures ; p. 12/13, Varin J.P. - Jacana ; p. 14, Clement P. - Bruce Coleman ; p. 15 h, Reinhard H. - Bruce Coleman ; p. 15 bg, Heuclin D. ; p. 15 bd, Varin J.P. - Jacana ; p. 16, Frith C.B. & D.W. - Bruce Coleman ; p. 17 m, Foot J.K. - Bruce Coleman ; p. 17 b, Fogden M.P.L. - Bruce Coleman ; p. 19, Neal E. - Planet Earth Pictures ; p. 20, Shay A. - Oxford Sc. Films ; 3e de couv. Murphy, portr. Phot. American Museum of Natural History, New York.

VIE SAUVAGE est édité par la SOCIÉTÉ DES PÉRIODIQUES LAROUSSE

Directeur de la publication : Bertil Hessel
Directeur éditorial : Claude Naudin
Directeur de la collection : Laure Flavigny
Rédaction : Catherine Nicolle
Direction artistique : Henri Serres-Cousiné
Direction scientifique : Christine Sourd, docteur en écologie, Conservation Officer au WWF-France
Conception graphique et mise en pages : Frédérique Longuépée assistée de Blandine Serret
Couverture : Gérard Fritsch
Correction-révision : Service de lecture-correction de Larousse
Documentation iconographique : Anne-Marie Moyse-Jaubert, Marie-Annick Réveillon
Composition : Michel Vizet
Fabrication : Jeanne Grimbert

EN VENTE TOUS LES MERCREDIS

Directeur du marketing et des ventes : Edith Flachaire

Service des ventes :
PROMEVENTE - Michel Iatca
Tél. : 45 23 25 60
Terminal : EB6

Service de presse : Régine Billot

L'encyclopédie Vie Sauvage se compose de 144 fascicules pouvant être assemblés en 9 volumes sous reliure mobile.
La publication est hebdomadaire, mais, en juillet et en août, il ne paraîtra que deux numéros au lieu de quatre.

Administration et souscription :
Société des Périodiques Larousse
1-3, rue du Départ
75014 Paris
Tél. : 44 39 44 20

© 1991, Société des Périodiques Larousse
17, rue du Montparnasse, 75006 Paris.
Imprimé en France (Printed in France).
Distribution N.M.P.P. pour la France.

Conditions d'abonnement :
Écrire ou téléphoner à la Société des Périodiques Larousse

Prix du fascicule et de la reliure	Fascicule	Reliure
France	19,50 FF	49,00 FF
Belgique	139,00 FB	350,00 FB
Suisse	5,90 FS	15 FS
Luxembourg	139 FL	350 FL

Vente aux particuliers d'anciens numéros pour la France.
Envoyez les noms des fascicules commandés et un chèque d'un montant de :
— 25,50 FF par fascicule
— 61,00 FF par reliure
à GPP. BP 46, 95142 Garges-lès-Gonesse

NUMÉROS PRÉCÉDENTS :
L'éléphant. Le tigre. Les dauphins. Le loup. Le grand panda. Le lion. L'aigle royal. Le gorille. Le rhinocéros. La baleine. Le kangourou roux. Le condor. L'orang-outan. Les requins. L'ours brun. La girafe. Le guépard. L'hippopotame. Le chimpanzé. Le chacal. Le phoque. La gazelle. Le lynx. Le koala. Le pélican blanc. Le jaguar. Les perroquets. L'hyène. Le renard roux. Le bison. Le crocodile. Le puma. Les abeilles. Les lamas. L'ours blanc. Le macaque. L'autruche. Les chameaux. Le zèbre. Le buffle. Les scorpions. Le caribou. La pieuvre. Le fourmilier. Le manchot. Le coyote. Les lièvres. Le castor. Le guépier. Les termites. Les calaos. Le mouflon. Les coraux. La marmotte. Le coucou. Le criquet. L'orque. Les caméléons. Le bœuf musqué. Les méduses. La moufette. Les tortues géantes. Le monarque. Le paresseux. Le combattant. Le morse. L'élan. L'opossum. Le gnou. Les plongeons. Les renards volants. Le cygne. La poule d'eau. L'hermine. Les fourmis rousses. Le paon. Le suricate. Le crotale. Le saumon. Le maki. Les tisserins. Le daim. Le flamant rose. Le vampire.

PROCHAINS NUMÉROS :
Les papillons de nuit. Le cerf. Les colibris. Le chat sauvage. Les paradisiers. Le pécari. Le boa. Le macareux moine. Le raton laveur. La cigogne. Le triton.

LE BLAIREAU

Le curieux maquillage noir et blanc de la tête du blaireau fait de lui un des mammifères les plus aisément identifiables de nos régions. Originaire d'Asie, proche parent de la martre, de l'hermine, de la belette et de la loutre, il appartient à la famille des mustélidés, apparue il y a environ 40 millions d'années.

La grande famille des mustélidés, dont fait partie le blaireau européen, date probablement de quelque 40 millions d'années (fin de l'éocène). Ces premiers animaux, moins spécialisés que les représentants actuels de la famille, ressemblaient alors à la martre, mais ils n'étaient ni aussi carnivores que l'hermine, ni aussi bons nageurs que la loutre, ni aussi fouisseurs que le blaireau.

Dans cette grande famille des mustélidés qui réunit également les belettes, les loutres, les martres et le glouton, les blaireaux sont regroupés dans la sous-famille des mélinés. Tous les mélinés actuels descendraient du genre *Martes,* qui existe toujours.

Le premier méliné connu serait un représentant du genre *Promeles* ayant vécu au miocène, il y a vingt millions d'années. Dès cette époque, une première branche

apparaît. Venant d'Asie et passant en Amérique par un pont de terre existant alors dans le détroit de Béring, des animaux viennent peupler le continent américain et se différencient en *Pliotaxidea,* qui évolue en *Taxidea,* l'actuel blaireau américain.

Une autre branche, le genre *Melodon,* dont sont sans doute issus les blaireaux orientaux, apparaît en Asie au pliocène, il y a environ 3 millions d'années. Les blaireaux-furets, que l'on rencontre encore en Asie aujourd'hui, ont conservé quelques caractères anciens et primitifs.

Parallèlement, l'adaptation des animaux aux conditions particulières des forêts tempérées d'Asie donne naissance à des individus du genre *Meles* qui se différencient du tronc commun, certai-

nement à l'origine des blaireaux à collier et des blaireaux européens.

Meles thorali, le blaireau de Thoral aujourd'hui disparu, qui habitait déjà en France il y a environ 2 millions d'années, au début du pléistocène, semble être l'un des plus anciens représentants connus du groupe dans nos régions. Pour s'adapter à un mode de vie différent, il devint peu à peu un carnivore fouisseur, donnant naissance, il y a quelque 800 000 ans, à *Meles meles,* le blaireau européen. En Angleterre, des fossiles vieux de 250 000 ans ont été retrouvés ; en France, les plus anciens restes connus datent de la fin du pléistocène (environ 100 000 ans). Aujourd'hui, le blaireau européen est présent dans toute l'Europe occidentale et en Asie, jusqu'au Japon. ☐

La tête du blaireau européen paraît plus allongée qu'elle ne l'est en réalité, à cause des deux grandes lignes blanches qui éclairent son pelage noir. Le contraste de ces deux couleurs, que l'on retrouve chez d'autres animaux comme la moufette ou le panda, n'est pas gratuit : il avertit les autres espèces animales du danger qu'il y aurait à trop s'approcher d'eux, car leurs moyens de défense sont redoutables.

Une même odeur pour tout le clan

■ De tous les mustélidés connus, le blaireau s'affirme incontestablement comme le plus territorial et le plus social. Ce sédentaire nocturne vit en clans sur un territoire qu'il balise, qu'il aménage et qu'il défend, des griffes et des dents à l'occasion, contre les incursions d'animaux d'autres clans.

Un clan de blaireaux réunit en moyenne 6 animaux, mais les extrêmes varient de 2 à 23. Il s'agit généralement d'un couple et de leurs jeunes, même s'il existe des clans où ne cohabitent que des adultes — on a même observé un clan uniquement de mâles, en Angleterre.

Dans chaque groupe un mâle est dominant, mais on ignore s'il existe vraiment une hiérarchie au sein du clan. Cependant, les conflits entre membres d'un même clan semblent rares.

Déterminée par les disponibilités alimentaires locales, la surface habitée et défendue par le clan peut se limiter à une trentaine d'hectares, si la nourriture est très abondante, ou atteindre de 150 à 200 hectares, si les ressources sont rares. Ce territoire est balisé par l'ensemble des animaux du clan, qui participent également à sa défense ; toutefois, les mâles s'y montrent beaucoup plus actifs que les femelles.

Sur certains points stratégiques, comme aux alentours du terrier, sur les sites d'alimentation ou le long des limites du territoire, les blaireaux déposent leurs excréments dans de petites excavations creusées à la surface du sol, les pots, rassemblées en latrines. Près de 70 % des marquages d'un clan se trouvent en limite de territoire et suivent les accidents du terrain. Ils sont ainsi déposés le long de haies, de chemins, de ruisseaux et de lisières. Ailleurs, les pots peuvent aussi jalonner une prairie, formant une trace créée par le passage répété des blaireaux eux-mêmes, mais sans support physique initial apparent.

Une activité nocturne

Durant toute l'année, le blaireau inspecte de nuit son territoire, mais son activité varie selon les saisons. Au printemps, époque de la reproduction, elle est intense. Au contraire, lorsque les ressources alimentaires se raréfient, l'activité de marquage du clan est nettement plus réduite, les territoires s'élargissant et les animaux se consacrant principalement à la recherche de leur nourriture. Fréquentant de façon régulière les mêmes sentiers et utilisant les mêmes latrines, ce qui assure le maintien de l'odeur du groupe sur le territoire, les animaux d'un même clan partagent la même odeur. C'est ce balisage odorant qui fonde la cohésion du groupe des blaireaux et facilite la reconnaissance individuelle. □

DÉLIMITER LA SURFACE D'UN TERRITOIRE

Pour connaître la surface des territoires des blaireaux, le chercheur néerlandais Hans Kruuk a déposé, près de chaque terrier, de la nourriture contenant des petites pastilles de couleurs différentes, faciles à ingérer mais inoffensives, qu'il a retrouvées ensuite dans les latrines périphériques des blaireaux. Grâce aux couleurs des pastilles, il a pu relier chaque terrier et définir les territoires utilisés par les clans. Des expériences similaires, effectuées dans d'autres régions, ont obtenu des résultats comparables. On a aussi équipé les animaux de colliers émetteurs, qui ont confirmé la structure sociale de l'espèce en clans, sur un territoire marqué.

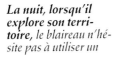

La nuit, lorsqu'il explore son territoire, le blaireau n'hésite pas à utiliser un tronc d'arbre couché pour franchir un ruisseau, même s'il prend parfois plaisir à nager.

Tout est prétexte à jouer pour le blaireau avant de partir, d'une démarche un peu lourde, à la recherche de sa nourriture. Près de leur terrier, des animaux jouent entre eux autour d'un tronc creux qu'ils marquent rapidement de l'odeur du clan, comme ils le font pour toutes les aires de jeu où ils viennent régulièrement. Le blaireau préfère se déplacer au sol, mais il sait aussi grimper aux arbres, pourvu que les troncs soient penchés.

Des terrassiers hors pair

■ Si rien ne dérange les blaireaux, un terrier familial peut être utilisé pendant des siècles. Sa taille ne dépend pas du nombre d'individus qui y habitent à un moment donné mais de son ancienneté. Il en existe de très imposants aux multiples entrées. Ainsi a-t-on pu compter jusqu'à une centaine d'entrées, ou gueules, pour un seul terrier, soit des volumes de terrassement atteignant parfois quelque 40 tonnes de terre déplacées. Certains terriers couvrent près d'un hectare de terrain en surface.

Ernest Neal, un grand spécialiste anglais du blaireau, cite un terrier, dans le Gloucestershire, qui couvrait une surface de 35 m de long sur 15 m de large et possédait 310 m de galeries. Les animaux y accédaient par 12 entrées.

Les gueules (ouvertures extérieures des galeries) ont généralement de 20 à 30 cm de diamètre, mais certaines d'entre elles sont assez larges pour permettre à un homme d'y pénétrer. Ces galeries, qui s'étagent sur plusieurs niveaux et peuvent s'enfoncer jusqu'à 5 m de profondeur, conduisent à des chambres de 1 m sur 0,50 m. Cer-

taines sont habitées toute la journée par des animaux qui y dorment. D'autres sont des latrines. Il existe probablement aussi des cimetières. Enfin, certaines galeries se terminent en culs-de-sac.

Quand les terriers sont très grands, le clan n'en habite qu'une partie, le reste étant alors occupé par d'autres espèces animales, comme le renard ou le lapin de garenne. Cette cohabitation est le plus souvent pacifique.

Les activités de terrassement occupent les blaireaux en toutes saisons, elles sont cependant plus fréquentes à l'automne et au printemps. En octobre et en avril dans le centre-ouest de la France, d'août à octobre et en mars en Angleterre, par exemple, les blaireaux travaillent, tous ensemble ou à quelques-uns, soit au percement de nouvelles galeries, soit au réaménagement des anciennes.

Avec ses pattes antérieures, puissantes et équipées de griffes solides, l'animal creuse la terre, la faisant régulièrement passer sous son ventre. Il la repousse à reculons vers l'extérieur et la rejette avec une très grande vigueur,

créant ainsi un cône de remblai devant l'ouverture de la galerie en cours de creusement. Au sommet du cône, le blaireau a formé une gouttière au cours de sa marche à reculons. C'est probablement la raison pour laquelle l'animal creuse de préférence son terrier sur les talus, la pente favorisant l'écoulement des déblais.

Lorsque, au cours de ses travaux de terrassement, le blaireau rencontre des pierres (celles-ci peuvent peser jusqu'à 4 kg), il les extrait et les sort hors du terrier, soit en les repoussant avec ses pattes postérieures, soit en les transportant dans sa gueule.

Des aménagements perpétuels

Le blaireau change régulièrement la litière de ses chambres, y apportant de nouvelles herbes sèches, des fougères, de la mousse, des feuilles mortes ou de la paille. Il maintient son chargement entre son menton et son avant-bras et pénètre toujours à reculons dans son terrier. Il peut faire ainsi de 20 à 30 voyages semblables en une nuit. En hiver, par temps sec et ensoleillé, il lui arrive de sortir sa litière pour l'aérer puis de la rentrer, toujours en marchant à reculons. □

Le blaireau sort toujours prudemment de son abri diurne. Pointant la tête, il hume l'air afin de s'assurer que tout est normal à l'extérieur. S'il se sent en confiance, il sort complètement. Souvent, les animaux passent alors quelque temps à se toiletter mutuellement avant de partir à la recherche de nourriture.

PLUSIEURS TERRIERS ANNEXES

Disséminés sur le territoire du clan, de modestes abris souterrains, équipés d'une seule ou de deux ouvertures, sont occupés, à l'occasion, par des blaireaux exploitant certaines ressources alimentaires ou par des animaux éloignés par une femelle venant de mettre bas. Parfois, des conduites d'eau ou des buses d'écoulement sont utilisées. Dans le domaine de Chambord, en France, la proportion est de deux terriers principaux et de 9,8 terriers secondaires pour 10 km².

Les gueules des terriers sont suffisamment larges pour permettre le passage simultané de deux blaireaux adultes.

Plusieurs fois par an, les blaireaux changent leur litière. Tenant dans leur gueule des herbes sèches ou de la paille, ils rentrent à reculons dans leur terrier.

Un grand amateur de crapauds et de lombrics

■ Seul ou avec quelques congénères du même clan, le blaireau part, la nuit, à la recherche de ses proies préférées, dans les prairies humides de son territoire.

Habile fouisseur capable de creuser le sol pour déterrer la larve d'un coléoptère, il est très mal adapté à la chasse. Il sait attraper une petite proie sans défense ou profiter du cadavre d'un animal mort, mais toute proie vigilante ou en mouvement lui échappe. Selon les études des spécialistes Hans Kruuk et Ernest Neal, en Angleterre et en Écosse, et celles de Claude Henry et de son équipe, en France, qui ont étudié le régime alimentaire du blaireau à partir d'autopsies d'animaux morts ou en analysant les restes d'aliments dans les excréments récoltés, ce sont les vers de terre (lombricidés) et les crapauds (bufonidés) qui sont les principales victimes des blaireaux, puis viennent les insectes coléoptères comme les géotrupes, les scarabéidés et les carabidés, enfin les limaces et des végétaux (graminées et rosacées).

Dépiauter les crapauds

En France, aux Pays-Bas et en Suède, les amphibiens semblent être une proie plus commune qu'en Grande-Bretagne ou en Suisse. Grenouilles et crapauds sont surtout recherchés lors de leur migration printanière vers leurs mares de frai, où, assemblés en grand nombre, ils deviennent des proies aussi faciles que nutritives. Malgré sa peau chargée de substances toxiques, le crapaud est une proie recherchée. À l'aide de ses griffes, le blaireau parvient à le dépiauter pour s'en délecter.

Une alimentation variée

Les nuits d'été, quand la sécheresse ralentit l'activité des vers de terre et que ceux-ci ne remontent plus à la surface du sol, le blaireau recherche d'autres aliments, car il lui faut absorber en moyenne entre 400 et 600 g de nourriture chaque jour.

À chaque saison, il complète son menu ordinaire de vers et de crapauds par des végétaux, repérant rapidement les zones d'abondance et changeant de secteur dès que celles-ci s'appauvrissent en ressources alimentaires.

La liste des végétaux que le blaireau consomme est très longue. Il mange du blé, de l'avoine et, depuis que la culture de cette plante s'est généralisée, des graines de maïs au stade laiteux. Comme de nombreux mammifères, il est amateur de fruits rouges. En Italie, il ramasse des olives, des figues, des baies de genévrier, du raisin. Ailleurs, il cueille des champignons, déterre des tubercules ou avale des mures. Il se nourrit même, à l'occasion, de déchets près des habitations humaines. □

Nez à terre et oreilles pointées vers le sol, le blaireau cherche ses proies, surtout des vers de terre ou des insectes coléoptères, en fouillant la terre ou l'écorce des arbres.

Le blaireau repère probablement ses proies à l'ouïe. Peut-être entend-il les petits rongeurs dans leurs galeries, les insectes cachés dans la litière du sol ou dans un tronc en décomposition. Sous-bois, lisières et prairies voisins du terrier sont ses terrains de prospection favoris. Son comportement n'a rien de celui d'un chasseur, et presque tous les petits vertébrés qu'il rencontre lui échappent assez facilement : c'est un cueilleur.

SE NOURRIR À CHAMBORD

Une étude menée à Chambord, par Claude Henry et son équipe entre juin 1981 et juin 1982, confirme la prépondérance des vers de terre dans l'alimentation du blaireau, excepté entre juin et septembre, où ils sont remplacés par les crapauds. Toute l'année, les autres sources de nourriture restent marginales.

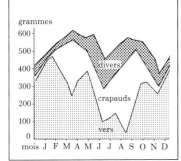

À la fin de l'été ou au cours de l'automne, les fruits rouges de la forêt nourrissent de nombreux mammifères de nos régions : le blaireau est de ceux-là. Il aime particulièrement les anciens vergers.

Amateur de viande à l'occasion, le blaireau s'empare de petits mammifères malades ou morts, profitant parfois des animaux victimes des bords de route meurtriers. Il peut aller jusqu'à dévorer un lapereau nouveau-né.

Deux très jeunes blaireaux se rassurent mutuellement. Durant les huit semaines pendant lesquelles ils ne sortent pas du terrier où ils sont nés, les petits acquièrent peu à peu un pelage plus protecteur que le duvet soyeux dont ils sont couverts à leur naissance. Comme beaucoup de jeunes mammifères, ils ne sont pas encore capables de contrôler leur température. Le terrier et la présence de leur mère sont donc indispensables.

CROISSANCE DES PETITS

En Angleterre, le chercheur Ernest Neal a mesuré la croissance moyenne des blaireaux durant la première année : la majorité des petits naît au début du mois de février et grossit durant les premiers six mois, pesant 1,36 kg en avril, 3,63 kg en juin, et 10,40 kg en décembre. Puis ils perdent quelques kilos pendant l'hiver. Ceux qui survivent (de 50 à 70 % de mortalité durant cette période) ne retrouvent leur poids de novembre qu'en juin.

Des accouplements toute l'année

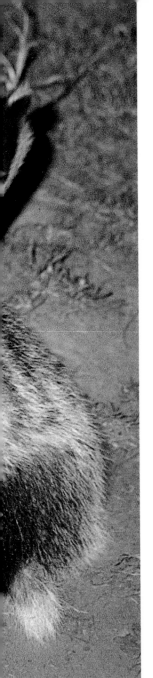

■ Le mode de reproduction du blaireau est complexe en raison des nombreuses exceptions qu'il comporte. Selon l'étude de R. Canivenc et son équipe, à Bordeaux, dans les années 1960, l'ovulation est toujours provoquée par l'accouplement, qui a souvent lieu au printemps, mais la gestation ne débute qu'en décembre. Dans certains cas, on observe également des œstrus post-partum, les femelles étant fécondes après la mise-bas, entre janvier et mars en France, et entre février et mai en Grande-Bretagne.

Au moment de l'accouplement, les animaux se poursuivent et se marquent en émettant des jappements ou des ronronnements. L'accouplement dure de 15 à 60 minutes et est répété plusieurs fois pendant les quatre à six jours de l'œstrus. Généralement, la ou les femelles du clan sont couvertes par le mâle dominant, mais il arrive que plusieurs mâles se succèdent ou qu'ils quittent leur clan à la recherche d'autres femelles sur d'autres territoires.

À cette saison, les mâles s'affrontent en de rudes combats, se poursuivant en poussant un cri saccadé et mordant leur rival au cou et à la croupe. Puis le calme revient. Les femelles fécondées après la mise-bas allaitent leurs nouveau-nés tandis que les autres œufs fécondés, porteurs de la génération future, resteront au stade de blastocystes à l'intérieur de l'utérus pendant 9 mois.

D'autres accouplements pourront avoir lieu à divers moments de l'année : au printemps, entre femelles âgées d'un an et mâles féconds ; en été, chez des femelles déjà fécondées une première fois et se retrouvant en chaleur. Enfin, les accouplements en décembre donnent lieu à une gestation directe dont la durée véritable est d'environ 7 semaines.

À leur naissance, en février, les un à cinq jeunes de la portée pèsent chacun entre 75 et 130 grammes. Ils mesurent environ 120 mm. Leurs yeux restent fermés jusqu'à 5 semaines. Ils sont tout roses de peau et recouverts

entièrement d'un duvet fin et soyeux. Pourtant, le noir et le blanc de leurs têtes sont déjà visibles.

Leurs dents de lait sortent entre la 4e et la 6e semaine. Les premières dents permanentes, les incisives, pointent à partir de la 10e semaine et les dents adultes se mettent alors en place, pendant les 6 semaines qui suivent.

Pendant les premières semaines de vie, les nouveau-nés ne quittent pas la chambre du terrier où ils sont nés, leur mère les allaitant avec ses 6 mamelles. Le sevrage, qui est progressif, intervient vers 12 semaines ; il est définitif vers 4 ou 5 mois environ. Au cours de cette période, la femelle apporte de la nourriture à ses petits — le mâle aussi, parfois. Les premières sorties ont lieu vers 8 semaines. Dès l'âge de 5 à 8 mois, les jeunes cherchent seuls leur nourriture. À partir de 6 ou 7 mois, ils atteignent leur taille adulte, mais ils devront attendre le mois de décembre de leur année de naissance pour peser 10 kg. Ils atteignent leur maturité sexuelle entre 12 et 15 mois, parfois à l'âge de 2 ans seulement, et restent généralement dans le clan familial, quel que soit leur sexe. Les femelles ont leur premier œstrus vers 1 an et, exceptionnellement, à 9 mois. □

Les blaireaux ont besoin de contacts physiques tout au long de leur vie. Les jeunes apprennent très vite à y prendre goût. Sous terre, les petits restent sans doute couchés contre leur mère. Lors de leurs premières sorties, ils se serrent les uns contre les autres et ne s'éloignent quasiment pas de l'entrée du terrier. Entre adultes, la permanence de ces contacts maintient l'odeur du clan sur chacun et facilite la reconnaissance.

À la sortie du terrier, les premiers gestes des jeunes blaireaux sont de s'allonger sur le dos et de se gratter mutuellement le ventre, avec leurs pattes et leur museau. Un terrier régulièrement utilisé devient sans doute très vite un nid à puces, ce qui rend indispensable cette séance de grattage.

Double page suivante : dans les régions où l'homme est peu présent, les blaireaux, qui ne courent alors aucun risque, n'hésitent pas à sortir de leur terrier, même de jour.

Blaireau européen
Meles meles

■ La silhouette, assez lourde, et la coloration du blaireau sont caractéristiques. En effet, la répartition des teintes noire et blanche de son pelage est inhabituelle chez un mammifère : la gorge et la face ventrale sont plus sombres que le dos et les flancs ; le ventre est noir tandis que le dos va du gris à l'ocre en passant par le beige. Les longs poils de jarre du dos sont tricolores : la base est blanche, la spatule est foncée, l'extrémité est claire ; certains blaireaux sont partiellement ou entièrement blancs ; d'autres sont très foncés ou encore roux.

La tête, blanche et barrée de deux lignes longitudinales noires, possède un crâne robuste. Le contraste des couleurs avertit que le blaireau est fort et que ses mâchoires sont très puissantes. Face à un danger, il montre en effet sa tête et hérisse ses poils.

Sa dentition indique son évolution vers un régime omnivore puisque sa mastication s'opère avec les molaires à surface triturante, et non avec les carnassières tranchantes. Toutefois, la puissance de cette mastication est renforcée par la présence d'une crête sagittale le long de la suture des pariétaux, sur le dessus du crâne, qui croît à partir de 1 an et peut atteindre 15 mm de développement vertical. Les muscles temporaux sont puissants, et surtout, l'articulation de la mâchoire inférieure se fait grâce à 2 condyles en forme de cylindres s'emboîtant dans 2 gouttières sous le crâne. Enveloppant les condyles cylindriques par leurs rebords, ces gouttières rendent la séparation de la mandibule du crâne impossible, sauf à en briser l'articulation — ce qui est rare chez les mammifères. Très serrée, cette articulation n'autorise pratiquement que des mouvements verticaux.

BLAIREAU	
Nom (genre, espèce) :	*Meles meles*
Famille :	Mustélidés
Ordre :	Carnivores
Classe :	Mammifères
Identification :	Silhouette assez trapue ; bas sur pattes ; petite queue ; pelage le plus souvent gris ; marques faciales noires et blanches caractéristiques
Taille :	De 70 à 87 cm (tête et corps) ; de 11 à 17 cm (queue)
Poids :	De 8 à 17 kg ; mâles un peu plus lourds
Répartition :	De l'Irlande au Japon à travers l'Europe et l'Asie, en zones tempérées
Habitat :	Forêts de feuillus et prairies. Jusqu'à 1 600-1 700 m d'altitude en montagne
Régime alimentaire :	Omnivore opportuniste ; lombrics surtout
Structure sociale :	Clans territoriaux avec un mâle dominant
Maturité sexuelle :	De 12 à 15 mois
Saison de reproduction :	Surtout au printemps
Durée de gestation :	7 semaines, parfois après 9 mois de diapause
Nombre de jeunes par portée :	De 1 à 5 (2 ou 3 en moyenne) ; une portée par an
Poids à la naissance :	De 75 à 130 g
Durée de l'allaitement :	De 4 à 5 mois
Longévité :	Rarement plus de 15 ans en nature ; record de 19 ans en captivité
Effectifs, tendances :	Inconnus globalement ; populations estimées à 250 000 au Royaume-Uni et à 1 500 000 à l'ouest de l'ex-U.R.S.S., en 1990
Statut :	Classé espèce gibier en France

Les blaireaux disposent de nombreuses glandes. Les glandes sébacées et les glandes sudoripares de la peau donnent à l'animal son odeur caractéristique, qu'il émet particulièrement quand il a chaud. La glande sous-caudale, qui forme une poche sous la queue et s'ouvre par une fente horizontale, sécrète une substance jaune, grasse et

Oreilles.
Le blaireau obture ses oreilles à volonté pour les protéger de la terre lorsqu'il creuse, rabattant leur pavillon vers l'avant.

Pattes.
Courtes mais très puissantes et musclées, elles sont terminées par des doigts tous munis de griffes noires.

Museau.
La peau de la truffe et du bout du museau est noire. Cette partie de l'animal est très mobile. Le blaireau la retrousse quand il se sent menacé.

musquée. Les deux glandes anales du rectum produisent une sécrétion brunâtre et fortement musquée. C'est surtout dans les excréments que se trouvent les sécrétions avec lesquelles l'animal balise son territoire. On ignore si l'urine joue un rôle d'identification, mais les hormones sexuelles sont excrétées par elle : c'est pourquoi le mâle dominant urine souvent sur les membres de son clan. Si la présence de glandes interdigitées fonctionnelles n'a pas été confirmée, les pattes servent en tout cas de support aux odeurs des glandes anales et sous-caudales. La dominance d'un mâle peut s'expliquer par l'importance de ses sécrétions. Chaque animal a cependant une odeur spécifique, variant au cours des saisons.

L'allure habituelle du blaireau est le pas ou le trot, même s'il lui arrive de galoper, exceptionnellement, à la vitesse de 25 à 30 km/h, sous le coup de l'effroi ou lors de disputes territoriales.

Plantigrade, le blaireau marche sur la paume de ses mains, mais ni le poignet, devant, ni le talon, à l'arrière, ne touchent vraiment le sol. Il se sert également de ses pattes avant pour se défendre, donnant par exemple de violents coups à un chien qui l'attaque. Enfin, les empreintes de ses 5 doigts, avec coussinets et terminés par des griffes, sont très visibles et marquent sa piste. Il grimpe aux arbres occasionnellement si le tronc est penché. Il le fait par jeu, quand il est jeune, ou pour chercher des limaces après la pluie, à l'âge adulte. En ce cas, il grimpe comme un ours, en s'agrippant avec ses pattes et ses griffes. Certains animaux sont de bons nageurs.

Les sens du blaireau sont diversement développés : son ouïe et son odorat sont bien meilleurs que sa vue. Celle-ci n'est bonne qu'en lumière faible, car la rétine ne contient que des bâtonnets et une substance réfléchissante, le *tapetum lucidum*. Les jeunes sont myopes, sans doute en raison des semaines qu'ils ont passées sous terre. □

Signes particuliers

Tête

La tête est blanche, barrée de 2 taches noires longitudinales partant du nez, englobant les yeux et les oreilles. Celles-ci ont une pointe blanche, et leur pavillon peut se rabattre vers l'avant. La truffe et le bout du museau sont mobiles. Le blaireau est probablement capable de fermer ses conduits nasaux à 5 mm en arrière de l'ouverture des narines, grâce à un muscle spécial. Ses longues vibrisses noires l'aident lors de ses déplacements. Face à un danger, l'animal hérisse ses poils.

Dents

Chez le blaireau européen, incisives et canines s'apparentent à celles d'un carnivore. Le plus souvent, la première des 4 prémolaires manque sur une ou plusieurs demi-mâchoires. Les premières molaires inférieures et supérieures, élargies et broyeuses, témoignent du régime omnivore de l'espèce. La formule dentaire par demi-mâchoire est : I 3/3; C 1/1; PM 4/4; M 1/2.

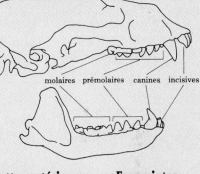

molaires prémolaires canines incisives

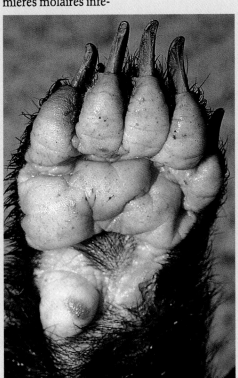

Pattes antérieures

La patte antérieure possède 5 doigts, chacun équipé d'une griffe solide et de couleur noire. Les griffes du blaireau paraissent toujours en excellent état, en raison de la rapidité de leur repousse.

Empreintes

Plantigrade, il marche sur la paume de ses mains, mais, ni le poignet ni le talon ne touchent vraiment le sol, sauf sur un terrain très mou. Les empreintes des griffes sont très visibles.

Les autres blaireaux

■ La famille des mustélidés réunit 5 sous-familles dont celle des blaireaux, les mélinés, et celle des mellivorinés dont le seul représentant est le ratel. Nettement plus carnivore que le blaireau européen, ce qui justifie sa place dans une sous-famille à part, le ratel a une nourriture peu spécialisée. Il est possible qu'il remplace le blaireau au Moyen-Orient et au Proche-Orient. La sous-famille des mélinés regroupe aujourd'hui 6 genres et 9 espèces. Plus précisément, on distingue 2 tribus : la tribu des melini, à laquelle appartient le blaireau européen et qui comprend les genres *Melogale* (4 espèces), *Mydaus*, *Meles*, *Arctonyx* et *Suillotaxus* (ces quatre genres étant représentés chacun par une espèce) ; et la tribu des taxidiini avec un genre unique, *Taxidea*, dont la seule espèce est le blaireau américain.

Certains auteurs rattachent le genre *Suillotaxus* au genre *Mydaus* en en faisant un sous-genre, car ces 2 espèces, qui ont l'étonnante caractéristique d'être puantes, sont assez proches, alors que leur parenté précise avec les autres membres de la sous-famille est encore mal connue.

Tous les blaireaux possèdent, avec des variantes, cette coloration noire et blanche de la tête pouvant descendre sur tout le dos, et un museau fouisseur plus ou moins long. Ils sont cependant très différents dans leur allure, leur poids, leur alimentation ou leurs mœurs. Parmi eux, les blaireaux-furets peuvent mordre si vite, dans le cas où ils sont acculés à le faire, que le mouvement d'attaque est à peine perceptible par l'œil humain. Dans certains pays, ils sont bienvenus jusque dans les villages et près des habitations, car ils ont la réputation de manger la vermine. Ailleurs, comme en Chine, ils sont piégés pour être mangés ou pour leur fourrure.

Outre le blaireau européen, les 6 autres blaireaux « vrais » sont :

BLAIREAU À COLLIER

Arctonyx collaris
Également appelé blaireau-cochon, ou bali-saur.
Identification : poids de 7 à 14 kg ; ressemble au blaireau européen, dont il est peut-être issu, mais plus haut sur pattes, moins massif ; coloration moins contrastée ; museau très allongé ; queue développée ; gorge blanche ; griffes des pattes antérieures puissantes et de couleur claire ; long nez qui lui a valu son nom de blaireau-cochon.
Répartition : forêts de l'Asie du Sud-Est ; peut monter jusqu'à plus de 3 000 mètres d'altitude. Vit en Assam, dans l'extrême nord-est de l'Inde, en Indochine, en Chine, jusque dans la région de Pékin, et à Sumatra.
Alimentation : essentiellement insectivore, à base de fourmis, de termites, de larves d'insectes, de vers de terre et d'aliments végétaux.
Comportement : vie sociale assez mal connue : on ne sait pas s'il vit en clans ou s'il est solitaire. Captif, il vit en couple. Ses accouplements ont lieu l'été. La gestation durerait 6 semaines après une longue diapause. Les jeunes naissent entre février et avril.

Apparemment, le blaireau-cochon est actif la nuit ; il dort pendant la journée dans un terrier, sous un tronc renversé ou dans un éboulis rocheux. Au cours de la nuit, il cherche sa nourriture sur le sol de la forêt, fouillant de son petit groin la litière de feuilles mortes et creusant la terre de ses griffes pour déterrer une proie. Il a la réputation de pouvoir se défendre à coups de dent et de griffe, face à tout adversaire.

BLAIREAU-FURET À GRANDES DENTS

Melogale personata
Aussi appelé blaireau-furet chinois.
Identification : beaucoup plus petit que le blaireau-cochon ; poids entre 1 et 3 kg ; marques noires et blanches, continues ou morcelées, sur la truffe, le front, entre les joues et les oreilles ; ligne blanche médiane sur le dessus du dos ; pelage gris-brun sur le dos ; orange ou blanc sur le ventre ; pinceau blanc au bout de la queue.
Répartition : surfaces herbacées et forêts ; du Népal à l'Indochine ; atteint le sud de la Chine mais est absent de la Malaisie.
Alimentation : chasse à terre mais aussi dans les arbres des petits oiseaux, des rongeurs et des invertébrés.
Comportement : crépusculaire, nocturne et surtout plus carnivore que les autres blaireaux. Durant le jour, il dort dans un terrier, sous les racines d'un arbre ou entre des rochers. C'est là que la femelle met bas de 1 à 4 jeunes, généralement en juin.

BLAIREAU-FURET À PETITES DENTS

Melogale moschata
Identification : très semblabe au précédent.
Répartition : Asie, de l'Assam à l'ouest à la Chine à l'est, y compris les îles de Taiwan et de Hainan, et nord de l'Indochine.

BLAIREAU-FURET DE BORNÉO

Melogale everetti
Aussi appelé blaireau-furet de Kinabalu.
Identification : gorge jaune, pelage uni et absence de pinceau blanc au bout de la queue ; ressemble plus à une martre qu'aux autres blaireaux-furets.
Répartition : forêts de montagne, uniquement dans l'île de Bornéo, dans la région de Gunung Kinabalu, entre 1 000 et 3 000 mètres d'altitude.

BLAIREAU-FURET DE JAVA

Melogale orientalis
Tout récemment encore rattaché à une des deux espèces continentales de blaireau-furet.
Répartition : Java, à l'est et à l'ouest de l'île ; Bali.

Blaireau à collier (Arctonyx collaris)

Comportement : espèce arboricole, comme le confirme le résultat des observations faites en 1990 et 1991 dans le parc zoologique de Ragunan, à Jakarta, en Indonésie.

BLAIREAU-PUANT DES ÎLES DE LA SONDE

Mydaus javanensis
Aussi appelé télédu.
Identification : poids de 1,4 à 3,6 kg ; corps brun foncé ou noir, avec une marque blanche qui va du front à la base de la queue chez certains individus, mais qui peut-être réduite chez d'autres. Dessus de la tête presque toujours blanc. Queue courte de 5 à 6 cm ; nez long et mobile ; dentition peu puissante.
Répartition : Sumatra, Java, Bornéo et sur les petites îles Natuna, au nord-est de Sumatra.
Alimentation : proies molles et invertébrés ; fouille le sol à l'aide de son groin et de ses pattes.
Comportement : réputé pour les sécrétions de sa glande caudale et de ses glandes anales, rappelant en cela les moufettes nord-américaines dont il a aussi la couleur. Sa dénomination provient du fait qu'il est capable de lancer le contenu de sa poche anale vers un assaillant, de telle façon que cela puisse aveugler momentanément un chien ou gêner sérieusement une personne.

BLAIREAU-PUANT DES PHILIPPINES

Suillotaxus marchei
Identification : pèse en moyenne de 1 à 2,5 kg et sa queue varie de 1,5 à 4,5 cm ; plus petit que le blaireau-puant d'Indonésie ; oreilles moins développées que chez celui-ci ; dents plus grandes et ligne dorsale blanche souvent moins marquée que chez ce dernier. Il porte toutefois une tache blanche sur la tête.
Répartition : quelques îles des Philippines : Palauan et les îles Calamianes.
Comportement : il semble autant diurne que nocturne. Animal terrestre, le blaireau-puant des Philippines chasse de petites proies dans la litière du sol et peut aussi projeter le contenu de ses glandes anales à 1 mètre de distance.

BLAIREAU AMÉRICAIN

Taxidea taxus
Seul représentant américain de la tribu des taxidiini.
Identification : pèse de 4 à 12 kg. Les individus les plus lourds sont les plus septentrionaux. Ses griffes antérieures, très puissantes, en font un excellent fouisseur. Ressemble par sa silhouette à l'espèce eurasiatique. De nombreux traits l'en distinguent cependant. Ses marques faciales sont différentes et la fine ligne blanche qui parcourt son museau et son front peut se prolonger sur son dos. Ses joues blanches portent des taches noires et son pelage est d'un gris plus ou moins roux.
Répartition : prairies d'Amérique du Nord : Canada, États-Unis et Mexique (de l'Alberta au centre du Mexique).
Alimentation : carnivore ; essentiellement des rongeurs tels que les écureuils terrestres ; des arthropodes, des reptiles et des oiseaux.
Comportement : s'abrite le jour dans des territoires pouvant atteindre 20 m de longueur et 3 m de profondeur. Les travaux de J. Messik et de M. Hornocker, dans l'Idaho, ont montré qu'il pouvait y avoir 5 animaux résidents au km², un mâle exploitant 2,4 km² et une femelle 1,6 km² pendant toute l'année. Espèce solitaire, sauf à l'époque des accouplements et malgré des zones de recouvrement dans leurs domaines vitaux. Peut changer de terrier chaque jour : une femelle, suivie dans le Minnesota, exploitait en été 752 ha, soit 7,52 km² ; elle y avait 50 terriers et en changeait presque tous les jours ; en automne, elle se déplaçait sur 52 ha seulement et n'occupait régulièrement que quelques terriers ; en hiver, elle se fixait sur un seul d'entre eux, n'exploitant, irrégulièrement, que 2 hectares.
Les accouplements ont lieu en été et les mises-bas au printemps : en moyenne, 2 jeunes naissent, qui sont sevrés à 6 semaines. Même si l'hiver ralentit la vie du blaireau américain, il n'y a pas pour autant d'hibernation. Les comportements sociaux de cette espèce sont, en fait, très simplifiés par rapport à ceux que l'on peut observer chez le blaireau européen, *Meles meles*.
L'espèce agrandit les galeries des écureuils terrestres pour les capturer dans leurs terriers.

Blaireau américain (Taxidea taxus)

Blaireau-furet à petites dents (Melogale moschata)

Milieu naturel et écologie

■ En Europe et en Asie, le blaireau se rencontre partout où croît la forêt tempérée, depuis la rive orientale de la Méditerranée, au sud, jusqu'à la taïga, au nord, et au Japon, à l'est. Selon les régions, ses populations présentent des variations de taille et de coloration. Celles des îles telles que le Japon, Rhodes et la Crète, sont de plus petite taille que les formes continentales.

Les populations de blaireaux de la partie européenne sont mieux connues. Dans les régions où l'espèce a été étudiée, elle occupe surtout les forêts de feuillus, de 38 à 58 % des terriers y ont été observés, et les forêts de résineux, mais dans une moindre part, puisque celles-ci n'hébergent que de 8 à 23 % des terriers. Les haies et les fourrés en abritent de 8,5 à 18 %, et seulement de 6,5 à 9 % des terriers sont situés en terrains découverts, habitat plutôt inhabituel pour le blaireau.

En Grande-Bretagne, à Bristol, S. Harris a recensé 346 terriers dont les localisations étaient extrêmement variées : 72,2 % d'entre eux étaient creusés dans des talus boisés, des bois, des friches et des jardins, et le reste se trouvait réparti entre des terrains de golf, des dépôts d'ordures, des fondations d'immeubles, une cour d'école et un cimetière.

Les blaireaux ont peu tendance à quitter le territoire de leur clan de naissance. Lorsqu'un clan est installé dans un secteur, il y demeure tant que le site est calme et suffisamment riche en nourriture. Toutefois, les mâles adultes quittent régulièrement le territoire du clan, surtout à l'époque du rut. Ce comportement évite une trop forte consanguinité au sein des clans.

Des clans à effectifs stables

Le blaireau est une espèce à démographie non envahissante et dont le nombre d'individus par clan est assez stable. Les baisses d'effectifs de leurs populations sont liées aux attaques de l'homme, aux épidémies ou aux variations du climat. Ainsi, lors d'étés très secs, les blaireaux peuvent mourir d'inanition en grand nombre.

La stabilité des effectifs du clan est régulée par les naissances. Toutes les femelles pouvant être fécondées ne se reproduisent pas chaque année en période d'abondance, ce qui limite les effectifs ; au contraire, toutes les femelles sont gestantes pour compenser le faible taux des naissances lorsque la longue durée de la diapause entraîne des résorptions précoces de blastocytes et une forte mortalité d'embryons.

Un sommeil hivernal peu profond

La mauvaise saison incite les blaireaux à rester sous terre et à vivre de leurs réserves. Pendant ces repos forcés, qui peuvent durer plusieurs jours, voire même plusieurs semaines, mais qui ne sont pas des temps d'hibernation, les animaux maintiennent leur température mais perdent du poids. Ils reprennent leurs activités nocturnes dès que le temps se radoucit, en Angleterre comme en Russie. Certaines années, on peut observer des traces de pattes de blaireau autour des terriers durant toute l'année.

Vers le nord, en Finlande et en Sibérie, le repos hivernal est peut-être plus régulier, et dans l'Altaï, en Asie centrale, on dit que le blaireau va dormir avant l'ours, dès le début du mois d'octobre.

Renards et blaireaux

Le blaireau peut être capturé par des animaux plus forts que lui ; en Asie, par un tigre, une panthère, un ours ou un lynx. Ailleurs, les grands rapaces, le loup et la hyène rayée tuent sans doute des jeunes, parfois des adultes ; mais l'animal est puissant et a peu d'ennemis.

Entre le blaireau et le renard, les relations semblent plus subtiles, les deux espèces s'ignorant le plus souvent. Pourtant, on connaît des cas où les adultes de l'un ont tué les jeunes de l'autre. Ainsi, le renard attaquera les jeunes blaireaux en surface, tandis que le blaireau ira chercher les renardeaux sous terre. Cependant, ces attaques ne semblent jamais être liées à un comportement alimentaire. Quand ils cohabitent dans le même terrier, renards et·blaireaux occupent des galeries différentes, et il arrive que leurs jeunes sortent pour jouer ensemble, après le départ des adultes. Cette cohabitation a été malheureuse pour le blaireau dans le cadre de lutte contre la rage. En gazant des terriers de renards, on attaquait aussi des blaireaux, espèce pourtant sans danger.

En 1983, Carl Killingley observe en plein jour 3 jeunes renards qui jouent devant leur terrier. Ces derniers voient passer un gros blaireau mâle, apparemment à la recherche de nourriture, à une heure inhabituelle pour cet animal. Les renardeaux, pour s'amuser avec lui, font semblant de l'attaquer. Le blaireau n'est pas impressionné mais cherche le calme et s'éloigne un peu. Les renardeaux le suivent et s'enhardissent. Soudain, le blaireau se retourne en une fraction de seconde, saisit l'un d'eux dans ses mâchoires, le secoue quelques secondes et le relâche vivant. □

Aire de répartition du blaireau européen. Habitant de toute la zone occupée par la forêt tempérée dans l'hémisphère Nord, le blaireau vit aussi sur les bords de la Méditerranée. Aux îles Baléares, sa présence semble discutée, mais elle est attestée au Proche-Orient, au nord de l'Arabie Saoudite notamment. En Asie, le blaireau se rencontre depuis la Turquie jusqu'au Tibet, en Chine et au Japon, excepté sur Hokkaido.

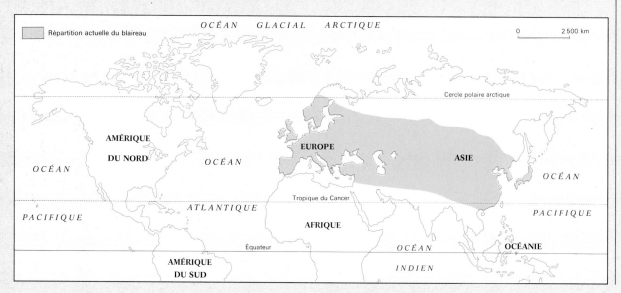

Un habitant peu farouche de nos régions

Sans doute très largement répandu en Occident et en Orient à certaines époques, le nom du blaireau désigne souvent, aujourd'hui, bien d'autres choses que l'animal lui-même. Pourtant, les habitudes de l'animal sont encore assez mal connues. Protégé dans certains pays européens, considéré comme gibier dans d'autres, le blaireau est encore, à tort, catalogué comme animal nuisible.

L'État américain du blaireau

■ En 1827, quand des mineurs venus exploiter le plomb arrivèrent du Missouri, du Kentucky et de l'Illinois dans le Wisconsin, et creusèrent leurs maisons dans les collines du sud-ouest de cet État, les habitants les surnommèrent « les blaireaux ». Le surnom eut du succès et l'animal devint très vite le symbole de l'État : dès 1889, les équipes sportives locales le reprirent et, dans les années 1940, apparut Bucky Badger, le blaireau-mascotte, dont on retrouve l'effigie aujourd'hui sur toutes sortes d'objets, du fromage au taille-crayon, en passant par les canettes de bière et les tee-shirts. Roi du Wisconsin, le blaireau y a même une ligne d'autobus qui porte son nom, les Badger Coaches. □

Utilisations diverses

■ Plutôt que d'évoquer l'animal, le mot « blaireau » fut synonyme, pour des générations entières d'hommes, de cette touffe de poils doux, faite avec la fourrure de l'animal, avec laquelle ils se savonnaient le visage chaque matin. L'argot des années 1980 traite de « blaireau » celui qui « flaire » avec méfiance le monde extérieur parce qu'il « ne sort jamais de son trou », et « blairer », en argot classique, vient de blaireau, celui qui a du nez et qui sait flairer.

Le premier nom français de l'animal était « taisson », issu de « taxo », son nom en bas latin. L'appellation actuelle apparaît, en 1312, sous la forme de « blarel », et fait référence aux couleurs de l'animal, blaire signifiant en ancien français, tacheté. « Badger », le nom anglais du blaireau, dériverait, lui, du mot français bêcheur, « celui qui creuse ».

Au Japon, le mustélidé porte le même nom que le chien viverrin, un petit canidé d'Extrême-Orient au pelage facial lui aussi contrasté, et, sous ce nom commun de « tanuki », les deux espèces sont parfois mélangées et confondues dans les légendes. Tanuki évoque à la fois l'image d'un bon vivant à qui l'on associe des choses gaies, et les tanuki tokkuri sont littéralement des « flacons de saké du blaireau » qui contiennent de l'alcool de riz. Mais « tanuki » est aussi l'image de la sagesse, car l'animal a la réputation d'être habile et malin : au XVIIe siècle, le grand shogun d'Edo, Tokugawa Ieyasu, était surnommé « furu tanuki » (vieux blaireau), à cause de sa sagacité. □

À l'affût des blaireaux

■ En Grande-Bretagne, il existe un engouement certain pour les blaireaux, à l'origine d'une nouvelle activité, le « badger watching ». Cet affût discret, à bon vent, sans fumer ni parler, et à quelques mètres de la gueule d'un terrier, contraint à une attente inconfortable pendant des heures, dans l'espoir d'entrevoir, même fugitivement, l'animal. □

Des passages aménagés pour la traversée des routes

■ Habitués à emprunter des circuits réguliers entre leurs terriers et leurs terrains de chasse, les blaireaux se déplacent toujours le long des mêmes pistes, n'hésitant pas à traverser les chemins et les routes si ceux-ci coupent leurs itinéraires. Il arrive qu'ils se fassent écraser : on a recensé 47 000 blaireaux tués par les voitures chaque année, au Royaume-Uni. Comme leurs pistes traversent les routes à des endroits précis, les accidents ont toujours lieu aux mêmes endroits.

S'ils sont rares en décembre et janvier, époque à laquelle les blaireaux sortent peu de leurs terriers, il semble que les animaux victimes de la route soient en grande majorité des mâles en début d'année, et, au contraire, principalement des femelles en été, mais que les pertes soient aussi lourdes chez les deux sexes à l'automne.

Pour limiter les accidents, des passages spéciaux pour blaireaux ont été créés. Respectant le trajet habituel qu'emprunte l'animal entre ses terriers et ses territoires de chasse, ces passages sont délimités, le long de la route, par un grillage que les animaux ne peuvent franchir et qui les empêche de parvenir jusqu'à la chaussée. Les blaireaux sont ainsi orientés vers un tunnel passant sous la voie. Dans plusieurs pays, ils se sont assez bien adaptés à ces aménagements de leurs pistes et les empruntent facilement.

Dans les zones arborées, lorsque les forestiers viennent de replanter de jeunes arbres, des barrières grillagées sont installées sur certaines parcelles, pour protéger les plants de la voracité des lapins. Pour ne pas gêner les blaireaux, lorsque leurs pistes traversent ces parcelles, des chatières spéciales sont percées afin de permettre le passage des animaux. Elles sont équipées de portillons spécialement conçus pour que seuls les blaireaux soient capables de les pousser pour entrer. □

Sous plusieurs routes, en Angleterre surtout, des passages à blaireaux ont été aménagés, le grillage placé sur les bas-côtés obligeant l'animal à emprunter ces voies. La porte limite l'usage du tunnel à l'espèce. Dans certains cas en France, lors de la création de nouveaux axes routiers, les ingénieurs des Ponts et Chaussées et les naturalistes locaux ont prévu des passages aux bons endroits, avant la construction de la route.

Protection et agriculture

■ Le blaireau n'est pas aussi nuisible aux cultures qu'on l'affirme souvent. Il arrive que des terriers soient mal situés par rapport à certains chemins agricoles ou que le sol s'effondre sous le poids d'un tracteur ou d'une machine à cause de la présence d'une galerie souterraine, mais, dans l'ensemble, le blaireau interfère peu avec les pratiques agricoles.

Une enquête menée auprès d'agriculteurs anglais a révélé que seulement 5 % d'entre eux considéraient le blaireau comme un animal nuisible, l'accusant surtout (32 % des réponses) de piétiner les récoltes ou de les consommer sur pied (4 % des réponses). Une expertise effectuée dans le Loir-et-Cher, en 1982, à la suite de plaintes répétées d'agriculteurs, a conclu à des dégâts s'élevant à quelques dizaines de francs seulement.

Par ailleurs, le blaireau ne consomment les céréales que pour pallier l'absence de vers de terre, les cultures de maïs, de blé ou d'avoine l'attirent pendant 5 semaines au plus par an. La pose de banderoles de tissu ou de plastique est alors très efficace pour protéger les cultures.   □

Porteur de maladies et nuisible

■ Dans le sud-ouest de l'Angleterre, les blaireaux sont porteurs de la tuberculose bovine, contaminés par les bovins à une époque où la maladie était plus répandue. Alors que celle-ci a pratiquement disparu des troupeaux les bovins sont de nouveau contaminés par les blaireaux. Les recherches ont mis en évidence l'existence de clans de blaireaux relativement fermés et porteurs de la tuberculose bovine. Initialement, les animaux étaient gazés dans leurs terriers, mais le gazage fut interdit en Angleterre après que des tests avec les produits toxiques sur des animaux captifs eurent montré qu'ils entraînaient une mort douloureuse. Aujourd'hui, les blaireaux sont piégés vivants, ce qui permet d'éliminer les seuls animaux porteurs de la maladie après les avoir endormis.

En Grande-Bretagne le blaireau est suivi régulièrement depuis le début des années 1960. Le dernier recensement de l'espèce a montré qu'entre l'Angleterre, le pays de Galles et l'Écosse vivaient de 39 040 à 46 742 clans, soit environ 250 000 blaireaux adultes.   □

Chiens et blaireaux

■ En Grande-Bretagne, pour le plaisir des hommes, chiens et blaireaux s'entretuèrent durant des siècles en combats singuliers. Ces spectacles étaient organisés dans des arènes spéciales, de 3 à 4 m de diamètre, et dont la fosse était creusée à environ 1,50 m au-dessous du niveau du sol. Les spectateurs qui venaient s'accouder au petit mur entourant l'arène, assistaient au duel entre le chien, généralement un bulldog, et le blaireau qui, terré dans son petit abri, se défendait jusqu'à la mort.

Les chiens et les blaireaux n'ont jamais été amis. La chasse au blaireau, aussi courue à une certaine époque que la chasse au renard, est toujours considérée comme un type de vénerie, notamment en France, où l'animal est classé comme gibier. La race des teckels (« dachshund ») fut créée spécialement pour chasser le blaireau (« Dachs » en allemand). L'animal une fois localisé dans son terrier, les chasseurs creusent le sol pour s'en saisir vivant ; très souvent, ils le relâchent. De plus en plus pratiquée dans le Sud-Ouest, cette chasse donne lieu à des associations dite « de déterreurs ».   □

Quelques traditions européennes

■ En Écosse, la tenue traditionnelle masculine d'un clan serait incomplète sans la bourse de fourrure, le « sporran », qui se porte à la ceinture et sur le ventre. En 1829 et 1881, le 93ᵉ Sutherland Highlander Regiment et le 91ᵉ Argyllshire Regiment adoptèrent la fourrure de blaireau pour leurs « sporrans » ; seuls ceux réservés aux officiers sont faits avec la tête du blaireau. Les raisons de ce choix, si elles ne sont pas simplement esthétiques, peuvent être aussi liées à la réputation de puissance de l'animal. Au XVIIᵉ siècle encore, porter une patte de blaireau sur soi était censé conférer la force de l'animal à son possesseur. Sacrifiant à la tradition, l'empereur d'Autriche Léopold Iᵉʳ fait exécuter, en 1692, pour son petit-fils le prince Joseph-Ferdinand de Bavière, un hochet d'or et d'argent à cinq clochettes, au manche duquel une patte antérieure de blaireau est attachée par une chaîne. Une petite couronne sertie de diamants enserre le poignet, et la patte a encore ses poils et ses griffes. Ce hochet est au Residenz Museum de Munich.   □

Le blaireau se laisse d'ordinaire approcher facilement par l'homme dans les régions où la chasse n'existe pas. Classée comme gibier en France, en Allemagne, en Suisse et au Danemark, l'espèce est en revanche totalement protégée en Grande-Bretagne, en Irlande, en Espagne, en Italie et en Grèce. Cette différence de politique se reflète dans les effectifs : environ 80 000 blaireaux estimés en France, contre 250 000 en Grande-Bretagne, seul pays où sont effectués des recensements de blaireaux ; la mortalité la plus importante est due aux voitures.

Murphy
(Robert Cushman)
New York 1887 - id. 1973

Zoologiste américain

Sa vie, consacrée à l'étude des oiseaux de mer, se partage entre de nombreuses expéditions scientifiques et le Musée d'histoire naturelle de New York, dont le département d'ornithologie devint, grâce à lui, l'un des plus importants du monde.

■ Robert Cushman, né sur les hauteurs de Brooklyn, fait très tôt connaissance avec les oiseaux de mer qui vont devenir l'objet de prédilection de ses recherches. Encore étudiant, il travaille bénévolement durant une année comme assistant au Musée américain d'histoire naturelle de New York. Il y effectue toutes sortes de petits travaux, tels ceux ayant trait à la conservation des spécimens d'animaux, qui le préparent à sa future carrière de naturaliste. Après son diplôme passé à l'université Columbia, il sera nommé en 1917 conservateur adjoint des mammifères et des oiseaux au Musée d'histoire naturelle de Brooklyn. Entre-temps, il va faire un rude apprentissage de marin.

Bien que jeune marié, il s'est engagé comme navigateur adjoint à bord d'un baleinier croisant dans les eaux de l'Antarctique. Pour sa femme restée aux États-Unis, il tient un journal de bord qui ne sera publié qu'en 1947 et qui connaîtra un grand succès en Amérique. De novembre 1912 à mars 1913, il séjourne en Géorgie du Sud. Dans cette île de l'Atlantique sud dépendant des Malouines, il étudie les manchots royaux. Sa tâche n'est pas facile. Le climat est rude et le vent souffle en tempête, parfois pendant plusieurs jours. Par ailleurs, il se heurte aux instincts destructeurs des membres de l'équipage du baleinier qui prennent un malin plaisir à saccager les colonies de manchots. Les hommes tuent un grand nombre d'adultes non seu-

lement pour manger leur chair, mais aussi pour revendre les peaux, très appréciées. Plus grave encore, ils détruisent systématiquement les œufs qu'ils n'ont pas emportés pour leur consommation ou pour les exhiber à titre de curiosités à leur retour aux États-Unis. Ce vandalisme empêche le jeune naturaliste de voir un seul poussin durant tout son séjour. Écologiste avant la lettre, Robert Murphy s'inquiète de l'avenir du manchot royal en Géorgie du Sud. Il se livre néanmoins à une étude exhaustive de l'espèce. Il décrira avec humour les attitudes « martiales » de ces manchots qui ont une façon bien à eux de se tenir au garde-à-vous, d'avancer au pas cadencé, en file indienne ou sur deux rangs...

En 1921, Robert Murphy entre au Musée d'histoire naturelle de New York en tant que conservateur adjoint. De 1926 à 1942, il est conservateur des oiseaux de mer. Il sera ensuite directement adjoint, puis directeur du département des oiseaux. Jusqu'à sa retraite, en 1955, il travaille à l'enrichissement des collections ornithologiques du Muséum de New York. Au cours

de sa vie, il écrit plusieurs livres dont *les Oiseaux de mer de l'Amérique du Sud*, qui est regardé comme un chef-d'œuvre de la littérature ornithologique marine. Il participe aussi à de nombreuses expéditions dans diverses régions du globe : en Amérique centrale et du Sud, en Méditerranée occidentale, en Colombie-Britannique, en Nouvelle-Zélande, dans l'Antarctique... Il avait une connaissance prodigieuse des oiseaux de mer, de leurs caractéristiques physiques comme de leurs cycles biologiques, de leurs mœurs ou de leur distribution géographique. □

Son ouvrage sur les Oiseaux de mer de l'Amérique du Sud *est un chef-d'œuvre de la littérature ornithologique marine.*

UN OISEAU SACHANT CHASSER

Robert Murphy a beaucoup étudié les oiseaux producteurs de guano, cette matière fertilisante présente parfois en couches de plusieurs dizaines de mètres d'épaisseur sur certaines îles au large du Pérou, avant qu'une exploitation intensive n'appauvrisse les gisements. Il s'est notamment intéressé au cormoran de Bougainville, que les Péruviens désignent sous le nom de « guanay » et qui est un oiseau très précieux en raison de la quantité de guano qu'il excrète. Ce cormoran, dont les yeux sont cerclés d'une zone dénudée de couleur verte, possède de longues ailes qui lui permettent de lutter pendant des heures contre les vents soufflant du sud sur son territoire de chasse. Il se nourrit exclusivement de poissons qu'il trouve à la surface de l'eau. Comme le dit Murphy, « le guanay "fauconne" sa proie, c'est-à-dire la chasse exclusivement du haut des airs par la vue. Il détermine la position du poisson qu'il veut attraper avant de descendre sur l'eau pour le prendre. » Le guanay est très glouton. Murphy mentionne qu'il a retiré, entre le jabot et l'estomac de l'un d'eux, qui venait d'être tué, quelque soixante-quinze anchois de quatre à cinq pouces de long.

VIE SAUVAGE

ENCYCLOPÉDIE LAROUSSE DES ANIMAUX

l'opossum

Un piètre chasseur

Fuir ou faire
le mort

La course
à la tétine

N° 70

hebdomadaire

Larousse

M 1431 - 70 - 19,50 F

139 FB / 139 FL / 5,90 FS / 2,95 $ CAN

Avec VIE SAUVAGE,
la nouvelle encyclopédie Larousse des animaux,
découvrez la vraie vie des animaux sauvages du monde entier.

Chaque semaine, partez à la rencontre d'un nouvel animal. Surprenez-le dans son intimité, grâce à des photos fortes, prises sur le vif par de grands reporters. Apprenez à connaître son comportement et ses mœurs, racontés par les plus grands experts de la faune sauvage : scènes de chasse, bains, premiers pas des petits... Vous découvrirez les grands principes écologiques de la lutte pour la vie et de l'équilibre de la nature.

Constituez-vous une collection complète des animaux sauvages du monde entier, en les regroupant selon les 11 grands milieux naturels où ils vivent :

Savanes et prairies : éléphant, lion, girafe, bison, kangourou...
Forêts tropicales : tigre, orang-outan, jaguar, perroquet...
Forêts de conifères : loup, aigle royal, lynx, hermine...
Forêts de feuillus : koala, renard, cerf, sanglier, coucou...
Mers et océans : dauphin, baleine, requin, pieuvre...
Côtes marines : otarie, tortue géante, fou de Bassan, iguane...
Rivières et fleuves : hippopotame, loutre, piranha, castor...
Étangs et marais : pélican blanc, crocodile, vison, libellule...
Montagnes : grand panda, condor, ours brun, macaque japonais...
Déserts et steppes : guépard, caméléon, criquet, scorpion...
Toundras et glaces : phoque, caribou, lemming, bœuf musqué...

VIE SAUVAGE est le fruit d'une collaboration entre Larousse et le WWF (Fonds Mondial pour la Nature - France). Cette encyclopédie est née d'une volonté commune d'agir en faveur de la protection des animaux sauvages.

© : 1986. Copyright WWF.   ® : WWF propriétaire des droits.

VIE SAUVAGE est édité par la SOCIÉTÉ DES PÉRIODIQUES LAROUSSE

Directeur de la publication : Bertil Hessel
Directeur éditorial : Claude Naudin
Directeur de la collection : Laure Flavigny
Rédaction : Catherine Nicolle
Direction artistique : Henri Serres-Cousiné
Direction scientifique : Christine Sourd, docteur en écologie, Conservation Officer au WWF-France
Conception graphique et mise en pages : Frédérique Longuépée assistée de Blandine Serret
Couverture : Gérard Fritsch
Correction-révision : Service de lecture-correction de Larousse
Documentation iconographique : Anne-Marie Moyse-Jaubert, Marie-Annick Réveillon
Composition : Michel Vizet
Fabrication : Jeanne Grimbert

EN VENTE TOUS LES MERCREDIS

Directeur du marketing et des ventes : Edith Flachaire
Service des ventes : PROMEVENTE - Michel Iatca
Tél. : 45 23 25 60
Terminal : EB6
Service de presse : Régine Billot

L'encyclopédie Vie Sauvage se compose de 144 fascicules pouvant être assemblés en 9 volumes sous reliure mobile.
La publication est hebdomadaire, mais en juillet et en août, il ne paraîtra que deux numéros au lieu de quatre.
Administration et souscription : Société des Périodiques Larousse
1-3, rue du Départ
75014 Paris
Tél. : 44 39 44 20
© 1991, Société des Périodiques Larousse
17, rue du Montparnasse, 75006 Paris.
Imprimé en France (Printed in France).
Distribution N.M.P.P. pour la France.
Conditions d'abonnement : Écrire ou téléphoner à la Société des Périodiques Larousse

Prix du fascicule et de la reliure

	Fascicule	Reliure
France	19,50 FF	49,00 FF
Belgique	139,00 FB	350,00 FB
Suisse	5,90 FS	15 FS
Luxembourg	139 FL	350 FL

Vente aux particuliers d'anciens numéros pour la France.
Envoyez les noms des fascicules commandés et un chèque d'un montant de :
— 25,50 FF par fascicule
— 61,00 FF par reliure
à GPP. BP 46, 95142 Garges-lès-Gonesse

SOMMAIRE

N° 70 L'OPOSSUM
Feuillus

L'OPOSSUM ET SES ANCÊTRES 1
LA VIE DE L'OPOSSUM
  Un bien piètre chasseur nocturne 4-5
  Fuir ou faire le mort 6-7
  La « course » pour une tétine à 13 jours 8-9
  Trois mois de vie de famille 10-11
POUR TOUT SAVOIR SUR L'OPOSSUM
  Opossum de Virginie 14-15
  Les autres opossums 16-17
  Milieu naturel et écologie 18-19
L'OPOSSUM ET L'HOMME 20
DICTIONNAIRE DES SAVANTS DU MONDE ANIMAL
  Pierre-André Latreille

LES TEXTES DE CE NUMÉRO ont été rédigés par Didier Julien Laferrière, zoologiste, Muséum national d'histoire naturelle ; Marie-Claude Germain ; Jean Lhoste.

DESSINS de Guy Michel.

CARTE de Edica.

PHOTO DE COUVERTURE : jeune opossum de Californie. Kraseman J. - Jacana.

ERRATA : La photo de couverture du fascicule Anguille, N° 53, est de M. Bonnet.

CRÉDITS PHOTOGRAPHIQUES p. 1, Bauer E. & P. - Bruce Coleman ; p. 2/3, Lee Rue L. - Bruce Coleman ; p. 4 et 6/7h, Ulrich T. - Oxford Sc. Films ; p. 4/5, Heuclin D. - p. 5, Kilkelly J. - Cosmos ; p. 6/7b, McDonald J. & C. - Animals Animals ; p. 7, Caucalosi J. - Tom Stack et Associates ; p. 8/et 9, Lee Rue III L. - Tom Stack et Associates ; p. 8/9, Lee Rue III L. - Bruce Coleman ; p. 10, Shaw J. - Bruce Coleman ; p. 10/11, Dermid J. - Bruce Coleman ; p. 11, Stouffer M. - Animals Animals ; p. 12/13, Phillips D. & E. - Tom Stack et Associates ; p. 14, Ulrich T. - Oxford Sc. Films ; p. 15h, Milburn G. - Tom Stack et Associates ; p. 15m, McDonald J. & C. - Tom Stack et Associates ; p. 16b, Williams R. - Bruce Coleman ; p. 16b, Érize F. - Bruce Coleman ; p. 17h, Marigo L.C. - Bruce Coleman ; p. 17b, De Vries P.J. - Oxford Sc. Films ; p. 18/19, Shaw J. - Bruce Coleman ; p. 20, Stouffer Prod. - Animals Animals. 3e de couv. Latreille. Phot. Coll. Viollet.

Photocomposition : Dawant. Photogravure : Graphotec. Impression : Jean Didier.

NUMÉROS PRÉCÉDENTS :
L'éléphant. Le tigre. Les dauphins. Le loup. Le grand panda. Le lion. L'aigle royal. Le gorille. Le rhinocéros. La baleine. Le kangourou roux. Le condor. L'orang-outan. Les requins. L'ours brun. La girafe. Le guépard. L'hippopotame. Le chimpanzé. Le chacal. Le phoque. La gazelle. Le lynx. Le koala. Le pélican blanc. Le jaguar. Les perroquets. L'hyène. Le renard roux. Le bison. Le crocodile. Le puma. Les abeilles. Les lamas. L'ours blanc. Le macaque. L'autruche. Les chameaux. Le zèbre. Le buffle. Les scorpions. Le caribou. La pieuvre. Le fourmilier. Le manchot. Le coyote. Les lièvres. Le castor. Le chamois. Le guépier. Les termites. Les calaos. Les coraux. Le mouflon. Les coraux. La marmotte. Le coucou. Le criquet. L'orque. Les caméléons. Le bœuf musqué. Les méduses. La moufette. Les tortues géantes. Le monarque. Le paresseux. Le combattant. Le morse. L'élan.

PROCHAINS NUMÉROS :
Le gnou. Les plongeons. Les renards volants. Le cygne. Le hérisson. La poule d'eau. L'hermine. Les fourmis rousses. Le paon. Le suricate. Le crotale.

L'OPOSSUM

Ce petit marsupial solitaire et agressif, qui a réussi à se perpétuer en toute quiétude, n'existerait sur terre que depuis quelques centaines de milliers d'années ; pourtant, ses lointains ancêtres côtoyaient les dinosaures.

Issu d'une famille très ancienne de marsupiaux, les didelphidés, l'opossum de Virginie, ou sarigue de Virginie, est un de ses plus récents représentants. L'origine des marsupiaux remonte à la fin de l'ère secondaire, au milieu du crétacé, mais le premier marsupial didelphidé connu, *Peradectes,* n'est apparu en Amérique du Sud qu'à la fin du crétacé, vers – 70 millions d'années. C'était un contemporain des dinosaures : les précieux restes (quelques fragments de dents) de ce lointain ancêtre accompagnaient des débris de coquilles d'œufs des grands reptiles. À la fin du secondaire, les mammifères, et notamment les marsupiaux, ont connu un développement explosif, sans doute à cause de la place laissée libre par la disparition de leurs concurrents reptiliens. En Amérique du Sud, au paléocène, c'est-à-dire au début de l'ère tertiaire (– 60 millions d'années), plus de douze espèces de marsupiaux didelphidés, qui ont toutes disparu aujourd'hui, coexistaient. À la fin du tertiaire, de –10 à –3 millions d'années environ, la diversité de ces marsupiaux est plus importante que de nos jours, mais décline ensuite. D'aspect et de morphologie très semblables, ils différaient les uns des autres surtout par leur taille, petite à moyenne, et pouvaient être insectivores, carnivores ou omnivores, terrestres ou arboricoles. La plupart des didelphidés actuels sont apparus à cette époque.

Il y a environ 5 millions d'années, l'émersion de l'isthme de Panamá met en relation l'Amérique du Sud et du Nord et marque la fin de l'âge d'or pour les marsupiaux américains, en permettant le passage de nombreux mammifères placentaires nord-américains vers l'Amérique du Sud. La compétition alimentaire qui en résulta ainsi que les bouleversements climatiques entraînèrent l'élimination des deux tiers des espèces de marsupiaux.

L'opossum de Virginie, lui, est apparu très récemment. Ses restes les plus anciens, trouvés au sud des États-Unis, datent de quelques centaines de milliers d'années. L'espèce se serait différenciée à partir d'une population d'opossums communs *(Didelphis marsupialis)* du Mexique qui, après un assèchement du climat, se serait retrouvée isolée dans une région humide et aurait évolué en vase clos jusqu'à devenir une espèce distincte, l'opossum de Virginie actuel.

Aujourd'hui, l'espèce est largement implantée en Amérique du Nord et en Amérique centrale, et ses grandes capacités d'adaptation lui permettent d'être actuellement en expansion rapide. □

Caché dans son abri, l'opossum passe toute sa journée à dormir, attendant la tombée du jour pour se mettre en quête de nourriture. Ce nomade n'aime pas partager son gîte. S'installant tout aussi bien dans des terriers abandonnés que dans des anfractuosités, il en améliore un peu le confort en tapissant sommairement de feuilles mortes ce refuge d'un jour.

Un bien piètre chasseur nocturne

■ Manger et dormir constituent les activités essentielles de l'opossum. Ce n'est qu'au coucher du soleil que cet animal strictement nocturne se met en quête de nourriture. Dès les premières lueurs du jour, il s'empresse de regagner un abri, peu importe lequel, avec toutefois une préférence pour des lieux situés sur ou sous le sol : terriers abandonnés, crevasses de rochers, buissons épais ou grosses racines. Il peut aussi se réfugier dans des trous d'arbres ou d'anciens nids d'écureuils. L'opossum ne construit pas son nid, il se contente de s'approprier ce qu'il trouve en chemin et utilise rarement deux fois de suite le même gîte. Quelques feuilles lui suffisent pour rendre confortable la cavité choisie et la transformer ainsi en nid plus ou moins douillet. Il fait preuve pour cette activité d'une habileté certaine. Il a suffi de dix minutes et de cinq allers et retours à un opossum observé par le naturaliste américain Luther Smith pour chercher des feuilles, les charger sur sa queue et les rapporter dans le terrier. Le placement des feuilles sur la queue s'effectue selon une technique très élaborée : l'opossum les fait glisser sous son ventre avec les pattes avant, les saisit avec les pattes arrière et les place dans une boucle formée par la queue, tout en maintenant la base de celle-ci sur le sol, de façon à garder l'arrière-train levé !

Fruits, chair fraîche ou charogne

Lorsque le crépuscule arrive, l'opossum part à la recherche de sa nourriture, activité qui occupe la plus grande partie de sa nuit. Il n'a pas vraiment de stratégie de chasse et ses déplacements semblent souvent désordonnés : plutôt que de suivre des pistes précises, il effectue des mouvements plus ou moins circulaires autour du gîte du moment. Il peut ainsi parcourir près de 3,5 km au cours d'une nuit, se déplaçant le plus souvent à terre mais grimpant, à l'occasion, dans les arbres s'il veut manger des fruits. Car l'opossum de Virginie est parfaitement omnivore. Tout est bon pour lui, surtout ce qui n'est pas trop difficile à attraper ! Insectes, vers de terre, fruits, graines, feuilles, grenouilles, petits rongeurs, serpents, écrevisses..., le menu varie au gré de ses rencontres. Parfois, il s'agit d'autres opossums, car les adultes se nourrissent volontiers des jeunes ! Ce marsupial ne dédaigne pas non plus les animaux morts, et les restes de petits vertébrés, trouvés dans des estomacs, sont souvent ingurgités sous cette forme. L'opossum est en effet un bien piètre chasseur ; les observations faites sur des animaux en captivité, par John McManus, confirment que les proies ont toutes les chances de survivre. Ainsi, une souris placée dans la cage d'un opossum parvient souvent à s'échapper ; quant aux écureuils, leur agilité leur garantit à coup sûr la vie sauve...

L'hiver est une très mauvaise saison pour l'opossum, qui, contrairement à d'autres mammifères, n'hiberne pas ; le froid et la rareté de la nourriture l'obligent à modifier ses habitudes. Il est souvent contraint de limiter ses déplacements ou de rester cantonné dans son abri plusieurs jours de suite.

Quand la température s'adoucit, il refait surface, même en plein jour, et il n'est pas rare alors de le surprendre à proximité des habitations en train de fouiller les poubelles !　　□

Bon marcheur, l'opossum est également un grimpeur. Les arbres lui servent d'ailleurs souvent de refuge. Au cours de ses déplacements nocturnes, il s'aide de sa queue préhensile et se tient avec trois pattes pour faire sa toilette et atteindre plus facilement son ventre, qu'il lèche abondamment.

L'opossum attaque et mange, à l'occasion, vipères et crotales, dont il ne craint pas les morsures.

Peu difficile, l'opossum mange tout ce qui se présente, avec une certaine préférence pour ce qui est facile à attraper : insectes, vers, mollusques, mais aussi fruits, graines et herbes, et parfois même des déchets. Malgré son agressivité, ses nombreuses dents pointues ou ses griffes acérées, c'est un chasseur peu dangereux pour les mammifères et les oiseaux, qu'il consomme souvent sous forme de charogne.

Fuir ou faire le mort

■ Difficile de parler d'une vie sociale chez l'opossum ! Car, même s'il est bien obligé d'avoir quelques contacts avec ses congénères — au moins entre mâles et femelles ! —, ce marsupial solitaire et agressif a un comportement social réduit à sa plus simple expression. Ainsi, les femelles s'évitent généralement, et, lorsque deux mâles se rencontrent, dans un arbre en fruits ou autour d'une charogne, ils maintiennent prudemment une certaine distance entre eux. Si l'un d'eux fait mine d'avancer, la réaction de menace est immédiate : bouche ouverte, les lèvres tirées en arrière, montrant les dents, l'opossum se met à pousser des cris qui vont du grognement sourd au piaillement strident. La confrontation peut facilement dégénérer en combat, chacun essayant de mordre l'adversaire à la tête, aux épaules et de l'attraper à la gorge. Après deux ou trois minutes, l'un des protagonistes bat en retraite, le vainqueur pouvant alors exécuter une sorte de danse de victoire : pattes avant tendues, tête levée, il sautille pendant quelques secondes en fouettant l'air avec sa queue.

Cette agressivité de l'opossum n'est pas déclenchée par la défense d'un territoire. Car, à l'inverse de la plupart des mammifères, ce solitaire n'a pas un domaine vital bien précis et stable. Animal semi-nomade, il exploite un secteur pendant quelques mois puis s'en va, peut-être pour tenter sa chance dans une zone où la nourriture sera plus abondante. L'opossum ne se fixant pas à un endroit précis, la taille de son domaine vital est difficile à apprécier et les estimations varient fortement selon le milieu occupé : si celui-ci lui convient, il peut prospecter de petites surfaces. De 5 ha en moyenne dans un parc de New York, le domaine d'un mâle peut s'étendre sur 40 ha dans une zone de grande culture, dans l'Illinois ; la moyenne se situe plutôt aux alentours de

15 ha au Kansas, dans un habitat de bois et de prairies. Les domaines des femelles sont plus restreints.

N'ayant pas réellement de territoire à défendre, l'opossum n'utilise pas de techniques de marquage. Il peut apposer des sortes de « balises » avec sa salive en léchant les objets, par ses glandes anales en frottant l'arrière-train, ou par les glandes de la peau en frottant le cou et la tête ; mais ces signaux ne déclenchent pas la fuite chez ses voisins, tout au plus une réaction agressive. Ces messages odorants servent plutôt à indiquer sa présence et à lui permettre de reconnaître son propre secteur, car les domaines vitaux des opossums, mâles ou femelles, se chevauchent largement. Et, s'ils s'évitent généralement, il arrive qu'à force de se rencontrer deux opossums s'habituent l'un à l'autre et occupent le même gîte !

L'attitude agressive de l'opossum suffit parfois à impressionner un adversaire et à le faire fuir. Mais son moyen de défense le plus efficace reste la fuite, et il l'utilise souvent. Cependant, s'il est acculé ou saisi par un animal chasseur, l'opossum « fait le mort ». Il se laisse tomber sur le côté, immobile, le corps raide et arrondi, les yeux fixes. Les mâchoires sont entrouvertes, la langue pendante. Souvent, il se met à baver, défèque et décharge une substance verdâtre et nauséabonde... Surpris, le prédateur relâche son attention et finit par se désintéresser de ce qu'il croit être une charogne. Au bout de quelques minutes, l'opossum retrouve sa vivacité et s'éclipse prestement. Ce comportement caractéristique est stéréotypé ; probablement réflexe, il se met en place à l'âge où le jeune acquiert son indépendance, vers quatre mois. Cependant, même s'il préfère la fuite, réelle ou simulée, l'opossum sait aussi se défendre et se servir de ses fortes canines pour infliger de sérieuses morsures à qui tente de le saisir. □

Très agressif vis-à-vis de ses congénères, l'opossum ne tolère pas d'être approché. En dehors de la période de reproduction, à chaque rencontre, il montre les dents et pousse des cris de menace allant du grognement sourd au couinement strident, selon son degré d'excitation. Si cette tentative d'intimidation ne suffit pas et que le protagoniste fasse mine d'approcher, l'opossum tente de mordre son adversaire à la tête et aux épaules.

Préférant la fuite au combat, l'opossum a une technique bien à lui pour s'éclipser. En dernière extrémité lorsqu'il est face à un prédateur, il « fait le mort ». Il se couche en rond, sur le côté, le corps raidi, les yeux mi-clos, la langue pendante. L'ennemi, qui ne s'intéresse pas aux charognes mais aux proies vivantes, est surpris et dépité, et il abandonne alors rapidement la partie. Les Américains appellent ce comportement « jouer à l'opossum ».

La « course » pour une tétine à 13 jours

■ S'il se montre particulièrement agressif lorsqu'il rencontre un de ses congénères, l'opossum mâle adopte une tout autre attitude quand il est en présence d'une femelle. Dès que le mâle reconnaît, à distance et par l'odorat, la femelle, il se met à pousser des petits cris ressemblant à des cliquetis, cherche à renifler la région génitale de celle-ci et à la monter. Si la femelle n'est pas sexuellement réceptive, elle le repousse par des cris stridents d'agression et essaie de le mordre. Le mâle, tournant alors son corps de côté, pousse de petits cris pour indiquer sa soumission, abandonne ses tentatives et s'éloigne. Mais, si la femelle est prête à être fécondée, elle reste passive. Le mâle en profite alors pour grimper sur son dos, lui saisit la nuque avec les dents et la maintient fermement en enserrant le thorax de ses pattes avant et en agrippant les pattes arrière avec ses pieds. Puis ils basculent tous les deux sur le côté et l'accouplement peut avoir lieu. Il ne dure pas moins de 15 à 20 minutes, au terme desquelles les deux animaux se séparent rapidement, la femelle redevenant aussitôt agressive vis-à-vis du mâle. Elle n'accepte d'ailleurs qu'un seul accouplement par cycle et repousse sans ménagement toute autre tentative.

Des petits bien à l'abri dans la poche de leur mère

Chez tous les marsupiaux, le temps de gestation est très court ; il est de treize jours seulement chez l'opossum. Les petits naissent en effet à un stade très précoce. Véritables petites larves, ils ne mesurent que 15 mm et pèsent 0,15 g. Pendant les trois mois où ils achèveront leur développement dans la poche ventrale de leur mère, ceux qui auront réussi à se saisir d'une des tétines y resteront solidement attachés. Cette poche, appelée marsupium ou poche marsupiale, qui protège les nouveau-nés pendant les premiers mois, est profonde et ouverte vers l'avant. Des muscles commandent sa fermeture, par exemple quand l'animal est dans l'eau. Le plus souvent, elle abrite treize tétines, douze disposées en arc de cercle et une centrale, mais leur nombre peut aller jusqu'à 17.

Les premiers pas

Le déroulement de la naissance est très similaire chez tous les marsupiaux, même s'ils sont aussi différents que le kangourou, le koala ou l'opossum. Quelques heures avant la sortie des petits, la mère opossum se lèche abondamment le ventre et l'intérieur de la poche. Puis elle s'assied, le dos voûté, la queue tendue en avant, et, en quelques minutes (de 2 à 12), elle expulse jusqu'à 25 minuscules opossums qui vont s'empresser de remonter seuls vers la poche, en « nageant » sur le ventre de leur mère.

Ils sont aidés en cela par le remarquable développement de leurs pattes antérieures, pourvues de griffes, et par la position courbée de la mère, qui diminue la distance à parcourir. Ils reconnaissent leur chemin grâce à leur sens olfactif et, quand ils approchent de la poche ventrale, rectifient le cap s'ils s'en sont éloignés. Les quatre à cinq centimètres qui les séparent du refuge salvateur sont parcourus en près de deux minutes. Mais il arrive que des petits se perdent ou tombent en cours de route. Leur existence s'achèvera là, car la mère ne fait rien pour les récupérer. La mère ne possédant en général pas plus de dix mamelles fonctionnelles, les premiers arrivés seront les seuls servis ! □

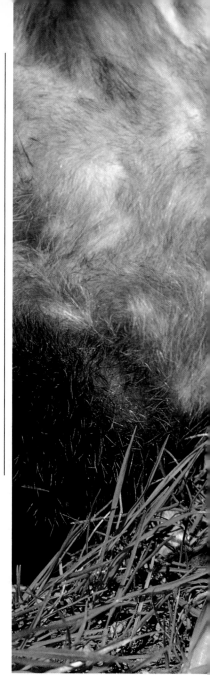

Le petit opossum, comme tous les marsupiaux, naît très tôt (13 jours). Ce minuscule nouveau-né finit de se développer dans la poche ventrale de sa mère, si toutefois il parvient à l'atteindre. Mais, sur la vingtaine de petits, seule une dizaine d'entre eux trouveront le chemin des tétines qui les nourriront.

LA SEX-RATIO

La théorie de la sex-ratio (nombre de mâles sur nombre de femelles mis au monde), des chercheurs américains Robert Trivers et Dan Williard (années 1970), affirme que, chez l'opossum, la mère peut ajuster la proportion de mâles à naître, selon les circonstances. S. Austad et M. Sunquist ont vérifié que des femelles bien nourries donnaient effectivement naissance à plus de mâles (en noir) que de femelles (en blanc) et que, à la seconde génération, la descendance de ces mâles forts survivait mieux que celle des mâles chétifs et peu nombreux nés de femelles mal nourries (à droite).

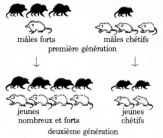

mâles forts   mâles chétifs
première génération

↓   ↓

jeunes   jeunes
nombreux et forts   chétifs
deuxième génération

À **deux mois,** le petit opossum, qui était tout rose à la naissance, s'est couvert d'un pelage noir, mais il tète encore sa mère. Lorsqu'ils sont un peu plus âgés, les jeunes opossums restent de plus en plus fréquemment en dehors de la poche et tètent à l'extérieur, car les tétines s'allongent à mesure de la croissance des petits.

Les jeunes opossums restent solidement attachés à l'une des mamelles de leur mère pendant trois mois.

Trois mois
de vie de famille

■ Les petits opossums, tout au moins ceux qui auront eu la chance d'atteindre la poche ventrale de leur mère, vont rester bien à l'abri, attachés aux tétines nourricières, jusqu'à leur huitième semaine. À cet âge, ils mesurent 8 cm, leurs yeux s'ouvrent et leur corps est entièrement recouvert d'un pelage juvénile constitué de courts poils noirs. Dès qu'ils ont atteint leur dixième semaine, ils commencent à se déplacer seuls et se risquent à de très courtes excursions hors de la poche maternelle. Ce n'est qu'à leur douzième semaine qu'ils pourront rester seuls dans le nid pendant que leur mère ira chercher de quoi s'alimenter. Le sevrage intervient à partir de trois mois, les jeunes opossums commencent alors à s'intéresser à de petites proies qu'ils trouvent aux alentours du nid. Ils continuent toutefois à boire le lait maternel et n'ont pas besoin pour cela de réintégrer la poche marsupiale car les tétines s'allongent au fur et à mesure de la croissance. C'est également à cet âge que les jeunes font de longues sorties hors du nid, toujours accompagnés de leur mère ; ils marchent à côté d'elle ou, plus souvent, se mettent sur son dos, agrippés à sa fourrure et leur queue enroulée autour de la sienne. La femelle opossum a d'ailleurs bien du mérite car les neuf petits qu'elle peut transporter représentent déjà près de la moitié de son poids. À trois mois et demi, âge de son émancipation, le jeune opossum est complètement sevré. Il mesure environ 180 mm, sans la queue, et pèse environ 125 g, soit de 10 à 30 fois moins que l'adulte.

Une mère très détachée

Bien que l'image traditionnelle de la mère opossum avec ses petits sur le dos soit très rassurante, elle ne correspond pas à une réalité, les relations entre mère et petits étant, comme celles entre adultes, assez frustes. Pendant les premières semaines, la mère a des réactions de protection, parfois violentes dès que l'on fait mine de toucher à sa poche ventrale. Mais, quand les petits commencent à sortir de la poche, elle prend déjà ses distances vis-à-vis d'eux. Le cri très particulier et strident que poussent les jeunes opossums âgés de deux mois dans toutes les situations d'inconfort a peu d'effet sur la mère et la fait rarement revenir près d'eux. Ils ont pourtant un langage pour communiquer, petits cris de contact, sorte de cliquetis ressemblant aux cris sexuels des adultes, qui leur sert surtout à se reconnaître. Il est abandonné dès que les jeunes deviennent indépendants.

Cette vie de famille réduite à sa plus simple expression prend donc fin à l'âge de trois mois et demi. Les jeunes partent à leur tour à l'aventure, solitaires et agressifs comme les adultes ! Il vaut d'ailleurs mieux qu'ils se séparent car ils finiraient par s'entre-dévorer. Ce n'est qu'un peu plus tard, vers six mois pour les femelles et huit mois et demi pour les mâles, que les petits opossums atteindront leur maturité sexuelle et pourront ainsi perpétuer l'espèce. □

Les petits opossums, lorsqu'ils sortent de la poche maternelle, à 12 semaines, sont encore amicaux, entre eux et avec leur mère. Mais, dès qu'ils atteignent l'âge de l'émancipation, à trois mois et demi, ils deviennent aussi agressifs que leurs parents et partent à la recherche de leur domaine vital.

À deux mois et demi, le jeune opossum a déjà l'aspect d'un adulte. Il continue à boire le lait maternel jusqu'au sevrage, à trois mois et demi.

La mère transporte ses petits, dès qu'ils ont trois mois, au cours de ses pérégrinations nocturnes. Solidement agrippés à sa fourrure, les jeunes accrochent leur queue à celle de leur mère.

Double page suivante :
Lorsqu'ils sont assez forts pour se déplacer tout seuls, vers l'âge de dix semaines, les petits opossums commencent à sortir de la poche ventrale de leur mère et découvrent leur environnement sans jamais s'éloigner.

Opossum de Virginie
Didelphis virginiana

■ L'opossum se reconnaît aisément à son pelage hirsute, dû à la présence des longs poils de jarre blancs, isolés dans une fourrure courte et sombre. Sa tête allongée se termine par un museau fin et pointu, l'apparentant un peu à la souris. Les yeux, petits et noirs, sont souvent cernés par un anneau noir plus ou moins marqué. L'opportunisme qui caractérise si bien le mode de vie de l'opossum se retrouve également dans sa morphologie, son anatomie et sa physiologie. Les proportions de son corps sont intermédiaires entre celles d'un mammifère terrestre et celles d'un arboricole. Ainsi, l'opossum, qui vit principalement au sol, monte sans difficulté dans les arbres. Quand il marche, il déplace ses quatre pattes une par une et garde cette même allure en grimpant le long d'un tronc, s'aidant de ses griffes aiguisées qui se plantent dans l'écorce. Les petites granulations de la paume des mains et de la plante des pieds améliorent l'adhérence sur les surfaces lisses. Pour descendre, tête

en bas, il effectue les mêmes mouvements et, malgré la prudence qu'il apporte à cette délicate opération, il lui arrive de se retrouver à terre plus vite que prévu ! Sa queue, nue et fine, presque aussi longue que son corps, est préhensile. Il utilise également le pouce de ses pattes arrière, qui est opposable, pour agripper les branches de petit diamètre.

Ce petit animal peut atteindre 7 km/h à la course. Il déplace alors alternativement les pattes deux à deux, en diagonale, la queue tendue en arrière et la tête se balançant de haut en bas à chaque pas, ce qui lui donne une démarche caractéristique. Bon marcheur et bon grimpeur, l'opossum est aussi un bon nageur. Dans l'eau, il nage comme un chien, avec une allure semblable à celle de la marche, et peut ainsi dépasser une vitesse de 1 km/h pendant 10 minutes.

Peu difficile sur le choix de sa nourriture, ce marsupial totalement omnivore possède un tube digestif simple avec un estomac à une seule poche, un intestin court

OPOSSUM DE VIRGINIE	
Nom *(genre, espèce) :*	*Didelphis virginiana*
Classe :	Mammifères (marsupiaux)
Ordre :	Polyprotodontes
Famille :	Didelphidés
Identification :	Tête allongée, museau pointu et rose ; face blanc crème, anneau noir autour des yeux, raie plus foncée au milieu du front ; fourrure hirsute, dense et sombre avec poils blancs (phase blanche) ou noirs (phase noire) ; queue nue, noire à la base
Taille :	Mâles : de 45 à 50 cm (tête et corps), de 35 à 40 cm (queue) ; les femelles ont environ 10 cm de moins
Poids :	Mâles : de 1,6 à 3,6 kg ; femelles : de 1,2 à 2,4 kg
Répartition :	Moitié est et côte ouest des États-Unis, Amérique centrale jusqu'au nord-ouest du Costa Rica, à l'exception du nord-ouest du Mexique
Habitat :	Tous types d'habitats, des prairies sèches aux forêts froides ; jusqu'à 3 000 m d'altitude au Mexique
Régime alimentaire :	Omnivore
Rythme d'activité :	Nocturne
Structure sociale :	Non territorial, semi-nomade, solitaire, agressif
Saison de reproduction :	De janvier-février à octobre
Maturité sexuelle :	Mâles, 8 mois et demi ; femelles, 6 mois
Nombre de jeunes par portée :	En moyenne de 6 à 9 (extrêmes, de 1 à 25), 2 fois par an
Gestation :	13 jours
Taille et poids à la naissance :	15 mm, 0,15 g
Longévité :	De 2 à 3 ans
Statut :	Commun, en expansion.

et un cæcum peu développé, qui lui permet de tirer parti de toutes sortes d'aliments. Sa denture est de type primitif (c'est-à-dire ancien au sens évolutif).

Pour rechercher sa nourriture, comme pour communiquer avec

ses congénères ou détecter des ennemis éventuels, l'opossum se fie principalement à son ouïe et à son odorat. Quand il est en activité, ses oreilles, très mobiles, se mettent en mouvement au moindre bruit. Animal nocturne, sa vue n'est pas très bonne ; il est pourtant capable de différencier les couleurs, comme l'a remarqué l'Américain H. Friedman en 1967, qui s'est aussi demandé à quoi cela pouvait bien servir à un individu vivant la nuit ! L'opossum de Virginie a un répertoire vocal limité. L'adulte utilise quatre cris distincts. Trois d'entre eux, un chuin-

Oreilles.
Nues, fines et noires, elles sont souvent blanches sur la partie supérieure.

Museau.
De forme allongée, rose à l'extrémité, il porte de longues vibrisses qui ont un rôle tactile.

Griffes.
Sur chaque doigt des pattes avant et arrière (sauf le pouce), les griffes acérées aident l'opossum à grimper.

Pelage.
Sa fourrure courte et sombre parsemée de longs poils clairs donne à l'opossum un aspect hirsute.

Queue.
Longue et préhensile, la queue sert aussi bien de point d'appui que de balancier et peut être utilisée comme une « main » supplémentaire.

tement (ou sifflement), un grognement et un cri perçant, sont des cris agressifs ou défensifs, allant de la plus faible à la plus forte excitation. Les cris aigus, par exemple, sont fréquents dans les combats entre mâles. Le quatrième, appelé « click », est un petit cri sexuel que pousse le mâle quand il « courtise » la femelle, lorsque débute la saison de reproduction. Cette saison dure de huit à dix mois aux États-Unis, des premiers accouplements aux derniers sevrages.

Les femelles opossums n'allaitent jamais en hiver, même dans les régions plus clémentes comme en Floride, et n'ont que deux portées par an quelle que soit la latitude. En revanche, le nombre de petits par portée diminue quand on va du nord au sud : en moyenne de neuf dans l'État de New York à six en Floride. Sevrés vers 3 mois et demi, les jeunes atteignent leur maturité sexuelle vers 8 mois et demi pour les mâles et 6 mois pour les femelles. Ainsi, celles qui sont nées tôt dans la saison peuvent élever une portée dès leur première année de vie. La population se renouvelle donc très vite, ce qui est important pour cette espèce dont la longévité ne dépasse guère 2 ans. ☐

QUATRE SOUS-ESPÈCES

Didelphis virginiana virginiana, le plus souvent, poils de jarre, face, mains, une partie des oreilles et de la queue blancs (animal dit en phase blanche) ; États-Unis, sauf zone côtière sud, de la Floride au Texas.
Didelphis virginiana pigra, États-Unis, de la Floride au Texas exclusivement.
Didelphis virginiana californica, extrême sud des États-Unis, sauf en Californie ; Mexique, sauf dans la péninsule du Yucatan.
Didelphis virginiana yucatanensis, la plus petite des quatre ; péninsule du Yucatan, Mexique.
Plus on descend vers le sud, plus les animaux sont de petite taille et leur queue est proportionnellement plus longue. Les parties blanches chez la première sous-espèce sont souvent noires chez les autres (phase noire), mais la coloration n'est pas absolue pour déterminer les sous-espèces.

Signes particuliers

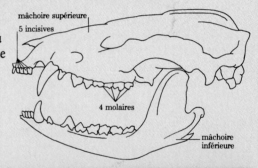

Tête
La peau du museau est nue et rose à son extrémité. Chez les vieux mâles, les canines supérieures allongées sont parfois apparentes, même la gueule fermée.

Queue
Nue et couverte de petites écailles, elle est noire sur la première moitié et atteint presque la longueur du corps chez les sous-espèces d'Amérique centrale. Elle est plus courte (la moitié de la longueur du corps) et noire à la base chez les populations septentrionales. Mobile et préhensile, cette queue peut geler en hiver.

Poche marsupiale
Ouverte vers l'avant et profonde, elle comporte généralement 12 tétines en arc de cercle et 1 centrale, qui s'allongent au fur et à mesure de la croissance des petits.

Crâne
De forme allongée, avec un cerveau peu volumineux, le crâne est de type primitif. 50 dents au total permettent à l'animal de consommer une nourriture très variée.

mâchoire supérieure
5 incisives
4 molaires
mâchoire inférieure

Pattes
Les pattes antérieures et postérieures ont chacune cinq doigts. À l'avant, tous les doigts sont sensiblement de la même taille et portent des griffes aiguisées. À l'arrière, quatre doigts seulement sont munis de griffes. Le pouce, lui, en est dépourvu.

Large et court, il est opposable aux autres doigts, ce qui permet à l'opossum de se servir de ses pattes arrière pour s'agripper à des branches de petit diamètre.

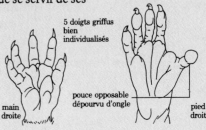

5 doigts griffus bien individualisés

main droite

pouce opposable dépourvu d'ongle

pied droit

Les autres opossums

■ Trois grandes familles se partagent les 82 espèces de marsupiaux américains regroupés sous le nom général d'opossums, à ne pas confondre avec les possums océaniens (appelés parfois également opossums !) Elles se répartissent sur la plus grande partie du continent américain, de la frontière canadienne à la Patagonie. La famille des didelphidés comprend 14 genres et 74 espèces, intertropicales pour la plupart. Les cænolestidés, ou musaraignes opossums, comprennent trois genres (*Caenolestes, Lestoros, Rhyncolestes*) et sept espèces. Enfin, les microbiothériidés, sud-américains et montagnards comme les cænolestidés, ne sont représentés que par une espèce, le « monito del monte » (*Dromiciops australis*). La grande majorité des opossums est omnivore et nocturne. Ces espèces sont souvent discrètes, de petite taille et parfois rares, ce qui explique que la plupart soient mal connues des scientifiques et du grand public. □

LES SARIGUES

Genre *Didelphis*
3 espèces, dont l'opossum de Virginie (*Didelphis virginiana*).
Les sarigues, ou opossums proprement dits, sont les plus gros marsupiaux américains. Ce sont :
— Opossum commun, ou opossum à oreilles noires, *Didelphis marsupialis,* mesure de 60 à 90 cm (moitié tête et corps, moitié queue) : son poids oscille entre 0,6 et 1,6 kg.
Identification : le dos et les pattes sont noirs, la face et les flancs jaune sale.
Répartition : forêt et savane de plaine ; du sud du Mexique à l'Amazonie, ainsi que la forêt atlantique du Sud-Est brésilien et du Nord-Est argentin.
— Opossum à oreilles blanches, *Didelphis albiventris,* a la même taille et le même poids que l'opossum commun.
Identification : dos et flancs plus clairs ; poils de jarre blancs et non noirs ; face blanche avec une rayure noire médiane et des anneaux noirs autour des yeux.
Répartition : forêts humides subtropicales, savanes sèches et en altitude jusqu'à 4 000 m ; sud du Venezuela, Andes, de la Colombie au nord du Chili, est, centre et sud-ouest du Brésil jusqu'au nord de l'Argentine.

LES OPOSSUMS QUATRE-YEUX

Le nom de ces animaux est dû aux deux taches blanches qu'ils portent au-dessus des yeux.
Les trois espèces sont réparties en deux genres, *Philander* et *Metachirus.*
— Opossum quatre-yeux gris, *Philander opossum,* mesure de 20 à 30 cm (tête + corps) et autant pour la queue, pour un poids de 200 à 600 g.
Identification : dos et flancs gris, dessus de la tête noire. À la différence des autres opossums quatre-yeux, il possède un manchon de poil à la base de la queue.
Répartition : de préférence les bords de cours d'eau en grande forêt humide et les forêts dégradées ; plaines, du sud du Mexique au sud du Brésil.
Principalement terrestre et carnivore.
— Opossum quatre-yeux de Mac-Ilhenny, ou opossum quatre-yeux noir, *Philander mcilhennyi.* Sa taille et son aspect sont similaires à ceux de l'opossum quatre-yeux gris, sauf le dos et les pattes noirs.
Répartition : limitée au bassin supérieur de l'Amazone, du Venezuela au Brésil, en forêt de plaine.
Ses mœurs sont identiques à celles de l'autre espèce.
— Opossum quatre-yeux brun, *Metachirus nudicaudatus.*
Identification : partie supérieure du corps brun-roux, taches au-dessus des yeux moins marquées que chez les espèces du genre *Philander ;* pattes plus allongées, allure générale plus svelte ; queue entièrement nue et non préhensile. Strictement terrestre.
Répartition : surtout la grande forêt à sous-bois clair ; forêts humides de plaine, du sud du Costa Rica au nord-est de l'Argentine.

OPOSSUM AQUATIQUE

Chironectes minimus
Un peu à part dans la grande famille des didelphidés, l'opossum aquatique, ou yapock, est le seul marsupial complètement aquatique.

Identification : longueur de la tête et du corps de 25 à 30 cm, queue de 30 à 40 cm ; poids de 600 à 700 g.
Pieds palmés, dos noir à rayures blanches transversales qui servent probablement de tenue de camouflage à l'animal quand il nage en surface.
Les mâles de cette espèce sont les seuls opossums qui, comme les femelles, ont une poche marsupiale dans laquelle ils abritent leur scrotum quand ils sont dans l'eau.
Répartition : petits cours d'eau forestiers ; Amérique centrale, à partir du sud du Mexique ; versant est des Andes, de la Colombie à la Bolivie ; Guyanes et sud-est du Brésil.
Alimentation : poissons et petits animaux aquatiques.

LES SOURIS OPOSSUMS

Ce vaste groupe, comprenant une cinquantaine d'espèces, ne regroupait qu'un seul genre, *Marmosa,* depuis peu séparé en *Marmosa, Marmosops, Micoureus, Gracilinanus* et *Thylamis.* Toutes ces espèces ont, comme leur nom l'indique, une allure de souris.
Identification : de petite taille (longueur tête + corps de 7,5 à 20 cm, queue de 10 à 30 cm), poids de 20 à 150 g ; pas de poche marsupiale.
Répartition : des forêts tropicales humides et des steppes buissonnantes aux prairies d'altitude ; toute l'Amérique latine (sauf les hautes montagnes, les déserts arides et la Patagonie).
Alimentation : omnivores, avec une préférence pour les insectes.

Opossum gris (Monodelphis domestica).

Opossum à oreilles blanches (Didelphis albiventris).

LES OPOSSUMS À QUEUE COURTE

Genre *Monodelphis*
14 espèces diurnes, surtout terrestres.
Identification : queue courte, non préhensile ; petits yeux ; longueur (tête et corps) de 10 à 30 cm ; queue de 4 à 11 cm ; poids de 15 à 150 g.
Alimentation : insectes.
Répartition : forêts et prairies d'Amérique du Sud, à l'est des Andes jusqu'en Argentine.

LES OPOSSUMS LAINEUX

Genre *Caluromys*
3 espèces très semblables, arboricoles et frugivores, qui mesurent de 20 à 30 cm (tête + corps), de 30 à 45 cm (queue) ; poids de 250 à 400 g. Fourrure dense et soyeuse, brun-roux ; tête marquée d'une ligne brun foncé du front au museau.
— **Opossum laineux d'Amérique centrale,** ou opossum laineux de Derby, *Caluromys derbianus,* a une tache grise au milieu du dos. Il vit dans les forêts et zones boisées au sud du Mexique et à l'ouest des Andes, en Colombie et en Équateur, jusqu'à 2 500 m d'altitude.
— **Opossum laineux équatorien,** *Caluromys lanatus,* a une queue velue sur sa première moitié. Il vit jusqu'à 500 m d'altitude, à l'est des Andes, de la Colombie à l'ouest du Venezuela et au nord de l'Argentine, dans la région ouest,

centre et sud du Brésil.
— **Opossum laineux à queue nue,** *Caluromys philander,* a une queue nue, sauf à la base. Il se répartit dans la zone est du bassin amazonien, jusqu'à 2 000 m d'altitude ; est du Venezuela, Guyanes, nord et centre-sud du Brésil, forêt atlantique du Sud-Est brésilien.

OPOSSUM À ÉPAULES NOIRES
OPOSSUM À QUEUE TOUFFUE

Caluromysops irrupta, Glironia venusta
Espèces arboricoles, rares.
Répartition : forêt humide de l'ouest du bassin amazonien : du sud-sud-est du Pérou à l'ouest du Brésil pour la première ; de l'Équateur à la Bolivie pour la seconde.

OPOSSUM À GROSSE QUEUE

Lutreolina crassicaudata
Ressemble à une loutre ; bon nageur.
Répartition : savanes de plaine ; Colombie, Venezuela et depuis le sud de l'Amazone jusqu'au nord de l'Argentine.

OPOSSUM DE PATAGONIE

Lestodelphis halli
Ce petit animal (20 cm dont la moitié pour la queue) ressemble à une grosse souris. Mal connu, c'est le plus méridional des marsupiaux américains.

Souris opossum (Marmosops incanus).

Opossum laineux d'Amérique centrale (Caluromys derbianus).

Milieu naturel et écologie

■ Seul marsupial nord-américain, l'opossum de Virginie occupe une grande partie de l'Amérique du Nord et de l'Amérique centrale, du sud de l'Ontario au Nicaragua, à l'exception des régions les plus arides et les plus élevées de l'ouest des États-Unis et du nord-ouest du Mexique.

Ayant une partie de leurs aires de répartition commune, les autres espèces d'opossums, celui à oreilles noires et celui à oreilles blanches, sont plus méridionales et ne côtoient pas l'opossum de Virginie.

Une expansion étonnante

L'expansion de l'opossum de Virginie sur un territoire si vaste s'explique par sa stratégie de colonisateur : doué pour envahir les milieux nouveaux, aussi à l'aise à terre, dans l'eau ou dans les arbres, il a la faculté, grâce à son alimentation variée, à ses aptitudes à occuper des habitats divers et à ses habitudes itinérantes de s'adapter vite presque n'importe où.

Cette expansion est toutefois limitée au sud par l'excès de pluie et au nord par le froid (on le trouve tout de même jusqu'à 3 000 m sur les plateaux mexicains). Bien qu'il préfère les forêts décides, on le rencontre aussi bien dans les marais que les prairies ou les zones de grande culture, et même dans les banlieues des grandes villes. Il ne s'éloigne cependant jamais de l'eau car il lui faut boire souvent.

L'opossum de Virginie constitue un des cas relativement rares d'espèces animales dont l'aire de répartition est actuellement en expansion. Au XVIᵉ siècle, les premiers Européens installés en Amérique du Nord ne trouvèrent pas d'opossums au nord d'une ligne délimitée par les États actuels de l'Arkansas, du Kentucky et de la Virginie. Depuis le XIXᵉ siècle, celle-ci s'est étendue vers le nord et vers l'est suivant la progression des colons. En 1870, après une introduction accidentelle près de San Francisco, en Californie, l'opossum a colonisé en moins d'un siècle la côte ouest des États-Unis, depuis la frontière mexicaine jusqu'à celle du Canada. Ce marsupial a ainsi augmenté son aire de répartition de plus de deux millions de kilomètres carrés en cinquante ans, sans que l'on sache très bien dans quelle mesure il a été aidé par l'homme. Quoi qu'il en soit, on peut imaginer que, à l'image des goélands qui se multiplient sur les côtes grâce aux dépôts d'ordures, l'opossum de Virginie a su profiter de son mode

L'opossum de Virginie monte sans difficulté dans les arbres des régions tempérées où il vit, s'aidant de sa queue comme d'un balancier lorsqu'il passe de branche en branche.

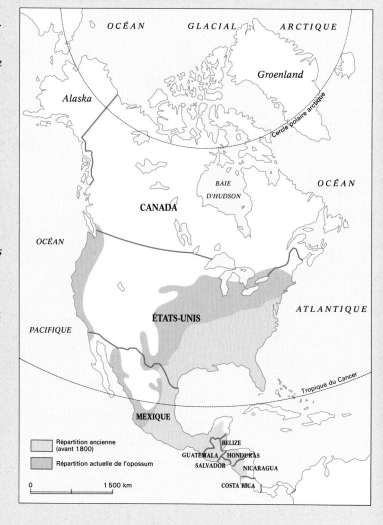

Aire de répartition de l'opossum de Virginie. Avant 1800, l'espèce ne se rencontrait que dans la partie orientale des États-Unis et en Amérique centrale. Les recensements, plus nombreux depuis le début du XXᵉ siècle, ont permis d'évaluer l'extension des populations d'opossums à plus de deux millions de kilomètres carrés pendant le dernier demi-siècle. Sur la côte est, cette progression a débuté surtout vers le nord des États-Unis, jusqu'à atteindre la région des Grands Lacs. Depuis 1958, l'opossum de Virginie a gagné peu à peu le centre du pays, et, à partir du Mexique, a conquis la côte ouest des États-Unis. Sur cette même côte, une petite population apparue vers 1932 au-dessus de la presqu'île de Californie a, elle aussi, largement étendu son aire de répartition depuis 1958.

OCÉAN GLACIAL ARCTIQUE

Groenland

Alaska

Cercle polaire arctique

BAIE D'HUDSON

OCÉAN

CANADA

OCÉAN

ÉTATS-UNIS

ATLANTIQUE

PACIFIQUE

Tropique du Cancer

MEXIQUE

Répartition ancienne (avant 1800)

Répartition actuelle de l'opossum

BELIZE
GUATEMALA HONDURAS
SALVADOR NICARAGUA
COSTA RICA

0   1 500 km

de vie éminemment adaptable pour tirer parti des situations nouvelles que l'homme lui a fournies.

Des causes de mortalité mal connues

De plus, les prédateurs de l'opossum, même s'ils sont nombreux, restent très occasionnels. Coyotes, renards, lynx, rapaces et gros serpents peuvent en faire leur repas. Mais, bien que de nombreux chercheurs, notamment américains, aient étudié l'opossum de Virginie dans la nature, aucun n'a su déterminer avec certitude s'il était mangé et par quelles espèces animales. La prédation n'est sans doute pas un facteur de mortalité important pour cette espèce.

L'autre cause possible de mortalité des opossums est la maladie : cœur, rein, ou problèmes respiratoires pouvant se terminer par une pneumonie... Cet animal est aussi sujet à des infections par des bactéries (salmonellose, leptospirose), des protozoaires (toxoplasmose), qu'il peut transmettre à l'homme. Mais on ne connaît pas l'importance réelle de ces maladies dans la nature car elles ont généralement été observées chez des animaux en captivité.

Sensibles au froid

Comme l'opossum de Virginie n'hiberne pas, il ne peut, comme l'ours ou la marmotte, passer plusieurs mois au fond de son refuge sans manger et paie un lourd tribut au froid. Un chercheur américain, F.W. Stuewer, a suivi pendant trois ans, de 1937 à 1940, une population d'opossums dans le Michigan, près de la frontière canadienne. Régulièrement piégés pour être marqués, les animaux étaient ensuite relâchés. En deux ans, à la suite d'hivers doux, la population fit plus que doubler. Malheureusement, durant le troisième hiver, très froid, 60 cm de neige recouvrirent le sol pendant trois mois. Les opossums eurent tant de mal à se nourrir que, au printemps suivant, un animal sur six seulement fut retrouvé vivant. Et, parmi ceux-ci, certains avaient des morceaux de queue ou d'oreilles qui avaient gelé et étaient tombés pendant l'hiver ; mais, pour ceux-là au moins, les plaies avaient cicatrisé rapidement. □

Un petit marsupial prolifique

Premier marsupial connu des Européens, l'opossum tient une place de choix dans le folklore nord-américain. Bien qu'il continue à être chassé pour sa fourrure, sa résistance et son caractère très adaptable lui assurent encore de beaux jours.

Un animal étrange

■ La première rencontre de l'opossum avec un Européen remonte à la découverte du Nouveau Monde. C'est en effet l'un des premiers explorateurs du Brésil, l'Espagnol Vicente Yanes Pinzon, qui découvrit le 1er janvier 1500 une femelle opossum avec des petits dans la poche. Il la ramena à la Cour d'Espagne, où cet animal étrange fit sensation. Une image célèbre représente la reine Isabelle introduisant son « royal doigt » dans la poche marsupiale et s'extasiant devant cette invention de la nature.

La première illustration de l'opossum paraît dans l'atlas de l'Allemand Waldseemüller, daté de 1516. Elle représente un animal de la « Terra Nova », à tête de chien, à grosses pattes d'ours, la poitrine (la poche !) gonflée, les mamelles pendant à l'extérieur, la queue tronquée ! Et, pendant deux siècles, c'est cette image farfelue qui sera reprise par les naturalistes. L'opossum de Virginie, quant à lui, est découvert en 1608 par un capitaine anglais, John Smith, qui participe à la fondation de la colonie de Jamestown, en Virginie. Il décrit une femelle comme un animal à tête de chien et queue de rat, de la taille d'un chat, portant sous son ventre un sac dans lequel elle abrite et allaite ses petits.

Les Indiens, eux, connaissaient l'opossum depuis longtemps puisque les appellations d'« opossum » et de « sarigue » sont dérivées des noms donnés à cet animal par les Indiens d'Amérique du Nord, pour le premier, et d'Amazonie, pour le second. C'est au grand naturaliste suédois Linné que l'on doit le nom latin de *Didelphis*. Il signifie « deux utérus » et fait référence à la poche marsupiale. Le nom d'espèce, *virginiana*, créé par un zoologiste anglais, Robert Kerr, en 1792, rappelle tout simplement la région où cet animal a été découvert. ☐

Histoires d'opossums

■ Le folklore traditionnel américain perpétue quantité d'histoires et de croyances sur l'opossum. Ainsi, comme tous les marsupiaux, le mâle a un pénis bifide complémentaire des vagins latéraux de la femelle. Cette morphologie est à l'origine de la croyance selon laquelle les opossums s'accoupleraient par le nez, les petits naissant par les narines de la mère !

Plus charmante, une histoire raconte pourquoi l'opossum a la queue nue. Rencontrant un raton laveur, l'opossum lui demande : « Comment fais-tu pour avoir de si jolis anneaux à ta queue ? » — « Je l'ai enveloppée dans de l'écorce et l'ai mise au feu ». L'opossum fit alors la même chose mais laissa sa queue trop longtemps si bien que tous les poils brûlèrent. ☐

La chasse à l'opossum

■ Chassé systématiquement par les fermiers qui l'accusent de manger leurs poulets, l'opossum est aussi le gibier de chasses traditionnelles dans le sud des États-Unis. Celles-ci se pratiquent la nuit, en groupe, avec des chiens. Après leur avoir fait sentir une peau d'opossum, les chasseurs lâchent les chiens et les suivent de loin, guidés par les aboiements. Dès qu'ils ont immobilisé un opossum, le plus souvent réfugié sur un arbre ou dans un terrier, les chiens avertissent les chasseurs en poussant un cri particulier pour lequel ils ont été tout spécialement dressés.

Une fois attrapé, l'opossum finit en pelisse ou en ragoût. Fort appréciée dans le sud des États-Unis, sa viande a la réputation d'avoir bon goût, à condition de ne pas oublier d'enlever les glandes à musc périanales avant de la cuisiner.

Mais, plus que pour leur viande, c'est surtout pour leur fourrure que les opossums sont poursuivis depuis toujours. Ils ont été chassés massivement, au fusil ou au piège, au point que, dans les années 1940, plus de deux millions de peaux étaient vendues !

Après un déclin jusqu'en 1970 (de 100 000 à 300 000 peaux commercialisées annuellement), cette activité connaît un regain rapide, parallèlement à l'augmentation du prix des peaux. Sans excès toutefois, car, n'étant pas considérées comme un produit de luxe, elles restent bon marché et sont souvent taillées et teintes pour imiter des fourrures plus chères. ☐

De nombreuses croyances circulent à propos des opossums. Ainsi, l'animal a la réputation, exagérée, de se suspendre par la queue pour se reposer. S'il est vrai que celle-ci peut supporter le poids de l'animal, elle n'est pas assez forte pour qu'il tienne longtemps cette position.

LATREILLE
(Pierre-André)
Brive-la-Gaillarde 1762-Paris - 1833

Entomologiste français

Contemporain de Cuvier, de Geoffroy Saint-Hilaire et de Lamarck, dont il fut le brillant assistant durant des années, Pierre-André Latreille est le fondateur de la systématique en entomologie moderne, cette partie de la zoologie qui s'intéresse aux insectes et aux articulés terrestres et dont les applications à la médecine et à l'agriculture sont aujourd'hui importantes.

■ Abandonné sous le porche d'une église de Brive, dès sa naissance, par sa mère apparemment sans ressources, Latreille est le fils naturel du général Jean-Joseph Sahuguet d'Amarzit, baron d'Espargnac. Le bébé est recueilli par un couple de paysans qui le font baptiser sous le nom de Pierre-André. Et ce n'est qu'en 1813, alors qu'il avait 51 ans, que le tribunal de Brive lui attribuera officiellement le patronyme de Latreille. Il semble que le baron d'Espargnac joua toutefois un rôle important dans l'éducation du jeune enfant, par personnes interposées, notamment le docteur Laroche, qui accoucha sa mère, et un certain Malepeure, qui lui donna le goût des sciences naturelles.

En 1778, Pierre-André est envoyé au collège du Cardinal Lemoine à Paris. Il a 23 ans lorsque son père meurt en 1785. La famille d'Espargnac respecte scrupuleusement les volontés du défunt qui, par testament, assure financièrement les études de son fils. Ce qui permet à Pierre-André d'entrer au séminaire de Limoges.

Ordonné prêtre en 1786, il revient dans son pays natal et mène durant quelques années une vie calme consacrée à la piété et à la science, étudiant notamment le *Genera* des insectes de Fabricius. Mais la Révolution éclate et Pierre-André, attaché à ses croyances, refuse de prêter serment au nouveau pouvoir. Avec soixante-treize autres prêtres réfractaires, il est arrêté, emprisonné et condamné à la déportation par le tribunal de Bordeaux.

Dans sa cellule, Pierre-André continue à étudier les insectes qui l'entourent. Un jour qu'il observe un coléoptère qu'il croit être un clairon à corselet roux, espèce rare — mais qui n'est en fait qu'un *Necrobia ruficollis* ordinaire —, il reçoit la visite du médecin des prisons. Celui-ci, intrigué par le prisonnier, parle de Pierre-André à Bory Saint-Vincent, baron rallié momentanément aux idées nouvelles et acquis aux sciences naturelles, et Bory échange alors la liberté du détenu contre le nécrobe, qu'il désirait.

À sa libération, Pierre-André se consacre aux sciences et surtout à l'entomologie, cette science qui a débuté au XVIIᵉ siècle avec les recherches de Malpighi sur l'anatomie du ver à soie et celles de Swammerdam sur les métamorphoses, mais que Buffon méprisait : « Une mouche ne doit pas tenir dans la tête d'un naturaliste plus de place qu'elle ne tient dans la nature... »

Latreille publie dès 1796 un *Précis des caractères généraux des insectes, disposés dans un ordre naturel* qui préfigure la classification que Lamarck proposera en 1809 dans sa *Philosophie zoologique*. L'intérêt commun des deux hommes pour les insectes les rapproche et Lamarck, qui occupe la chaire des animaux sans vertèbres du Muséum de Paris créée pour lui, s'attache son cadet comme « aide-naturaliste », terme employé à l'époque pour désigner les assistants.

Latreille travaille comme un forcené. De 1802 à 1805, il publie une *Histoire naturelle, générale et particulière, des crustacés et des insectes*, en 14 volumes. L'ouvrage est fort remarqué. Dans le suivant, *Genera crustaceorum et insecto-rum*, paru entre 1806 et 1809, Latreille affine la classification des arthropodes et décrit les nouvelles espèces qui sont venues enrichir ses collections. Enfin, il pose précisément les bases modernes de la systématique dans *Considérations générales sur l'ordre naturel des animaux...*, prenant en compte avec plus de précision encore que Lamarck la morphologie des pièces buccales, celle des ailes et les métamorphoses...

Lorsque, en 1820, il s'appelle enfin Latreille, il devient un naturaliste reconnu. D'aide-naturaliste, il succède à Lamarck, devenu presque aveugle. Et, en 1830, l'aréopage des professeurs du Muséum lui confie la chaire, nouvellement créée, de zoologie des insectes, vers et animaux microscopiques.

Toujours débordant d'activité, Latreille fonde en 1832 la Société entomologique de France, dont l'influence est aujourd'hui encore importante en France et à l'étranger. Tous les grands entomologistes ont écrit dans les publications de la société.

Latreille meurt à l'âge de 71 ans. À son enterrement, c'est son collègue célèbre, E. Geoffroy Saint-Hilaire, qui prononce l'éloge funèbre, soulignant l'intérêt que ce naturaliste, reconnu de ses contemporains, portait à de nombreux autres domaines. □

Le « Prince de l'entomologie »,
comme le surnomment ses contemporains,
possède une vaste culture.

UNE VASTE CULTURE

Comme beaucoup de savants de son époque, Latreille avait des connaissances approfondies dans des domaines très divers. Sa vaste culture, acquise lors de ses études religieuses, l'incita à écrire également des ouvrages non entomologiques tels que *Recherches sur le premier âge du monde et l'accord des théologies phéniciennes et égyptiennes avec la Genèse ; Considérations sur l'Atlantide de Platon* ou encore *Vues sur l'origine du système métrique dans l'Antiquité et sur quelques points de géographie ancienne*.

VIE SAUVAGE

ENCYCLOPÉDIE LAROUSSE DES ANIMAUX

es abeilles

Les abeilles

Une société très organisée

D'infatigables
travailleuses

Un vol nuptial mortel
pour le mâle

33

IX 19,50 FF

FB / 5,90 FS

FL

domadaire

Larousse

Avec VIE SAUVAGE,
la nouvelle encyclopédie Larousse des animaux,
découvrez la vraie vie des animaux sauvages du monde entier.

Chaque semaine, partez à la rencontre d'un nouvel animal. Surprenez-le dans son intimité, grâce à des photos fortes, prises sur le vif par de grands reporters. Apprenez à connaître son comportement et ses mœurs, racontés par les plus grands experts de la faune sauvage : scènes de chasse, bains, premiers pas des petits... Vous découvrirez les grands principes écologiques de la lutte pour la vie et de l'équilibre de la nature.

Constituez-vous une collection complète des animaux sauvages du monde entier, en les regroupant selon les 11 grands milieux naturels où ils vivent :

Savanes et prairies : éléphant, lion, girafe, bison, kangourou...
Forêts tropicales : tigre, orang-outan, jaguar, perroquet...
Forêts de conifères : loup, aigle royal, lynx, hermine...
Forêts de feuillus : koala, renard, cerf, sanglier, coucou...
Mers et océans : dauphin, baleine, requin, pieuvre...
Côtes marines : otarie, tortue géante, fou de Bassan, iguane...
Rivières et fleuves : hippopotame, loutre, piranha, castor...
Étangs et marais : pélican blanc, crocodile, vison, libellule...
Montagnes : grand panda, condor, ours brun, macaque japonais...
Déserts et steppes : guépard, caméléon, criquet, scorpion...
Toundras et glaces : phoque, caribou, lemming, bœuf musqué...

VIE SAUVAGE est le fruit d'une collaboration entre Larousse et le WWF (Fonds Mondial pour la Nature - France). Cette encyclopédie est née d'une volonté commune d'agir en faveur de la protection des animaux sauvages.

© : 1986. Copyright WWF.   ® : WWF propriétaire des droits.

VIE SAUVAGE est édité par la Société des Périodiques Larousse

Directeur de la publication : Bertil Hessel

Directeur éditorial : Claude Naudin

Directeur de la collection : Laure Flavigny

Rédaction : Catherine Nicolle

Direction artistique : Henri Serres-Cousiné

Direction scientifique : Christine Sourd, docteur en écologie, Conservation Officer au WWF-France

Conception graphique et mise en pages : Frédérique Longuépée

Couverture : Gérard Fritsch

Correction-révision : Service de lecture-correction de la Librairie Larousse

Documentation iconographique : Anne-Marie Moyse-Jaubert, Marie-Annick Réveillon

Composition : Michel Vizet

Fabrication : Jeanne Grimbert

Service de presse : Régine Billot

EN VENTE TOUS LES MERCREDIS

Service des ventes : PROMEVENTE - Michel Iatca Tél. : 45 23 25 60 Terminal : EB6

L'encyclopédie Vie Sauvage se compose de 144 fascicules pouvant être assemblés en 9 volumes sous reliure mobile. La publication est hebdomadaire, mais, en juillet et en août, il ne paraîtra que deux numéros au lieu de quatre.

Administration et souscription : Société des Périodiques Larousse 17, rue du Montparnasse 75298 Paris Cedex 06 Tél. : 44 39 44 20

© 1990, Société des Périodiques Larousse 17, rue du Montparnasse, 75006 Paris. Imprimé en France (Printed in France). Distribution N.M.P.P. pour la France.

Conditions d'abonnement : Écrire ou téléphoner à la Société des Périodiques Larousse

Prix du fascicule et de la reliure

	Fascicule	Reliure
France	19,50 FF	49,00 FF
Belgique	139,00 FB	350,00 FB
Suisse	5,90 FS	15 FS
Luxembourg	139 FL	350 FL

Vente aux particuliers d'anciens numéros. Envoyez les numéros des fascicules commandés et un chèque d'un montant de :
— 25,50 FF par fascicule
— 61,00 FF par reliure
à GPP. BP 46 95142 Garges-lès-Gonesse

SOMMAIRE
N° 33   LES ABEILLES   *Forêts de feuillus*

LES ABEILLES ET LEURS ANCÊTRES 1

LA VIE DES ABEILLES
Une société très organisée où chacune a sa place 4-5
Des abeilles chevronnées pour butiner et récolter 6-7
Plusieurs métiers dans une même vie 8-9
Le vol nuptial conduit le mâle à la mort 10-11

POUR TOUT SAVOIR SUR LES ABEILLES
Abeille mellifique 14-15
Les autres abeilles 16
Milieu naturel et écologie 17

LES ABEILLES ET L'HOMME 18-20

DICTIONNAIRE DES SAVANTS DU MONDE ANIMAL
Hans Driesch

PROCHAINS NUMÉROS DE L'ENCYCLOPÉDIE :

Les lamas
L'ours blanc
Le macaque
L'autruche
Les chameaux
Le zèbre
Le buffle
Les scorpions
Le caribou
La pieuvre

LES TEXTES DE CE NUMÉRO ont été rédigés par Vincent Thierry, naturaliste, Guillemette de Véricourt, Monique Madier.
DESSINS de Guy Michel.
CARTE de Edica.
PHOTO DE COUVERTURE : Abeille butinant un cinéraire. Phot. A. et J. Six.

Composition : Dawant. Photogravure : Graphotec. Impression : Jean Didier

CRÉDITS PHOTOGRAPHIQUES p. 1, S. Dalton - NHPA ; p. 2/3, J. Six ; p. 4m, S. Dalton - NHPA ; p. 4b, J. P. Thomas - Jacana ; p. 5, A. et J. Six ; p. 6, S. Dalton - NHPA ; p. 6/7, A. et J. Six ; p. 7, A. et J. Six ; p. 8/9, S. Dalton - NHPA ; p. 8b, J. Six ; p. 9m, A. et J. Six ; p. 9b, A. et J. Six ; p. 10, A. et J. Six ; p. 10/11h, A. et J. Six ; p. 11bg, A. et J. Six ; p. 11bd, A. et J. Six ; p. 12/13, Manoni - Jacana ; p. 14, A. et J. Six ; p. 15h, A. et J. Six ; p. 15b, Y. Lanceau - Jacana ; p. 16bg, G. du Feu - Planet Earth Pictures ; p. 16bd, A. et J. Six ; p. 18/19, M. J. Flügel - Bruce Coleman ; p. 19, A. et J. Six ; p. 20, E. Valli.

3e de couv. : Hans Driesch, portrait. Phot. D.R. Coll. Larousse.

LES ABEILLES

Longtemps appelée « mouche à miel », l'abeille mellifique, originaire d'Eurasie, fascine surtout par ses activités de butineuse et par son aptitude singulière à vivre et à s'organiser en colonie. Une organisation qui n'existait peut-être pas chez ses lointains ancêtres...

Parmi les 6 familles des apoïdés, ou insectes qui se nourrissent de pollen et de nectar, celle des apidés regroupe toutes les abeilles, les solitaires et les « sociales », comme les abeilles du genre *Apis*, auquel appartient l'abeille mellifère ou mellifique, et celles de genres moins connus : *Melipona, Trigona* et *Bombus,* ou bourdons. Ainsi, pour les zoologistes, les bourdons, mâles et femelles, sont des abeilles. Il ne faut pas les confondre avec les faux-bourdons, qui sont les mâles chez les abeilles du genre *Apis.*

Comme l'explique le biologiste autrichien Karl von Frisch dans son livre *Vie et Mœurs des abeilles,* les ancêtres des abeilles sont probablement des insectes solitaires et prédateurs, telles les guêpes maçonnes. On ne sait pas exactement comment ou quand leur vie sociale a débuté.

Vers le milieu du crétacé, il y a 100 millions d'années, les plantes se sont répandues sur toute la terre. C'est à cette époque que s'est faite la différenciation entre les guêpes et les abeilles. Des abeilles fossiles ayant de nombreux points communs avec les formes actuelles d'*Apis* ont été trouvées en plusieurs endroits.

La première découverte a eu lieu dans les pays Baltes, où fut repéré un insecte emprisonné dans des morceaux d'ambre (résine fossile d'origine végétale), qui datait de l'éocène supérieur (– 70 millions d'années environ). Il devait avoir vécu en groupe, car, dans le même morceau d'ambre, étaient fossilisés à côté de lui cinq autres individus. On a donné à ces ancêtres d'*Apis mellifica* le nom d'*Electreapis,* ou abeille de l'ambre.

Certaines abeilles datant du miocène, inférieur et supérieur (entre – 25 et – 7 millions d'années), ont été découvertes en Allemagne occidentale, dans les schistes de Rott ; d'autres, retrouvées en France, dans le bassin aquitain, datent de l'oligocène (entre – 37 et – 25 millions d'années). Toutes ces abeilles fossiles étaient assez bien conservées.

Le genre *Apis,* originaire d'Asie, ne comporte que 4 espèces, vivant toutes en société. Outre *Apis mellifica,* il y a *Apis dorsata,* l'abeille géante de l'Inde, *Apis florea* et *Apis cerana,* vivant en Inde elles aussi. On distingue, en outre, différentes races ou sous-espèces de *Apis mellifica,* appelées abeilles domestiques, parce qu'elles ont été « apprivoisées » par l'homme, qui en prend soin. L'une d'elles est l'abeille noire de France, ou *Apis mellifica mellifica.* ☐

Lavande, luzerne, sauge ou genêt, chaque abeille choisit de butiner une seule espèce de plante. Quand l'insecte pénètre dans une fleur de sauge pour y faire provision de nectar, le pistil dépose un peu de pollen sur le dos de son visiteur. Comme les papillons et les coléoptères, l'abeille contribue ainsi à la reproduction des plantes en transportant le pollen d'une fleur à l'autre.

Une société très organisée où chacune a sa place

■ Tous les naturalistes l'ont remarqué, les abeilles mellifiques sont extraordinairement solidaires et vivent en colonie. Celle-ci possède son identité propre, puisqu'elle se défend contre tout élément étranger, insectes ou autres abeilles.

Une colonie comprend trois sortes d'abeilles adultes : une reine unique, avec sa double fonction de reproductrice et de régulatrice ; quelque 2 500 mâles — appelés aussi faux-bourdons —, qui ont pour seule fonction de féconder la nouvelle reine d'un nid, lors du vol nuptial ; et, enfin, les ouvrières — 50 000 environ —, qui vivent 38 jours en été et 6 mois en hiver et qui, au cours de leur vie, sont tour à tour nourrices, ménagères, bâtisseuses, magasinières, gardiennes et butineuses... Elles sont dirigées par la reine qui, par des sécrétions, les phéromones, leur transmet des ordres chimiques et peut, par exemple, appeler ainsi

L'ESSAIMAGE

Il a lieu généralement au printemps. Laissant la place à une autre abeille qui prendra sa succession, la reine entraîne environ les deux tiers de la colonie. Pendant que des éclaireuses partent à la recherche d'un endroit pour construire un nouveau nid, l'essaim se pose près de l'ancien. Gorgées de miel, dont elles ont fait provision avant le départ, les abeilles sont alors inoffensives.

Les experts proposent deux explications à l'essaimage : quand la miellée (quantité de miel produite) n'est pas importante, il y a plus de place dans la ruche pour le couvain, ce qui augmenterait la ponte, d'où le recours à l'essaimage ; ou bien ce serait un facteur hormonal qui favoriserait la naissance de nouvelles reines, provoquant le départ de l'ancienne.

tout son monde autour d'elle. Quant aux larves, elles occupent le couvain, qu'on peut comparer à une nursery : il est composé de 6 000 œufs, 9 000 larves, 20 000 nymphes. Mais tous ces chiffres ne représentent qu'une moyenne, la population d'un nid dépendant de divers facteurs : capacités de la reine, conditions climatiques, accès à la nourriture, maladies...

Cette colonie vit dans un nid constitué de rayons de cire que les ouvrières entretiennent en permanence. Celui-ci comporte deux parties : la réserve de nourriture, où se fait le miel, et la nursery, où est élevé le couvain. Quand il y a surpopulation, la reine émigre avec une partie des ouvrières pour créer une nouvelle colonie, c'est l'essaimage.

La chaîne cirière

La construction du nid exige une organisation très élaborée. Les ouvrières bâtisseuses, ou cirières, sont âgées de 12 à 19 jours quand leurs glandes cirières sécrètent la cire à partir du miel qu'elles absorbent. Elles constituent ce que l'on appelle la « chaîne cirière ». Elles se suspendent en plusieurs grappes dont chacune ressemble à une pyramide inversée. Chaque abeille s'accroche aux autres par les pattes, plusieurs chaînes pouvant être reliées entre elles par des

L'essaim, en quittant son nid, forme une grappe autour de la reine. Les abeilles sont alors si peu agressives que certains habitués les laissent se poser sur eux, sans courir le moindre danger. Parties en repérage, les éclaireuses reviennent bientôt communiquer aux autres, grâce à un code très élaboré, le résultat de leurs recherches. Tout l'essaim se dirige alors vers l'endroit qui semble offrir le plus de garanties à la vie de la colonie.

insectes qui sont alors complètement écartelés. Grâce aux brosses de ses pattes postérieures, une ouvrière bâtisseuse commence par récupérer ses lamelles de cire, elle les porte ensuite à sa bouche pour les malaxer et les humecter de salive. La boulette qui résulte de cette opération passe ensuite de cirière en cirière avant de parvenir aux abeilles chargées de la construction des alvéoles. Celles-ci utilisent leurs mandibules pour aplatir la cire et façonnent alors des parois d'une incroyable minceur : 0,073 mm. Au cours de toutes ces opérations, les antennes jouent le rôle d'instruments de mesure de haute précision.

Une fois achevées, les cellules ont une forme hexagonale. Leur hauteur varie selon leur destination (réserve de nourriture ou couvain). Elles sont légèrement inclinées vers l'intérieur et s'emboîtent parfaitement les unes dans les autres sur un rayon, formant ainsi un ensemble remarquable par sa solidité : un rayon composé d'environ 40 g de cire peut supporter près de 2 kg de miel ! Blanche au début, la cire des parois devient brune et noirâtre en vieillissant.

La régulation thermique du nid est assurée, au degré près, par toute la colonie. En été, l'ouvrière agite les ailes pour ventiler l'atmosphère, expulser l'air chargé d'humidité ; en hiver, elle les fait vibrer doucement pour réchauffer l'atmosphère. □

Pour construire le nid, les ouvrières fabriquent elles-mêmes leur matériau, grâce à 8 glandes cirières qui se développent entre le 12e et le 19e jour de leur existence, sous leur abdomen. Leur jabot (poche de leur appareil digestif) contient le miel nécessaire pour sécréter la cire. Celle-ci est excrétée en minces lamelles ovales, qui se solidifient au contact de l'air. Chaque lamelle pèse 0,0008 g et il en faut 1 250 000 pour obtenir 1 kg de cire.

Cette butineuse spécialisée dans la récolte du pollen vient compléter le chargement de ses corbeilles. Avant de butiner, elle a effectué un vol d'orientation, repérant la direction à prendre grâce à sa boussole interne, et mémorisant la position du soleil, même si celui-ci ne brille pas (elle a alors seulement besoin d'un coin de ciel bleu).

L'abeille récolte la propolis des bourgeons, qu'elle tire jusqu'à ce que se forme un fil qui se rompt. Elle en remplit les corbeilles situées sur ses pattes arrière. La propolis est indispensable aux abeilles qui l'utilisent comme enduit pour colmater les fissures du nid. Lorsque des insectes étrangers pénètrent dans le nid, les abeilles les tuent, puis emmaillotent leurs cadavres dans des fils de propolis pour qu'ils se désagrègent.

Des abeilles chevronnées pour butiner et récolter

■ L'abeille ouvrière se met à butiner à partir du 21e jour environ après sa naissance. C'est le dernier métier qu'elle exerce. C'est elle que l'on peut voir, du printemps à l'automne, voleter de fleur en fleur, avant de trouver la mort, le plus souvent dans quelque toile d'araignée ou dans le bec d'un oiseau. En attendant, elle se nourrit, à raison de 0,5 mg par kilomètre, du miel dont elle a fait provision avant de quitter la ruche. Dans sa vie, chaque abeille ne visite qu'une seule espèce de fleur et ne rapporte au nid qu'un seul type de butin : le nectar, le pollen, la propolis ou l'eau dont la colonie a besoin. L'eau sert à diluer le miel et à refroidir le nid par évaporation. Les larves en absorbent aussi une grande quantité.

Le nectar est aspiré

Sécrété par les fleurs au moyen de petites glandes appelées nectaires, le nectar est une solution sucrée qui contient des minéraux et des

L'eau est nécessaire au développement des jeunes abeilles et à la fabrication du miel. Certaines butineuses sont spécialisées dans cette récolte.

substances odorantes. L'abeille le prélève en s'introduisant dans la fleur et en l'aspirant au moyen de sa trompe, un organe de 6,5 mm, que prolonge une langue minuscule (2 mm). Elle le met ensuite dans son jabot, sorte de poche pouvant contenir jusqu'à 75 mg de la précieuse substance. Pour remplir ce sac, une abeille qui récolte, par exemple, le nectar du trèfle doit visiter entre 1 000 et 1 500 fleurs. Elle y ajoute des produits qui hydrolysent les sucres pendant le vol de retour : c'est le début de la fabrication du miel. Une fois au nid, la butineuse transmet son butin à une ouvrière magasinière.

Un litre de nectar représente un nombre de voyages qui peut varier de 20 000 à 100 000.

Le pollen est amassé

D'autres butineuses sont spécialisées dans la récolte du pollen. Il se compose de milliers de grains microscopiques que produisent les étamines. Sorte de spermatozoïdes de la fleur, ces grains sont prêts à être déposés sur le pistil — ou élément femelle — d'une autre fleur, afin d'assurer la reproduction de l'espèce. Les grains de pollen constituent un aliment indispensable pour les jeunes abeilles. Pour récolter cette poudre, l'abeille butineuse déchire les étamines à l'aide de ses mandibules et forme une boulette en humectant les grains avec le miel dont elle a fait provision dans son jabot avant de sortir du nid. Pendant le vol, elle

s'aide du peigne de ses pattes postérieures pour faire passer la boulette de pollen dans les corbeilles situées dans la partie supérieure de celles-ci. Elle récupère également le pollen sur son corps à l'aide de ses 6 pattes. Tout cela se fait à une vitesse telle que l'opération n'est pas visible à l'œil nu. Lorsque les corbeilles sont très pleines, elles ressemblent à de petits sacs accrochés aux pattes de la butineuse, qui transporte ainsi jusqu'à 50 mg de pollen, un poids énorme comparé au sien — environ 82 mg...

D'autres abeilles butineuses récoltent la propolis. Cette substance qui recouvre les bourgeons de certains arbres — peupliers, saules, marronniers... —, mêlée à des sécrétions salivaires et à du pollen, sert d'enduit pour boucher les fissures, réparer les rayons, et embaumer les ennemis tués. □

DANSE DES ABEILLES

Lorsqu'elle découvre une nouvelle source de récolte, la butineuse rentre au nid et exécute, sur les rayons, une danse, à l'attention des autres butineuses. Quand la source est à moins de 10 m, l'abeille exécute un cercle. Si elle est entre 10 et 40 m, la danse est en forme de faucille ; si elle est plus éloignée, elle est en forme de huit aplati, avec des demi-cercles tantôt à droite, tantôt à gauche. La danse reproduit l'angle formé par la ligne du soleil et celle de la source de nourriture découverte. Cet angle donne la direction. La fréquence des tours et le rythme du frétillement de l'abdomen de l'abeille indiquent aussi le degré de difficulté pour y accéder.

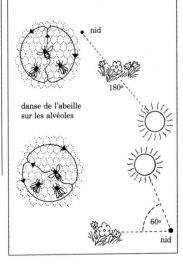

La magasinière traîne un sac à pollen qu'elle va stocker dans une des alvéoles. Cette opération s'effectue, pour le pollen comme pour le nectar, avant le 12ᵉ jour, après l'alimentation des larves. Le stockage de la nourriture est une caractéristique du comportement social de cet insecte.

Sur ce rayon, le miel a été mis en réserve pour l'hiver. On peut distinguer les cellules couvertes d'un opercule, sorte de bouchon de cire. Deux abeilles procèdent à un échange de nourriture ; une autre régurgite dans une cellule le contenu de son jabot.

Plusieurs métiers dans une même vie

■ Si l'on met à part quelques vols d'essai, le plus souvent en groupe, pour apprendre à situer le nid et à en reconnaître les environs, l'abeille ouvrière passe pratiquement les trois premières semaines de sa vie à l'intérieur. Du 1er au 3e jour après sa naissance, elle nettoie les cellules vides du couvain, afin que la reine puisse pondre à nouveau. À partir du 3e jour, ses glandes mammaires, situées dans la tête, se développent et elle devient nourrice, s'occupant en un premier temps des larves plus âgées, puis des plus jeunes, lorsqu'elle est capable de produire la gelée royale, une matière très nutritive sécrétée par ses glandes hypopharyngiennes et mandibulaires. Par la suite, ces glandes s'atrophient de sorte que l'ouvrière passe à d'autres travaux — enlèvement des gros déchets et des cadavres d'abeilles et surtout stockage du pollen et du nectar dans différentes cellules. Du 12e au 19e jour, c'est la production de la cire et la construction des alvéoles. Enfin, avant de partir pour butiner, la dernière activité de l'abeille est celle de sentinelle. Postée à l'entrée du nid, elle contrôle les animaux qui y pénètrent, et donne l'alerte s'il s'agit d'un étranger.

En cas de perturbations graves au sein de la colonie, l'organisme des ouvrières s'adapte, et celles-ci se remplacent mutuellement. Pendant ses longs moments d'oisiveté, l'abeille reste immobile ou se promène.

La vie en hiver

Contrairement à l'ouvrière née au printemps qui ne vit que 38 jours, celle née entre août et novembre vit tout l'hiver, soit environ 6 mois, dans le nid. La colonie ne comprend alors que 40 000 abeilles, puisqu'il n'y a plus ni couvain ni mâles. L'abeille a constitué dans son corps gras des réserves pour la mauvaise saison. Animal à sang froid, elle meurt sous une température inférieure à 8 °C. Au-dessous de 18 °C, les ouvrières se regroupent en grappe autour de la reine pour se réchauffer. Au centre de ce groupe, la température est maintenue à 35 °C. Les abeilles puisent dans leur réserve de miel pour se nourrir, mais, dans un souci de propreté, elles s'interdisent toute déjection. Dès le 15 janvier, la reine peut se remettre à pondre.□

Des abeilles battent le rappel en émettant des substances odorantes qu'elles ventilent sur la planche de vol à l'aide de leur glande de Nassanov. Il s'agit de ramener à la ruche les butineuses égarées ou de les rappeler en cas d'événement majeur.

Si un insecte d'une autre colonie ou d'une autre espèce (ici une guêpe), attiré par l'odeur du miel, cherche à pénétrer dans la ruche, l'intrus est aussitôt jeté dehors ou tué à coups d'aiguillons lorsqu'il insiste... Une abeille de la colonie est tout de suite repérée à l'odeur et admise.

LA FABRICATION DU MIEL

Rentrée au nid le jabot plein de nectar, la butineuse le remet aux magasinières, qui vont alors s'employer à le transformer. Le nectar est d'abord ingéré, et, pendant 20 minutes, passe du jabot à la bouche et de la bouche au jabot. Sous l'influence d'une sécrétion, l'invertine, le saccharose du nectar se transforme en glucose et en lévulose. Le nectar est ensuite placé dans une cellule que les ouvrières recouvrent d'un bouchon de cire, l'opercule. Là, il finit de se transformer en miel. Celui-ci contient 85 % de sucres, ainsi que des sels minéraux et des vitamines.

Le vol nuptial conduit le mâle à la mort

■ Lorsqu'une colonie se retrouve orpheline soit après la mort de la reine, soit après l'essaimage, les ouvrières élèvent de nouvelles reines. Ces jeunes larves femelles, semblables aux ouvrières, ont été pondues dans de plus grandes alvéoles. Les candidates à la succession sont nourries exclusivement de gelée royale.

Une compétition mortelle

Aussitôt née, la première reine se précipite sur ses rivales pour les piquer à mort. Si plusieurs reines naissent en même temps, un combat s'engage jusqu'à ce que la meilleure l'emporte, les vaincues étant vouées à la mort. La maturation sexuelle de l'abeille victorieuse s'achève au 6e jour. Les ouvrières la nourrissent, mais sont agressives envers elle pour la pousser à prendre son vol nuptial. Celui-ci a lieu le plus souvent par un bel après-midi sans vent. La température doit être au minimum de 20 °C. Les mâles de plusieurs colonies, rassemblés dans des lieux déterminés, fixes d'année en année, se dirigent vers tout ce qui ressemble à une jeune reine. Dès que l'une d'elles est repérée, elle est aussitôt prise en chasse par tous les faux-bourdons.

La copulation se déroule en vol, entre 6 et 20 m au-dessus du sol, parfois à plusieurs kilomètres du nid. Et, à chaque vol, la reine s'accouple avec plusieurs partenaires, 5 ou 6. Le mâle saisit la reine, la chevauche, ce qui provoque l'éversion de tout son appareil génital (l'endophallus). Pendant l'étreinte, une partie de son organe génital pénètre dans le sexe de la reine et y reste accroché jusqu'à l'accouplement suivant, à moins qu'à son retour au nid les ouvrières n'en débarrassent leur reine. L'accouplement déchire l'abdomen du mâle, qui meurt. Le sperme reçu par la reine au cours de son vol est, en principe, suffisant pour la vie, mais, en raison de pertes successives, plusieurs vols et accouplements sont nécessaires pour que la spermathèque (réservoir organique situé à l'extrémité de l'abdomen) soit remplie.

La reine se met alors à pondre et dépose un œuf par cellule. Elle choisit le sexe de l'œuf en fonction de la taille des cellules, qu'elle mesure avec ses pattes antérieures, l'alvéole destinée au mâle étant plus grande que celle de la femelle. Elle pond toutes les 40 secondes environ un œuf de 1,5 mm de long et 0,5 mm de diamètre, qui est fécondé — ou non —, lors de son passage par le canal ovarien, par les spermatozoïdes de la spermathèque. Pour avoir une ouvrière, la reine dépose un ovule fécondé. Pour avoir un mâle, elle ne met pas l'ovule en contact avec les spermatozoïdes. La reine est toujours très entourée.

Au 3e jour, l'œuf éclos donne naissance à une larve goulue, à laquelle les ouvrières apportent continuellement de la nourriture, mais qui cesse de s'alimenter pendant ses mues (4 en 6 jours).

Les faux-bourdons en sursis

Les faux-bourdons sont présents dans le nid d'avril à septembre, condamnés à rester inactifs. En effet, ils ne possèdent morphologiquement aucun « instrument » leur permettant d'exercer une fonction au sein de la colonie : ni glande cirière, ni corbeilles, ni peigne à pollen... Nourris par les ouvrières, leur unique fonction semble être de féconder la reine. Le vol nuptial achevé, tous les faux-bourdons qui n'ont pu s'accoupler sont expulsés du nid et meurent de faim ou de froid. □

TROIS TYPES D'ABEILLES

La reine (1), le faux-bourdon (2) et l'ouvrière (3) n'ont pas la même taille. La reine, plus grande que l'ouvrière, a un abdomen plus effilé ; la cellule où elle grandit, en forme de dé à coudre, est la plus haute. Le mâle se caractérise par deux très gros yeux et un abdomen carré. Sa cellule est hexagonale, comme celle des ouvrières, mais plus importante, avec un opercule plus bombé. La reine se nourrit de gelée royale, les mâles et les ouvrières n'en consommant que pendant 3 jours, pour passer ensuite au pollen, puis au miel.

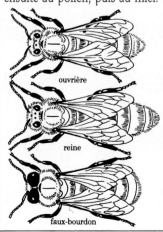

ouvrière

reine

faux-bourdon

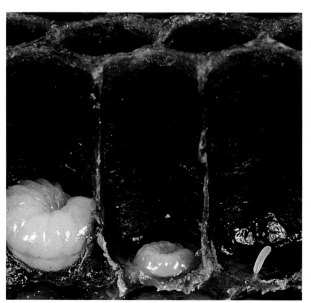

Œufs et larves : de droite à gauche, on peut voir l'abeille à différents stades. Premier stade : l'œuf est déposé verticalement au fond de la cellule. Deuxième stade : une jeune larve encore enroulée. Troisième stade : une larve âgée déborde de sa cellule. Sur le point de se redresser, elle commence sa métamorphose en nymphe.

Ces deux cellules natales abritent 2 abeilles différentes : à gauche, une ouvrière, à droite, une reine, dont la cellule est plus grande que les autres et en forme de dé à coudre.

Une jeune abeille sort de sa cellule. Ses poils tout neufs ne tarderont pas à s'user au travail.

La reine est nourrie et léchée pendant qu'elle pond de 1 500 à 3 000 œufs par jour, sauf en hiver. Elle pond en spirale à partir du centre vers l'extérieur. Les cellules sont fermées par un opercule de cire perméable à l'air.

Double page suivante : l'abeille butineuse travaille vite et avec précision.

Abeille mellifique
Apis mellifica

ABEILLE MELLIFIQUE OU MELLIFÈRE	
Nom (*genre, espèce*) :	*Apis mellifica*
Famille :	Apidés
Ordre :	Hyménoptères
Classe :	Insectes
Identification :	Tête triangulaire faisant partie du corps ; gros yeux latéraux ; thorax d'où partent 3 paires de pattes et 2 paires d'ailes, abdomen rayé circulairement de noir et de jaune. Aussi appelée abeille domestique
Taille :	Ouvrière : de 14 à 15 mm ; reine : de 18 à 20 mm ; faux-bourdon : 15 mm
Poids :	Ouvrière : 82 mg ; reine : de 250 à 300 mg
Répartition :	Europe, Afrique, Australie
Habitat :	Partout où il y a des plantes mellifères
Régime alimentaire :	Pollen et nectar
Structure sociale :	Vit en colonie de plusieurs milliers d'individus
Maturité sexuelle :	Reine : 6 jours après la naissance ; faux-bourdon : de 5 à 15 jours après la naissance
Longévité :	En moyenne, ouvrière d'été : 38 jours ; ouvrière d'hiver : 6 mois ; reine : de 4 à 5 ans ; faux-bourdon : 22 jours

■ Insecte invertébré, *Apis mellifica* possède un squelette externe rigide, mais articulé. Les organes internes baignent dans un liquide qui fait office de sang, l'hémolymphe. Incolore, ce liquide se déplace à l'intérieur du corps, grâce à un appareil dont l'action est comparable à celle d'un cœur, le vaisseau dorsal. Ce vaisseau donne une certaine impulsion à l'hémolymphe qui circule librement (il n'y a pas de vaisseaux pour la véhiculer).

Le corps de l'abeille est une sorte d'atelier en miniature, très perfectionné. Son appareil respiratoire est analogue à celui de tous les insectes. Un système de trachées très ramifiées amène l'air jusqu'à toutes les cellules. Les trachées communiquent avec l'extérieur par 20 stigmates (3 paires sur le thorax et 7 paires sur l'abdomen).

L'appareil digestif est un long tube allant de la bouche à l'anus. Au niveau de la tête se trouve le pharynx, au niveau du thorax l'œsophage, au niveau de l'abdomen le jabot, qui sert de réservoir pour le transport des aliments, puis vient le proventricule. C'est une sorte de valvule qui permet à l'abeille de se nourrir en faisant passer les aliments du jabot dans le ventricule, sans que le contraire soit possible. Enfin, le ventricule, puis l'intestin et la poche rectale terminent l'appareil digestif. Tout au long de cet appareil, les aliments sont digérés sous l'action des sucs. La poche rectale, située au bout de l'abdomen, est d'une capacité telle qu'elle permet à l'abeille de garder ses excréments pendant tout l'hiver.

Les sens de l'abeille sont très développés, en particulier celui de la vision. Grâce à ses cinq yeux et à ses trois ocelles, le champ visuel de l'insecte avoisine 360°, mais son acuité visuelle ne représente que le 80e de celle de l'homme, bien qu'elle soit supérieure à celle de beaucoup d'autres insectes. Fortement astigmate, l'abeille perçoit mieux les objets verticalement qu'horizontalement. Chez l'abeille, l'enchaînement des images se fait à 300 images par seconde, (alors qu'il est de 24 images chez l'homme), de sorte que, pour cet insecte, un film ne serait qu'une suite d'images fixes. En revanche, l'homme ne peut voir les mouvements des abeilles qu'en passant un film au ralenti.

Par ailleurs, les abeilles ne sont pas sensibles aux mêmes teintes que l'homme. Leurs couleurs sont le jaune-orangé (jaune-vert pour l'homme), le bleu-vert (pas de correspondance pour l'homme), le bleu (bleu et violet pour l'homme) et l'ultraviolet, invisible pour l'homme. Si le coquelicot attire les abeilles, ce n'est pas parce qu'il est rouge, mais parce qu'il réfléchit les rayons ultraviolets.

Le goût est très aiguisé chez l'abeille qui distingue le sucré, l'acide, l'amer et le salé. Il est lié à différents endroits du corps. On distingue le goût oral, localisé dans la cavité buccale, le goût tarsal dans les tarses, à l'extrémité des

Ailes.
Pendant le vol, les deux paires d'ailes s'agrafent, en quelque sorte, l'une à l'autre par une vingtaine de crochets appelés hamules

Dard.
Il injecte un venin mortel pour les insectes. Mais l'abeille ne peut le retirer du corps des mammifères qu'elle a piqués.

Corbeille à pollen.
La 3e paire de pattes est équipée d'une corbeille à pollen. En son centre, un poil retient les grains de cette substance. Autour de la corbeille, de longs poils rigides recourbés vers l'intérieur permettent de retenir solidement la boulette.

Peigne antennaire.
Sur la première partie du tarse (ou extrémité) de la patte avant, le peigne antennaire, organe pourvu d'une rangée de poils, permet à l'abeille de faire, en pliant la patte, la toilette de ses précieuses antennes.

pattes, et le goût antennaire dans les huit dernières articulations de l'antenne. Mais les sensibilités de l'abeille sont différentes : ainsi, le lactose, qui a un goût sucré pour l'homme, ne l'a pas pour elle. En outre, ses capacités gustatives dépendent de son âge et de son état physiologique, de sa nutrition en particulier. Ainsi, lorsqu'elle est affamée, elle est plus sensible à de faibles concentrations sucrées qu'elle ne l'est dans des conditions normales.

Les antennes servent à la fois d'oreilles et de nez à l'abeille. Elles sont divisées en trois parties. La dernière, ou flagelle, est la plus longue et comporte 11 articulations porteuses de plaques qu'on appelle sensilles. Certaines d'entre elles servent à la perception des odeurs, d'autres à celle des sons, ou plutôt des vibrations (car on considère que l'abeille est sourde, mais très sensible aux vibrations).

Celles-ci sont perçues par les sensilles dites « trichoïdes » — une seule antenne peut en porter 8 500. Quant aux odeurs, elles sont captées par les plaques poreuses (chez l'ouvrière, leur nombre varie de 3 000 à 6 000, la reine en a 3 000 et les mâles 30 000), ainsi que par les sensilles dites « basiconiques », situées sur les troisième et dixième segments de l'antenne. L'abeille semble capable de discerner une odeur déterminée, même lorsque celle-ci est associée à plusieurs autres, mais elle ne sent le parfum des fleurs que si elle en est relativement proche. En revanche, c'est grâce à son odorat que la sentinelle placée à la porte du nid distingue les membres de sa colonie des intruses appartenant à d'autres communautés, et peut ainsi les chasser. De même, lors de la danse destinée à communiquer aux autres ouvrières des messages sur les sources de nourriture, la danseuse ne peut être vue par ses camarades, puisque la danse a lieu le plus souvent dans l'obscurité du nid. Si le message passe, c'est donc uniquement grâce aux perceptions tactiles, auditives et olfactives des ouvrières.   □

Ommatidies et ocelles
L'abeille est dotée d'une part de 2 yeux composés de milliers d'yeux simples, les ommatidies, d'autre part de 3 ocelles, yeux simples disposés en triangle au-dessus de la tête. Chaque ommatidie constitue un système optique complet, comportant une cornée transparente qui forme lentille convergente, un cristallin conique et une rétinule composée de 8 cellules sensibles à la lumière. Les ocelles n'ont, eux, qu'une lentille biconvexe, un corps vitré et une rétine. Ils mesurent l'intensité lumineuse et fonctionnent surtout comme des cellules photoélectriques. L'abeille s'en sert aussi pour voir de très près. Grâce aux ocelles, elle perçoit le jour et la nuit, les passages nuageux et les éclaircies.

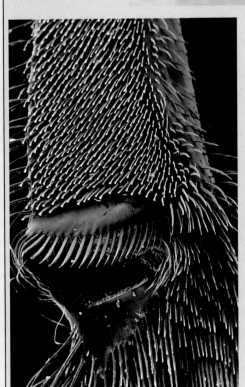

Peigne et brosse à pollen
Les pattes arrière de l'abeille présentent, au niveau de la 3e articulation, de minuscules outils, chefs-d'œuvre d'ingéniosité, qui servent à la récolte de la précieuse poudre. Tandis que le pollen a été entassé sur un petit axe situé au fond de la corbeille, le peigne aux poils rigides, au niveau de l'articulation, et la brosse aux poils plus souples, sur la face interne, retiennent et ratissent le pollen, pour le tasser en pelote.

Trompe
Dans cet organe de 6,5 mm coulisse une langue de 2 mm, sorte de cuillère effilée que l'abeille fait pénétrer jusqu'au fond de la fleur pour y aspirer à petites lampées le nectar.

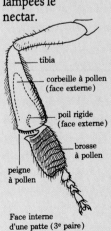

tibia

corbeille à pollen (face externe)

poil rigide (face externe)

brosse à pollen

peigne à pollen

Face interne d'une patte (3e paire)

Les autres abeilles

■ La famille des apoïdés regroupe ce que l'on appelle les abeilles des zoologistes. Elle représente 20 % des insectes hyménoptères, c'est-à-dire des insectes qui subissent des métamorphoses fréquentes, ont des ailes membraneuses et un appareil buccal capable de broyer et de lécher. Les apoïdés comptent environ 20 000 espèces et se nourrissent de nectar et de pollen. La plupart sont des abeilles solitaires, et certaines entretiennent un début de vie communautaire. Mais aucune ne constitue de colonie aussi organisée que les abeilles de la famille des apidés supérieurs qui sont les seules abeilles dites sociales. Il s'agit des genres *Apis, Bombus*, ou bourdons, *Melipona* et *Trigona*.

LES APIS

Apis
Les 4 espèces qui composent le genre *Apis* et dont fait partie *Apis mellifica* sont des insectes sociaux, qui vivent toujours en colonie. Elles se multiplient par essaimage et sont réparties sur toute la surface du globe. Toutes ces abeilles dansent pour expliquer à leurs congénères les lieux de récolte.
Apis dorsata, Apis florea et *Apis cerana* ont toutes trois tendance à nicher en plein air et peuplent le continent asiatique. *Apis dorsata* est l'abeille géante de l'Inde. Cette espèce est très agressive, et la piqûre de son aiguillon très redoutée. Elle accroche son nid sur de grosses branches. Ce nid est, en fait, un seul et même rayon de 0,75 à 1 m environ.
Apis florea, ou abeille « naine », est moitié moins grande qu'*Apis mellifica*. Sa robe est multicolore. Son nid est, lui aussi, constitué d'un seul rayon, mais plus petit : 8 cm sur 12 cm.
Apis cerana, ou abeille des Indes, est la plus proche d'*Apis mellifica*.

LES BOURDONS

Bombus
Insectes velus et noirs à bandes jaunes ou rouges, ils vivent pour la plupart en Europe et en Amérique du Nord. Ils se nourrissent de nectar et de pollen. À l'automne, la colonie disparaît et les femelles fécondées passent l'hiver dans une cache naturelle pendant une période qui peut durer de 6 à 8 mois. Au printemps, les « fondatrices » (c'est le nom qu'on donne aux femelles, dont le nid est construit dans le sol) se mettent à pondre pour créer une nouvelle colonie. Plus l'été est court, et plus la vie de la colonie est brève. Inversement, dans les régions chaudes, les colonies sont quasiment permanentes et ne cessent de pondre que pendant la saison sèche. En France, on compte 25 espèces de *Bombus,* les plus communes étant le bourdon des prés (*Bombus pratorum*), le bourdon des jardins (*Bombus hortorum*), le bourdon des champs (*Bombus agrorum*), le bourdon des pierres (*Bombus lapidarius*) et le bourdon terrestre (*Bombus terrestris*). Tous ces insectes jouent un rôle important pour la pollinisation. Ils sont en outre dotés d'un dard, dont ils ne se servent qu'assez rarement.

LES MÉLIPONES ET LES TRIGONES

Melipona et *Trigona*
Ces deux derniers genres, de la famille des apidés supérieurs, sont proches parents. Mélipones et trigones vivent dans les régions tropicales, en particulier au Mexique, aux Antilles et surtout au Brésil. La plupart de ces abeilles sont plus petites qu'*Apis mellifica*. Plutôt grêle, leur abdomen est plus court chez certaines espèces. Quelques trigones ne dépassent pas les 4 ou 5 mm. L'une des mélipones, *Melipona scutellaris*, qui atteint presque la taille de l'abeille mellifique, est particulièrement jolie. L'organisation des mélipones est plus proche de celle des abeilles domestiques que de celle des bourdons. Ces insectes font leur nid dans le creux des arbres et des rochers. Ils en surveillent d'autant mieux l'entrée que celle-ci est précédée d'un long couloir. Quelques individus nichent dans le sol, comme les bourdons, et y cohabitent parfois avec les termites. Chez ces espèces, la cellule natale reçoit d'abord de la nourriture avant de recevoir l'œuf.

LES ABEILLES SOLITAIRES

Les abeilles des autres familles sont solitaires. Chez celles-ci, le nid construit sans l'aide d'ouvrières est composé d'une dizaine de cellules destinées à la ponte. Dans chacune d'elles, l'abeille place un peu de nourriture et pond un œuf. La future larve dispose ainsi de réserves alimentaires pour sa croissance, tandis que la femelle meurt avant que l'œuf soit éclos.

La plus solitaire de toutes les abeilles est la mégachile femelle, dite « coupeuse de feuilles », parce qu'elle creuse dans du bois en pleine décomposition des galeries qu'elle garnit de feuilles coupées et modelées en forme de dé à coudre. Ces feuilles serviront de berceaux aux nouveaux-nés. La famille des mégachilidés, à laquelle appartient la mégachile, comprend aussi des abeilles maçonnes et est répandue un peu partout dans le monde.

Les collétidés — insectes peu évolués qui possèdent une langue courte et sont surtout nombreux dans l'hémisphère Sud — et les andrénidés qui vivent dans l'hémisphère Nord sont aussi des familles d'abeilles solitaires, comme celles, moins répandues, des mellitidés, des oxaéidés et des fidéliidés, petites familles sans nom vernaculaire.

Bien que considérés comme solitaires, les halictes (famille des halictidés), surnommés par les Anglais « abeilles de la sueur », sont proches des bourdons. On trouve, chez ces insectes, les premières ébauches d'une vie en société. La femelle fondatrice a une durée de vie analogue à celle de l'abeille mellifique et reste fidèle à son lieu de ponte toute son existence. Année après année, le nombre cumulé de ses enfants forme une sorte de colonie, et l'on assiste à une certaine répartition des tâches (ravitaillement, construction, soins aux jeunes) semblable à celle qui existe pour *Apis mellifica*. Toutefois, il n'y a pas, entre ouvrières, reine et mâles, de différences morphologiques marquées.

Abeille charpentière (genre Xylocopa)

Abeille megachile (genre Megachile)

Milieu naturel et écologie

■ Réparties sur toute la terre, les quatre espèces du genre *Apis* ont chacune des habitats différents. Trois d'entre elles nichent en l'air et se trouvent en Asie. *Apis dorsata*, l'abeille géante de l'Inde, est une habituée des sommets, elle peut vivre jusqu'à 2 000 m d'altitude. On la trouve de l'Asie du Sud-Est jusqu'aux Philippines. *Apis florea* ne dépasse pas, elle, les 500 m d'altitude, mais elle se répartit de la même façon sur le continent asiatique. Quant à *Apis cerana*, qu'on appelait autrefois *Apis indica*, elle peuple une grande partie de l'Asie, et on la trouve aussi en Chine et dans une partie de la Sibérie.

La quatrième espèce, *Apis mellifica*, l'abeille occidentale, est la plus répandue. Elle vit dans plusieurs pays européens (Espagne, Angleterre, Allemagne, France) où elle est aussi domestiquée, ainsi qu'en Afrique, et, depuis la colonisation, en Amérique, en Australie et en Nouvelle-Zélande. Elle niche dans des cavités naturelles ou artificielles. Elle s'adapte très bien aussi en montagne.

La pollinisation

Chez les phanérogames (ou plantes supérieures), la fécondation ne peut se produire que si le pollen est transporté par des étamines jusqu'au pistil : c'est la pollinisation. Le transport peut être assuré par le vent pour les plantes anémogames, mais 80 % des végétaux supérieurs sont entomogames, c'est-à-dire qu'ils dépendent des insectes pour la pollinisation. Or, les abeilles domestiques constituent de 65 à 95 % des insectes pollinisateurs. Mais les abeilles solitaires (mégachiles, osmies) sont les plus actives pour la pollinisation. On estime en tout cas que les avantages économiques de la pollinisation par les abeilles sont plus importants que ceux de la seule production de miel.

Prédateurs et profiteurs

Les abeilles sont la proie de nombreux prédateurs, mais aucun d'entre eux n'en consomme assez pour mettre en péril une colonie. Elles sont dévorées par des oiseaux insectivores tels que les hirondelles, les guêpiers et les mésanges. Lorsque l'hiver est rude, le pic-vert troue la ruche ou le nid de son bec puissant et attaque les abeilles qui y restent calfeutrées à l'abri du froid. Parmi les rapaces, la bondrée apivore, qui est protégée par son plumage, ne redoute pas la piqûre des abeilles et détruit les nids pour se nourrir du couvain. Les abeilles sont également piquées et tuées par d'autres insectes, comme le philanthe apivore qui ressemble à une grosse guêpe et presse d'abord l'abdomen de sa victime pour en faire couler le nectar jusqu'à la dernière goutte, avant de donner ensuite la carcasse à sa future larve. Les libellules, qui sont de redoutables carnivores, apprécient aussi les abeilles. Quant aux araignées, elles guettent leur proie avant de s'en nourrir. Le thomise piège les abeilles butineuses dans la corolle des fleurs et l'épeire diadème les saisit dans sa toile.

Certains animaux ne font qu'exploiter le travail de l'abeille en utilisant soit son nid, soit ses produits. Les réserves de miel attirent les guêpes. Un papillon qu'on appelle « teigne des ruches », *Galleria mellonella*, pond ses œufs sur les rayons. Les chenilles profitent de ce qu'une colonie est faible pour tisser leur toile à partir des rayons de cire. Un petit diptère, appelé « pou des abeilles » *(Braula caeca)*, vit en parasite sur le corps de ses victimes, surtout celui de la reine, et leur fait dégorger de la nourriture. Il est d'autant plus redoutable qu'il propage la nosémose, maladie provoquée par un petit animal unicellulaire, ou l'aspergillose, causée par des champignons qui parasitent l'appareil respiratoire ou l'œil de l'abeille. Chez les mammifères, l'ours est un grand amateur de miel. □

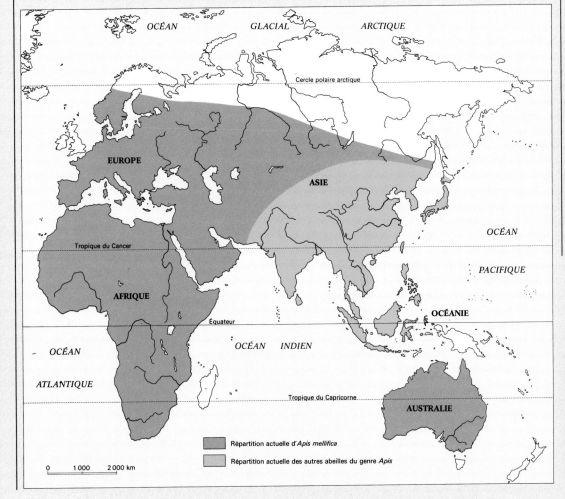

Aire de répartition des abeilles du genre Apis. *L'abeille mellifique, ou mellifère, souvent domestiquée, est la plus répandue dans le monde. En Asie pourtant, d'où est originaire ce genre d'abeilles, on rencontre plutôt les trois autres espèces,* Apis cerana, Apis dorsata *et* Apis florea.

■ Répartition actuelle d'*Apis mellifica*

□ Répartition actuelle des autres abeilles du genre *Apis*

0   1 000   2 000 km

Un insecte familier des dieux et des hommes

Précieuses auxiliaires de l'homme, qui en prend soin et exploite leurs produits depuis des millénaires, les abeilles ont aussi une place importante dans l'imaginaire des peuples, où elles sont, tour à tour, messagères des dieux ou symbole d'inspiration poétique.

Des insectes sacrés qui auraient nourri les dieux et les prêtres

■ Pour les Égyptiens de l'Antiquité, elles étaient nées des larmes de Rê, le dieu solaire qui les avait répandues sur la Terre, tandis que le prophète Mahomet déclare dans le Coran que « ce sont des insectes sacrés ». En Grèce, Melissa (qui signifie abeille) est une femme d'une incomparable beauté. Fille de Melissée, roi de Crète, elle aurait nourri Zeus de lait de chèvre et de miel, ce qui a laissé imaginer qu'elle aurait été transformée en abeille.

Tiré du miel, l'hydromel est, pour les Celtes comme pour les Égyptiens et les Grecs, la liqueur de l'immortalité. Et, représentées sur les tombeaux, les abeilles annoncent la survie après la mort : ne disparaissent-elles pas pendant les mois d'hiver pour ressusciter, en quelque sorte, vers le printemps ? Le monde chrétien est, lui aussi, frappé par les merveilles accomplies par cet insecte, véritable incarnation de l'âme, qui distille le suc des fleurs, comme l'âme rassemble le suc des fleurs de la réalité. Les chrétiens du Moyen Âge voient également dans le dard de l'abeille le symbole de l'exercice de la justice.

En dehors même de toute référence religieuse, l'abeille symbolise le souffle ou le feu de l'inspiration oratoire, poétique ou philosophique. Une légende de l'Antiquité veut que, dans leur berceau, Pindare et Platon aient eu leurs lèvres effleurées par ces insectes.   □

Pour domestiquer les abeilles, les hommes ont construit les ruches

■ Avant la découverte du sucre de canne et de betterave, le miel a longtemps été pour l'homme l'unique source de sucre. D'où l'attention portée autrefois à ce produit qui ne servait pas seulement d'aliment : 2 000 ans avant J.-C., en Assyrie, les corps des morts célèbres étaient vernis à la cire, puis embaumés dans le miel, une coutume qui s'est perpétuée en Grèce pendant vingt siècles. De nos jours, c'est le service rendu à l'homme par la fécondation des fleurs qui passe au premier plan. Toutefois, la pollinisation des fleurs était déjà connue 5 000 ans avant J.-C., en pays Sumer.

Très tôt, pour éviter que la chasse au miel ne détruise ou ne perturbe les colonies, l'apiculteur a créé la ruche. La forme de ces nids artificiels a beaucoup évolué, des temps préhistoriques jusqu'à nos jours, sans que l'évolution, fruit de ressources locales et de l'ingéniosité humaine, ait été linéaire. Il fallait apporter une solution au problème posé par la préservation du couvain et des

« Choisis pour les abeilles une demeure fixe et commode où les vents ne pénètrent point... Qu'un palmier ou un olivier sauvage protège de son ombre leur demeure », recommande le poète latin Virgile. Mais, depuis cette époque, les ruches ont évolué.

colonies. En effet, pour récolter le miel, l'apiculteur était autrefois obligé de détruire la ruche après avoir asphyxié les abeilles.

Au départ, on s'est contenté d'imiter les cavités naturelles recherchées par les abeilles, en récupérant les troncs creux qui avaient parfois déjà logé une colonie. Très primitives, ces premières « ruches-troncs » qui ont donné une variante, la « ruche-écorce », datent de la préhistoire, mais on en trouvait encore en France, au XIVe et au XVe siècle. Puis sont apparues les caisses à planches verticales. L'adoption d'une croix de bois offrant une charpente aux abeilles pour l'aménagement des rayons a représenté une étape très importante. Dans certains cas, des baguettes remplacent les planches. Il s'agit sans doute d'une invention de peuples nomades, en quête d'un matériel léger, aisément transportable. L'armature des ruches est alors recouverte d'une protection étanche et isolante, confectionnée le plus souvent avec de la bouse de vache. En France, certains utilisent encore ces nids de forme conique. Dans les régions de culture céréalière, les apiculteurs sont passés rapidement des baguettes à la paille, notamment à la paille de seigle.

Puis les ruches à rayons fixes apparaissent. Composées de sortes de cubes empilés, elles comportent une calotte placée au-dessus du nid et communiquant avec lui. Celle-ci constitue un

magasin supplémentaire, ce qui laisse plus de place pour le couvain et les réserves de miel dans le corps principal de la ruche.

L'apiculteur y récolte le miel sans porter préjudice au couvain. L'origine de telles ruches remonte au XIIIᵉ siècle en Italie, au XVIIᵉ siècle en Angleterre.

La dernière étape de l'évolution est la ruche dite « à cadres mobiles » : elle est composée de pièces de forme variable (ronde, triangulaire, carrée), que l'apiculteur peut à sa guise déplacer et manipuler sans gêner toute l'activité du nid, tandis que les abeilles voient leur travail considérablement allégé, puisqu'elles n'ont qu'à compléter des alvéoles préconstruites...

Inventé en 1844 par un Français, M. Debeauvoys, et perfectionné sept ans plus tard par l'Américain Langstroth, ce type de ruche a fait considérablement progresser l'apiculture en la rendant plus précise. Pourtant, il a eu de nombreux détracteurs.

Au XIXᵉ siècle, les « fixistes », nom donné aux apiculteurs qui utilisent les ruches à rayons fixes, se sont opposés aux « mobilistes », les défenseurs des ruches à cadres mobiles. Aujourd'hui encore, le débat n'est pas clos, si l'on en juge par l'ouvrage d'un spécialiste, Alain Caillas. *Le Rucher de rapport*, paru dans les années 1950, comporte toute une partie où le fixisme est passé en revue et critiqué par l'auteur. □

La lutte contre les maladies parasitaires

■ Le travail d'entretien d'une ruche implique aussi la lutte contre de nombreuses maladies. Les plus graves sont l'acariose, la vaorrase, la nosémose et la loque américaine. Cette dernière est due à un microbe et attaque le couvain à tous les stades de son développement. Un autre microbe est à l'origine de la nosémose qui s'en prend aux voies digestives. L'acariose, qui touche les trachées de l'abeille et entraîne la mort par asphyxie, est une maladie parasitaire. C'est le cas également de la vaorrase, véritable fléau dont sont actuellement victimes, partout dans le monde, des colonies entières détruites en quelques années — entre trois et cinq ans.

Le responsable en est le vaorra, qui suce le sang des insectes. Il a été découvert à Java, en 1904, par Edward Jacobson. À l'époque, ce parasite vivait sur *Apis cerana*, mais ne mettait pas en péril la vie de ses colonies. Soixante ans plus tard, le vaorra est détecté sur *Apis mellifica* qui a dû s'y exposer en pillant des colonies de *Apis cerana*. La maladie se propage à une vitesse extraordinaire dans le monde entier — des îles de la Sonde en Asie, jusqu'en France. Le 1ᵉʳ novembre 1965, elle faisait son apparition au nord de l'Alsace et, un an après, au sud, dans la région du Var. L'agent de cette propagation est la femelle du parasite qui, après s'être accouplée, s'introduit dans le nid, sur une abeille, et commence à infecter le couvain. Les larves du varroa se développent sur la larve d'abeille, entraînant des malformations. Puis elles se nourrissent de l'hémolymphe des abeilles adultes, qu'elles épuisent et infectent.

Les traitements élaborés pour détruire ce parasite sont d'ordre chimique et n'ont été efficaces qu'à 70 %. De plus, ils ne sont pas sans risque pour le miel qu'ils polluent et peuvent perturber le fonctionnement de la colonie. C'est pourquoi les recherches du Centre national de la recherche scientifique (C.N.R.S.) et de l'Institut national pour la recherche agronomique (I.N.R.A.) font appel à la biologie pour trouver d'autres remèdes. L'objectif est d'attirer et de piéger les parasites à l'entrée de la ruche avant qu'ils n'y pénètrent, et d'utiliser certaines substances pour les neutraliser. □

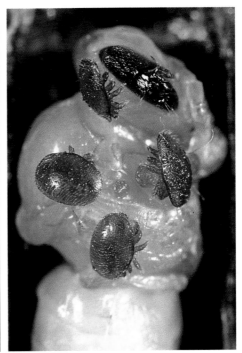

La larve d'abeille est attaquée dans l'alvéole par le vaorra. Ce parasite se propage par sa femelle, qui, après un accouplement, s'introduit dans le nid, attachée à une abeille. Puis le vaorra choisit dans le couvain, juste avant la fermeture de l'alvéole par l'opercule, une larve âgée sur laquelle il se fixe. Il pond alors de 2 à 9 œufs qui donnent naissance à ses propres larves, sources de graves malformations pour la larve d'abeille. Après quoi, le parasite femelle et ses larves se fixent sur des abeilles adultes. L'abeille s'affaiblit et meurt d'épuisement ou d'infections.

L'apiculture et ses vertus thérapeutiques

■ Les produits de la ruche ont de nombreux pouvoirs thérapeutiques qui ont été connus dès les premiers temps, puisque, dans l'Égypte ancienne, ils entraient dans la fabrication des onguents.

Aisément assimilé par l'organisme, le miel est riche en calories (300 Cal pour 100 g). C'est un produit énergétique très apprécié des sportifs. Il agit également comme laxatif, sédatif, et donne de l'appétit. Il est généralement absorbé par voie buccale. Aux États-Unis et en Allemagne, il peut aussi être injecté.

Les miels unifloraux ont des qualités qui sont liées à leur provenance. Ainsi, le miel d'eucalyptus est utilisé en cas de maladies respiratoires ; celui de l'origan et de la sarriette soigne les rhumatismes et la goutte, et le miel de ronce, les maux de gorge.

Adoptée surtout en dermatologie, la cire améliore la consistance des pommades. Quant à la propolis, elle est précieuse pour les vétérinaires comme anesthésique local, par exemple, ou pour cicatriser une plaie et lutter contre les hémorragies ; elle est exploitée en médecine comme fongicide et comme antibiotique.

Le venin de l'abeille a longtemps servi de base à certains traitements des rhumatismes. D'éminents savants grecs et latins, comme Celse, Galien ou Hippocrate y font allusion dans leurs ouvrages. De tels traitements existent aujourd'hui encore à l'étranger.

Enfin, les thérapeutes apprécient naturellement le pollen et la gelée royale. De par sa constitution (protides, glucides, quelques lipides, vitamines, matières minérales, oligo-éléments), le pollen, que les apiculteurs recueillent en posant une grille à l'entrée de la ruche — obligeant ainsi les butineuses à se débarrasser de leur fardeau — est essentiellement un fortifiant. Il favorise la croissance et agit comme régulateur sur les fonctions intestinales. Comme le miel, il peut être unifloral, avec des propriétés liées à son origine.

Composée d'eau, de protides, de quelques lipides, de substances minérales, d'oligo-éléments et de vitamines, la gelée royale — dont la récolte est difficile — est un produit riche pouvant servir d'antibiotique. C'est un remède efficace contre la fatigue et pour retrouver l'appétit (on conseille de le donner aux bébés). □

Les chasseurs de miel

■ Au pays des Gurungs, sur les contreforts sud de l'Himalaya, les techniques de récolte du miel de Mani Lâl, Népalais de 63 ans, remontent aux origines de l'apiculture. Accompagné de toute une équipe, il se rend d'abord près d'une falaise vertigineuse après avoir traversé la jungle, pieds nus. Là, au cours d'une cérémonie rituelle, il offre des présents à Pholo, divinité locale, et lit les présages dans les poumons d'un coq. Puis, il descend jusqu'au nid d'abeilles, suspendu à une échelle de grosse corde en fibres de bambou. Le nid, construit à même le rocher, mesure 1,60 m de large sur 1,30 m de haut. Le chasseur ne porte qu'une cape de laine feutrée qu'il rabat par-dessus sa tête pour se protéger, et 2 perches de bambou pour détacher le couvain. Ses compagnons lui font descendre un panier tapissé de cuir qu'il place au-dessous du nid. Mani Lâl éventre les alvéoles d'où le miel et la cire coulent en abondance. Puis, toujours accroché à sa corde, il doit maîtriser la remontée du panier chargé d'une vingtaine de litres de liquide, qui risque en le percutant de le déséquilibrer. □

La découverte du langage dansé des abeilles

■ La découverte de la danse de l'abeille et celle de son langage ont, au début du siècle, fait progresser la compréhension des insectes et celle de tout le monde animal. Dans ses *Mémoires*, le biologiste autrichien Karl von Frisch décrit les premières observations qui furent à l'origine de cette découverte. Il s'était fait prêter une boîte spéciale, munie de deux fenêtres de verre, qui lui permettait d'observer des deux côtés le mouvement des abeilles sur leur rayon de miel : « J'en attirai quelques-unes, raconte-t-il, jusqu'à une coupelle d'eau sucrée et les marquai d'un point de peinture à l'huile rouge ; après quoi, j'interrompis l'apport de nourriture. Quand tout fut redevenu tranquille près de la coupelle, je la remplis de nouveau et j'observai le retour à la ruche d'une abeille qui était venue en éclaireuse et avait bu à la coupelle. Je n'en crus pas mes yeux ! L'abeille se mit à danser en rond, entourée des abeilles marquées qui témoignèrent d'une grande excitation, et provoqua leur envol vers la coupelle pleine. » (*Mémoires*, 1973). □

Suspendu sur son échelle de corde, le chasseur de miel népalais s'efforce, avec ses deux perches de bambou, de maîtriser le panier rempli de miel. C'est un moment très délicat, car le fardeau risque de le percuter violemment. Il ne semble nullement redouter les abeilles qui se sont posées sur lui, et dont le nid a été préalablement enfumé. Ce type de récolte existait déjà bien avant le début de notre ère : on a retrouvé en Inde des peintures rupestres représentant un homme accroché à une liane, une perche de bambou à la main, en train de récolter le miel.

DRIESCH
(Hans)

Bad Kreuznach 1867 - Leipzig 1941

Zoologiste et philosophe allemand

Ses travaux sur les œufs d'oursin, qui font de lui l'un des pionniers de l'embryologie expérimentale, ont ouvert à la biologie de vastes perspectives.

■ Driesch apparaît comme une figure originale, tant parmi les scientifiques que parmi les philosophes. Il a élaboré, à partir de ses recherches en embryologie, une philosophie inspirée du vitalisme, vieille croyance en une « force vitale », qui rendrait la matière vivante et organisée. De telles théories n'avaient plus guère de partisans à son époque ; aujourd'hui, elles sont complètement abandonnées. On doit cependant lui reconnaître le mérite d'avoir introduit ce nouveau « continent » qu'est la biologie au sein de la réflexion philosophique.

Fils unique d'un négociant prospère de Hambourg, Hans Driesch grandit dans un environnement propre à éveiller une vocation précoce de zoologiste : sa mère, en effet, élève chez elle des oiseaux exotiques et toutes sortes d'autres animaux, si bien que la maison est remplie de cages et de vivariums. Quand il aborde les études supérieures, il choisit sans hésitation les sciences naturelles, discipline d'autant plus attrayante pour lui qu'elle compte alors, en Allemagne, nombre de professeurs brillants. Après avoir suivi les cours de zoologie d'August Weismann à l'université de Fribourg-en-Brisgau, il prépare son doctorat sous la direction d'une autre célébrité, Ernst Haeckel. Driesch est reçu docteur en 1887. Comme il n'est pas obligé de travailler pour vivre, il ne se hâte ni de suivre la filière normale pour une carrière de scientifique ni d'entrer dans l'enseignement. Il voyage à l'étranger, tout en effectuant des recherches dans le domaine qui le passionne le plus,

celui de l'embryologie. C'est à la station zoologique de Naples qu'il effectuera beaucoup d'expériences auxquelles il doit sa notoriété.

Il se marie en 1899 (ses deux enfants, Kurt et Ingegorg, seront musiciens) et s'établit l'année suivante à Heidelberg. Il abandonne définitivement la recherche expérimentale en 1909. Devenu en 1912 professeur de philosophie à Heidelberg, il enseignera cette matière à Cologne en 1919, puis à Leipzig en 1921. En 1922-1923, il donne des cours en Chine, aux universités de Nankin et de Pékin, et, en 1926-1927, on le retrouve aux États-Unis, à l'université du Wisconsin. L'année suivante, c'est celle de Buenos Aires qui l'accueille. Le régime nazi le met d'office à la retraite en 1933, mais Driesch continue à travailler jusqu'à sa mort, survenue en pleine guerre.

En 1888, le biologiste allemand Wilhelm Roux avait réalisé, sur les œufs de grenouille, des expériences qui montraient que, quand l'une des deux cellules initiales était tuée, l'autre ne formait qu'une moitié d'embryon ; il en avait conclu que chaque cellule a,

> *Ce zoologiste a introduit ce nouveau "continent" qu'est la biologie au sein de la réflexion philosophique.*

dès le stade le plus primitif, un rôle bien précis. En 1891, Driesch va parvenir à des résultats très différents avec des œufs d'oursin. Au lieu de tuer l'une des deux premières cellules, il la sépare de l'autre, et s'aperçoit que toutes deux donnent des larves complètes, bien que plus petites que la moyenne. Il en déduit que le développement de la cellule n'est pas « déterminé » d'emblée et qu'elle peut jouer un rôle autre que celui qu'elle aurait eu dans des circonstances normales.

En 1892, il procède à une autre expérience capitale. Il comprime les œufs d'oursin au stade de la division en quatre cellules, si bien que les noyaux, déplacés, se distribuent anarchiquement dans le cytoplasme (constituant essentiel de la cellule). Or, les larves obtenues seront parfaitement normales, ce qui signifie que tous les noyaux sont équivalents ou, en termes de génétique moderne, que tous les noyaux renferment tous les gènes. Driesch a donc, par ses découvertes, fait faire à l'embryologie un grand bond en avant. □

CETTE MYSTÉRIEUSE « FORCE VITALE »

La philosophie de Hans Driesch est étroitement liée aux recherches biologiques qu'il a menées. Ayant coupé en deux un œuf d'oursin et ayant constaté que chacune des deux moitiés donne naissance à une larve entière, il en déduisit que les facteurs mécaniques n'étaient pas les seuls à jouer un rôle (comment une machine pourrait-elle se scinder en deux ?). Il imagina qu'il devait exister, logée dans l'œuf, une certaine force vitale tendant toujours vers le même but. Pour expliquer l'évolution de la vie et du monde, il élabora le concept d'un principe immatériel, l'entéléchie (étymologiquement, ce mot dérive d'une expression grecque qui signifie « être dans un état de perfectionnement ou d'achèvement »).

DANS LE PROCHAIN NUMÉRO
LES LAMAS

VIE SAUVAGE
ENCYCLOPÉDIE LAROUSSE DES ANIMAUX

les lamas

Une vie en harems
Des combats spectaculaires entre mâles
La laine des Incas

N° 34
PRIX 19,50 FF
139 FB / 5,90 FS
139 PL
hebdomadaire

Larousse

Fonds Mondial pour la Nature
WWF

les chameaux des Andes

VIE SAUVAGE

ENCYCLOPÉDIE LAROUSSE DES ANIMAUX

le grand cormoran

Des dortoirs surpeuplés

Un pêcheur exceptionnel

Trois ans
pour devenir
adulte

N° 107

ebdomadaire

Larousse

M 1431 - 107 - 19,50 F

139 FB / 139 FL / 5,90 FS / 2,95 $ CAN

Avec VIE SAUVAGE,
la nouvelle encyclopédie Larousse des animaux,
découvrez la vraie vie des animaux sauvages du monde entier.

Chaque semaine, partez à la rencontre d'un nouvel animal. Surprenez-le dans son intimité, grâce à des photos fortes, prises sur le vif par de grands reporters. Apprenez à connaître son comportement et ses mœurs, racontés par les plus grands experts de la faune sauvage : scènes de chasse, bains, premiers pas des petits... Vous découvrirez les grands principes écologiques de la lutte pour la vie et de l'équilibre de la nature.

Constituez-vous une collection complète des animaux sauvages du monde entier, en les regroupant selon les 11 grands milieux naturels où ils vivent :

Savanes et prairies : éléphant, lion, girafe, bison, kangourou...
Forêts tropicales : tigre, orang-outan, jaguar, perroquet...
Forêts de conifères : loup, aigle royal, lynx, hermine...
Forêts de feuillus : koala, renard, cerf, sanglier, coucou...
Mers et océans : dauphin, baleine, requin, pieuvre...
Côtes marines : otarie, tortue géante, fou de Bassan, iguane...
Rivières et fleuves : hippopotame, loutre, piranha, castor...
Étangs et marais : pélican blanc, crocodile, vison, libellule...
Montagnes : grand panda, condor, ours brun, macaque japonais...
Déserts et steppes : guépard, caméléon, criquet, scorpion...
Toundras et glaces : phoque, caribou, lemming, bœuf musqué...

VIE SAUVAGE est le fruit d'une collaboration entre Larousse et le WWF (Fonds Mondial pour la Nature - France). Cette encyclopédie est née d'une volonté commune d'agir en faveur de la protection des animaux sauvages.

© : 1986. Copyright WWF. ® : WWF propriétaire des droits.

SOMMAIRE

N° 107 LE GRAND CORMORAN   *Étangs et marais*

LE GRAND CORMORAN ET SES ANCÊTRES 1
LA VIE DU GRAND CORMORAN
  Des milliers d'oiseaux dans des dortoirs 4-5
  Des séances de pêche ultra-rapides 6-7
  Un nid construit à deux 8-9
  Au moins trois ans pour devenir adulte 10-11
POUR TOUT SAVOIR SUR LE GRAND CORMORAN
  Grand cormoran 14-15
  Les autres cormorans 16-17
  Milieu naturel et écologie 18
LE CORMORAN ET L'HOMME 19-20
DICTIONNAIRE DES SAVANTS DU MONDE ANIMAL
  Francesco Redi

LES TEXTES DE CE NUMÉRO ont été rédigés par Jean-Philippe Siblet, ornithologue ; Guillemette de Véricourt ; Monique Madier.

DESSINS de Guy Michel.

CARTE de Edica.

PHOTO DE COUVERTURE : Couple de cormorans au nid. Phot. Van Meurs R. - Bruce Coleman.

Photocomposition : Dawant. Photogravure : Graphotec. Impression : Jean Didier.

CRÉDITS PHOTOGRAPHIQUES p. 1, Dif G. ; p. 2/3, Van Ingen H. - NHPA ; p. 4/5h, Componella N. - Bios ; p. 4/5b, Walz U. - Bruce Coleman ; p. 5h, Le Toquin - Jacana ; p. 5b, Walz U. - Bruce Coleman ; p. 6, Osolinski S. - Oxford Sc. Films ; p. 6/7h, Walz U. - Bruce Coleman ; p. 6/7b, Walz U. - Bruce Coleman ; p. 8, Layer V. - Jacana ; p. 8/9, Van Meurs R. - Bruce Coleman ; p. 9, Varin-Visage - Jacana ; p. 10, Green D. - Bruce Coleman ; p. 10/11, Wothe K. - Bruce Coleman ; p. 11bg, Chefson P. - Colibri ; p. 11bd, Beignet A. - Bios ; p. 12/13, Walz U. - Bruce Coleman ; p. 14, Chefson A. - Colibri ; p. 15h, Lemoigne J.L. - Jacana ; p. 15b, Christof A. - Colibri ; p. 16g, Ulrich T. - Oxford Sc. Films ; p. 16d, Clare J. - Oxford Sc. Films ; p. 17, Gohier F. - Ardea ; p. 19, Coates B.J. - Bruce Coleman ; p. 20, Seitre R. - Bios.
3e de couv. F. Redi. Phot. Bibl. centrale, Muséum nat. hist. nat., Paris.

VIE SAUVAGE est édité par la SOCIÉTÉ DES PÉRIODIQUES LAROUSSE

Directeur de la publication : Bertil Hessel
Directeur éditorial : Claude Naudin
Directeur de la collection : Laure Flavigny
Rédaction : Catherine Nicolle
Direction artistique : Henri Serres-Cousiné
Direction scientifique : Christine Sourd, docteur en écologie, Conservation Officer au WWF-France
Conception graphique et mise en pages : Frédérique Longuépée assistée de Blandine Serret
Couverture : Gérard Fritsch
Correction-révision : Service de lecture-correction de Larousse
Documentation iconographique : Anne-Marie Moyse-Jaubert, Marie-Annick Réveillon
Composition : Michel Vizet
Fabrication : Jeanne Grimbert

EN VENTE TOUS LES MERCREDIS

Directeur du marketing et des ventes : Edith Flachaire
Service des ventes : PROMEVENTE - Michel Iatca
Tél. : 45 23 25 60
Terminal : EB6
Service de presse : Régine Billot
L'encyclopédie Vie Sauvage se compose de 144 fascicules pouvant être assemblés en 9 volumes sous reliure mobile. La publication est hebdomadaire, mais, en juillet et en août, il ne paraîtra que deux numéros au lieu de quatre.

Administration et souscription : Société des Périodiques Larousse
1-3, rue du Départ
75014 Paris
Tél. : 44 39 44 20

© 1992, Société des Périodiques Larousse
17, rue du Montparnasse, 75006 Paris. Imprimé en France (Printed in France). Distribution N.M.P.P. pour la France.

Conditions d'abonnement : Écrire ou téléphoner à la Société des Périodiques Larousse

Prix du fascicule et de la reliure

	Fascicule	Reliure
France	19,50 FF	49,00 FF
Belgique	139,00 FB	350,00 FB
Suisse	5,90 FS	15 FS
Luxembourg	139 FL	350 FL

Vente aux particuliers d'anciens numéros pour la France.
Envoyez les noms des fascicules commandés et un chèque d'un montant de :
— 25,50 FF par fascicule
— 61,00 FF par reliure
à GPP. BP 46, 95142 Garges-lès-Gonesse

NUMÉROS PRÉCÉDENTS :
L'éléphant. Le tigre. Les dauphins. Le loup. Le grand panda. Le lion. L'aigle royal. Le gorille. Le rhinocéros. La baleine. Le kangourou roux. Le condor. L'orang-outan. Les requins. L'ours brun. La girafe. Le guépard. L'hippopotame. Le chimpanzé. Le chacal. Le phoque. La gazelle. Le lynx. Le koala. Le pélican blanc. Le jaguar. Les perroquets. L'hyène. Le renard roux. Le bison. Le crocodile. Le puma. Les abeilles. Les lamas. L'ours blanc. Le macaque. L'autruche. Les chameaux. Le zèbre. Le buffle. Les scorpions. Le caribou. La pieuvre. Le fourmilier. Le manchot. Le coyote. Les lièvres. Le castor. Le chamois. Le guêpier. Les termites. Les calaos. Le mouflon. Les coraux. La marmotte. Le coucou. Le criquet. L'orque. Les caméléons. Le bœuf musqué. Les méduses. La mouffette. Les tortues géantes. Le monarque. Le paresseux. Le combattant. Le morse. L'élan. L'opossum. Le gnou. Les plongeons. Les renards volants. Le cygne. La poule d'eau. L'hermine. Les fourmis. Le paon. Le suricate. Le crotale. Le saumon. Le maki. Les tisserins. Le daim. Le flamant rose. Le vampire. Le blaireau. Les papillons de nuit. Le cerf. Les colibris. Le chat sauvage. Le paradisiers. Le pécari. Les boas. Le macareux moine. Le raton laveur. La cigogne blanche. Le triton alpestre. Le martin-pêcheur. La loutre. Les mygales. La chouette effraie. Le rat musqué. Le fou de Bassan. Le lycaon.

PROCHAINS NUMÉROS :
Les étoiles de mer. Le pronghorn. L'ourson coquau. Le coati. L'iguane. Le crabe violoniste. Le faucon pèlerin. L'ornithorynque. La mouette rieuse. Le tatou.

LE GRAND CORMORAN

Ce grand oiseau vorace aux ailes sombres et au cri rauque est l'un des plus connus et des plus représentés sur tous les continents. D'origine très ancienne, le grand cormoran descend d'animaux aquatiques incapables de voler. Depuis quarante millions d'années, l'espèce n'a pas évolué.

Le nom de cormoran vient de la contraction du latin *Corvus marinus,* qui signifie « corbeau marin ». Appelé ainsi dans l'Antiquité en raison des cris rauques qu'il émet et de la couleur noire de son plumage, l'oiseau appartient à une famille primitive de l'ordre des pélécaniformes. On l'y retrouve à côté d'autres oiseaux aquatiques comme les pélicans, les fous de Bassan et les frégates. Il existait

sans doute, il y a une centaine de millions d'années, des pélécaniformes primitifs qui, vers le début de l'ère tertiaire, se sont beaucoup diversifiés et ont donné naissance à des oiseaux aquatiques incapables de voler, comparables, du point de vue écologique, aux manchots de l'Antarctique. Ces pélécaniformes spécialisés se sont éteints au miocène, comme d'autres ramifications de cet ordre.

Les pélécaniformes fossiles

connus à ce jour vivaient en Europe et en Afrique il y a une cinquantaine de millions d'années ; ce sont *Prophaeton, Odontopteryx* ou encore *Sigantornis.* Les fragments de squelettes ne permettent pas de connaître leur aspect extérieur, mais ils indiquent qu'il s'agit bien de pélécaniformes.

Les ancêtres du cormoran, les *Hesperornis,* sont de grands oiseaux aquatiques et plongeurs du crétacé (fin de l'ère secondaire), dépourvus d'ailes et dotés de dents implantées dans les mandibules.

Le plus ancien fossile de cormoran retrouvé, qui provient du New Jersey aux États-Unis, date d'environ 50 millions d'années. Le genre *Phalacrocorax,* auquel il se rattache comme toutes les espèces actuelles de cormorans, remonte à l'oligocène, soit 40 millions d'an-

nées avant notre ère. Depuis, le genre n'a pratiquement plus évolué, et, parmi les 65 espèces connues de cormorans, 36 ont aujourd'hui disparu. 3 des 29 cormorans actuels se rencontrent en Europe. Jusqu'au pléistocène, les deux espèces européennes les plus voisines — le grand cormoran et le cormoran huppé — ne formaient qu'une seule espèce. Le cormoran huppé, légèrement plus petit et au bec moins fort, ne se rencontre qu'en milieu marin et se nourrit de proies bien moins grosses que celles du grand cormoran qui, lui, vit aussi bien en milieu marin qu'en milieu continental. Dans les secteurs qu'ils fréquentent simultanément, le fait qu'ils ne consomment pas des poissons de même taille limite la concurrence alimentaire. ☐

Ses battements d'ailes
lents mais puissants
permettent au grand
cormoran de franchir chaque
jour des dizaines de
kilomètres par tous les temps.
Sur la terre ferme, ce corbeau
des mers et des lacs se pose
au sommet d'arbres ou sur
des promontoires, où il peut à
loisir déployer ses ailes et
faire sécher son plumage.

Casanier à sa manière, le grand cormoran utilise toujours le même perchoir, tantôt pour se reposer après la pêche et lisser son plumage, tantôt pour y dormir.

Bien que le territoire du cormoran se limite aux abords immédiats de son nid, des querelles opposent certains oiseaux pour l'occupation d'un perchoir ou pour la consommation d'une proie importante.

Des milliers d'oiseaux dans des dortoirs

■ Les grands cormorans ont une vie sociale très intense. En période de reproduction, leurs colonies comptent souvent plusieurs centaines de couples. Mais c'est en hiver que cette aptitude à la vie collective est le plus manifeste, les oiseaux se regroupant le long des fleuves ou sur les grands plans d'eau. Cela leur procure de nombreux avantages : augmentation de l'efficacité des activités de pêche, renforcement de la cohésion des groupes et stimulation des comportements nuptiaux.

Des dortoirs surpeuplés

La nuit, les cormorans se rassemblent par centaines ou par milliers, en dortoirs, sur de grands arbres situés au bord des rivières, formant de véritables grappes d'oiseaux qui s'installent dès le déclin du jour et jusqu'à la nuit tombée.

À la fin de l'hiver, la croûte blanchâtre laissée sur les arbres par leurs déjections signale ces dortoirs. En Vendée, l'ornithologue français Pierre Yésou a montré que, d'une année sur l'autre, les cormorans étaient fidèles non seulement à leurs sites d'hivernage, mais parfois à un même arbre ! Aux Pays-Bas, Eerden et Ziljlstra ont mis en évidence l'existence d'une hiérarchie dans les dortoirs, avec préséance des mâles adultes sur les femelles et les immatures. Le choix du dortoir est déterminé par sa fonction : procurer aux cormorans un repos nocturne sûr. Rassurés sur leur domicile, les oiseaux peuvent commencer leurs premières parades nuptiales.

Des vols en chevrons

Grâce à la puissance de leur vol, les cormorans sont capables d'effectuer, chaque jour, des déplacements de plusieurs dizaines de kilomètres pour se rendre sur leurs sites d'alimentation ou pour rejoindre leurs lieux de repos et d'accouplement.

Dans leurs déplacements en groupe, ils adoptent des formations en chevrons, destinées à favoriser leur progression. L'un d'eux prend la tête du peloton, ce qui permet aux autres de voler dans son sillage avec moins d'efforts. Il est relayé régulièrement par un autre oiseau. Lorsque la saison de la reproduction prend fin, presque toute la colonie se dirige vers le sud pour un voyage de plusieurs centaines de kilomètres — parfois jusqu'à 2 000. Ainsi, la plupart des cormorans qui hivernent en France viennent du Danemark et des Pays-Bas. □

L'hiver, les cormorans se retrouvent sur des dortoirs pouvant rassembler plusieurs milliers d'oiseaux et situés le plus souvent dans de grands arbres, au bord des cours d'eau. Ils y reviennent avec une grande fidélité.

Le grand cormoran accepte la compagnie d'autres espèces comme ce cygne tuberculé, au moins pendant le jour. En hiver, on assiste souvent à de grandes concentrations de divers oiseaux aquatiques, dont les cormorans.

Des séances de pêche ultra-rapides

■ Les poissons constituent l'essentiel du régime alimentaire des grands cormorans, qui ne passent en fait que 20 % de leur journée à pêcher, de préférence le matin et en début d'après-midi. Les oiseaux s'arrêtent généralement bien avant le coucher du soleil. Les séances de pêche sont entrecoupées de pauses fréquentes, durant lesquelles ces oiseaux se reposent et font sécher leur plumage sur des bancs de sable ou de vase, des jetées, des digues.

Si la pêche ne lui prend pas beaucoup de temps, c'est que le grand cormoran est particulièrement doué pour cette activité. Il est certes incapable de piquer vers l'eau du haut du ciel, mais la rapidité avec laquelle il capture sa proie est étonnante. En Camargue, le chercheur allemand Hafner a pu constater que les séances de pêche duraient rarement plus de 3 minutes. En 60 secondes, l'animal ingurgite jusqu'à 30 grammes de poisson !

Nageant à la surface de l'eau, il y enfonce à plusieurs reprises la tête afin de détecter ses proies. Puis il plonge de 1 à 3 minutes (rarement plus de 9 minutes) sous l'eau, où il se déplace les ailes étroitement collées au corps. Pour se propulser, il utilise exclusivement ses pattes, qui sont dotées de larges palmures. La plongée dure une trentaine de secondes, parfois une minute. À l'étang de l'Étourneau, en Camargue, Hafner a observé en 1981 deux oiseaux en train de capturer chacun 8 carpes (environ 400 g au total) en 10 plongées : toute l'opération s'est déroulée en une dizaine de minutes seulement !

Le lancer du poisson

La plupart du temps, la proie est ramenée à la surface. Il s'agit alors, pour le cormoran, de pouvoir avaler le poisson la tête la première, les nageoires de celui-ci risquant, sinon, de se déployer dans son gosier. L'oiseau le lance en l'air ou le lâche simplement avant de le reprendre dans le bon sens.

En dépit de ces précautions, il n'est pas rare de voir des cormorans passer de longs moments à essayer d'avaler une proie manifestement trop grosse pour eux. Dans certains cas, un oiseau trop goulu peut mourir étouffé : on en a retrouvé plusieurs qui avaient péri de cette façon.

La pêche, en général solitaire, peut se faire en groupes si les proies sont particulièrement abondantes. Les poissons sont alors encerclés et poussés vers les berges ou les hauts-fonds afin d'être plus aisément capturés.

Un vaste choix de proies

Le grand cormoran est paresseux : il n'aime pas chercher trop longtemps sa nourriture. Il ingurgite entre 400 et 700 g de poisson par jour, soit environ de 15 à 17 % de son poids, choisissant en général la proie la plus abondante et la plus facile à capturer dans son secteur de pêche. Les études menées en milieu marin montrent que l'espèce a toutefois une préférence pour les poissons plats et pour la morue, le merlan, l'anguille, le hareng ou le sprat.

En eau douce, le cormoran se nourrit de perches, de poissons-chats, de brèmes, de gardons, de tanches, de truites.

Dans certains plans d'eau artificiels où il abonde, le poisson-chat, facile à capturer, est le principal aliment de l'oiseau. □

UN RÉGIME VARIÉ AU DANEMARK

En 1950, les ornithologues danois Madsen et Spark ont identifié les restes de 4 sortes de poissons dans l'estomac de 298 oiseaux retrouvés entre avril et octobre : anguilles (38 %), blennies (25 %), harengs (19 %), morues (18 %).

Le plumage noir du cormoran est peu imperméable, particularité assez étonnante pour ces oiseaux liés à l'eau pour leur nourriture. Cela contraint l'oiseau à faire de fréquentes haltes durant les moments de la journée qu'il consacre à la pêche. Se posant sur la berge ou sur un rocher pendant ces repos forcés, l'animal lisse ses plumes et étend souvent l'une et l'autre de ses ailes, simultanément, pour les faire sécher plus vite.

La rapidité avec laquelle le cormoran pêche est stupéfiante. Mais son impatience peut lui coûter la vie et il lui arrive parfois de s'étouffer avec une proie trop grosse ou mal adaptée à la forme de son bec (ci-dessus).

Le grand oiseau rapporte souvent sa pêche sur le bord pour la retourner et l'avaler la tête la première, ou pour la déchiqueter de son bec.

Un nid construit à deux

Les populations maritimes construisent leurs nids, constitués d'algues mêlées à des débris de tout genre, sur des îlots rocheux ou dans les escarpements des falaises, alors que les cormorans nichant à l'intérieur des terres installent les leurs, faits de rameaux entremêlés, entre 2 ou 3 m et jusqu'à 10 m au-dessus du sol, sur des arbres, parfois dans une roselière. Les oiseaux utilisent une grande variété de matériaux que le mâle se charge d'apporter, la construction incombant en fait plutôt à la femelle, même après la ponte des premiers œufs et pendant toute la durée de l'élevage des jeunes. Le nid, réutilisé chaque année, peut devenir très volumineux et atteindre jusqu'à 1 mètre de hauteur, avec un diamètre qui, à la base, est de 1 mètre environ, et une coupe interne de 30 à 40 centimètres. Quand la colonie est très peuplée et que les nids se touchent, les agressions entre oiseaux sont fréquentes.

Des débuts de parade en hiver

L'activité sexuelle commence parfois en plein cœur de l'hiver. Il n'est pas rare d'observer à cette époque les prémices des parades nuptiales. Ce n'est toutefois qu'à la fin du mois de février, et surtout en mars et en avril, que l'activité sexuelle est le plus intense. Une des manifestations les plus spectaculaires de cette période est l'acquisition par les adultes d'un plumage nuptial brillant — dont les reflets peuvent paraître verdâtres, pourpres ou bronze, selon l'exposition aux rayons du soleil — et présentant des taches blanches importantes sur les cuisses. Les grands cormorans continentaux présentent, durant la même période, une tête et un cou blanchâtres. Toutefois, cette robe nuptiale est éphémère : l'ornithologue français Marion a montré que, sur les côtes bretonnes, il n'était possible de l'apercevoir vraiment qu'un mois par an, tout au plus.

L'accouplement

À l'approche de la femelle, le mâle rejette à plusieurs reprises la tête en arrière et se met à lancer des cris rauques. Son bec est entrouvert, ses ailes légèrement pendantes. La femelle l'imite. Pendant l'accouplement, le mâle tient dans son bec le cou et le bec de la femelle. Puis les oiseaux se font une toilette mutuelle. Pendant la saison, on assiste à une succession de parades et d'accouplements qui peuvent durer jusqu'au début de l'incubation des œufs. □

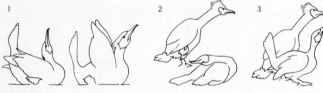

PARADE ET ACCOUPLEMENT

La parade nuptiale du cormoran est rudimentaire. Elle débute par une position classique : ailes dressées, queues relevées de façon oblique, cous et becs pointés vers le ciel (1). Puis le mâle, sans un cri, soulève ses ailes et laisse apparaître les taches blanches de ses cuisses (2) qui disparaîtront après quelques semaines. Enfin, il rejette violemment la tête vers l'arrière en émettant des sons gutturaux, et la femelle adopte une position d'invitation à l'accouplement (3). Après ce dernier, les deux partenaires se frottent mutuellement le cou.

Lors des parades nuptiales, une certaine agressivité se manifeste par de violents coups de bec et des cris gutturaux entre les oiseaux, et les conflits territoriaux entre mâles sont fréquents. Les couples se livrent alors à des mimiques étonnantes ponctuées d'émissions vocales particulièrement bruyantes. Parfois, la parade d'un couple attire la curiosité d'un oiseau immature, ce qui provoque la réaction véhémente du partenaire « légitime » !

Le nid est édifié sur la fourche d'un arbre. Sa construction incombe en même temps au mâle et à la femelle. Toutefois, c'est en général celle-ci qui assemble les rameaux que le mâle récolte et lui apporte.

La parade nuptiale est composée de quelques phases stéréotypées. La plus courante consiste pour le mâle à soulever ses ailes au-dessus du corps en relevant la queue obliquement, le bec pointé vers le ciel.

Au moins trois ans pour devenir adulte

■ Les premières pontes débutent à la mi-avril, les dernières pouvant intervenir au début du mois de juin. Chaque femelle pond 3 ou 4 œufs (rarement 5 ou 6), d'une couleur bleu pâle ou verdâtre. Longs et ovales (63 mm de long et 40 mm de large au maximum), ils pèsent en moyenne 55 g et sont déposés successivement, avec un intervalle de deux ou trois jours entre chaque ponte. L'incubation — qui dure de 28 à 31 jours — débute dès la ponte du premier œuf, de sorte que les éclosions sont échelonnées elles aussi dans le temps, le dernier d'une couvée pouvant avoir plus d'une dizaine de jours de retard sur les autres.

Le mâle relaie la femelle

À la naissance, les poussins sont d'attendrissantes petites boules de duvet blanchâtre nanties d'un cou disproportionné. Pendant une quinzaine de jours, ils sont couvés tantôt par un parent tantôt par l'autre, les deux partenaires se relayant sur le nid afin que chacun d'eux puisse s'alimenter.

Dès qu'une éclosion se produit, la coquille de l'œuf est enlevée du nid par l'un des deux adultes. Les grands cormorans n'effectuent jamais deux pontes. Mais il peut y avoir une ponte de remplacement, en juillet ou en août, lorsque les œufs de la première couvée ont été détruits.

Des petits goulus

L'élevage des jeunes représente une dure épreuve pour les adultes, qui doivent assouvir sans relâche la faim d'une progéniture extrêmement vorace. Le père ou la mère se relaient consciencieusement pour nourrir chaque poussin en moyenne deux fois par jour.

Lorsque l'adulte arrive sur la plate-forme du nid, il s'approche du jeune qu'il veut nourrir, ouvre le bec où le poussin enfourne entièrement sa tête, jusqu'à la gorge, pour y chercher son repas, une bouillie blanchâtre de chair de poisson prédigérée. Parfois, les jeunes sont trop insistants et leur impatience donne lieu à des scènes étonnantes : le parent peut avoir toutes les peines du monde à convaincre son rejeton de retirer sa tête de sa gorge !

Une maturité tardive

À l'âge de 50 jours environ, le jeune est capable de prendre son envol. Mais il revient régulièrement au nid pour y être nourri — et cela pendant plus d'un mois. Passé ce délai, les jeunes cormorans prennent leur indépendance. Leur plumage est alors brun foncé avec un ventre blanchâtre, il restera ainsi pendant les trois premières années de leur vie. Cependant, la maturité sexuelle de cet oiseau n'est atteinte qu'entre 4 et 5 ans, plus rarement à 3 ans. Cela n'empêche pas le jeune de tenter à l'occasion de se reproduire avant d'avoir atteint cet âge, mais la tentative est alors vouée à l'échec.

L'errance avant la migration

Une fois émancipés, les jeunes cormorans se dispersent dès les mois de juin et de juillet et ne commencent à migrer vers le sud qu'au début de l'automne.

Ils restent erratiques jusqu'à leur maturité sexuelle, et, en été, on les rencontre le long des côtes ou dans les zones humides de l'intérieur, parfois très loin de leur lieu de naissance.   □

Ce poussin impatient réclame sa nourriture en mordillant le cou de l'adulte jusqu'à ce que celui-ci accepte d'ouvrir le bec (ci-dessus).

Les nids des grands cormorans sont très concentrés dans les sites les plus favorables (à gauche).

Le mâle et la femelle couvent avec assiduité pendant une trentaine de jours, protégeant leurs œufs des prédateurs (à droite).

Les jeunes n'hésitent pas à se précipiter vers leurs parents et à enfoncer totalement la tête dans leur gorge afin de pouvoir ingurgiter la bouillie prédigérée par ceux-ci. Souvent l'adulte, lorsqu'il est fatigué, n'arrive pas à se débarrasser de l'éternel affamé.

Double page suivante : sur un banc de gravier, ces grands cormorans profitent des derniers rayons du soleil pour faire sécher leurs ailes humides.

Grand cormoran
Phalacrocorax carbo

■ Le grand cormoran, sorte de corbeau des mers, est, comme son nom l'indique, un oiseau de grande taille avec une tête, un cou et un corps d'un noir velouté et un bec épais en forme de crochet.

Les plumes des ailes, d'un brun bronze, sont bordées de noir et contrastent avec le reste du corps. Au-dessous, le plumage est presque entièrement noir. Les mâles et les femelles adultes, très semblables, se distinguent des jeunes, lesquels, au cours de la première année, ont sur le ventre un placard blanc dont l'étendue et la forme sont extrêmement variables. La

deuxième année, ce placard disparaît, les cormorans immatures restant tout de même identifiables en raison de la teinte généralement brunâtre de leur plumage, qui ressemble à celui des adultes seulement durant la troisième année.

La mue des adultes a lieu deux fois par an : de juillet (après la saison de reproduction) à décembre pour les plumes de la queue, et, avant la nidification, de janvier à avril pour les plumes de la tête, du cou et du corps.

Bien adapté au milieu aquatique (mer ou eau douce), qui lui fournit →

	GRAND CORMORAN
Nom *(genre, espèce)* :	*Phalacrocorax carbo*
Famille :	Phalacrocoracidés
Ordre :	Pélécaniformes
Classe :	Oiseaux
Identification :	Gros oiseau entièrement sombre avec un long cou, un bec fort. Forme une croix en vol
Taille :	De 80 cm à 1 m (longueur) ; 1,30 à 1,60 m (envergure)
Poids :	De 1,7 kg à 2,8 kg
Répartition :	Europe, Asie du Sud-Est, Afrique, Australie et Nouvelle-Zélande, Terre-Neuve
Habitat :	Côtes rocheuses, fleuves et rivières, lacs et étangs
Régime alimentaire :	Piscivore
Structure sociale :	Monogame, grégaire
Maturité sexuelle :	Entre 4 et 5 ans
Saison de reproduction:	D'avril à juillet
Nombre de jeunes par ponte :	De 4 à 6 pesant environ 30 g ; une ponte par an
Longévité :	18 ans, en moyenne 7 ou 8 ans en nature
Effectifs, tendances :	Plusieurs centaines de milliers d'oiseaux
Statut, protection :	Partiellement protégée en Bulgarie, Finlande, aux Pays-Bas et en Grande-Bretagne ; non protégée en Pologne, Roumanie et Suisse ; protégée ailleurs en Europe

Cou.
Assez long, il forme un « S » prononcé. Sa peau est fortement extensible, ce qui permet le passage de gros poissons.

Bec.
Puissant et long, il est muni d'un crochet à son extrémité.

Ailes.
Longues et larges, elles permettent à l'oiseau un vol puissant sur de longues distances.

Pattes.
Elles sont courtes et situées à l'arrière du corps ; les larges palmures des pieds facilitent aussi la propulsion sous-marine.

l'essentiel de sa nourriture, le grand cormoran peut adapter sa vue selon qu'il se trouve sous l'eau ou hors de l'eau. Sa membrane nictitante (troisième paupière qui se déplace horizontalement devant l'œil) lui sert de masque de plongée. Et sa vision sous l'eau est excellente. Le toucher et l'odorat sont en revanche des sens peu développés chez cette espèce.

Son corps fuselé, ses pattes situées en arrière et munies de très larges palmures lui assurent une remarquable aisance dans ses déplacements sous-marins, qui ont lieu parfois à de grandes profondeurs (jusqu'à 9 mètres).

Grâce à un système respiratoire bien développé, l'oiseau peut rester une minute sous l'eau. Il ne s'y attarde pas plus longtemps, car l'imperméabilité de son plumage est limitée. Chez lui, en effet, la glande uropygienne, située près du croupion et qui sécrète une huile protectrice, est atrophiée. Cela l'oblige à de longues stations, debout sur un perchoir, les ailes largement déployées pour sécher son plumage. Cette perméabilité est un avantage en plongée, car elle réduit la poussée ascensionnelle, le volume d'air emprisonné dans les barbes des plumes diminuant du fait de l'humidité.

Le grand cormoran est un excellent voilier, capable de couvrir de longues distances. Le cou tendu, il fend l'air. Son décollage de l'eau en revanche est plus laborieux, en raison de la position très arrière de ses pattes. □

SIX SOUS-ESPÈCES

Toutes sont plutôt sédentaires.
Phalacrocorax carbo carbo, côtes de l'Atlantique nord, Europe et Amérique.
P.c. sinensis, grand migrateur, Europe et Asie (Inde et Chine).
P.c. maroccanus, des côtes du Maroc à la Mauritanie.
P.c. lucidus, Afrique orientale.
P.c. novaehollandiae, migrations liées à la sécheresse ; dans tout le Pacifique
P.c. hanae, Japon.

Signes particuliers

Bec
Anguleuse, la tête du cormoran est prolongée par un bec très puissant. La mandibule supérieure (culmen) se termine par un crochet qui dépasse de 2 à 3 cm la mandibule inférieure (gonys). Les narines sont fermées, hormis pendant les quelques jours suivant la naissance. Le bec est moins long chez la sous-espèce maritime (mâle : de 58 à 67 cm ; femelle : de 50 à 58 cm) que chez la sous-espèce continentale (mâle : de 67 à 73 cm ; femelle : de 59 à 68 cm).

Pattes
Les pattes du cormoran possèdent des tarses très courts et qui sont situés à l'extrémité postérieure du corps de l'oiseau, comme chez tous les plongeurs. L'oiseau les repousse simultanément en arrière sous l'eau. Les larges palmures lui permettent de se propulser rapidement et lui servent de véritable gouvernail. Richement irriguées par les vaisseaux capillaires, elles réchauffent les œufs pendant l'incubation, le cormoran ne possédant pas de plaque incubatoire. Chacun des quatre doigts est muni d'une griffe grâce à laquelle l'oiseau peut, s'il le faut, retenir une proie au sol afin de mieux la déchiqueter.

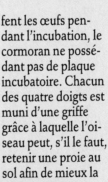

Gorge et cou
La gorge de l'oiseau est formée d'une membrane très extensible de peau nue et de couleur claire, la poche gulaire, qui sert de réservoir de nourriture et joue également un rôle important pour la thermorégulation.

Le cou forme un S très souple. Sa peau, extensible, lui permet d'avaler de gros poissons.

Appareil digestif
Si le repas est abondant, il est retenu un moment dans le jabot avant la digestion. Celle-ci commence dans le gésier, plutôt petit, qui contient des graviers ainsi que des muscles puissants pour broyer la nourriture.

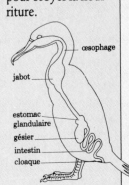

œsophage

jabot

estomac glandulaire

gésier

intestin

cloaque

Les autres cormorans

■ 29 espèces, réparties de l'extrême nord de l'Europe jusqu'aux régions subantarctiques, forment le genre *Phalacrocorax*. La plupart se trouvent dans les régions subtropicales de l'Amérique du Sud. Toutes sont piscivores et grégaires. Parmi les espèces les plus rares et les plus menacées figure le cormoran de Socotora, dont la population a été décimée par la marée noire lors de la guerre dans la région du golfe Persique, en 1991.

CORMORAN HUPPÉ
Phalacrocorax aristotelis
Identification : de 72 à 97 cm, bec plus long et plus fin que celui du grand cormoran, plumage nuptial noir brillant, reflets verdâtres, crête en toupet.
Répartition : de l'Islande à la Scandinavie et jusqu'aux côtes de Mauritanie, bassin méditerranéen.
Statut : espèce protégée en Europe de l'Ouest.

CORMORAN PYGMÉE
Phalacrocorax pygmaeus
Identification : le plus petit des cormorans, de 45 à 55 cm ; noir-brun, plumage nuptial : tête et cou à reflets violacés.
Répartition : marécages, de la Hongrie aux bords de la mer Caspienne.

CORMORAN AFRICAIN
Phalacrocorax africanus
Identification : de 64 cm à 1,44 m, très longue queue, bec court ; période nuptiale : reflets irisés, petite huppe.
Répartition : sédentaire, Afrique, au sud du 18e parallèle.

CORMORAN COURONNÉ
Phalacrocorax coronatus
Parfois considéré comme une sous-espèce du cormoran africain.
Identification : plumage sombre à reflets verdâtres ; bec rouge en période nuptiale.
Répartition : côtes de Namibie et d'Afrique du Sud.

CORMORAN DE SOCOTORA
Phalacrocorax nigrogularis
Identification : 80 cm ; sombre ; en plumage nuptial, quelques plumes blanchâtres en arrière de l'œil.
Répartition : golfe Arabo-Persique.

CORMORAN À POITRINE BLANCHE
Phalacrocorax lucidus
Parfois considéré comme une sous-espèce du grand cormoran.
Identification : 90 cm ; cou et poitrine blancs.
Répartition : Afrique, au sud du Sahara.

CORMORAN DES BANCS
Phalacrocorax neglectus
Identification : 76 cm ; noir ; plumage nuptial : tête, cou et croupion blancs.
Répartition : Namibie, Afrique du Sud.

CORMORAN À FACE ROUGE
Phalacrocorax urile
Identification : 84 cm ; bec et cou plus longs et fins que le précédent.
Répartition : Alaska, îles Aléoutiennes.

CORMORAN INDIEN
Phalacrocorax fuscicollis
Identification : 65 cm ; semblable au cormoran de Socotora, queue plus longue.
Répartition : Inde, Indonésie.

CORMORAN PIE
Phalacrocorax varius
Identification : 75 cm ; tête, nuque, dos et ailes noirs ; cou, poitrine, ventre blancs ; masque facial orange.
Répartition : Australie, Nouvelle-Zélande.

CORMORAN À GORGE BLANCHE
Phalacrocorax melanoleucos
Identification : 60 cm ; semblable au

Cormoran ponctué (Phalacrocorax punctatus)

Cormoran africain (Phalacrocorax africanus)

précédent, sans masque facial, bec plus court.
Répartition : Australie, Nouvelle-Zélande, Nouvelle-Guinée.

CORMORAN À FACE NOIRE
Phalacrocorax fuscescens
Identification : 65 cm ; semblable au cormoran pie, masque facial noir.
Répartition : sud de l'Australie.

CORMORAN FULIGINEUX
Phalacrocorax sulcirostris
Identification : 61 cm ; entièrement sombre, sans aucune marque blanche.
Répartition : Indonésie, Nouvelle-Guinée, Australie, Nouvelle-Zélande.

CORMORAN CARONCULÉ
Phalacrocorax carunculatus
Identification : 76 cm ; gorge, poitrine et ventre blancs ; tête, nuque et dos noirs ; masque facial orangé, touffe de plumes sur le crâne en plumage nuptial.
Répartition : Nouvelle-Zélande.

CORMORAN DE CAMPBELL
Phalacrocorax campbelli
Identification : 76 cm ; semblable au cormoran caronculé ; sans masque facial.
Répartition : île Campbell au large de la Nouvelle-Zélande.

CORMORAN IMPÉRIAL
Phalacrocorax atriceps
Identification : 63 cm ; gorge, poitrine et ventre blancs ; tête, nuque et dos noirs ; large cercle orbital bleu clair ; période nuptiale : caroncules rouges à la base du bec, longues aigrettes noires sur la tête.
Répartition : Chili, Pérou, Argentine et îles.

CORMORAN PONCTUÉ
Phalacrocorax punctatus
Identification : 60 cm ; longue tête aplatie ; long bec jaunâtre grêle ; dos brun à taches noires ; pattes rouges ; double aigrette nuptiale à l'avant et à l'arrière de la tête.
Répartition : Nouvelle-Zélande.

CORMORAN NOIR
Phalacrocorax niger
Identification : 56 cm ; entièrement noir ; bec court ; longue queue.
Répartition : Inde, Indonésie.

CORMORAN DU JAPON
Phalacrocorax cupillatus
Identification : plumage verdâtre ; large tache blanche sous la gorge.
Répartition : Japon.

CORMORAN DES GALÁPAGOS
Phalacrocorax harrisi
Identification : 95 cm ; oiseau aptère.
Répartition : îles Galápagos.

CORMORAN À DOUBLE CRÊTE
Phalacrocorax auritus
Identification : de 74 à 91 cm ; très semblable au grand cormoran ; période nup-
tiale : 2 crêtes au sommet du crâne, plumage rouge vif à la base du bec.
Répartition : Amérique du Nord jusqu'au Mexique.
Comportement : rassemblements migratoires de plus de 10 000 oiseaux.
Effectifs, statut : plusieurs dizaines de milliers d'oiseaux protégés.

CORMORAN DE BRANDT
Phalacrocorax penicillatus
Identification : 85 cm ; semblable au précédent ; masque facial sombre ; tache gulaire bleu ciel.
Répartition : côtes de l'Alaska à la Basse-Californie.

CORMORAN PÉLAGIQUE
Phalacrocorax pelagicus
Identification : 68 cm ; tête vert bouteille, masque facial rouge vif ; double touffe d'aigrette à l'arrière et à l'avant du crâne.
Répartition : côtes de l'Alaska à la Basse-Californie, Japon, détroit de Béring, Sibérie orientale.

CORMORAN DU CAP
Phalacrocorax capensis
Identification : 62 cm ; plumage nuptial vert bronze et peau faciale jaune vif.
Répartition : côtes, Namibie, Afrique du Sud.

CORMORAN NÉOTROPICAL
Phalacrocorax olivacerus
Identification : 65 cm ; sombre à reflets verdâtres ; plumage nuptial : touffes blanches en arrière de l'œil.
Répartition : Amérique centrale et Amérique du Sud.

CORMORAN DE MAGELLAN
Phalacrocorax magellanicus
Identification : 66 cm ; période nuptiale : tête, cou et dos noirs à reflets verts irisés, taches blanches sur la tête, peau nue rouge vif autour de l'œil, huppe à l'ar-
rière du crâne, ventre blanc, pattes rouges.
Répartition : falaises rocheuses en bord de mer, du sud du Chili au cap Horn ; îles Falkland.

CORMORAN DE BOUGAINVILLE
Phalacrocorax penicillatus
Identification : plus brunâtre que le précédent, sans blanc sur les joues.
Répartition : Pérou.
Comportement : colonies de plusieurs millions d'oiseaux dont les déjections forment le guano.

CORMORAN À PATTES ROUGES
Phalacrocorax gaimardi
Identification : 76 cm ; plumage entièrement gris cendré, bec jaune, pattes rouges ; plumage nuptial : taches blanches de chaque côté du cou, masque facial rouge.
Répartition : côtes ouest d'Amérique du Sud jusqu'au cap Horn.

Cormoran à double crête (Phalacrocorax auritus)

Milieu naturel et écologie

■ Essentiellement aquatique, et lié la plupart du temps aux eaux à la fois salées et fraîches, le grand cormoran se rencontre sur tous les continents à l'exclusion de l'Amérique du Sud. Il niche à l'extrême nord-est des États-Unis, à Terre-Neuve et au Groenland ; en Europe, de l'extrême nord de la Norvège au pourtour méditerranéen. Sur le continent africain, le grand cormoran occupe les côtes méditerranéenne et atlantique jusqu'en Mauritanie, et il est largement répandu en Afrique australe. En Asie, il est présent jusqu'en Inde et en Chine ; au Japon, seule l'île de Hondo abrite une de ses sous-espèces. Ailleurs, on le rencontre dans l'est de l'Afrique, en Inde et en Asie du Sud-Est. Une autre sous-espèce peuple l'Australie, la Tasmanie, la Nouvelle-Zélande et les îles Chatham.

Les populations les plus septentrionales (Europe, Amérique du Nord, Groenland, Islande) sont les moins sédentaires. Elles descendent hiverner jusqu'au-delà du 40e parallèle.

Durant les cent dernières années, cette distribution a subi de grands changements, surtout à l'intérieur des terres, en raison, d'une part, de la persécution dont ces oiseaux ont été victimes de la part des pêcheurs et, d'autre part, de la transformation de certains habitats.

En Europe occidentale, les grands cormorans vivent surtout sur les côtes, tandis que, plus à l'est de ce continent ainsi qu'aux Pays-Bas, d'importantes populations nichent à proximité de vastes étendues d'eaux intérieures. La seule colonie de grands cormorans digne d'être signalée en Allemagne est située en Poméranie occidentale. En France, les populations se reproduisent sur les îles et falaises de Normandie, de Picardie et de Bretagne, et plus récemment en petit nombre dans les terres : lac de Grand-Lieu (Vendée), en Picardie et dans le Cher.

Des endroits à l'écart

Ces oiseaux, qui préfèrent les mers abritées, évitent les eaux profondes, même proches de la terre ferme, et s'éloignent rarement des rives. On les trouve sur les lacs, les bassins, les deltas, les estuaires, les grandes rivières — en général quand le courant est faible, plus rarement s'il s'agit de torrents.

Ils passent beaucoup de temps à terre, sur des petits promontoires — rochers, falaises, bancs de sable, digues, barrages, épaves de bateaux, piquets ou arbres, les plus dénudés de préférence. Ces perchoirs ont en commun leur proximité de l'eau et leur relatif éloignement de tout élément perturbateur. Le grégarisme de ces animaux exige en effet l'occupation de zones sûres, qu'il s'agisse de rochers, de petites îles ou de bocages, voire de hautes forêts situées à quelques kilomètres de la mer. Si l'habitat remplit ces conditions, les colonies de cormorans, qui sont capables de voler très haut et sur de longues distances, s'installent parfois en altitude. Les chercheurs Ali et Ripley en ont trouvé en 1968 à 3 450 m au Cachemire et à 2 000 m en Arménie.

Une aubaine pour les mouettes

Les mouettes et goélands ne sont jamais très loin de ce prédateur de poissons qu'est le cormoran et ils profitent de façon détournée de ses pêches. Lorsqu'il est dérangé au cours de sa digestion, le cormoran régurgite souvent le contenu de son estomac avant de fuir. Or les parties indigestes, telles que les os et les écailles, sont enveloppées dans une sorte de sac de mucus rouge provenant de la paroi stomacale. Les mouettes et les goélands foncent alors sur cet alléchant petit paquet rouge.

Les grands cormorans côtoient aussi d'autres espèces de cormorans sans qu'il y ait avec celles-ci de véritable concurrence alimentaire, car leur taille leur permet de capturer des proies auxquelles leurs rivaux potentiels s'attaquent peu. Certaines sous-espèces de grands cormorans s'installent souvent, pour nicher, à proximité d'autres colonies d'oiseaux, spatules, aigrettes et surtout hérons cendrés, comme le font plusieurs milliers de couples de *P.c. maroccanus* au Banc d'Arguin, en Mauritanie. □

Aire de répartition de Phalacrocorax carbo. Plus largement réparti dans l'Ancien Monde qu'en Amérique, le grand cormoran est un oiseau essentiellement marin, en particulier pour les populations migratrices de l'Atlantique nord. Toutes les autres colonies sont naturellement sédentaires, à l'exception de celles d'Australie, de Tasmanie, de Nouvelle-Zélande et des îles Chatham. En Europe, on a recensé de grandes colonies en Grande-Bretagne et en Irlande. En Asie, ils fréquentent les zones humides de l'intérieur. En Afrique du Nord, l'espèce se reproduit sur les falaises rocheuses et les îlots sableux.

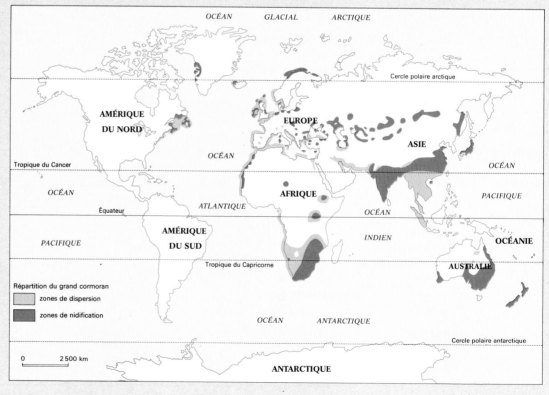

Un rival que les pêcheurs n'aiment guère

L'image d'un oiseau englué dans du goudron est devenue le symbole des mers polluées. Aujourd'hui, la présence du grand cormoran, longtemps considéré comme l'ennemi numéro un des pêcheurs, est vécue paradoxalement comme une sorte de garantie pour la préservation de la qualité des eaux du globe.

Un prédateur trop vorace ?

■ Si le grand cormoran a pu survivre et même se multiplier en dépit des modifications que l'homme a fait subir à son habitat, c'est en partie en raison de son cexceptionnelle faculté d'adaptation. Un exemple : les grands barrages qui, en Champagne, ont été construits pour réguler les cours de la Seine, de la Marne et de l'Aube abritent chaque hiver des centaines de cormorans, là où, il y a quelques années encore, l'apparition de cet oiseau était un événement !

La voracité de ce redoutable plongeur en a fait depuis longtemps la cible des pêcheurs en eau douce européens, qui lui reprochent de vider les lacs, les étangs et les rivières. On l'accuse aussi de blesser les poissons qu'il ne peut pas capturer et de transmettre ainsi des parasites à toute la population piscicole. C'est effectivement le cas par exemple pour la ligule (ver parasite), provoquant une maladie spécifique du poisson, ainsi que pour les virus et les bactéries. D'où l'hostilité des pisciculteurs, qui revendiquent le droit de chasser cet oiseau pour éviter les dégâts dont ils l'estiment responsable.

De nombreuses études ont été menées en Europe sur l'impact de la prédation piscicole du cormoran. Or toutes aboutissent à peu près aux mêmes conclusions : s'il est vrai que le grand cormoran consomme beaucoup de poissons (entre 340 et 540 g par jour suivant le poids de l'oiseau), cette prédation n'affecte pas de façon significative le potentiel piscicole des milieux naturels.

Le problème se pose différemment, en revanche, là où la concentration de poissons est forte comme dans le cas des piscicultures. En 1988, selon une étude concernant la région des étangs de la Brenne, située dans le Berry, la prédation moyenne annuelle des grands cormorans a été estimée à 31 tonnes. Le chiffre est considérable. Mais il reste peu important, comparé à l'énorme production des étangs brennous. En outre, des techniques ont été mises au point pour se prémunir contre les cormorans trop gourmands.

Il est possible, par exemple, de lancer et de diffuser par haut-parleur des cris de détresse là où la prédation des oiseaux est la plus dangereuse.

Une autre technique, plus fiable, mais aussi plus coûteuse, consiste à tendre des fils au-dessus des bassins afin d'empêcher les cormorans de se poser à la surface de l'eau. Malheureusement, cette solution n'est applicable que sur des étangs de petite superfice. □

Victime de la pollution multiforme des mers

■ En dépit de l'aide qu'elles peuvent apporter à l'homme, les populations de cormorans ont beaucoup souffert de l'action de celui-ci, et en particulier de la pollution des mers dont il est responsable.

Qui n'a pas en tête ces photos de la fameuse marée noire due au naufrage du *Torrey Canyon* ou de celle provoquée par les ruptures des pipe-lines koweïtiens durant

Le grand cormoran est un oiseau peu farouche qui ne craint pas la proximité de l'homme. En effet il n'hésite pas à installer ses colonies aux abords de zones urbanisées, comme ici au Japon.

la guerre du Golfe. Ces dernières ont gravement affecté une espèce endémique, le cormoran de Socotora, dont le statut, dans cette région, était déjà très précaire.

Compte tenu de son mode de pêche, le cormoran est extrêmement sensible à la pollution par le pétrole, et cela en dehors même des accidents ponctuels que sont les marées noires. En effet, il existe une pollution diffuse liée à des dégazages illicites ou à des fuites épisodiques qui tuent chaque année des milliers d'oiseaux, dont les cadavres viennent ensuite s'échouer sur les plages.

Situé au sommet de la chaîne alimentaire, le cormoran subit aussi durement les répercussions de la pollution des cours d'eau par les métaux lourds tels que mercure, plomb ou aluminium, qui se concentrent dans l'organisme des poissons dont il se nourrit.

Une autre cause non négligeable de mortalité est liée à la pêche côtière. Les cormorans venant plonger à proximité des chalutiers se prennent les ailes, le bec ou les pattes dans leurs filets. Il n'est pas rare non plus de trouver des cadavres de cormorans qui portent un fil de Nylon autour du bec ou ont un hameçon fiché au fond du gosier...   ☐

Le cormoran, auxiliaire du pêcheur

■ En Asie, au lieu de combattre le cormoran, certains pêcheurs chinois et japonais ont choisi de l'utiliser comme outil de travail et ils pratiquent la « pêche au cormoran », en mer comme en rivière.

Les oiseaux sont le plus souvent pris au nid, alors qu'ils sont encore incapables de voler. La méthode consiste à leur mettre un lien autour du gosier pour qu'ils n'avalent pas les proies qu'ils capturent. Le pêcheur attache en général le cormoran à son bateau au moyen d'une corde ou d'une ficelle. Mais, très rapidement, cette sorte de laisse devient inutile, car les oiseaux, qui ne peuvent se nourrir eux-mêmes, se laissent tout naturellement domestiquer. Contraints comme ils le sont d'attendre la fin de la pêche pour que leur propriétaire les laisse absorber leurs propres prises, ils sont bien obligés d'accepter la loi de l'homme.

Autrefois très répandue, cette technique de pêche ne subsiste plus guère. Elle risque même de disparaître totalement dans quelques années.   ☐

Le guano, un engrais naturel précieux

■ En Amérique du Sud, ce n'est pas au pêcheur, mais plutôt au paysan que les grands cormorans apportent une ressource précieuse, grâce à leurs déjections.

Au Chili et au Pérou, par exemple, les concentrations de plusieurs centaines de milliers de cormorans d'espèces différentes sont à l'origine d'une activité économique importante. En effet, la superposition de toutes les fientes des oiseaux forme une grosse croûte de plusieurs centimètres, voire plusieurs mètres d'épaisseur. C'est le guano, que les indigènes exploitent comme fertilisant agricole lorsque les colonies de cormorans se sont éloignées.

Les moindres modifications de l'environnement peuvent avoir une influence durable et, en changeant les habitudes des oiseaux, priver les hommes de cette ressource naturelle. C'est ainsi que l'arrivée du fameux courant chaud appelé « El Niño » le long des côtes du Pérou a pu provoquer une véritable catastrophe économique en faisant disparaître les poissons, pâture des cormorans, et ces derniers par la même occasion... ☐

Laissez passer les cormorans

■ Longtemps persécutée, l'espèce est aujourd'hui protégée presque partout en Europe et tout particulièrement au Danemark et aux Pays-Bas. Ainsi, les cormorans d'une des grosses colonies néerlandaises situées à proximité d'Amsterdam empruntaient un trajet bien défini pour aller de leurs zones de pêche vers leurs colonies de reproduction. À l'occasion de l'installation d'une ligne électrique à haute tension qu'il n'était pas possible d'enterrer, les autorités ont décidé de limiter la hauteur des pylônes pour préserver le couloir de vol des cormorans.

Grâce aux mesures de protection dont il bénéficie, le grand cormoran voit ses effectifs augmenter régulièrement. Malgré la protection dont jouit l'espèce, les milieux piscicoles de certaines régions ont obtenu des pouvoirs publics le droit de limiter ses effectifs par des chasses sélectives ; une telle pratique ne peut que susciter l'inquiétude si elle se généralise. Rien ne permet par ailleurs d'affirmer que la progression ne va pas atteindre un pallier et se stabiliser.   ☐

La pêche au cormoran est une activité encore répandue dans certaines régions de Chine et du Japon. Cette technique de pêche exploite les grandes capacités de pêcheur du cormoran. Un lien est placé autour du cou de l'oiseau et l'empêche d'avaler les poissons qu'il capture pour le compte de son propriétaire. Cette tradition, qui aujourd'hui est en train de disparaître et ne subsiste que comme curiosité touristique, montre en tout cas que, s'il n'est pas persécuté, cet oiseau peut aisément se familiariser avec l'homme et qu'il peut même devenir son allié.

REDI
(Francesco)
Arezzo 1626 - Pise 1697

Médecin et naturaliste italien

Il occupe une place importante dans l'histoire des sciences pour avoir, notamment, porté la première attaque sérieuse contre la théorie de la génération spontanée. On lui doit aussi d'importants travaux sur le venin de la vipère et sur les parasites de l'homme et des animaux.

■ Tout à la fois médecin, littérateur et savant, doté d'une immense culture, Francesco Redi est, par bien des aspects, encore un homme de la Renaissance. Issu d'une grande famille toscane, il étudie la philosophie et la médecine à Pise et à Florence où il s'établit comme médecin du grand-duc de Toscane, Ferdinand II, qui se plaît à favoriser les sciences, en particulier les sciences expérimentales. Il passera le reste de sa vie dans l'intimité des grands-ducs, qu'il soignera avec dévouement et compétence. Sa réputation médicale s'étend même à l'étranger, comme en témoigne une lettre écrite en 1678 par l'Électeur palatin Charles-Ludovic, qui le remercie d'une consultation et l'assure de la haute estime dans laquelle il le tient.

Redi est l'auteur d'un grand nombre de poésies remarquables par la mélodie du rythme et la perfection du style, ainsi que d'une *Étymologie italienne*, qui témoigne de son goût pour cette langue dont il défend la pureté. On lui doit également de nombreux articles de dictionnaires et une volumineuse correspondance avec les savants et écrivains les plus illustres de son temps. Il souffrit d'attaques d'épilepsie vers la fin de sa vie, refusant longtemps de ralentir le rythme de ses activités, mais acceptant finalement de se rendre à Pise, où l'air passait pour être meilleur qu'à Florence. On le trouva mort dans son lit le 1er mars 1697. Il fut enterré dans sa ville natale d'Arezzo.

Les premiers travaux scientifiques de Redi portent sur la vipère, dont il décrit en 1664 la glande à venin et les crochets venimeux. Il montre, en outre, par des expériences, que le venin n'a rien à voir avec la bile du serpent comme on le croyait alors et qu'il peut être avalé sans danger car, pour agir sur l'organisme, il doit être introduit dans le sang par une blessure. C'est surtout à ses *Expériences sur la génération des insectes* que Redi doit sa notoriété.

Dans cet ouvrage, en effet, il osait nier l'existence de la génération spontanée, à laquelle on croyait pourtant depuis la plus haute antiquité, puisque la Bible elle-même fait référence à des abeilles nées de la carcasse d'un lion mort.

L'autre ouvrage scientifique important de Redi, intitulé *Observations sur les animaux vivants qui vivent dans d'autres animaux vivants* (1684), constitue le premier véritable traité de parasitologie. Y sont étudiés non seulement les vers intestinaux, mais aussi ceux qui vivent dans les reins ou les poumons des mammifères, dans les sacs aériens des oiseaux et dans la vessie natatoire des poissons.

Redi a été également l'un des premiers à s'intéresser à des parasites d'invertébrés (crustacés, céphalopodes). Il a par ailleurs effectué des recherches sur la gale dont, avec deux de ses élèves, il a donné la première description véritablement scientifique. Il préconisait de recourir à des applications externes pour tuer le parasite. Il recommandait, en particulier, la pommade au précipité rouge de mercure et conseillait d'en poursuivre régulièrement les onctions quelques jours après la guérison apparente, car les œufs périssent difficilement et l'on risque de voir la maladie réapparaître très vite si le traitement a été interrompu trop tôt. Malheureusement, ces données si précises ne seront pas connues du corps médical de l'époque et il faudra attendre le XIXe siècle pour que l'on admette le bien-fondé des recommandations de Redi. □

Tout à la fois médecin, littérateur et savant, doté d'une immense culture, Francesco Redi est, par bien des aspects, encore un homme de la Renaissance.

LA FIN D'UN MYTHE

À l'époque de Redi, on croyait encore fermement que la matière inerte pouvait donner naissance à des animaux d'ordre inférieur — asticots, poux, limaces, cloportes, voire même grenouilles ou souris. Tout ce qui fermente pouvait, pensait-on, constituer un foyer de nouvelle vie. Redi avait, lui, des doutes sérieux sur la réalité du phénomène de la génération spontanée. Aussi entreprit-il, en 1668, une série d'expériences significatives. Il plaça des morceaux de poisson et de viande dans des fioles à large ouverture, et laissa les unes béantes tandis qu'il fermait les autres avec du « papier ficelé et bien hermétiquement assujetti ». Il s'aperçut que, par temps chaud, les vers ne tardaient pas à proliférer dans les récipients non bouchés ; ceux qui étaient fermés, en revanche, n'en abritaient aucun. Pour répondre à l'objection que le bouchage empêchait l'accès de l'air, il plaça de la viande dans une fiole en recouvrant celle-ci d'une gaze fine. Il n'y eut pas de vers dans le récipient, mais des œufs furent déposés par des mouches sur la gaze. Ces expériences montraient à l'évidence que les vers ne sont pas engendrés par la matière en décomposition ; ils proviennent des œufs que les mouches pondent dans un milieu favorable au développement des jeunes larves.

DANS LE PROCHAIN NUMÉRO
LES ÉTOILES DE MER

VIE SAUVAGE
ENCYCLOPÉDIE LAROUSSE DES ANIMAUX

les étoiles de mer

Des mutilations
volontaires
Une folle prodigalité
sexuelle
Filles de la lune ?

N° 108
hebdomadaire

Larousse

139 FB / 139 FL / 5,90 FS / 2,95 $ CAN

présentes
dans toutes les mers du monde

VIE SAUVAGE

ENCYCLOPÉDIE LAROUSSE DES ANIMAUX

la moufette

Une jolie queue
en panache

Un musc à l'odeur
tenace

Une héroïne de dessins
animés

N° 63

ebdomadaire

Larousse

M 1431 - 63 - 19,50 F

139 FB / 139 FL / 5,90 FS / 2,95 $ CAN

WWF — Fonds Mondial pour la Nature

Avec VIE SAUVAGE,
la nouvelle encyclopédie Larousse des animaux,
découvrez la vraie vie des animaux sauvages du monde entier.

Chaque semaine, partez à la rencontre d'un nouvel animal. Surprenez-le dans son intimité, grâce à des photos fortes, prises sur le vif par de grands reporters. Apprenez à connaître son comportement et ses mœurs, racontés par les plus grands experts de la faune sauvage : scènes de chasse, bains, premiers pas des petits... Vous découvrirez les grands principes écologiques de la lutte pour la vie et de l'équilibre de la nature.

Constituez-vous une collection complète des animaux sauvages du monde entier, en les regroupant selon les 11 grands milieux naturels où ils vivent :

Savanes et prairies : éléphant, lion, girafe, bison, kangourou...
Forêts tropicales : tigre, orang-outan, jaguar, perroquet...
Forêts de conifères : loup, aigle royal, lynx, hermine...
Forêts de feuillus : koala, renard, cerf, sanglier, coucou...
Mers et océans : dauphin, baleine, requin, pieuvre...
Côtes marines : otarie, tortue géante, fou de Bassan, iguane...
Rivières et fleuves : hippopotame, loutre, piranha, castor...
Étangs et marais : pélican blanc, crocodile, vison, libellule...
Montagnes : grand panda, condor, ours brun, macaque japonais...
Déserts et steppes : guépard, caméléon, criquet, scorpion...
Toundras et glaces : phoque, caribou, lemming, bœuf musqué...

VIE SAUVAGE est le fruit d'une collaboration entre Larousse et le WWF (Fonds Mondial pour la Nature - France). Cette encyclopédie est née d'une volonté commune d'agir en faveur de la protection des animaux sauvages.

© : 1986. Copyright WWF.   ® : WWF propriétaire des droits.

SOMMAIRE

N° 63 LA MOUFETTE   *Savanes et prairies*

LA MOUFETTE ET SES ANCÊTRES 1

LA VIE DE LA MOUFETTE
Un animal nonchalant mais organisé 4-5
Un régime alimentaire adapté aux saisons 6-7
Des terriers abandonnés pour ses quartiers d'hiver 8-9
Des bébés roses, noirs et blancs 10-11

POUR TOUT SAVOIR SUR LA MOUFETTE
Moufette rayée 14-15
Les autres moufettes 16
Milieu naturel et écologie 17-18

LA MOUFETTE ET L'HOMME 19-20

DICTIONNAIRE DES SAVANTS DU MONDE ANIMAL
René Jeannel

LES TEXTES DE CE NUMÉRO ont été rédigés par François Moutou, docteur vétérinaire, Maisons-Alfort ; Mauricette Vial-Andru ; Jean Lhoste.
DESSINS de Guy Michel.
CARTE de Edica.
PHOTO DE COUVERTURE : Moufette dans un sous-bois. Phot. Kelley G.C. - PHR - Jacana.

CRÉDITS PHOTOGRAPHIQUES p. 1, Foott J. - Survival Anglia ; p. 2/3, Scott G. K. ; p. 4, Leszczynski Z. - Animals Animals ; p. 4/5, Lee Rue III - PHR - Jacana ; p. 5, Foott J. - Bruce Coleman ; p. 6, Foott J. - Survival Anglia ; p. 6/7, Foott J. - Bruce Coleman ; p. 7, Lubeck R. A. - Animals Animals ; p. 8, Stouffer enterprises - Animals Animals ; p. 8/9m, Weisser W. - Ardea ; p. 8/9b, Lee Rue III L. - PHR - Jacana ; p. 9,

Carr R. - Bruce Coleman ; p. 10, Scott G. K. ; p. 10/11h, Foott J. - Bruce Coleman ; p. 10/11b, Foott J. - Survival Anglia ; p. 12/13, Calhoun B. et C. - Bruce Coleman ; p. 14, Rogers L. L. ; p. 15, Morris P. - Ardea ; p. 16, Gohier F. - Nature ; p. 18, Reinhold R. A. - Animals Animals ; p. 19, The Walt Disney Company ; p. 20, Foott J. - Survival Anglia. 3e de couv. : René Jeannel à son biseau. R. Doisneau - Rapho.

Photocomposition : Dawant. Photogravure : Graphotec. Impression : Jean Didier.

VIE SAUVAGE est édité par la SOCIÉTÉ DES PÉRIODIQUES LAROUSSE

Directeur de la publication : Bertil Hessel
Directeur éditorial : Claude Naudin
Directeur de la collection : Laure Flavigny
Rédaction : Catherine Nicolle
Direction artistique : Henri Serres-Cousiné
Direction scientifique : Christine Sourd, docteur en écologie, Conservation Officer au WWF-France
Conception graphique et mise en pages : Frédérique Longuépée assistée de Blandine Serret
Couverture : Gérard Fritsch
Correction-révision : Service de lecture-correction de Larousse
Documentation iconographique : Anne-Marie Moyse-Jaubert, Marie-Annick Réveillon
Composition : Michel Vizet
Fabrication : Jeanne Grimbert

EN VENTE TOUS LES MERCREDIS

Directeur du marketing et des ventes : Edith Flachaire
Service des ventes : PROMEVENTE - Michel Iatca
Tél. : 45 23 25 60
Terminal : EB6
Service de presse : Régine Billot

L'encyclopédie Vie Sauvage se compose de 144 fascicules pouvant être assemblés en 9 volumes sous reliure mobile.
La publication est hebdomadaire, mais, en juillet et en août, il ne paraîtra que deux numéros au lieu de quatre.

Administration et souscription :
Société des Périodiques Larousse
1-3, rue du Départ
75014 Paris
Tél. : 44 39 44 20

© 1991, Société des Périodiques Larousse
17, rue du Montparnasse, 75006 Paris.
Imprimé en France (Printed in France).
Distribution N.M.P.P. pour la France.

Conditions d'abonnement :
Écrire ou téléphoner à la Société des Périodiques Larousse

Prix du fascicule et de la reliure

	Fascicule	Reliure
France	19,50 FF	49,00 FF
Belgique	139,00 FB	350,00 FB
Suisse	5,90 FS	15 FS
Luxembourg	139 FL	350 FL

Vente aux particuliers d'anciens numéros pour la France.
Envoyez les noms des fascicules commandés et un chèque d'un montant de :
— 25,50 FF par fascicule
— 61,00 FF par reliure
à GPP. BP 46, 95142 Garges-lès-Gonesse

NUMÉROS PRÉCÉDENTS :

L'éléphant. Le tigre. Les dauphins. Le loup. Le grand panda. Le lion. L'aigle royal. Le gorille. Le rhinocéros. La baleine. Le kangourou roux. Le condor. L'orang-outan. Les requins. L'ours brun. La girafe. Le guépard. L'hippopotame. Le chimpanzé. Le chacal. Le phoque. La gazelle. Le lynx. Le koala. Le pélican blanc. Le jaguar. Les perroquets. L'hyène. Le renard roux. Le bison. Le crocodile. Le puma. Les abeilles. Les lamas. L'ours blanc. Le macaque. L'autruche. Les chameaux. Le zèbre. Le buffle. Les scorpions. Le caribou. La pieuvre. Le fourmilier. Le manchot. Le coyote. Les lièvres. Le castor. Le chamois. Le guêpier. Les termites. Les calaos. Le mouflon. Les coraux. La marmotte. Le coucou. L'orque. Les caméléons. Le bœuf musqué. Les méduses.

PROCHAINS NUMÉROS :

Les tortues géantes. Le monarque. Le paresseux. Le combattant. Le morse. L'élan. L'opossum. Le gnou. Les plongeons. Les renards volants. Le cygne.

Un animal nonchalant mais organisé

■ Plutôt casanières, les moufettes ne commencent à s'activer que peu avant le crépuscule. Elles se rendent directement sur les lieux où elles s'alimentent, à quelques centaines de mètres à peine du gîte où elles se sont reposées toute la journée. Des parcours de 400 à 800 m correspondent aux déplacements alimentaires normaux des mâles adultes. Les femelles font des trajets encore plus courts. À l'exception de la saison des amours, où le mâle peut faire l'effort de parcourir, en une nuit, jusqu'à 2,5 km à la recherche d'une partenaire, les moufettes arpentent peu leur territoire et y vivent en solitaires.

Un peu plus grand, un peu plus lourd que la femelle, le mâle occupe aussi un territoire un peu plus vaste. Le domaine moyen d'une femelle est de l'ordre de 200 ha. Le domaine habité par un mâle recouvre, en partie ou en totalité, les domaines de plusieurs femelles. Mais chaque mâle respecte l'espace du mâle ou des mâles voisins.

La densité en moufettes est rarement élevée, de 0,7 à 1,2 individu au km², au Canada dans la province de l'Alberta. Pour tout le continent américain, les extrêmes seraient compris entre 0,4 et 27 moufettes au kilomètre carré.

Des horaires réguliers

Les rythmes de l'activité quotidienne sont réguliers. Les études du biologiste américain B. Verts, réalisées il y a plus de vingt ans dans l'Illinois, servent toujours de référence pour le comportement de la moufette rayée. Elles ont montré que les jeunes animaux commencent à sortir de leur gîte entre 18 et 19 h, d'août à octobre, et qu'ils y retournent entre 5 et 6 h du matin, mais que, pendant les nuits froides d'automne, ces sorties nocturnes n'excèdent pas une durée de quatre heures.

Durant le froid hivernal, les moufettes peuvent demeurer plusieurs jours d'affilée dans leur abri, mais, si le froid ralentit leur activité, il ne s'agit pas à proprement parler d'hibernation. Dans l'Iowa, on a vu des moufettes sortir en janvier par − 16,8 °C et en février par − 12,7 °C. Ce sont les femelles qui se maintiennent plus volontiers à l'abri l'hiver.

Mais la moufette n'aime pas non plus les grandes chaleurs.

Un rythme tranquille

La moufette se déplace toujours avec nonchalance. Apparemment sûre d'elle, elle ne se départit jamais de son calme, au point que certains observateurs la qualifient de « lymphatique ». À l'occasion, elle peut galoper à 14 km/h, mais cela lui arrive assez rarement et jamais sur de longues distances. De même, ce petit mustélidé sait nager, mais ne se baigne pas souvent spontanément. □

LA DÉFENSE DU TERRITOIRE

Se sentant menacée, la moufette fait d'abord face. La mimique de dissuasion débute par une série de signaux visuels et sonores. Elle fait le gros dos, dresse sa queue à la verticale, piétine sur ses pattes antérieures et avance parfois ainsi de quelques pas. En même temps, elle claque des dents, grogne ou siffle. Puis, elle se prépare à projeter son liquide défensif. Pour cela, elle oriente son arrière-train et sa tête vers l'ennemi en courbant son corps. Ensuite, elle vaporise sur l'intrus un nuage de fines gouttelettes qui dégage une odeur sans pareille. Jusqu'à 3 m de distance, elle rate rarement sa cible et le jet reste assez précis jusqu'à 5 m.

Le liquide est un alcool sulfuré qui, sur les yeux, provoque une brûlure intense. Cependant, le musc n'a pas d'effet permanent et ne laisse pas de séquelles.

Quand la moufette part en chasse dans les prés, sa silhouette noir et blanc, dans la lumière incertaine du crépuscule, a quelque chose d'irréel. Selon son état d'excitation, elle relève ou non sa queue. Les naturalistes avertis reconnaissent la moufette à son odeur avant même de l'avoir vue ! Certains distinguent l'odeur d'une moufette rayée de celle d'une moufette tachetée. À moins de 5 m, il faut s'approcher d'une moufette sans l'effrayer.

Il n'y a pratiquement pas 2 moufettes rayées semblables. Elles portent toutes du noir et du blanc, mais le dessin blanc du corps et de la queue varie d'un animal à l'autre.

Même tenue par la queue, la moufette peut encore utiliser son arsenal chimique. Elle n'exhale pas l'odeur de son musc en permanence, pourtant, mâle et femelle sont également dotés de ces glandes anales quelque peu spéciales !

Les moufettes sont omnivores. *Il leur arrive de consommer les œufs trouvés dans les nids d'oiseaux nichant à terre comme le colin de Virginie. Souvent, elles se contentent d'ouvrir l'œuf à une extrémité et d'en laper le contenu par l'ouverture. Les pattes antérieures, armées de longues griffes, sont de bons pièges à sauterelles, à coléoptères ou à petits rongeurs. Quand le choix leur en est donné, les moufettes préférent les proies animales.*

Un régime alimentaire adapté aux saisons

■ Les moufettes ne sont pas équipées pour maîtriser de grosses proies ou pour capturer à la course des animaux rapides comme les lièvres et les oiseaux. Aussi chasse-t-elle de petits invertébrés (vers de terre, insectes, escargots, araignées), des rongeurs, des musaraignes ou des grenouilles, des lézards, des écrevisses. À l'occasion, un levraut est capturé. Et la moufette ne dédaigne ni les œufs ni les cadavres d'animaux.

Son régime alimentaire n'est pas uniquement carnivore. La moufette apprécie, à partir de l'été, les baies et les fruits sauvages. Du printemps au début de l'été, son alimentation est surtout animale, puis elle passe aux végétaux. En automne, les fruits les graines, les herbes et les feuilles remplacent en quantité les insectes, devenus plus rares avec le froid.

Dans le Maryland, aux États-Unis, le pourcentage des animaux dans le menu varie de 60 à 90 % selon la saison.

La moufette chasse le soir et la nuit, utilisant l'odorat et l'ouïe pour repérer ses proies. Du nez, elle fouille le sol et les feuilles mortes, retournant les pierres et les écorces de ses pattes avant. Pour surprendre un campagnol dont elle a détecté la présence, elle s'aplatit sur le sol avant de bondir sur le petit rongeur. Les nuits d'été, lorsqu'elle chasse les sauterelles et les coléoptères dans les prairies, elle saute et retombe des deux pattes antérieures sur ses victimes. Les chenilles urticantes et les crapauds à peau toxique sont roulés sur le sol pour en arracher les poils ou la peau, puis consommés aussitôt, comme les autres proies. La moufette visite aussi leurs excréments pour y capturer les insectes coprophages venus s'en nourrir.

Elle attaque les ruches, sauvages ou domestiques, consommant indifféremment le miel, les larves et les abeilles, sans que les piqûres des insectes dérangés semblent l'incommoder outre mesure.

La moufette rayée apprécie les œufs. Pour les ouvrir, elle les saisit avec ses pattes antérieures et les lance entre ses pattes postérieures dans l'espoir de les casser sur un objet dur. On retrouve ce geste chez des mangoustes africaines.□

L'été et l'automne voient arriver le temps des fruits mûrs. Alors que les températures nocturnes descendent, les insectes qui composent la nourriture habituelle des moufettes à la belle saison commencent à se raréfier. Les baies : mûres, airelles, prunelles, groseilles (à l'exception des cerises qu'elles mangent rarement) sont très recherchées, d'autant qu'au Canada, dans la partie nord de l'habitat des moufettes, la belle saison est courte.

UN MENU SAISONNIER

Une étude menée au Canada montre qu'en automne et en hiver, les baies et les fruits sauvages, les graines (noix, maïs), les herbes, les feuilles, les bourgeons représentent près de la moitié du menu : 48,8 %. Au printemps et en été, les insectes (sauterelles, hannetons) apparaissent. En y ajoutant les petits mammifères, le régime devient majoritairement carnivore pour près de 60 %.

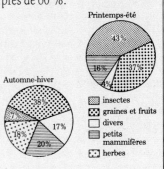

Printemps-été

43 %
16 %
37 %

Automne-hiver

38 %
7 %
17 %
18 %
20 %

- insectes
- graines et fruits
- divers
- petits mammifères
- herbes

Des terriers abandonnés pour ses quartiers d'hiver

■ Rayées ou tachetées, les moufettes utilisent régulièrement des terriers, soit pour le repos diurne, soit pour l'élevage des jeunes, en hiver ou pendant les phases d'inactivité des populations les plus septentrionales.

Elles les creusent rarement elles-mêmes. Le plus souvent, elles profitent des troncs creux, des anfractuosités sous les blocs rocheux, des tas de bois, des souches d'arbres renversés, des éboulis, des buses de drainage, des haies denses et des buissons épais. Elles savent aussi s'aménager des nids d'herbes sèches. Ou encore, elles occupent des terriers creusés par d'autres. La moufette rayée *(Mephitis)* s'approprie ainsi les terriers d'animaux assez gros comme les tatous à 9 bandes, les blaireaux, les marmottes monax ou les renards. En zone rurale, elle s'installe aussi bien dans les granges peu fréquentées que dans les caves, les souterrains, voire les soubassements des maisons.

La moufette tachetée *(Spilogale)* se rencontre fréquemment dans des terriers habités par la belette à longue queue. Dans le nord de l'Iowa, aux États-Unis, ces 2 mustélidés occupent le même milieu : la Prairie. Le plus souvent, les galeries ont été creusées par des rongeurs souterrains comme l'écureuil terrestre de Franklin ou le gaufre à poches, étonnante petite bête dont les abajoues valent bien celles des hamsters. Le domaine vital de la moufette tachetée comporte un certain nombre de cachettes que l'animal utilise au hasard de ses déplacements, seul ou en partageant les lieux avec des congénères. Cependant, les femelles et leur progéniture s'isolent pendant toute la durée d'élevage des petits.

Plusieurs femelles pour un seul mâle

Pour l'emplacement du terrier, la moufette choisit une pente bien drainée, de 5 à 10 % ou plus, mais elle évite soigneusement les zones inondables.

S'il faut creuser, elle le fera. Ses galeries, de 2 à 6 m de long, sont à 1 m de profondeur. Les terriers d'été, eux, ne descendent pas à plus de 50 cm. Les chambres de repos mesurent entre 30 et 40 cm de diamètre et les ouvertures des galeries, 20 cm. Pour un même terrier, il peut y avoir jusqu'à 5 ouvertures. Les chambres, au fond des galeries, sont garnies de feuilles mortes et d'herbes sèches. Si la température décroît et que les animaux s'apprêtent à rester à l'abri plusieurs jours de suite, cette litière est utilisée pour obturer le terrier de l'intérieur.

Seule la moufette rayée présente un comportement voisin de l'hibernation. Le phénomène est nettement plus marqué chez les femelles et les jeunes que chez les mâles adultes, il ne s'observe que parmi les populations les plus septentrionales, et son importance dépend de la rigueur de l'hiver. Pendant les grands froids, les moufettes tachetées du nord des États-Unis et du Canada peuvent rester quelques jours inactives, mais jamais aussi longtemps que les moufettes rayées, qui restent au nid et dorment parfois 75 ou 100 jours d'affilée.

C'est en hiver que les moufettes sont les plus sociables. Elles se rassemblent pour dormir. Ainsi, on trouve en moyenne 6 ou 7 moufettes par nid et un mâle adulte pour 5 à 8 femelles. Dans le même terrier, mais dans des chambres différentes, s'installent parfois des marmottes monax et des lapins à queue blanche. □

La petite moufette tachetée (Spilogale) *ressemble à une grosse belette. Il lui arrive d'ailleurs de cohabiter avec des belettes dans les zones de prairies, en Amérique du Nord. Elle creuse pour chercher sa nourriture et, parfois, pour construire son terrier. Pourtant, elle trouve plus simple d'occuper celui d'un rongeur fouisseur. Elle sait sélectionner les abris les mieux protégés pour faire face aux intempéries et aux saisons. En hiver, elle reste active, sauf pendant des périodes de froid très intense.*

La petite moufette tachetée, plus carnivore que la moufette rayée, affronte l'hiver sans phase de repos. Comme chez toutes les moufettes, ses pattes avant sont équipées de longues et puissantes griffes qui mesurent 7 mm environ et sont présentes dès la naissance. Elles sont alors souples et blanchâtres. Ces griffes sont très utiles à l'animal pour creuser les terriers. Celles des pattes postérieures sont moins longues de moitié. Au nombre de 5 sur chaque patte, les griffes, chez toutes les moufettes, sont fortement recourbées.

Des bébés rose, noir et blanc

■ Près de onze mois par an, les mâles ne s'intéressent pas aux femelles. La saison des amours chez les moufettes s'échelonne de la mi-février à la mi-avril, mais la plupart des femelles sont fécondées avant la fin du mois de mars.

Les animaux sont matures dès l'âge de 9 mois. Toute la population se reproduit donc dès la première année. Au début de l'année, les mâles, assez excités, passent leurs nuits à arpenter leur domaine et à rechercher les femelles, inspectant tous les gîtes. Tant que les femelles ne sont pas fécondées, elles acceptent les avances des mâles. Les comportements prénuptiaux semblent réduits et l'accouplement est simple. Toutefois, les moufettes sont discrètes et on les connaît mal dans la nature.

À la fin de mars, après les accouplements, les mâles ne se préoccupent plus de leurs compagnes. Pendant la gestation, qui peut durer de 59 à 77 jours et plus généralement de 62 à 66 jours, la femelle vit sur son territoire. Ses petits naissent dans un gîte en mai ou juin. La portée compte généralement de 5 à 7 nouveau-nés, et il semble qu'il n'y en ait qu'une par an dans la grande majorité des cas. Toutefois, on a observé, en captivité, une femelle qui a mis au monde deux portées la même année, l'une le 16 mai, l'autre le 28 juillet. Le phénomène existe probablement dans la nature sans être fréquent. Si la première portée disparaît, une portée de remplacement est possible, mais cela nécessite un retour des chaleurs chez la femelle et la présence de mâles actifs sexuellement.

Un développement rapide

À la naissance, les jeunes sont aveugles et roses. Déjà apparaît une fine fourrure sur laquelle se devinent des taches blanches et noires. Le nouveau-né pèse environ 30 g et mesure 13 cm en moyenne, et sa croissance est rapide. Ses yeux s'ouvrent entre 2 et 4 semaines, et ce n'est qu'à partir de ce moment-là que le jeune est apte à utiliser ses glandes anales pour se défendre.

Tous les deux ou trois jours, la femelle change ses petits de gîte en les transportant dans sa gueule, sans doute pour éviter l'accumulation des odeurs fortes à un moment où les jeunes sont très vulnérables.

La mère commence par allaiter ses jeunes en s'allongeant au-dessus d'eux. Plus tard, elle se couche sur le flanc. Elle porte de 10 à 14 mamelles, mais le nombre le plus courant est 12. Le sevrage intervient entre la 8e et la 10e semaine. Dès le 2e mois, les petits suivent la mère dans la recherche nocturne de nourriture. Très souvent, la famille circule en file indienne. À l'automne, les jeunes se dispersent et entament une vie solitaire, même s'ils se retrouvent quelques mois plus tard pour partager un terrier hivernal. □

La petite moufette arbore très vite après sa naissance la coloration noir et blanc des adultes.

À partir de 2 mois commence la période du sevrage et le début de l'alimentation solide.

Les femelles ne sont accompagnées de leurs petits que pendant les 4 ou 5 premiers mois durant lesquels elles leur apprennent à se nourrir seuls.

Double page suivante : la moufette rayée préfère éviter l'eau, même si elle est capable de nager plusieurs heures durant. Elle se reconnaît à sa ligne blanche frontale et aux deux bandes parallèles de son dos.

Moufette rayée
Mephitis mephitis

■ La moufette rayée fait penser à un chat domestique, dont elle a à peu près la taille. Mais sa tête est plus triangulaire, sa truffe plus proéminente et sa queue nettement touffue.

Son pelage comprend deux types de poils. Les poils de duvet sont très doux et mesurent de 25 à 30 mm. Les poils de jarre, brillants, nettement plus longs, mesurent de 38 à 76 mm. À la base, les poils noirs sont gris foncé, c'est leur extrémité qui est noire. Au contraire, les poils blancs le sont entièrement et, souvent, dépassent en longueur les poils noirs avoisinants.

La couleur de la peau est liée à la couleur des poils. Sous les poils blancs, la peau est rose. Sous les poils noirs, elle est grise.

La queue en panache est très caractéristique. Son attache se fait sur une croupe assez large. Sa couleur dépend du pourcentage variable de poils blancs dans les poils noirs. Le rôle de signal de la queue est bien connu. Quand la moufette la dresse, découvrant ainsi l'ouverture de son anus, le message est clair. Quelle que soit l'espèce, ce langage est universel chez les moufettes.

La mue a été décrite par le zoologiste américain B. Verts qui a étudié la moufette rayée dans l'Illinois. Elle a toujours lieu de l'avant du corps vers l'arrière et débute en avril. Les poils de duvet, ou bourre, se détachent par touffes à partir des épaules pour terminer au bas du dos. Les poils de jarre, eux, commencent à tomber en

MOUFETTE RAYÉE	
Nom (genre, espèce) :	*Mephitis mephitis*
Famille :	Mustélidés
Ordre :	Carnivores
Classe :	Mammifères
Identification :	Plantigrade ; pelage noir, deux lignes parallèles blanches tout le long du dos ; tête triangulaire avec ligne blanche médiane ; queue noir et blanc ; 2 glandes anales sécrétant un liquide nauséabond
Taille :	De 28 à 40 cm — plus queue de 18 à 40 cm
Poids :	De 1,8 à 4,5 kg
Répartition :	États-Unis, Mexique, Canada
Habitat :	Pratiquement l'ensemble des milieux naturels d'Amérique du Nord, sauf les plus extrêmes, jusqu'à 2 000 m d'altitude, voire 4 000 m dans les montagnes Rocheuses.
Régime alimentaire :	Presque omnivore : invertébrés, rongeurs, fruits, graines
Structure sociale :	Relativement solitaire ; mâles polygames
Maturité sexuelle :	De 8 à 10 mois
Saison de reproduction :	Février-avril
Durée de gestation :	De 62 à 66 jours
Nombre de jeunes par portée :	De 1 à 10 ; moyenne de 5 à 7 ; parfois 2 portées par an
Poids à la naissance :	30 g
Effectifs, tendances :	Inconnus ; encore bien représentée sur l'ensemble de son aire de répartition
Statuts :	Espèce chassée pour sa peau, mais appréciée par les agriculteurs d'Amérique du Nord, pour sa consommation d'insectes et de rongeurs qui menacent les récoltes

Pelage.
Le dos porte 2 lignes latérales blanches qui ont donné son nom commun à la moufette rayée.

Griffes.
Elles sont recourbées ; au nombre de 5 par patte, elles servent à creuser.

Museau.
Une ligne blanche descend du front jusqu'au bout du museau, accentuant la forme triangulaire de la face.

Queue.
Touffue, elle comprend un mélange variable de poils noirs et blancs et sert de signal quand l'animal est inquiété.

Truffe.
Elle est bien marquée. La moufette l'utilise pour fouir le sol à la recherche de petites proies.

juillet. La mue est complètement achevée en septembre.

Essentiellement nocturne, la moufette n'a sans doute pas une vue excellente. Assez petits, ses yeux noirs et expressifs sont dépourvus de la 3e paupière commune aux carnivores, la membrane nictitante.

Inversement, l'odorat et l'ouïe sont mieux développés. Petites et arrondies, les oreilles se dissimulent dans le pelage noir de la tête. Mais l'ouïe est sûrement fine, car la recherche nocturne des proies s'effectue en partie à l'oreille.

La moufette rayée émet des sons variés : grognements, grondements, sifflements, roucoulements, soufflements, petits cris aigus. Les jeunes paraissent, en captivité tout au moins, plus bruyants que les adultes. Une femelle suitée ou en fin de gestation souffle et réagit vivement au moindre dérangement. Toutes les moufettes avertissent en grognant ou en claquant des dents avant d'envoyer leur jet de musc !

La marche est l'allure normale de la moufette qui se déplace tranquillement à 1,6 km/h. Elle est pourtant capable de courir assez vite. Ainsi, deux animaux chronométrés à la course ont respectivement atteint 9,7 km/h sur 132,20 m et entre 13 et 14,5 km/h sur 91,40 mètres.

Les adultes sont exclusivement terrestres, mais les jeunes semblent capables de grimper un peu, et, bien qu'elles n'apprécient pas le bain, les moufettes nagent correctement. L'une d'elles a nagé plus de 7 h dans une eau à 23 °C.

Pour évaluer l'âge des moufettes, on mesure la taille des tétines, chez les femelles. Elles atteignent moins de 1 mm de long chez les jeunes et 2,5 mm de long pour 2 mm de diamètre chez les adultes. Pour les mâles, on mesure, chez les animaux morts, le baculum, autrement dit l'os du pénis. Chez des sujets de moins de 1 an, il ne dépasse pas 1,9 cm, alors qu'il atteint chez les adultes 2,3 cm. Dans la nature, la moufette vit en moyenne de 2 à 4 ans. Elle peut atteindre 10 ans. ◻

Signes particuliers

Dents
Les moufettes ont une denture peu spécialisée qui comporte 34 dents. À la mâchoire supérieure, l'unique molaire (par demi-mâchoire) est plus grande en volume que la carnassière (la dernière prémolaire). Cela correspond au régime généraliste de la moufette, qui a des dents plutôt massives. Formule dentaire par demi-mâchoire :

$$3I + 1C + 3PM + 1M$$
$$3I + 1C + 3PM + 2M$$

Glandes anales
Chez la moufette, les glandes anales sont spécialisées en organes défensifs perfectionnés. Phénomène unique dans le monde animal, du moins chez les mammifères ! Chaque glande se termine par un court canal excréteur. En cas d'attaque, le muscle qui enserre la glande se contracte. Il fait ressortir à l'extérieur de l'anus ce canal qui devient alors papille. C'est par là que passera le liquide. Si les deux glandes sont utilisées en même temps, les deux jets se rejoignent à 30 cm de l'animal pour ne donner qu'un jet unique qui peut atteindre sa cible jusqu'à 5 m de distance. Dans les glandes anales, le musc a un aspect huileux, jaunâtre, phosphorescent, et l'odeur en est désagréable. Par bon vent, elle porte jusqu'à 2,5 kilomètres.

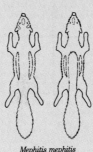

Mephitis mephitis

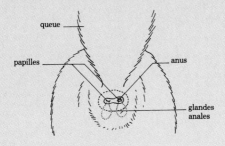

Pattes
La moufette est plantigrade, elle marche sur la plante des pieds. Chacun des 5 doigts de ses quatre pattes est prolongé par une griffe recourbée et bien développée. Les griffes de ses pattes antérieures mesurent environ 10 mm, le double des griffes des pattes postérieures. Les empreintes d'une moufette qui court sont très nettes. Celles des pattes avant sont rapprochées et les griffes sont visibles. Les traces laissées par les pattes arrière, de part et d'autre de celles des pattes avant, forment avec elles une ligne oblique. Lorsqu'elles creusent, les moufettes laissent de petits cratères très reconnaissables là où elles ont recherché des larves d'insectes.

Couleur
Sur la partie antérieure du corps, on remarque quelques taches blanches caractéristiques de l'espèce. La tache occipitale commence en haut du front, derrière les oreilles, et se prolonge en 2 lignes blanches en arrière des épaules, sur les côtés du dos. La ligne blanche qui parcourt le front est également caractéristique. On peut observer une tache blanche sur la poitrine. Certains animaux présentent aussi une ligne blanche sur la partie extérieure de chaque patte avant. D'autres, parfois dépourvus de lignes blanches sur le dos, sont entièrement noirs. Les albinos sont rarissimes.

Les autres moufettes

■ Si le découpage de la sous-famille des méphitinés en 3 genres est reconnu par tous, le nombre d'espèces présentes dans chaque genre est encore discuté, sauf dans le cas de *Mephitis* où les deux espèces semblent bien admises. Pour *Spilogale,* selon les auteurs, on parle de 2 ou 5 espèces ou sous-espèces. Pour le genre *Conepatus,* ou moufette à nez de cochon, on considère généralement 5 différentes espèces, mais l'ensemble des espèces sud-américaines est mal connu, ce qui explique bien des divergences. La seule autre espèce relativement bien connue, à côté de la moufette rayée, est la moufette tachetée, *Spilogale putorius.* □

MOUFETTE À CAPUCHON

Mephitis macroura
Plus frêle que la moufette rayée.
Identification : poids, 1 kg ; queue aussi longue que le corps ; présence d'une touffe de poils assez longs sur la nuque et le cou ; ligne blanche sur le dos et la base de la queue, non divisée en V comme chez la moufette rayée ; le dos peut être noir.
Répartition : États-Unis (Texas, Nouveau-Mexique, Arizona), Mexique, Nicaragua. Elle vit dans les zones semi-désertiques où elle fréquente plutôt les fonds de vallées humides ou les forêts au bord des cours d'eau permanents ; peut atteindre 2 000 m d'altitude.
Structure sociale inconnue. Reproduction voisine de celle de la moufette rayée. On connaît 2 captures de femelles qui portaient 3 et 5 embryons. Nombre de mamelles : 10.
Alimentation : insectes, larves de coléoptères recherchées près des zones cultivées, petits rongeurs.

Les habitants ont parfois donné aux moufettes des noms très imagés. Ainsi, Conepatus humboldtii est appelé « Zorrino patagonico » en Argentine. Conepatus chinga se nomme dans les Andes « Zorrino real », la moufette royale.

MOUFETTE TACHETÉE

Spilogale putorius
La plus petite des moufettes.
Identification : poids, 700 g (mâle) ; 450 g (femelle). Silhouette qui rappelle l'hermine ou la belette ; pelage noir de jais, large tache frontale blanche et 4 à 6 lignes plus ou moins régulières de taches blanches qui courent sur le dos et les flancs ; diverses taches blanches transversales (chaque animal possède son dessin) ; queue noire à bout blanc.
Répartition : présente au sud-ouest et au sud du Canada ; aux États-Unis ; au Mexique ; au Costa Rica. Considérée par certains auteurs comme polyspécifique, avec des noms différents selon les régions : *Spilogale putorius* proprement dit (est des États-Unis) ; *Spilogale gracilis* (ouest des États-Unis, Canada) ; *Spilogale interrupta* (Prairie du centre des États-Unis) ; *Spilogale angustifrons* (Amérique centrale, Mexique, Costa Rica) ; *Spilogale pygmaea* (côte pacifique du Mexique, de l'État de Sinaloa à celui d'Oaxaca, et le long d'une étroite frange littorale).
Plus souple que les autres moufettes, elle donne une impression de légèreté dans ses mouvements. Capable de grimper aux arbres et de s'y réfugier en cas de besoin, elle chasse surtout au sol, apprécie les paysages agricoles et s'installe régulièrement près des fermes.
Relativement sociale, elle semble vivre en petits groupes. Le domaine hivernal atteint 80 ha au Canada, mais, au printemps, les mâles peuvent patrouiller sur des domaines de 6 à 11 km². Quand le milieu est propice, la densité atteint 4,7 individus au km² (8,8 dans l'Iowa).
Reproduction particulière : accouplements en septembre-octobre, naissances en mai : de 210 à 230 jours de gestation. En réalité, l'implantation dans l'utérus de l'ovule fécondé a lieu en avril, de 180 à 200 jours après l'accouplement. De 3 à 6 jeunes par portée avec une moyenne de 4. Les populations d'Amérique centrale peuvent avoir 2 portées par an et donc une gestation plus courte. Les jeunes sont sevrés à 54 jours et ont pratiquement leur taille adulte à 3 mois.
Alimentation : insectes, œufs, petits mammifères, fruits pendant l'été. En hiver, elle se nourrit à 90 % de petits mammifères. Au printemps, surtout d'invertébrés. En été, l'importance des insectes augmente encore. Dans l'Iowa, le chercheur L. Selka a établi que la moufette tachetée consommait 2 fois moins d'insectes et 4 fois plus de micromammifères que *Mephitis mephitis.*

MOUFETTE À NEZ DE COCHON

Genre *Conepatus*
5 espèces de grandes moufettes.
Identification : poids de 1 à 5 kg. Colorations variables : les 2 espèces septentrionales ont le dos et la queue blancs, les flancs et le ventre sont noirs. Les espèces méridionales ont un dessin dorsal qui rappelle celui de la moufette rayée. Jamais de tache blanche sur le front ; truffe longue et nue.
Conepatus leuconotus, présent le long des rives du golfe du Mexique, du Texas à l'État mexicain de Veracruz.
Conepatus mesoleucus vit à l'ouest de la précédente, de l'Arizona, du Colorado et du Texas au Nicaragua. Habite les zones relativement sèches. Consomme des insectes et des petits mammifères en hiver. Griffes des pattes antérieures : 20 mm, 3 fois la taille des griffes des pattes postérieures. Corps et queue blancs, pattes et tête noires.
Conepatus semistriatus, du Mexique au Pérou ; une population isolée à l'est du Brésil. Fréquente les clairières, les zones défrichées ou dégradées. Omnivore, consomme beaucoup d'insectes.
Conepatus humboldtii, du nord-est de l'Argentine et du Paraguay au détroit de Magellan.
Conepatus chinga, Pérou, nord-est de l'Argentine, sud du Brésil, Uruguay, Bolivie, Chili.

Milieu naturel et écologie

■ Du Canada au nord du Mexique, la moufette rayée occupe de nombreux milieux. Dans les montagnes Rocheuses, elle monte jusqu'à 4 000 m d'altitude. Cependant, on la rencontre rarement au-dessus de 2 000 m. Elle paraît apprécier les paysages ruraux contemporains, les haies, les limites de zones cultivées et les lisières des bois, riches en ressources alimentaires et en abris potentiels. On la rencontre aussi aux abords des habitations humaines, car elle tolère bien la proximité de l'homme. Lors de ses explorations nocturnes, elle n'hésite pas à visiter les jardins, même en zones urbaines, si les clôtures le permettent. La mise en culture d'une grande partie du continent nord-américain, semble, au moins temporairement, être favorable à l'espèce.

Peu de prédateurs

Sûres de la protection que leur assure la sécrétion de leurs glandes anales, les moufettes sont peu farouches et n'ont guère d'ennemis, ceux-ci étant plus accidentels que systématiques. Les carnivores

Carte de répartition des moufettes. Les méphitinés sont exclusivement américains. Les trois genres cohabitent en Amérique centrale. La moufette rayée est la plus septentrionale. La moufette pygmée et la moufette à capuchon ont des répartitions limitées. Au sud, la moufette rayée à nez de cochon, Conepatus semistriatus, occupe une vaste surface. Plus au sud encore, la moufette de Patagonie se rencontre du Paraguay au détroit de Magellan, à l'est des Andes. Certaines limites seraient à confirmer et à préciser.

attaquent les moufettes de temps à autre, mais il s'agit le plus souvent d'animaux affamés ou affaiblis. Le coyote, le renard roux, le renard gris, le blaireau, le lynx, le puma ne capturent pas régulièrement les moufettes. Après une première expérience douloureuse, le chien domestique les évite, en principe, soigneusement. Cependant, certains chiens persistent à les attaquer, se spécialisant même dans leur chasse. On ignore si certaines espèces sauvages peuvent faire de même.

Deux espèces animales font exception, ce sont le grand duc d'Amérique et la chouette rayée, qui capturent régulièrement des moufettes. Cela est sans doute dû

au fait que ces rapaces nocturnes ont le goût peu délicat, puisqu'ils consomment, par exemple, les musaraignes que les petits carnivores évitent à cause de leur forte odeur musquée. Comme les moufettes s'activent la nuit, leur rencontre avec les hiboux et les chouettes est fréquente. Cette prédation reste, néanmoins, globalement faible. Pourtant, une femelle adulte tuée au printemps signe l'arrêt de mort de toute une portée ! L'hiver est également une période difficile.

Des variations de poids considérables

Si la neige se prolonge trop, les animaux meurent d'inanition au fond des terriers. Si un radoucissement précoce de la température les a chassés trop tôt de leurs abris profonds, ils sont à la merci d'un subit refroidissement dans leurs terriers d'été, plus superficiels. En

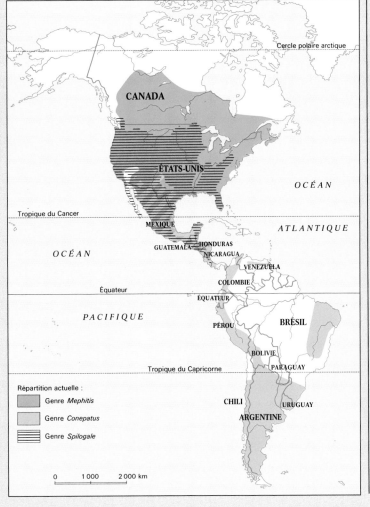

automne, toutes les moufettes accumulent des réserves de graisse. La perte de poids entre l'été et le printemps suivant est nettement supérieure chez la femelle, au moins dans certaines régions. Le mâle, en effet, continue à s'alimenter une bonne partie de l'hiver.

En automne, une moufette bien grasse peut peser 5,5 kg, le poids normal dépassant rarement 4 kg et le poids moyen étant plutôt de 2,5 kg. On a enregistré les chutes de poids de moufettes habitant différents États. Dans l'État de New York, elles ont été de 13,8 % pour les mâles et de 38 % pour les femelles. Dans le Michigan, les pourcentages relevés ont été de 36,3 % et de 31,6 % ; dans l'Illinois de 47,7 % et de 55,1 % ; dans le Minnesota de 55 et de 65 %. Ces variations importantes s'expliquent par le climat propre à chaque région. Là où le froid est très rigoureux, les mâles maigrissent presque autant que les femelles. Les réserves de graisse accumulées doivent être importantes pour pouvoir perdre plus de la moitié de leur poids !

En revanche, dans le sud de leur aire de répartition, les moufettes rayées s'activent toute l'année. Au Texas, c'est plutôt la chaleur et la sécheresse estivales qui ralentissent leur rythme.

Un prédateur raisonnable

Dans l'ensemble, la prédation des moufettes sur les populations d'insectes et de rongeurs dont elles se nourrissent est bien acceptée, voire encouragée par les exploitants agricoles qui leur pardonnent aisément leurs rares visites dans les poulaillers et les ruchers. On sait qu'à l'occasion les moufettes consomment des levrauts et des nichées d'oiseaux comme les colins de Virginie et les faisans. Cependant, leur impact sur ces espèces est certainement bien inférieur à celui des intempéries. On a aussi décrit quelques attaques de moufettes dirigées contre les chats domestiques. C'est exceptionnel. Les moufettes se font plutôt remarquer en retournant consciencieusement les pelouses à la recherche des larves d'insectes cachées dessous.

Cette consommation importante d'insectes n'est pas sans danger pour les moufettes. L'agriculture utilise massivement des produits chimiques qui s'accumulent dans les tissus des proies. Les études de T. Scott sur les effets de la dieldrine sur la faune sauvage nord-américaine ont montré que les moufettes sont sensibles à ce produit. On ne connaît pas encore exactement l'impact des pesticides sur leurs populations, mais il contrebalance sans doute les conséquences positives de l'aménagement du paysage.

De nombreux parasites

Poux, puces et tiques semblent profiter de la phase de repos hivernal pour réaliser leurs cycles biologiques. La réunion de plusieurs moufettes dans le même terrier favorise certainement les échanges. À l'opposé, les parasites internes du tube digestif meurent de faim dans l'intestin vide des moufettes pendant la mauvaise saison. B. Verts a remarqué que, chez les moufettes de l'Illinois, le nombre de parasites continue à baisser en été et ne remonte qu'en automne. On explique mal ce phénomène, mais l'écologie des parasites est liée à celle de la moufette hôte. Les parasites déploient des stratégies pour se maintenir pendant que leurs hôtes ont des comportements qui font diminuer le taux d'infestation.

Les maladies bactériennes et virales des moufettes sont assez comparables à celles du chien domestique. La moufette est susceptible de contracter la maladie de Carré, due à un virus, la leptospirose, causée par une bactérie, et l'aspergillose, transmise par un champignon. Cette dernière maladie a été détectée sur des animaux qui avaient dû séjourner dans un silo à grains. Or, souvent les grains sont souillés par des spores d'*Aspergillus*. Le germe s'implante dans les poumons. On ignore encore les conséquences sur les populations de moufettes, mais B. Verts pense que, par temps humide, celles-ci, nichant près des réserves de grains dans les fermes, ont toutes chances d'être contaminées, l'humidité étant un facteur favorable.

Des animaux protégés

Les moufettes rayées interfèrent finalement assez peu avec les autres représentants de la faune nord-américaine.

Elles ont une écologie et une éthologie qui les font apprécier en Amérique du Nord. L'épi de maïs consommé, la couvée de faisans détruite sont peu de chose eu égard aux milliers de larves d'insectes éliminées. Dans pratiquement tous les États nord-américains, les moufettes rayées sont protégées. Les habitants recherchent leur présence dès lors que la cohabitation permet de les voir... sans les sentir !

Les autres moufettes

La moufette tachetée, plus petite et plus sauvage que sa grande cousine, lui ressemble cependant sur bon nombre de points, mais elle n'est pas protégée sur son aire de répartition. Quant à l'écologie des moufettes à nez de cochon, elle est peu connue. Les deux espèces qui atteignent le sud des États-Unis semblent actuellement étendre leur aire de répartition vers le nord. Leur long nez mobile paraît adapté à la recherche des insectes et de leurs larves dans les sols meubles. En zone tropicale, *Conepatus semistriatus* fouille le sol avec son nez et ses griffes, à la recherche des petits invertébrés. Se déplaçant, il consomme aussi des fruits et des petits vertébrés.

La moufette des Andes, *Conepatus chinga*, est très résistante aux venins de serpents. Elle supporte des doses de 50 à 100 fois supérieures à celles qui tueraient un chien. On observe la même résistance vis-à-vis des serpents indigènes chez tous les *Conepatus* sud-américains. □

Surprise, la moufette rayée hume l'air, regarde, écoute. L'odorat est le plus aiguisé de ses sens. L'homme perçoit son musc à plus de 2 km à la ronde.

Un gentil animal célèbre pour son odeur

Source de nourriture pour les premiers occupants de l'Amérique, traquée pour sa fourrure, vecteur de la rage, la moufette est tout cela, mais cet affreux voisin qui empeste l'air de son odeur peut aussi s'apprivoiser pour devenir un charmant animal de compagnie.

Mythes et légendes autour de la moufette

■ La moufette joue un rôle important dans plusieurs mythes ou légendes des Indiens d'Amérique du Nord. Les Indiens Ojibwés du Canada racontent, par exemple, que c'est la moufette qui enseigna aux hommes la chasse, elle leur apprit à siffler pour attirer le gibier et leur montra comment construire des enclos et des pièges.

Un autre mythe des Ojibwés met en scène une moufette géante qui persécutait les autres animaux. Ces derniers se coalisèrent contre elle et réussirent à la terrasser. Mais, avant de mourir, la grande moufette lança un dernier jet maléfique qui aveugla le lynx Pejo.

Pour se désinfecter et retrouver la vue, Pejo dut aller jusqu'aux confins de la baie d'Hudson, voire même jusqu'au lac Winnipeg, selon une autre version. Les eaux du Canada auraient été ainsi définitivement polluées et seraient devenues impropres à la consommation. D'autres légendes tentent d'expliquer pourquoi ce si joli petit animal répand de si désagréables odeurs : vengeance d'un ennemi, malédiction ou accident ? □

Un nom qui dit tout

■ Les Américains l'appellent *skunk*. Le mot existe aussi en français et peut s'écrire *sconse*. Il vient de l'algonquin *segankw* qui signifie « fourrure de moufette ». Les Canadiens français la nomment « bête puante », ce qui est à la fois précis et péjoratif, mais aussi moufette ou mouffette. Le mot, d'origine italienne, remonte au XVIIIe siècle et vient de *mofette* qui désigne un gaz nocif. En Amérique du Nord, les sconses sont aussi appelés *polecats*, autrement dit « putois ». □

Les producteurs de dessin animé ont redécouvert le noir et blanc grâce aux petites moufettes de Walt Disney et de Tex Avery. *L'humour décapant du second et le liquide corrosif de l'animal font bon ménage.*

Une « vedette » de cinéma chassée pour sa fourrure

■ La fourrure des moufettes est utilisée depuis longtemps. Plusieurs milliers d'animaux sont capturés chaque année, au moment où leur fourrure est la plus dense. Les industriels distinguent plusieurs catégories. La catégorie 1, ou *star* (étoile), correspond aux animaux sans blanc sur le dos ou chez lesquels le blanc est limité à la tête et au cou. La catégorie 2 englobe les animaux chez lesquels le blanc ne dépasse pas la moitié de la longueur du corps. Elle s'appelle « ligne courte ». La catégorie 3, ou « ligne étroite », et la catégorie 4, ou « ligne large », sont nettement plus bicolores, mais les pelletiers soit en retirent les parties blanches, soit les teignent en noir. Solide, épaisse, soyeuse, la fourrure sert en confection. Les queues font des brosses. Ce commerce, difficile à chiffrer, est certainement une source de revenus non négligeable pour les populations vivant dans les parties les plus septentrionales de l'aire de répartition des moufettes, là où leur fourrure est la plus dense à cause du froid. Les colonies de moufettes sont gérées à ce titre pour assurer leur survie, tout en permettant des prélèvements raisonnables.

Au début du siècle, des fermiers se lancèrent dans l'élevage des moufettes pour leur fourrure. Tous les essais furent réalisés avec la moufette rayée. La moufette tachetée est trop petite et le pelage des moufettes à nez de cochon est grossier et peu recherché. Cependant, ces tentatives avortèrent à cause du coût des investissements, de la valeur inférieure de la fourrure comparée à celles du castor et de la martre. Au cours de l'hiver 1975-1976, on traita, aux États-Unis, 77 654 peaux de moufette rayée contre 3 232 159 peaux de raton laveur et 6 415 861 peaux de rat musqué. Résultat bien modeste !

La moufette a aussi joué un rôle dans l'alimentation humaine. Ce phénomène est fort ancien puisque l'étude des campements des premiers Amérindiens montre que ses restes y sont fréquents. Aujourd'hui, il arrive encore aux populations autochtones comme aux trappeurs de la manger. Sa chair est, paraît-il, savoureuse, quand elle est bien cuisinée ! Mais il faut remonter au début de ce siècle pour trouver des naturalistes en ayant goûté. Tous ceux qui la décrivent actuellement n'ont pas demandé à vérifier par eux-mêmes.

Dans le célèbre dessin animé, *Bambi*, de Walt Disney, le petit animal noir et blanc que le jeune faon appelle, en toute innocence « Fleur », et qui en rougit, est une moufette. Ce n'est pas le seul passage à l'écran du sconse si familier aux Américains. Tex Avery l'a utilisé plusieurs fois et de façon pertinente. La silhouette de la moufette et son pelage très graphique la rendent très photogénique et les particularités de ses glandes anales offrent quantités de scénarios possibles. □

Sous le vent des moufettes

■ Dès 1929, le naturaliste canadien E.T. Seton cherche à décrire l'odeur des moufettes. « Réunissez de l'ammoniac fort, de l'essence d'ail et du soufre en combustion, ajoutez une partie de gaz d'égouts, un jet de vitriol et un soupçon d'essence de musc, mélangez le tout et concentrez-le mille fois. »

Comment se débarrasser d'un tel produit et de son odeur ? Pour les yeux, il faut les laver abondamment à l'eau tiède. La brûlure et la cécité ne sont que passagères et durent une quinzaine de minutes. Certains disent même que l'acuité visuelle s'en trouve renforcée. Pour la peau, il faut la laver avec une solution de chlore diluée. Restent les vêtements et les objets souillés. Un lavage à l'ammoniac ou à l'essence serait efficace. En forêt, il faut faire sécher les vêtements au-dessus d'un feu de genévrier ou de thuya. Au Canada, on prétend que le remède souverain serait un bain dans du jus de tomate. On croit aussi qu'une moufette capturée et soulevée par la queue ne peut lâcher son liquide. C'est faux, bien entendu !

Les travaux récents d'un chercheur californien, W. Wood, ont permis de mettre en évidence 7 molécules dans le liquide émis par la moufette et de proposer une méthode scientifique de nettoyage. Certaines de ces molécules ont un effet retard. Le liquide se fixe fortement sur les fibres — cheveux, vêtements, fourrure — du sujet arrosé. Le coton est un excellent capteur et il est fortement déconseillé de porter des cotonnades si l'on veut taquiner des moufettes. Mieux que le jus de tomate, un savon légèrement alcalin serait de nature à séparer les molécules soufrées nauséabondes des cheveux ou des poils.

Aujourd'hui, on reconnaît un rôle positif aux moufettes. Les problèmes surgissent lorsqu'elles s'installent trop près des habitations ou directement dans les maisons. L'odeur s'accumule et les voisins commencent à se plaindre.

La prévention est simple. Il suffit de construire sans laisser de passages sous les maisons. Si cela n'a pas été prévu, on bouche peu à peu tous les orifices et on ferme le dernier après la sortie des animaux. Au printemps, il faut attendre le sevrage des jeunes. Pour s'assurer du départ des indésirables, on répand de la farine devant la sortie et on guette l'apparition de traces révélant un départ. Les moufettes, paraît-il, n'apprécient pas les odeurs fortes ! En déposant 2 kg de boules de naphtaline ou de paradichlorobenzène dans leur terrier, on a des chances de les voir déménager.

Cette méthode est pratiquée avec succès contre les fouines.

Il est possible, également, de déplacer soi-même les moufettes. Elles se laissent piéger assez facilement. Il suffit alors d'aller les relâcher dans une zone rurale où elles pourront exercer leurs talents de chasseresses de hannetons et de souris. Libérées à plus de 4 km de leur point de capture, elles n'y reviennent jamais.

Enfin, on peut prévoir des barrières anti-moufettes, notamment pour empêcher que celles-ci accèdent aux poulaillers.

Pour protéger sa pelouse, le plus simple est de l'entretenir afin d'éviter d'en faire des repaires à larves d'insectes dont se nourrissent les moufettes. ☐

Les moufettes et la rage

■ La rage est une redoutable maladie virale transmise d'animal à animal ou d'animal à homme, par morsure. Le vecteur rabique varie. En Afrique et en Asie, c'est le chien ; en Europe, le renard ; en Amérique du Nord, la moufette.

Aux États-Unis, plus de la moitié des animaux sauvages répertoriés annuellement comme atteints de la rage sont des moufettes rayées. La moufette tachetée est moins souvent contaminée. La biologie des moufettes rayées explique en partie la propagation de la maladie. Au printemps, lors des accouplements, mâles et femelles se mordillent, et le virus peut se transmettre. La femelle risque de contaminer ses jeunes. En hiver, l'habitude de se rassembler dans des terriers communs favorise aussi la maladie. L'incubation dure plusieurs mois. La phase finale, dangereuse pour les autres, où le virus est présent dans la salive, peut s'étaler sur deux semaines avant la mort de l'animal malade. Cela explique la persistance de la rage dans la nature.

Les cas de contamination humaine directe par les moufettes sont rares. Les animaux domestiques sont contaminés, puis l'homme à son tour est atteint. Au début de la maladie, le comportement des animaux sauvages se modifie. La moufette oublie de vider ses glandes anales sur qui vient l'importuner. Une telle mansuétude est mauvais signe ! ☐

Sans ses glandes anales, la moufette devient un animal de compagnie très convenable, même si on ne connaît pas le point de vue de l'intéressée sur le sujet. La moufette rayée s'apprivoise plus facilement que la moufette tachetée, qui reste toujours plus farouche. Elle n'est pas difficile à élever et demande des soins et des vaccins comparables à ceux du chien.

JEANNEL
(René)
Paris, 1879 - 1965

Entomologiste français

Entomologiste, spéléologue et biogéographe, R. Jeannel fit également œuvre de préhistorien en découvrant dans la grotte du Pontel, en compagnie du célèbre abbé Henri Breuil, des peintures rupestres.

■ D'origine méridionale par son père et bretonne par sa mère, René Jeannel naît le 23 mars 1879, à Paris. Suivant le désir de son père, Maurice Jeannel, chirurgien renommé et doyen de la faculté de médecine de Toulouse, le jeune René fait d'abord des études de médecine, mais sa rencontre avec l'entomologiste roumain Racovitza jouera un rôle déterminant sur son orientation. Avec son ami, il explore de nombreuses grottes européennes et découvre de nouvelles espèces d'insectes cavernicoles qui portent son nom : *Bathyscia jeanneli* (1904), *Aphaenops jeanneli* (1905).

Il entre au laboratoire Arago de Banyuls-sur-Mer et soutient sa thèse de doctorat sur un groupe de coléoptères en 1911, sous le titre de « Révision des Bathyscinae ».

En 1911-1912, il accomplit une mission en Afrique orientale en compagnie de Charles Alluaud, descendant de porcelainiers de Limoges, puis, avec C. Bolivar, célèbre entomologiste espagnol, il collecte des insectes en Amérique du Nord. Après la Première Guerre mondiale, il retrouve son ami Racovitza qui le convainct de le rejoindre en Roumanie. En 1920, il est nommé professeur à l'université de Cluj, puis sous-directeur de l'Institut international de spéléologie que Racovitza vient de fonder à Bucarest.

À son retour en France en 1927, on lui confie la création du vivarium du Jardin des Plantes. Dans des aquariums, des terrariums, R. Jeannel complète les collections du Jardin, en présentant une multitude de petits animaux : lézards, salamandres, tortues, couleuvres et, bien entendu, des insectes... Il est le premier à tenter l'élevage des insectes cavernicoles aveugles en reconstituant des grottes miniaturisées. Et le vivarium devient un des pôles d'attraction du Jardin des Plantes.

En 1931, R. Jeannel succède à Émile Bouvier comme professeur d'entomologie au Muséum national d'histoire naturelle. Il est alors âgé de 53 ans. Cet homme, toujours élégant et soigné, est un professeur très écouté qui a gardé de son ascendance méridionale la jovialité, mais aussi les colères, courtes mais violentes, qui empourprent son visage.

En appliquant sa méthode d'identification des insectes par les caractéristiques de leur pénis (voir encadré), Jeannel classe les insectes et publie plusieurs ouvrages entre 1914 et 1925. Son étude fort remarquée sur l'aptérisme des insectes insulaires (1925), notamment, démontre l'influence du milieu sur l'évolution.

En 1932, associé à Arambourg et Chappuis, il part pour l'Éthiopie méridionale et le Kenya : c'est la « mission de l'Omo ». Tandis que ses collègues sont à la recherche des « cimetières d'éléphants » et autres mammifères fossiles, lui chasse l'insecte dans les nids des petits rongeurs, dans les détritus végétaux. Il fait une collecte extraordinaire de petits coléoptères qui donneront du travail, pendant des décennies, aux entomologistes « de cabinet ». Pour Jeannel, les insectes cavernicoles « sont de véritables fossiles vivants, dont les innombrables générations d'ancêtres se sont succédé au cœur des massifs calcaires » depuis l'ère secondaire.

Une partie de l'histoire de la Terre est inscrite dans leur répartition géographique. R. Jeannel met en évidence que les mêmes espèces, ou des espèces très voisines, peuplent aujourd'hui l'Afrique orientale, Madagascar, l'Inde, l'Australie, c'est-à-dire les vestiges du vieux continent actuellement éclaté : le Gondwana. Il est donc naturellement l'un des premiers à croire à la théorie de Wegener sur la dérive des continents : l'Amérique s'éloigne bien de l'Ancien Continent auquel elle était rattachée. Et il expose ses idées biogéographiques avec courage et opiniâtreté dans diverses publications ainsi que dans son dernier grand ouvrage, *Biogéograhie des terres Australes de l'océan Indien,* en étudiant les insectes qu'il a récoltés lors de son voyage en 1938 à bord du *Bougainville,* qui l'a mené dans les îles des mers australes. Grand voyageur, travailleur infatigable, plein d'idées souvent très en avance sur son temps, R. Jeannel est également un bon administrateur. Après avoir été directeur du Muséum d'histoire naturelle à Paris, en 1950-1951, il reprend ses travaux dans son laboratoire, jusqu'à sa mort. □

> *Sa méthode d'identification des insectes est aujourd'hui indispensable à leur classification.*

L'ECOLE JEANNELIENNE

Depuis longtemps, on savait que le pénis chitinisé des insectes était porteur de caractères spécifiques. René Jeannel exploita à fond ces particularités. Il aimait à dire « le pénis est le sceau de l'espèce. » Ce système d'identification, toujours utilisé, est devenu indispensable pour la classification des espèces. Jeannel réunit autour de lui des entomologistes séduits par ce système : « l'école jeannelienne ».

Mais, pour examiner le pénis de l'insecte, l'ablation d'une partie de l'abdomen était nécessaire et certains collectionneurs y étaient hostiles, n'acceptant pas que l'on porte ainsi atteinte à l'intégralité des insectes.

DANS LE PROCHAIN NUMÉRO
LES TORTUES GÉANTES

VIE SAUVAGE
ENCYCLOPÉDIE LAROUSSE DES ANIMAUX

les tortues géantes

Une longévité proverbiale
Des joutes bruyantes
Massacrées pour leur chair

N° 64
hebdomadaire

Larousse

survivantes des temps préhistoriques

VIE SAUVAGE

ENCYCLOPÉDIE LAROUSSE DES ANIMAUX

le faucon pèlerin

L'oiseau le plus
rapide du monde

Un chasseur
extraordinaire

Des poussins frileux

N° 114
hebdomadaire

Larousse

M 1431 - 114 - 21,00 F

145 FB / 145 FL / 6,30 FS / 3,45 $ CAN

Avec VIE SAUVAGE,
la nouvelle encyclopédie Larousse des animaux,
découvrez la vraie vie des animaux sauvages du monde entier.

Chaque semaine, partez à la rencontre d'un nouvel animal. Surprenez-le dans son intimité, grâce à des photos fortes, prises sur le vif par de grands reporters. Apprenez à connaître son comportement et ses mœurs, racontés par les plus grands experts de la faune sauvage : scènes de chasse, bains, premiers pas des petits... Vous découvrirez les grands principes écologiques de la lutte pour la vie et de l'équilibre de la nature.

Constituez-vous une collection complète des animaux sauvages du monde entier, en les regroupant selon les 11 grands milieux naturels où ils vivent :

Savanes et prairies : éléphant, lion, girafe, bison, kangourou...
Forêts tropicales : tigre, orang-outan, jaguar, perroquet...
Forêts de conifères : loup, aigle royal, lynx, hermine...
Forêts de feuillus : koala, renard, cerf, sanglier, coucou...
Mers et océans : dauphin, baleine, requin, pieuvre...
Côtes marines : otarie, tortue géante, fou de Bassan, iguane...
Rivières et fleuves : hippopotame, loutre, piranha, castor...
Étangs et marais : pélican blanc, crocodile, vison, libellule...
Montagnes : grand panda, condor, ours brun, macaque japonais...
Déserts et steppes : guépard, caméléon, criquet, scorpion...
Toundras et glaces : phoque, caribou, lemming, bœuf musqué...

VIE SAUVAGE est le fruit d'une collaboration entre Larousse et le WWF (Fonds Mondial pour la Nature - France). Cette encyclopédie est née d'une volonté commune d'agir en faveur de la protection des animaux sauvages.

© : 1986. Copyright WWF. ® : WWF propriétaire des droits.

VIE SAUVAGE est édité par la
SOCIÉTÉ DES PÉRIODIQUES LAROUSSE

Directeur de la publication :
Bertil Hessel
Directeur éditorial : Claude Naudin
Directeur de la collection : Laure Flavigny
Rédaction : Brigitte Bouhet, Catherine Nicolle
Direction artistique : Henri Serres-Cousiné
Direction scientifique : Christine Sourd, docteur en écologie, Conservation Officer au WWF-France
Conception graphique et mise en pages : Frédérique Longuépée assistée de Blandine Serret
Couverture : Gérard Fritsch
Correction-révision : Service de lecture-correction de Larousse
Documentation iconographique :
Anne-Marie Moyse-Jaubert,
Marie-Annick Réveillon
Composition : Michel Vizet
Fabrication : Jeanne Grimbert

EN VENTE TOUS LES MERCREDIS

Directeur du marketing
et des ventes : Édith Flachaire

Service des ventes :
PROMEVENTE - Michel Iatca
Tél. : 45 23 25 60 Terminal : EB6

Service de presse : Régine Billot

L'encyclopédie Vie Sauvage se compose de 144 fascicules pouvant être assemblés en 9 volumes sous reliure mobile.
La publication est hebdomadaire, mais, en juillet et en août, il ne paraîtra que deux numéros au lieu de quatre.

Administration et souscription :
Société des Périodiques Larousse
1-3, rue du Départ
75014 Paris
Tél. : 44 39 44 20

© 1992, Société des Périodiques Larousse
17, rue du Montparnasse, 75006 Paris.
Imprimé en France (Printed in France).
Distribution N.M.P.P. pour la France.

Conditions d'abonnement :
Écrire ou téléphoner à
la Société des Périodiques Larousse

Prix du fascicule et de la reliure		
	Fascicule	Reliure
France	21,00 FF	49,00 FF
Belgique	145,00 FB	350,00 FB
Suisse	6,30 FS	15 FS
Luxembourg	145 FL	350 FL

Vente aux particuliers d'anciens numéros pour la France.
Envoyez les noms des fascicules commandés et un chèque d'un montant de :
— 25,50 FF par fascicule
— 61,00 FF par reliure
à GPP. BP 46, 95142 Garges-lès-Gonesse

SOMMAIRE

N° 114   LE FAUCON PÈLERIN   *Forêts de conifères*

LE FAUCON PÈLERIN ET SES ANCÊTRES 1
LA VIE DU FAUCON PÈLERIN
L'oiseau le plus rapide du monde 4-5
Un chasseur d'une extraordinaire habileté 6-7
Une cuvette sommaire pour tout nid 8-9
Un apprentissage long et sévère 10-11
POUR TOUT SAVOIR SUR LE FAUCON PÈLERIN
Faucon pèlerin 14-15
Les autres faucons 16-17
Milieu naturel et écologie 18
LE FAUCON PÈLERIN ET L'HOMME 19-20
DICTIONNAIRE DES SAVANTS DU MONDE ANIMAL
Marie Jules César Lelorgne de Savigny

LES TEXTES DE CE NUMÉRO ont été rédigés par Guilhem Lesaffre, président du Centre ornithologique de la Région Île-de-France, Thérèse de Cherisey, Michelle Leppe, Monique Madier.
DESSINS de Guy Michel. CARTE de Edica.
SCHÉMAS de Thierry Chauchat.
PHOTO DE COUVERTURE : Faucon pèlerin.
J. Downer - Planet Earth Pictures.

CRÉDITS PHOTOGRAPHIQUES p. 1, Rozinski B. - Oxford Sc. Films ; p. 2/3, Le Toquin - Jacana, p. 4m, Fagot P. - NHPA ; p. 4b, Gohier F. ; Ardea ; p. 5, Birks N. - Auscape Int. ; p. 6, Birks N. - Auscape ; p. 6/7, Birks N. ; Auscape ; p. 7, Seitre R. - Bios ; p. 8, Blewitt R.J. - Ardea ; p. 8/9, Birks N. - Auscape ; p. 9, Krasemann S. - Bruce Coleman ; p. 10m, De Meo P. - Panda Photo - Bios ; p. 10b, Bracegirdle J. - Planet Earth Pictures ; p. 10/11, Bracegirdle J. - Planet Earth Pictures ; p. 11, Bracegirdle J. - Planet Earth Pictures ; p. 12/13, Cavignaux R. - Bios ; p. 14, Olson J.P. - Auscape ; p. 15h, Morris P. - Ardea ; p. 15m, Labat J.M. - Jacana ; p. 16bg, Chefson-Mauxion - Colibri ; p. 16bd, Halleux D. - Bios ; p. 17h, Wothe K. - Bruce Coleman ; p. 17b, Seitre R. - Bios ; p. 19, Dif-Vallier ; p. 20, Greaves N. - Planet Earth Pictures ; 3e de couv. : Savigny (Marie Jules César Lelorgne de). Phot. Bibl. centr. Muséum hist. nat., Paris.

Photocomposition : Dawant. Photogravure : Graphotec. Impression : Jean Didier.

NUMÉROS PRÉCÉDENTS :
L'éléphant. Le tigre. Les dauphins. Le loup. Le grand panda. Le lion. L'aigle royal. Le gorille. Le rhinocéros. La baleine. Le kangourou roux. Le condor. L'orang-outan. Les requins. L'ours brun. La girafe. Le guépard. L'hippopotame. Le chimpanzé. Le chacal. Le phoque. La gazelle. Le lynx. Le koala. Le pélican blanc. Le jaguar. Les perroquets. L'hyène. Le renard roux. Le bison. Le crocodile. Le puma. Les abeilles. Les lamas. L'ours blanc. Le macaque. L'autruche. Les chameaux. Le zèbre. Le buffle. Les scorpions. Le caribou. La pieuvre. Le fourmilier. Le manchot. Le coyote. Les lièvres. Le castor. Le chamois. Le guêpier. Les termites. Les calaos. Le criquet. L'orque. Les caméléons. Le bœuf musqué. Les méduses. La moufette. Les tortues géantes. Le monarque. Le paresseux. Le combattant. Le morse. L'élan. L'opossum. Le gnou. Les plongeons. Les renards volants. Le cygne. La poule d'eau. L'hermine. Les fourmis. Le paon. Le suricate. Le crotale. Le saumon. Le maki. Les tisserins. Le daim. Le flamant rose. Le vampire. Le blaireau. Les papillons de nuit. Le cerf. Les colibris. Le chat sauvage. Les paradisiers. Le pécari. Les boas. Le macareux moine. Le raton laveur. La cigogne blanche. Le triton alpestre. Le martin-pêcheur. La loutre. Les mygales. La chouette effraie. Le rat musqué. Le fou de Bassan. Le lycaon. Le grand cormoran. Les étoiles de mer. Le pronghorn. Le coati. L'iguane. Le crabe violoniste.

PROCHAINS NUMÉROS :
L'ornithorynque. La mouette rieuse. Le tatou. La tortue luth. La grue cendrée. La martre. Le pic épeiche. Le lamantin. Le pygargue.

LE FAUCON PÈLERIN

Plus que tout autre rapace, le faucon pèlerin peut être considéré comme le prototype du chasseur d'oiseaux. Il allie à la perfection vitesse, puissance et élégance... Tout, dans sa morphologie, contribue à faire de lui un véritable maître des airs.

Il est difficile de définir avec précision la filiation exacte du faucon pèlerin et le moment où est apparue la forme d'oiseau qui devait donner naissance à sa famille, les falconidés. Leurs plus anciens restes fossilisés, retrouvés en différents points du globe, remontent à la fin du tertiaire. Les paléornithologues estiment que toutes les familles autres que celles qui appartiennent à l'ordre des passereaux devaient déjà exister avant la fin de l'oligocène (au-delà de 23 millions d'années), il n'est pas impossible que des falconidés fossiles datant de cette période géologique soient découverts un jour prochain. Pour le moment, les plus anciens, trouvés en Amérique du Nord, sont issus du miocène (entre 23 et 5 millions d'années) ; en Europe et en Asie, les fossiles exhumés datent du pliocène, qui débuta voici 5 millions d'années.

Enfin, les traces de falconidés, tant en Nouvelle-Zélande qu'aux Antilles, témoignent d'une apparition plus récente de ces oiseaux dans ces régions, les fossiles datant du pléistocène, au début du quaternaire, entre − 1,9 million d'années et − 10 000 ans. Quoi qu'il en soit, la dispersion géographique de ces découvertes met clairement en évidence le caractère cosmopolite, encore applicable à l'heure actuelle, des falconidés.

Pour établir de quel ancêtre commun proviennent ces rapaces, une récente théorie, reposant sur l'examen du code génétique des espèces d'oiseaux, a établi une étonnante généalogie. Selon cette étude, menée sous la direction du chercheur américain Charles G. Sibley, tous les rapaces diurnes seraient en fait issus d'un tronc commun ayant donné une étonnante variété de familles d'oi-

seaux. Ainsi, des groupes aussi divers que les petits échassiers, les mouettes, les hérons, les cigognes, les rapaces diurnes et les manchots auraient une même origine. La méthodologie mise en œuvre garantit le sérieux de la théorie : selon lui, les falconidés seraient donc classés avec les cigognes dans l'ordre des ciconiiformes !

Néanmoins, cela ne résout pas l'énigme relative à l'origine précise de ce rapace, qui occupe une vaste répartition géographique. Il se complaît en effet en tous milieux, que ce soit au bord de la mer, à la montagne, dans la toundra ou dans les villes. Prédateur sérieusement menacé tant par la pollution que par les trafics, le faucon pèlerin fait maintenant l'objet de véritables programmes de réinsertion et de protection. □

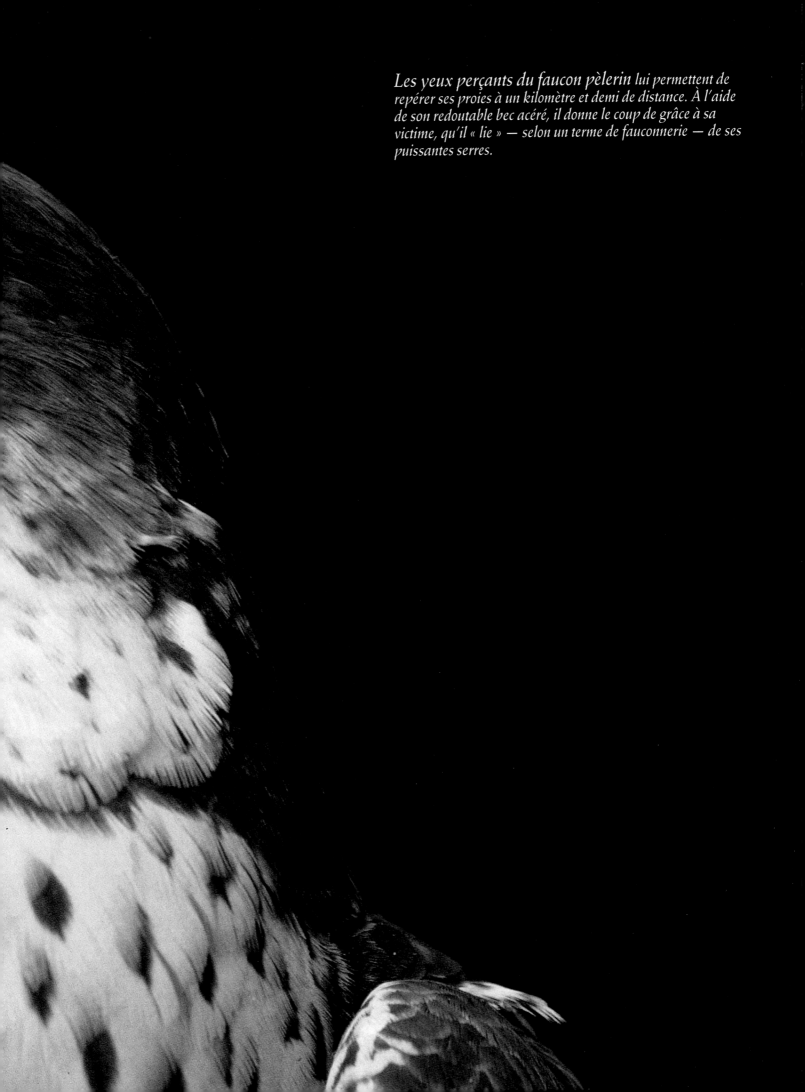

Les yeux perçants du faucon pèlerin lui permettent de repérer ses proies à un kilomètre et demi de distance. À l'aide de son redoutable bec acéré, il donne le coup de grâce à sa victime, qu'il « lie » — selon un terme de fauconnerie — de ses puissantes serres.

L'oiseau le plus rapide du monde

■ Peu d'oiseaux méritent autant le qualificatif de « maître des airs » que le faucon pèlerin. Qu'il s'agisse de performances dans le domaine de la vitesse ou dans celui des acrobaties, il ne craint personne, et le titre d'oiseau le plus rapide du monde ne peut lui être contesté. Toutefois, les évaluations sur sa vélocité varient : des chiffres impressionnants ont été avancés : 252 km/h en descente modérée, 324 km/h en piqué pratiquement vertical, selon l'Allemand H. Brüll. Le chiffre estimatif de 410 km/h (non scientifiquement contrôlé) en piqué a même été avancé par L.H. Brown, éminent spécialiste anglais des rapaces. Cependant, certains ornithologues estiment que cette vitesse de pointe n'excède pas 180 km/h, soit 50 mètres par seconde, ce qui reste encore une impressionnante performance pour un oiseau ne pesant en moyenne que un kilo !

Le faucon pèlerin adapte ses vols à ses besoins. La technique du vol en piqué n'est utilisée que lors de la chasse. Dans d'autres circonstances, le faucon pèlerin a recours au vol battu, entrecoupé de glissades planées. Les ailes sont alors un peu refermées, la pointe orientée vers l'arrière, et leurs battements sont rapides et de faible amplitude. Enfin, lorsqu'il s'élève au-dessus de son territoire, il pratique le vol à voile. Il étend alors les ailes et la queue (gardée serrée dans les autres types de vol) pour améliorer la portance, et plane sans effort jusqu'à plusieurs centaines de mètres d'altitude.

Un territoire peu délimité

Le faucon pèlerin possède un territoire dont les limites sont assez extensibles. La taille du domaine dépend surtout de l'abondance des proies ; elle peut ainsi varier de 50 ou 60 km² dans d'excellentes conditions à 140 km² dans les régions moins bien pourvues. L'espèce est, de plus, remarquable pour sa fidélité à son site de nidification, si aucune perturbation ne vient interférer.

Des parades aériennes

Pendant l'hiver, autour du mois de février, les liens conjugaux, quelque peu distendus au cours de la mauvaise saison, se resserrent. Le mâle attire l'attention de la femelle — sa compagne habituelle — par des évolutions aériennes. En poussant force cris, souvent gutturaux, il indique l'emplacement précis du nid, dont le secteur est soigneusement contrôlé.

Le couple se livre durant cette période à de fréquentes et superbes démonstrations en vol. Il peut s'agir de vastes cercles calmement décrits en vol à voile ou de spectaculaires poursuites ponctuées de simulacres d'attaques comprenant les fameux piqués typiques du faucon pèlerin. □

Le faucon pèlerin passe de longues heures sur un poste de guet, parfois une branche, à surveiller les éventuelles intrusions de rivaux sur son territoire.

Le faucon pèlerin n'affleure le sol ou la surface de l'eau que pour saisir une proie tombée après une attaque réussie. Le reste du temps, il préfère évoluer en altitude, améliorant ses records de vitesse ou réalisant de multiples acrobaties.

Ailes et queue largement déployées, le faucon pèlerin est un champion du vol à voile. Profitant des courants thermiques favorables, il plane sans effort, s'élève au-dessus de son territoire et peut atteindre des hauteurs considérables (ci-contre).

La proie est immédiatement emportée vers le lieu de dépeçage, proche, où elle sera consommée séance tenante. Les serres, jaune vif chez les oiseaux adultes, assurent une préhension d'une extrême fermeté grâce à de longs doigts (surtout le pouce et le doigt antérieur médian), à des ongles recourbés et acérés et à des tendons d'une grande robustesse. L'ensemble constitue une arme redoutable, un véritable étau, que ce chasseur utilise à la perfection.

Les captures peuvent être parfois assez volumineuses, comme ici cette femelle de canard. Le repas à proprement parler dure en moyenne de 10 à 30 minutes, mais se prolonge parfois pendant une heure pour une proie de forte taille. Après avoir arraché les plumes de sa victime, le faucon pèlerin s'attaque en priorité au cerveau, puis aux gros muscles pectoraux. Mais il lui arrive aussi de se repaître des viscères de son gibier.

Un chasseur d'une extraordinaire habileté

■ Peu de rapaces soutiennent la comparaison avec le faucon pèlerin dans le domaine de la chasse aérienne. Il possède deux types de stratégie pour capturer les oiseaux en plein vol, les prises de proies au sol restant fort rares. Posté à l'affût sur une saillie rocheuse ou une branche, le faucon surveille les alentours. Sa vue perçante lui permet de repérer des proies distantes de près de un kilomètre et demi. Si la cible est trop proche, il la laisse s'éloigner afin de prendre son élan. Il n'intervient que

lorsqu'elle est à environ 500 m de lui. Il effectue alors une descente selon un angle d'une trentaine de degrés sur 300 m environ, suivie d'un trajet horizontal à un niveau légèrement inférieur à celui de la proie. À l'aide de puissants coups d'ailes, le pèlerin se place juste au-dessus de sa victime. En une fraction de seconde, il projette ses serres sur le dos de la proie, dans lequel s'enfoncent les deux longs ongles (ou « avillons ») des pouces arqués et acérés ; puis les doigts antérieurs la « lient », selon un terme de fauconnerie. Lorsqu'il adopte cette tactique, on dit que le pèlerin « monte en selle », c'est-à-dire qu'il attaque ses proies en les chevauchant.

La deuxième manière de procéder est infiniment plus spectaculaire. Le faucon commence par prendre de l'altitude au point de devenir quasiment invisible. De son poste d'observation aérien, il surveille les oiseaux évoluant en contrebas. Lorsqu'il a repéré sa proie, il se laisse tomber en repliant partiellement les ailes,

augmente sa vitesse de chute par quelques battements puis ferme tout à fait les ailes. C'est alors une véritable bombe qui percute la proie de ses ongles postérieurs. La victime tombe, parfois tuée sur le coup, voire décapitée. Il peut ensuite la récupérer au sol ou la saisir en plein vol à l'issue d'un piqué suivi d'un prompt redressement. Si l'oiseau n'est que blessé, le rapace l'achève, en général au sol, d'un coup de bec démettant les vertèbres cervicales. Puis il l'emporte sans plus attendre vers un lieu de dépeçage afin d'en consommer la cervelle, les muscles pectoraux et éventuellement les viscères.

D'une façon générale, la surprise est un élément déterminant de la réussite. Quand le prédateur est décelé à temps, la victime peut, par de stupéfiants et vertigineux décrochages, tenter une esquive. Emporté par sa vitesse, le faucon a alors peu de chances de pouvoir modifier efficacement sa trajectoire. Malgré leur aspect impressionnant, les attaques en piqué échouent plus souvent qu'elles ne réussissent : à 83 % pour les mâles, 78 % pour les femelles, selon l'ornithologue E. Hantge. Quant à G. Rudebeck, il a observé que 7,3 % de piqués étaient réussis

sur 260 tentatives de capture. Devant ce faible taux de succès, il est permis de penser que les faucons pèlerins « piquent » davantage par jeu que dans le but de mener à bien une capture.

Un mangeur d'oiseaux

Les oiseaux constituent l'essentiel du régime alimentaire du pèlerin, la consommation de mammifères restant très exceptionnelle. Les espèces capturées varient selon la localisation géographique et l'époque de l'année, mais sont en priorité des oiseaux de taille moyenne, à forts effectifs et aux mœurs grégaires. En Europe, il s'agit surtout de pigeons, d'étourneaux, de corvidés (pies, choucas, corbeaux et aussi corneilles), de mouettes, de merles et de grives. Les proies pèsent environ 217 g en Europe centrale. Dans le Nord, elles sont plus lourdes — en moyenne de 365 à 398 g en Scandinavie — là où canards, lagopèdes et échassiers abondent. □

Les pies bavardes sont les mets de prédilection des faucons pèlerins, tout comme l'ensemble des corvidés et les oiseaux des espèces communes.

Une cuvette sommaire pour tout nid

■ Le temps des parades achevé, en mars, plus tôt dans le Sud, en mai dans les régions du Nord, les accouplements ont lieu. Comme les autres faucons, le pèlerin ne construit pas de nid ; il se contente d'une simple corniche rocheuse d'au moins 45 cm de large, garnie de terre, de granulats ou de débris végétaux. La femelle se borne à y aménager, à l'aide de ses pattes, une cuvette sommaire qu'elle façonne par des pressions répétées de la poitrine. Le couple peut disposer de plusieurs emplacements de cette sorte, mais privilégie l'un d'eux. Là où les parois rocheuses font défaut, le faucon pèlerin s'installe dans le vieux nid d'une autre espèce, souvent celui d'un corvidé ou d'un autre rapace. Alourdie par les œufs qu'elle porte, la femelle du faucon pèlerin reste sur le site choisi pour le nid. Elle est ravitaillée par le mâle, ce qui lui permet de juger des talents de chasseur de son compagnon. Si celui-ci se révèle assez peu performant, il arrive qu'elle l'abandonne à ce stade pourtant avancé de la reproduction.

Une couvaison partagée

La femelle dépose ses trois ou quatre œufs — parfois cinq, rarement six — à 48 ou 72 heures d'intervalle. De forme presque ronde, ils ont une coquille pâle maculée de roux brunâtre, mais qui peut être uniformément roussâtre ou toute blanche. L'incubation dure environ un mois. La femelle couve, mais, dans la journée, son partenaire prend le relais, ce qui lui permet aussi de chasser. Selon les observations de l'ornithologue français A. Formon, le mâle prend en charge de 16 à 25 %, voire 33 %, de la couvaison diurne. Pendant cette période, la participation du mâle au ravitaillement de la femelle varie selon les individus.

Des poussins frileux

Comme l'incubation commence à des stades différents, tantôt avec l'avant-dernier œuf, tantôt lorsque la ponte est complète, les poussins peuvent voir le jour simultanément ou de façon décalée. À l'éclosion, les oisillons sont couverts d'un premier duvet blanc. Cette protection n'étant pas suffisante pour leur assurer un équilibre thermique, la mère les réchauffe en permanence durant les trois premiers jours. Quand ils ont 15 jours, elle ne les couve plus que 60 % du temps, le premier duvet étant remplacé par un second, plus fourni. Au-delà de 17 jours, elle ne les réchauffe plus ; les tuyaux annonciateurs des plumes commencent alors à être visibles.   □

Dès l'éclosion, les poussins sont couverts d'un duvet blanc, ras, qui persiste quelques semaines. Ce fin duvet ne procure pas une protection suffisante contre le froid. Les adultes, principalement la femelle, doivent donc en permanence rester à tour de rôle auprès de leurs petits afin de pouvoir les réchauffer dès que cela s'avère nécessaire. Les poussins ne pourront se passer de l'apport thermique des parents qu'au-delà de 17 jours.

LA MOUFETTE

Pour mettre en fuite leurs ennemis, il y a des milliers d'années, les ancêtres des moufettes devaient déjà les arroser du jet de liquide à l'odeur nauséabonde si caractéristique de ces élégants petits animaux à la fourrure noir et blanc.

Aussi connues sous leur autre nom de sconses, les moufettes sont américaines. Comme les loutres, les blaireaux et les belettes d'Europe, les zorilles d'Afrique, le ratel de l'Ancien Monde ou les grisons d'Amérique du Sud, elles appartiennent à la famille des mustélidés. Ces carnivores des temps les plus anciens, issus du groupe primitif des miacidés, se sont, très tôt, diversifiés en plusieurs lignées. Dès l'oligocène, il y a 40 millions d'années, du tronc commun des mustélidés se détache un ensemble homogène, la sous-famille des méphitinés. L'histoire de cette lignée, totalement inconnue en Eurasie, est exclusivement américaine. C'est de la fin du miocène, il y a environ 10 millions d'années, que les paléontologues datent les plus anciens genres connus de moufettes, *Pliogale* et *Martinogale*. Celles-ci, aujourd'hui disparues, résultent elles-mêmes d'une évolution déjà longue, mais dont on ne sait rien encore. Elles ont été découvertes sur le site fossilifère d'Edson, au Kansas (États-Unis).

Aujourd'hui, les moufettes appartiennent à trois genres (*Mephitis, Spilogale, Conepatus*) qui existaient déjà au pliocène. Des restes plus récents de *Mephitis* et de *Spilogale* ont été retrouvés parmi l'extraordinaire faune fossile du site de Rancho La Brea, proche de Los Angeles, en Californie. Là, dans de vastes marais bitumineux, pièges inexorables, des millions d'animaux se sont noyés ou ont été ensevelis vivants durant le pléistocène et même à une époque plus récente encore. Le gisement pétrolifère de Salt Lake est vraisemblablement à l'origine de ces affleurements de bitume qui piégèrent aussi bien des mammouths que des moufettes. Plus de un milliard d'ossements de mammifères du quaternaire ont déjà été extraits de ce site prodigieux.

Mephitis et *Spilogale* comptent chacun 2 espèces, présentes en Amérique du Nord et en Amérique centrale, du Canada au Costa Rica. Ce sont les moufettes tachetées (*Spilogale putorius*) et rayées (*Mephitis mephitis*) qui sont les mieux connues. En ce qui concerne le genre *Conepatus,* on admet 5 espèces, réparties depuis l'extrême sud des États-Unis jusqu'au détroit de Magellan. Ce sont les moufettes à nez de cochon. Toutes sont habillées de noir et de blanc et dissimulent sous le panache de leur queue un même système de défense dont l'odeur est inoubliable. □

Habillée d'une fourrure soyeuse, la moufette est peu agressive et même plutôt aimable. Cette héroïne de célèbres dessins animés américains est d'un naturel confiant et ne demande qu'à vivre en paix.

Les fauconneaux sont nourris par leurs parents jusqu'à l'âge de cinq semaines. Lors de l'apparition des rémiges et des rectrices, aux alentours de deux semaines, ils ont besoin d'une dizaine de repas quotidiens.

Dans une nichée, les poussins ont tous à peu près le même âge. Cela est dû au fait que, malgré une ponte échelonnée sur plusieurs jours, la femelle attend en général le dernier œuf pour commencer la couvaison.

Un apprentissage long et sévère

■ À la fin de la troisième semaine, les poussins du faucon pèlerin franchissent une nouvelle étape de leur croissance : les rémiges — grandes plumes des ailes — apparaissent et se développent en deux semaines. Les fauconneaux ont un besoin plus important d'apport énergétique et sont alors nourris une dizaine de fois par jour.

Âgés d'environ cinq semaines, et après de multiples exercices de battements d'ailes, les jeunes faucons pèlerins abandonnent le nid. Leur premier vol s'effectue à proximité de celui-ci. Puis les deux adultes leur apprennent à se nourrir seuls. Dans un premier temps, les parents cessent de plumer les proies qu'ils apportent à leur nichée et les jeunes doivent les dépecer sans aide. Ensuite, la nourriture est déposée de plus en plus loin au sol afin d'obliger les petits à voler jusqu'à elle. Pour finir, les adultes lâchent les cadavres d'oiseaux de haut, en vol, afin d'inciter les jeunes faucons à les attraper en plein ciel. Forts de cet entraînement, ils s'attaquent bientôt à des proies vivantes. Vers deux mois ou deux mois et demi après le départ du nid, les fauconneaux sont des chasseurs autonomes.

Cette période d'émancipation demeure néanmoins délicate et les pertes sont sévères. Les études montrent que de 59 % (Allemagne, Finlande) à 70 % (Suède, Amérique du Nord) des faucons pèlerins meurent avant d'atteindre l'âge de un an. Il n'est pas rare qu'ils meurent d'inanition à la suite d'une trop longue période d'insuccès à la chasse. Il s'agit là d'un enchaînement fatal : si l'oiseau est affaibli par le jeûne, il est de moins en moins efficace dans la traque du gibier, perd peu à peu ses forces et périt.

Une période de longue errance

Complètement émancipés, les jeunes faucons pèlerins quittent leur région natale et entament une période de vagabondage correspondant à l'attente de leur maturité sexuelle.

Celle-ci intervient en moyenne au bout de deux ans. En règle générale, les oiseaux nordiques se livrent à des déplacements de plus grande ampleur que ceux des populations plus méridionales. Ainsi, de jeunes faucons pèlerins originaires de la toundra eurasienne peuvent descendre jusqu'en Afrique du Sud afin d'y passer leur premier hiver. □

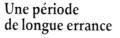

Une proie entre les serres, le faucon pèlerin adulte arrive à l'aire en battant vigoureusement des ailes pour freiner sa course. Affamés, les fauconneaux, déjà assez grands et impatients, l'accueillent avec force cris et gesticulations. Si les cris des jeunes permettent aux adultes de les localiser plus facilement, lorsque ceux-ci ont quitté le nid, ils représentent également un danger en renseignant les prédateurs sur l'endroit exact où se situe le nid.

Ces jeunes faucons pèlerins, instinctivement tapis au sol, scrutent le ciel avec inquiétude. Tout dans leur attitude dénote qu'ils ont senti la présence d'un danger proche. Un rapace ou un grand corbeau vole sans doute dans les parages, attendant le moment propice pour les attaquer. Les adultes, qui ne sont sûrement pas très loin, auront tôt fait de chasser les intrus à grand renfort de cris et de démonstrations aériennes agressives.

Les exercices de battements d'ailes sont indispensables pour le développement des muscles pectoraux.

Comme s'il planait dans les airs, en vol à voile, ce jeune faucon pèlerin profite, en toute sécurité dans le nid, d'un bain de soleil bienfaisant.

Double page suivante :
bec et œil menaçants, en dépit de leur jeune âge, ces fauconneaux surpris ont déjà le faciès propre à leur espèce.

Faucon pèlerin
Falco peregrinus

■ Le faucon pèlerin porte comme caractéristique sur la tête une sorte de chaperon sombre comprenant la calotte, la nuque et une large « moustache », qui descend sous l'œil et se détache nettement sur la joue blanche de l'oiseau. Le menton et la gorge sont blanchâtres, ponctués de taches noires. Mâles et femelles ont un plumage à peu près semblable : gris ardoisé ou gris bleuâtre sur le dessus du dos et des ailes, gris pâle barré de noir au-dessous et sur la partie ventrale. La femelle est cependant plus sombre et présente des barres ventrales plus larges.

Les jeunes ont un plumage brun là où les faucons pèlerins adultes l'ont gris. Leur ventre est bien différent : blanc lavé de jaunâtre ou de beige-roux et tacheté de macules irrégulières, plus grandes sur les flancs.

L'aile du pèlerin est typique de la famille des faucons : plutôt étroite et pointue, très effilée à l'extrémité, assez large dans la partie qui se trouve près du corps, ce qui lui confère une silhouette triangulaire lorsqu'elle est étalée.

La queue est assez courte pour un falconidé. Le corps est robuste, avec une large poitrine bombée. Les longues pattes du faucon pèlerin — jaune vif chez l'adulte, gris

→

FAUCON PÈLERIN	
Nom *(genre, espèce)* :	*Falco peregrinus*
Famille :	Falconidés
Ordre :	Falconiformes
Classe :	Oiseaux
Identification :	Rapace de taille moyenne ; dos gris, dessous blanc, chaperon noir ; longues ailes pointues, bec crochu, serres jaunes
Envergure :	De 83 à 113 cm ; femelle plus grande
Poids :	De 445 à 750 g (mâle) ; de 925 à 1 330 g (femelle)
Répartition :	Tous les continents, sauf l'Antarctique
Habitat :	Varié, de la toundra aux villes en passant par les montagnes et les côtes
Régime alimentaire :	Ornithophage quasi exclusif
Statut social :	Monogamie durable
Maturité sexuelle :	À l'âge de 2 ans
Saison de reproduction :	De février à septembre (hémisphère Nord)
Durée de l'incubation :	De 29 à 32 jours
Nombre de jeunes :	3 ou 4 (de 2 à 6)
Longévité :	Plus de 15 ans (record pour oiseau bagué)
Effectifs, tendances :	Plusieurs milliers de couples ; en augmentation après des pertes sévères dues aux pesticides
Statut, protection :	Intégralement protégé ; fait l'objet de programmes de surveillance et de réintroduction

Œil.
Grand et performant, il est protégé par une arcade sourcilière nettement saillante.

Plumes.
Résistantes, elles sont étroitement imbriquées de façon à réduire au maximum le frottement de l'air.

Culottes.
Ces longues plumes couvrent les mollets. En vol, elles servent à masquer les pattes.

Bec.
Assez petit mais acéré et tranchant, il peut donner le coup de grâce et déchirer la chair.

Ongles.
Arqués et pointus, ils saisissent fermement les proies et suffisent parfois à les tuer.

bleuté puis jaune verdâtre chez le jeune — sont couvertes jusqu'au talon de grandes plumes appelées « culottes » qui les masquent en vol, améliorant ainsi la pénétration dans l'air. La tête de ce rapace est plutôt petite. Le regard sévère des grands yeux sombres est renforcé par la saillie de l'arcade sourcilière. Le faucon pèlerin a une vue perçante. Comme beaucoup d'oiseaux, son ouïe ne présente pas de caractéristique particulière et il ne possède pas d'odorat.

Enfin, la « cire », cette sorte d'étui d'épaisse peau nue coiffant la base du bec des rapaces, est gris bleuté chez le fauconneau et jaune vif chez l'oiseau mature.

Si le mâle et la femelle du faucon pèlerin ont une apparence à peine différente, il existe en revanche un dimorphisme sexuel prononcé pour ce qui concerne la taille. Cependant, malgré le nom de « tiercelet » qui lui a été donné en fauconnerie, le mâle n'est pas d'un tiers plus petit que sa partenaire. Néanmoins, toutes données confondues, la femelle est de 15 à 20 % plus grande : l'aile fermée du mâle mesure en moyenne 309 mm contre 356 mm chez la femelle. Cette dernière pèse 1 112 g en moyenne, le mâle se contentant de 666 g. Ce dimorphisme se remarque déjà chez les jeunes faucons pèlerins. □

QUELQUES SOUS-ESPÈCES

Il existe une quinzaine de sous-espèces de *Falco peregrinus* réparties à travers le monde et qui diffèrent par leur taille et par les nuances de leur plumage. Ainsi, *Falco peregrinus calidus*, de Laponie et de Russie, et son homologue *Falco peregrinus tundrius,* d'Amérique du Nord arctique, sont plus grands, plus lourds (de 15 % environ) et d'un gris plus pâle ; au contraire, *Falco peregrinus brookei*, de Méditerranée et du sud-ouest de l'Asie, est un peu plus petit (5 % en moyenne), plus sombre, teinté de roussâtre à la poitrine, largement barré dessous.

Signes particuliers

Bec

Le bec des faucons du genre *Falco* n'est pas très développé. Il est pourvu d'une mandibule supérieure très arquée. L'extrémité en est aiguë et les bords coupants. Un peu en arrière du bout pointu, chacun des bords présente une excroissance triangulaire appelée « dent ». Cette dent tranchante fait office de lame lorsque le faucon disjoint les vertèbres cervicales de ses proies, au moment de les achever. La base du bec est couverte d'une zone de peau dépourvue de plumes et sensible, la cire, dans laquelle s'ouvrent les narines. La cire est l'un des points permettant de signaler l'âge de l'oiseau grâce à sa teinte.

Œil

Le pèlerin possède une vue excellente qui lui permet de repérer ses proies à plusieurs centaines de mètres. Son grand œil sombre est entouré d'un anneau de peau nue, le cercle orbitaire, jaune citron chez l'adulte, gris bleuté chez l'immature. L'œil est protégé par une arcade sourcilière développée, qui contribue à donner au faucon une expression à la fois farouche et fière. Cette arcade, sans être propre aux faucons (elle existe aussi chez les aigles, par exemple), est un de leurs signes morphologiques distinctifs.

Muscles

Lors du mouvement ascendant, les muscles alaires (B) se contractent, forçant l'humérus, donc l'aile, à remonter. Lors du battement vers le bas, les muscles alaires (A) se contractent à leur tour, entraînant l'humérus vers le bas.

Pattes

Les pattes du pèlerin possèdent quatre doigts. Le doigt postérieur porte un ongle bien développé, nettement arqué, robuste et acéré, appelé avillon, et jouant un rôle primordial dans la capture des proies. En pleine vitesse, il heurte le dos des proies en le lardant à la manière d'une lame de poignard.

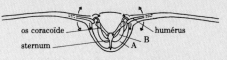

os coracoïde   humérus
sternum   A B

Les autres faucons

■ L'ordre des falconiformes rassemble tous les rapaces diurnes, répartis en quatre ou cinq familles, selon les auteurs. L'une d'elles, celle des falconidés, peuple le Nouveau Monde, du sud des États-Unis à l'extrémité méridionale de l'Amérique du Sud. Cette famille réunit deux sous-familles : les polyborinés, qui regroupent les caracaras, les faucons rieurs et les faucons forestiers, et les falconinés, numériquement les plus importants, qui comprennent les fauconnets et les faucons proprement dits.

Les caracaras

Entre 35 et 60 cm de long pour une envergure voisine de 1,30 m, ce sont les plus atypiques des falconidés. En raison de leur régime alimentaire surtout charognard, ils se montrent plus terrestres que l'ensemble de leurs cousins. 4 genres : *Daptrius* (2 espèces), *Phalcoboenus* (3 espèces), *Polyburus* (1 espèce) et *Milvago* (2 espèces).

CARACARA À GORGE JAUNE (OU C. NOIR)
Daptrius ater
Identification : brun fuligineux ; peau faciale jaune étendue en arrière de l'œil ; base de la queue blanche.
Répartition : savanes et mangroves, lisières forestières ; nord de l'Amérique du Sud, à l'est des Andes.

CARACARA DE FORSTER
Phalcoboenus australis
Identification : brun sombre ; dessous des ailes roux ; « culottes » rousses.
Répartition : prairies à touffes de graminées, corniches rocheuses, îles et îlots de la Terre de Feu, îles Falkland.

CARACARA COMMUN
Polyburus plancus
Identification : corps gris-brun sombre ; haut de la poitrine, bout des ailes et queue rayés ; cou blanc, calotte noirâtre, peau faciale rouge et pattes jaunes.
Répartition : semi-déserts, savanes et prairies ; sud de l'Amérique du Nord, Amérique du Sud.

CARACARA À TÊTE JAUNE
Milvago chimachima
Identification : chamois clair ; ailes brun noirâtre, sourcil sombre se prolongeant en arrière de l'œil.
Répartition : savane, brousse, campagne cultivée ; zone néotropicale.

Les faucons rieurs

Une seule espèce constitue ce groupe.

FAUCON RIEUR
Herpetotheres cachinnans
Identification : 43-51 cm ; crème clair ; ailes brun foncé, queue barrée de noirâtre et de gris, bandeau noir sur l'œil.
Répartition : forêts pluviales ; zone tropicale.

Les faucons forestiers

Ils se distinguent par de puissantes émissions vocales semblables à des chants, qui retentissent surtout à l'aube. Leurs ailes sont assez courtes et arrondies, et leur queue, allongée. Deux genres : *Micrastur* (5 espèces) et *Spiziapteryx* (1 espèce).

FAUCON FORESTIER RAYÉ
Micrastur ruficollis
Identification : 31-38 cm ; haut du corps brun-roux, calotte brun-gris, dessous blanc finement barré de sombre, ailes brun-gris, queue noirâtre avec 3 ou 4 lignes blanches transversales, peau faciale jaune.
Répartition : Amérique centrale et Amérique du Sud.

FAUCONNET À AILES TACHETÉES (OU F. AMÉRICAIN)
Spiziapteryx circumcinctus
Identification : 28 cm ; tête et poitrine pâles avec stries sombres ; dos et queue sombres ; croupion blanc.
Répartition : savane, brousse et semi-désert ; centre de l'Amérique du Sud.

Les fauconnets (ou falconelles)

Principalement asiatiques, ce sont les plus petits des falconidés. Le fauconnet des Philippines, *Microhierax erythrogonys,* détient le

Faucon crécerellette (Falco naumanni)

Fauconnet pygmée d'Afrique (Polihierax semitorquatus)

record de petitesse : 14 cm (la taille d'un moineau). 2 genres : *Polihierax* (2 espèces) et *Microhierax* (5 espèces).

FAUCONNET PYGMÉE D'AFRIQUE
Polihierax semitorquatus
Identification : 19-24 cm ; dessus gris, dessous blanc, queue noire avec taches blanches alignées, pattes orangées.
Répartition : savane parsemée d'acacias, semi-désert ; nord-est et sud de l'Afrique. Seul fauconnet africain.

FAUCONNET À PATTES NOIRES
Microhierax fringillarius
Identification : 15 cm ; dessus noirâtre, dessous blanc rosé avec plumes de la base des pattes sombres, queue rayée.
Répartition : lisières forestières, forêt secondaire, boisements clairs ; Malaisie, Sumatra, Java, Bornéo et Bali.

Les faucons proprement dits

Silhouette typique avec de longues ailes pointues, longue queue et petit bec acéré. Un seul genre : *Falco* (38 espèces).

FAUCON CRÉCERELLE
Falco tinnunculus
Identification : 31-35 cm ; tête grise, queue grise terminée d'une barre noire, dessus brun-roux ponctué de noir, dessous crème tacheté de noir. Plusieurs millions d'oiseaux.
Répartition : grande variété de milieux ouverts ou peu boisés ; Ancien Monde.

FAUCON D'ÉLÉONORE
Falco eleonorae
Identification : 36-40 cm ; noir et gris ardoisé sombre (forme sombre), dessous de la tête clair avec moustaches noires, dessous chamois rayé de brun, queue barrée (forme claire).
Répartition : falaises des côtes, îles et îlots ; bassin méditerranéen, Afrique du Nord (localisé).

FAUCON APLOMADO
Falco femoralis
Identification : 37-45 cm ; tête et dos gris ; joues, gorge et poitrine blanchâtres ; bandeau blanchâtre en arrière de l'œil (atteignant la nuque), moustache noire, ventre et bas du corps roux, flancs noirs avec fins chevrons blancs, queue grise barrée de blanc.
Répartition : milieux ouverts ; du Mexique au sud de l'Amérique du Sud.

FAUCON GERFAUT
Falco rusticolus
Identification : envergure de 1,60 m. Forme blanche : traces de noir sur le dessus. Forme sombre : gris dessus et blanchâtre dessous.
Répartition : circumboréale ; toundra, taïga peu dense, côtes rocheuses.

FAUCON CRÉCERELLETTE
Falco naumanni
Identification : 26-33 cm ; tête et queue gris bleuté, dessus du corps brun-roux, dessous crème, faiblement tacheté.
Répartition : steppes, déserts, régions cultivées d'Europe méridionale, d'Afrique du Nord et d'Asie centrale.

Faucon d'Éléonore (Falco eleonorae)

Caracara commun (Polyburus plancus)

Milieu naturel et écologie

■ Comme l'a justement écrit l'ornithologue suisse P. Géroudet, le faucon pèlerin, espèce répandue dans le monde entier, n'a pas réellement de biotope particulier sinon l'espace aérien.

De fait, sur l'ensemble de l'année et sur la totalité de sa vaste répartition géographique, les milieux exploités sont extrêmement variés : toundra arctique, vastes étendues marécageuses, régions cultivées, larges estuaires, côtes rocheuses, moyenne montagne de zone semi-désertique, milieux tropicaux ou même secteurs urbanisés.

Toutefois, il faut savoir que les exigences écologiques ne sont pas les mêmes durant la saison de nidification et en dehors de celle-ci. Lorsqu'il n'est pas retenu par les nécessités de la reproduction, le faucon pèlerin peut pratiquement se contenter de tout type d'habitat ouvert, plat ou non. Par « ouvert », il faut entendre dépourvu d'arbres ou faiblement boisé.

Ce rapace peut même s'installer pour quelques mois dans de grandes plaines céréalières. Ces milieux attirant d'importants rassemblements d'espèces grégaires (étourneaux, corvidés, mouettes, etc.), il y trouve du gibier en abondance. Les estuaires et certaines portions de côtes comportant des vasières ou des marais littoraux sont également appréciés pour les mêmes raisons : on y trouve de nombreuses espèces à effectifs très élevés.

Lorsque vient l'époque de la reproduction, les exigences du faucon pèlerin se font plus précises. Il a besoin d'un escarpement rocheux, le plus souvent doté d'une corniche adéquate. Toutefois, à côté de cette règle générale existent quelques variantes dictées par l'absence de parois rocheuses. Le faucon pèlerin peut ainsi nicher dans les arbres.

Dans les régions arctiques, à l'instar des sous-espèces de l'endroit, il lui arrive de s'installer à même le sol de la toundra. Par ailleurs, tant en Amérique du Nord qu'en Europe, les faucons pèlerins, ainsi que d'autres espèces de la même famille comme les faucons crécerelle, crécerellette ou émerillon, ont appris à s'accommoder de l'existence de ces falaises artificielles que constituent les grands édifices : cathédrales ou immeubles de plusieurs dizaines d'étages.

Les études de nombreux ornithologues ont montré que la possibilité de disposer d'un site de nid convenable était moins déterminante, toutes proportions gardées, que le facteur alimentaire pour s'installer dans une aire.

Quelle que soit l'époque de l'année, ce qui décide de la présence de l'espèce dans un espace géographique donné est l'existence de nourriture — en l'occurrence d'oiseaux-proies — en quantité suffisante. Le faucon pèlerin, comme la majorité des prédateurs naturels, ne chasse pas sans discernement.

Des relevés précis ont démontré que de 16 % à 47 % des victimes sont jeunes, donc inexpérimentées, ou âgées, donc moins alertes, blessées, tarées ou épuisées. En participant à la suppression de ces oiseaux diminués, ce faucon joue un indiscutable rôle sélectif et sanitaire.

Une assez faible concurrence

Les compétitions alimentaires opposent le faucon pèlerin à d'autres rapaces chasseurs d'oiseaux. En Amérique du Nord et en Europe, l'autour des palombes est son principal concurrent, mais ce prédateur exploite surtout les milieux boisés et leurs abords immédiats, et il ne chasse jamais en plein ciel. En Afrique du Nord, c'est avec le faucon lanier que le faucon pèlerin doit également compter.

Des prédateurs redoutables

Les ennemis naturels du faucon pèlerin ne sont guère nombreux. Le grand corbeau, amateur d'œufs et de poussins, est redouté. Sa vue provoque chez le pèlerin de vives démonstrations d'agressivité qui suffisent la plupart du temps à dissuader le corvidé.

Un danger plus réel vient du hibou grand duc, énorme rapace nocturne qui apparaît comme le principal régulateur des effectifs de faucons pèlerins. □

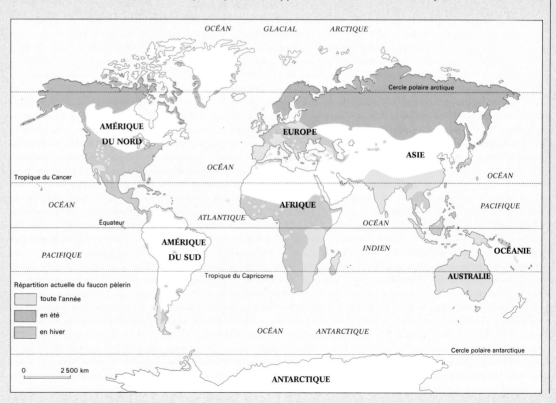

Aire de répartition du faucon pèlerin.
Regroupant de quinze à dix-huit sous-espèces, le faucon pèlerin occupe une aire de répartition géographique particulièrement vaste, ce qui traduit une adaptation tout à fait réussie à des climats et à des milieux variés. Il n'est en fait absent que de l'Antarctique. Certaines sous-espèces sont particulièrement localisées, comme Falco p. furuitii, *qui ne se rencontre que sur l'île Vulcano, dans l'archipel italien des îles Lipari, au nord de la Sicile. Les populations les plus septentrionales se montrent migratrices, opérant des mouvements parfois importants pour hiverner beaucoup plus au sud.*

Le sauvetage d'un chasseur exceptionnel

Les Égyptiens en ont fait un dieu. Et, depuis plus de 4 000 ans, il chasse avec l'homme. Menacé par la pollution chimique et les trafiquants sans scrupule, il commençait à disparaître peu à peu. Heureusement, sa sauvegarde semble aujourd'hui assurée.

Un indicateur biologique précieux

■ Le faucon pèlerin est l'une de ces espèces animales qui détiennent le triste privilège d'être des indicateurs biologiques. En d'autres termes, certains êtres vivants réagissent plus vite et parfois de façon plus spectaculaire que d'autres à des changements de l'environnement, à des perturbations — souvent induites par l'activité humaine. Occupant le sommet des pyramides alimentaires, ils souffrent de l'accumulation progressive des substances toxiques assimilées par les proies tout au long de la chaîne.

C'est ce qui s'est produit avec les pesticides organochlorés, dont le D.D.T. Mais il a fallu attendre la seconde moitié du XXe siècle pour que l'on soupçonne leur nocivité en constatant que les effectifs des faucons pèlerins chutaient de plus en plus sévèrement. Contaminées par le D.D.T. présent dans les tissus graisseux de leurs proies, les femelles pondaient fréquemment des œufs à la coquille trop mince pour supporter leur poids lorsqu'elles couvaient. Plus le D.D.T. était utilisé massivement, plus le pourcentage d'œufs à la coquille défectueuse était élevé. En Indonésie ou en Alaska, les taux étaient de 0 % et 0,5 %, mais ils passaient à 5 % en Afrique du Sud et à 19 % en Grande-Bretagne pour atteindre 22 % en Californie (avec la pulvérisation à grande échelle des vergers), 24 % dans le nord-est des États-Unis ou le sud-est de l'Australie (avec le traitement intensif des céréales) et 25 %

dans l'ex-Rhodésie (en raison de l'intense lutte contre les insectes vecteurs de maladies).

Depuis l'interdiction de ces produits au début des années 1970, la situation s'est nettement améliorée. Mais les effets seront longs à se dissiper totalement, d'autant que certains pays du tiers-monde continuent à avoir recours aux pesticides organochlorés. □

Sauver les faucons : les plans de survie

■ L'effondrement des populations de faucons pèlerins dans certaines parties du globe, et surtout dans les pays industrialisés par suite de la pollution chimique due aux produits phytosanitaires organochlorés, a amené les organismes de protection de la nature et les spécialistes des rapaces à se mobiliser pour chercher des solutions à ce problème.

Dès les années 1970, des programmes ambitieux ont été mis sur pied. Leur objectif était double : renforcer les populations subsistantes, mais en voie de régression, et réimplanter l'espèce dans les zones d'où elle avait été éradiquée. Plusieurs procédés ont été mis en œuvre, avec les tâtonnements inhérents à toute nouvelle expérience.

En Amérique du Nord, le Peregrine Fund (Fonds pour la sauvegarde du faucon pèlerin), qui

dépend du Centre mondial des rapaces, ou, en France, le Fonds d'intervention pour les rapaces (F.I.R.) ont ainsi commencé par prélever des œufs dans des aires où la densité de ces oiseaux était la plus forte. Si ce prélèvement a lieu suffisamment tôt, la femelle dépose une nouvelle ponte, ce qui n'affecte donc pas la population sollicitée, tout en permettant de disposer d'œufs surnuméraires.

Ces œufs sont alors placés en incubateur artificiel. Après l'éclosion, les jeunes peuvent être répartis dans différents nids naturels, où ils seront adoptés, ou bien élevés par l'homme (sans contact direct avec celui-ci pour éviter toute imprégnation) afin d'être relâchés dans des zones déficitaires. Enfin, certains de ces oiseaux peuvent aussi être conservés en captivité pour devenir des reproducteurs.

En Franche-Comté, l'ornithologue R.-J. Monneret, l'un des grands spécialistes européens de l'espèce, a également mis au point une technique d'insémination artificielle du faucon pèlerin qui donne d'excellents résultats. La principale difficulté qu'il a rencontrée était d'obtenir que la femelle se place en position d'accouplement, condition indispensable à la réalisation de l'insémination.

Pour arriver à ses fins, il fait donc appel à des enregistrements de cris nuptiaux et à l'utilisation de leurres. Caché derrière l'aire artificielle reproduisant une paroi rocheuse, R.-J. Monneret intervient au moment opportun, par une ouverture discrètement ménagée dans le décor. □

La sauvegarde des faucons pèlerins fait parfois appel à l'alpinisme. Tant en Europe qu'en Amérique du Nord, de très importants efforts ont été consentis notamment, par des organismes associatifs, pour sauver cette espèce menacée de disparition.

La chasse au faucon, une très longue tradition

■ La fauconnerie, ou chasse à l'aide d'oiseaux de proie spécialement dressés, est une forme très ancienne de relation entre l'homme et l'animal. On considère que cet art a dû trouver son origine en Extrême-Orient, voici environ 4 000 ans pour les uns, 2 000 ans selon les autres. Toutefois, le plus ancien indice tangible est un bas-relief assyrien datant du VIIIe siècle avant J.-C., alors que la plus ancienne trace écrite ne remonte qu'à la première moitié du IIIe siècle de notre ère et figure dans un manuscrit japonais.

La fauconnerie se répandit en Europe à la faveur des invasions asiatiques et connut un vif succès jusque vers le début du XVIIe siècle. Selon un texte médiéval : « L'aigle (est) pour l'empereur, le gerfaut pour le roi, le pèlerin pour le duc, l'émerillon pour la dame, l'autour pour le tenancier, l'épervier pour le prêtre, la crécerelle pour le marguillier. »

Les pays islamiques du Proche- et du Moyen-Orient ont également une tradition fort ancienne, et toujours vivace, en ce domaine.

De nos jours, la fauconnerie — qui a perdu ce caractère élitiste — se maintient et serait même assez florissante. Néanmoins, une différence fondamentale existe entre les effets de cette chasse sur les populations de faucons et ce que les progrès techniques ont rendu possible. Auparavant, tous les oiseaux, sans exception, utilisés par les fauconniers étaient dénichés. À présent, la reproduction en captivité permet d'obtenir des rapaces qui ne sont plus prélevés dans la nature.

Au début des années 1980, soit une dizaine d'années seulement après les premiers succès en matière d'élevage, plus de la moitié des faucons (appartenant à de grandes espèces) détenus par les fauconniers américains étaient nés en captivité ; on pense que cette proportion augmentera encore dans les années à venir. □

Faucon-dieu, roi des hommes

■ Par sa force et sa beauté, par son vol très haut dans le ciel, le faucon symbolisait pour les Égyptiens le dieu du Ciel : Horus. Ses deux yeux figuraient le soleil et la lune. Nombreux durent être les adorateurs de cet oiseau, que l'on voit représenté dès les temps les plus anciens et dont l'image devait éloigner les ennemis impurs des édifices sacrés. Au cours des temps, le rôle du faucon-dieu se diversifia. L'un des mythes fait de Horus le fils d'Isis et d'Osiris. Vainqueur de Seth, il monta sur le trône du dieu Geb et s'imposa comme roi des hommes. □

De nouvelles espèces génétiques ?

■ Devant les succès rencontrés par la reproduction des rapaces en captivité, certains fauconniers ont tenté des hybridations. Dans la nature, le croisement de deux espèces est théoriquement impossible du fait que la femelle et le mâle de chaque espèce réagissent à un ensemble de stimulations (parades, offrandes de nourriture...) nettement codifiées qui empêchent les croisements. Mais, grâce à l'insémination artificielle, on a pu obtenir, par exemple, des hybrides de faucon gerfaut (pour la taille) et de faucon pèlerin (pour la vitesse). □

Trafic de faucons pèlerins et autres fauconneaux

■ En dépit des facilités nouvelles offertes par la maîtrise de la reproduction en captivité de certains rapaces, dont notamment le faucon pèlerin, un trafic illégal actif de ces oiseaux de proie existe encore. Après avoir repéré les aires des pèlerins, les trafiquants dénichent les jeunes fauconneaux qui ont dépassé la période délicate des deux premières semaines. Puis ils leur font passer les frontières en fraude. Il ne leur reste plus qu'à les vendre pour plusieurs dizaines de milliers de francs à des acheteurs agissant souvent pour le compte de clients du Moyen-Orient particulièrement férus de chasse au faucon.

Les douaniers ont ainsi découvert, à la frontière entre la France et l'Allemagne, quatre faucons pèlerins encore poussins cachés dans le logement de la roue de secours d'un véhicule.

Les trafiquants sont bien organisés. Ils repèrent les sites de nidification au début de l'hiver, puis ils jalonnent les falaises à l'aide de pitons, de façon à n'avoir plus qu'à se laisser descendre rapidement le moment venu, avec des cordes.

En France, à partir de la fin des années 1970, afin de lutter contre ces agissements, le Fonds d'intervention pour les rapaces a mis au point un programme de surveillance des aires de faucons. Cela était d'autant plus indispensable que les effectifs étaient alors au plus bas en raison de la pollution chimique. Toutes les aires connues furent ainsi gardées jour et nuit par des volontaires, à bonne distance, depuis la ponte jusqu'à l'envol des jeunes. □

Le faucon gerfaut est le plus grand oiseau de la famille. Il a été très tôt recherché par les fauconniers. L'oiseau est ici coiffé du « chaperon » qui ne lui sera enlevé qu'au moment de l'action de chasse.

Savigny
(Marie Jules César Lelorgne de)
Provins 1777-Versailles 1851

Naturaliste français

Bien que peu connu du grand public, il a joué un rôle important dans la science du XIXᵉ siècle. Il a ramené d'Égypte et de Syrie de nombreux spécimens d'animaux. Ses recherches sur les invertébrés — les insectes en particulier — l'ont conduit à des conclusions d'ordre général d'un grand intérêt scientifique.

■ Fils et petit-fils de magistrats, Savigny, que l'on destine à la prêtrise, fait ses études secondaires dans un collège religieux et apprend avec une grande facilité le latin, le grec et l'hébreu. Il est obligé de travailler dès l'âge de 16 ans, car les bouleversements de la Révolution ont ruiné sa famille. Il entre comme préparateur chez un pharmacien de Provins, sa ville natale. Dans l'espoir d'améliorer ses perspectives d'avenir, il passe un concours pour entrer à l'École de santé de Paris, est reçu brillamment et vient s'installer dans la capitale. Il y suit avec enthousiasme les cours de botanique du Muséum. Remarqué par le naturaliste Lamarck, il se voit confier quelques travaux de rédaction qui l'aident à subsister.

Vers sa vingtième année, il délaisse définitivement la médecine pour les sciences naturelles. Ses protecteurs du Muséum lui obtiennent un poste de professeur de botanique à Rouen. Au moment où il va rejoindre son poste, on lui propose de prendre part, en tant que zoologiste, à l'expédition de Bonaparte en Égypte. Bien que botaniste de formation, il accepte, encouragé par Cuvier lui-même. Avec son collègue Étienne Geoffroy Saint-Hilaire, il s'embarque en mai 1798 à Toulon pour Alexandrie. Il ne reviendra que trois ans plus tard avec les débris de l'armée vaincue. Si l'expédition se solde par un échec militaire, les scientifiques emmenés par Bonaparte rapportent de nombreux documents de toute nature. Savigny, pour sa part, n'a pas épargné sa peine. Il s'est occupé non seulement de la recherche des animaux vivants, mais aussi des fossiles, des momies, des antiquités. Il a rassemblé la plus grande collection d'animaux égyptiens qui ait jamais été constituée. Seul naturaliste de l'expédition à être allé jusqu'en Syrie, il a fait une ample moisson, dans ce pays, de spécimens de mammifères, d'oiseaux, de serpents et d'invertébrés divers.

De retour à Paris, il exploite les documents collectés durant ses voyages. Observateur précis et méticuleux, il étudie la bouche de 1 200 insectes et montre que les pièces buccales des insectes sont toujours fermées par les mêmes organes, bien que ceux-ci aient un aspect différent. Le résultat de ses investigations sur les invertébrés se trouve consigné dans un ouvrage remarquable, paru en 1816, *Mémoires sur les animaux sans vertèbres,* qui inspirera de nombreux travaux scientifiques au XIXᵉ siècle.

> *Observateur précis et méticuleux, il étudie la bouche de 1 200 insectes et montre que les pièces buccales des insectes sont toujours formées par les mêmes organes.*

Savigny a écrit quelques autres ouvrages et a aussi travaillé à l'*Atlas de l'Expédition d'Égypte* pour lequel il a fait exécuter de magnifiques planches. Celles-ci devaient être accompagnées de commentaires rédigés par lui, mais il ne pourra jamais venir à bout de sa tâche.

En 1817, il ressent les premières atteintes d'un mal mystérieux, une affection nerveuse peut-être contractée dans le delta du Nil et qui se traduit par des hallucinations visuelles et auditives extrêmement pénibles. Pour essayer de guérir, il va se reposer en Italie. Il n'en revient qu'au bout de quatre ans, avec de nouveaux spécimens d'oiseaux et de coquilles collectés dans ce pays. Il n'est pas guéri pour autant. Une rechute en 1824 le met définitivement dans l'impossibilité de travailler. Son cerveau reste intact, mais il devient une loque humaine. Jusqu'à sa mort, survenue seulement en 1851, il vivra en reclus à Versailles, dans l'obscurité complète et dans d'inimaginables souffrances. □

L'OISEAU SACRÉ DES ÉGYPTIENS

Dans son *Histoire naturelle et mythologique de l'ibis,* livre publié en 1805, Savigny parle longuement de l'ibis sacré, qui a aujourd'hui disparu du territoire égyptien, mais dont il avait pu encore voir des représentants vivants lors de son voyage. Cet oiseau au corps blanc, à la tête et à la queue noires, tenait une grande place dans la mythologie égyptienne parce qu'il revenait chaque année avec la crue du Nil, source de prospérité pour le pays. On a retrouvé des cimetières entiers d'ibis, et Savigny lui-même a rapporté, du fameux puits des Oiseaux sur le site de l'antique Memphis, des momies d'ibis sacré que le passage de 40 siècles n'avait pas altérées. Le naturaliste a, par ses investigations, contribué à détruire la légende selon laquelle cet oiseau tuait les serpents venimeux.

DANS LE PROCHAIN NUMÉRO
L'ORNITHORYNQUE

un petit mammifère australien

VIE SAUVAGE

ENCYCLOPÉDIE LAROUSSE DES ANIMAUX

le rhinocéros

Solitaire
dans la brousse

Affrontements
sanglants

Un survivant
de la préhistoire

DOMADAIRE   N° 57

LAROUSSE

Avec VIE SAUVAGE,
la nouvelle encyclopédie Larousse des animaux,
découvrez la vraie vie des animaux sauvages du monde entier.

Chaque semaine, partez à la rencontre d'un nouvel animal. Surprenez-le dans son intimité, grâce à des photos fortes, prises sur le vif par de grands reporters. Apprenez à connaître son comportement et ses mœurs, racontés par les plus grands experts de la faune sauvage : scènes de chasse, bains, premiers pas des petits... Vous découvrirez les grands principes écologiques de la lutte pour la vie et de l'équilibre de la nature.

Constituez-vous une collection complète des animaux sauvages du monde entier, en les regroupant selon les 11 grands milieux naturels où ils vivent :

Savanes et prairies : éléphant, lion, girafe, bison, kangourou...
Forêts tropicales : tigre, orang-outan, jaguar, perroquet...
Forêts de conifères : loup, aigle royal, lynx, hermine...
Forêts de feuillus : koala, renard, cerf, sanglier, coucou...
Mers et océans : dauphin, baleine, requin, pieuvre...
Côtes marines : otarie, tortue géante, fou de Bassan, iguane...
Rivières et fleuves : hippopotame, loutre, flamant rose, castor...
Étangs et marais : pélican blanc, crocodile, vison, libellule...
Montagnes : grand panda, condor, ours brun, macaque japonais...
Déserts et steppes : guépard, caméléon, criquet, scorpion...
Toundras et glaces : phoque, caribou, bœuf musqué, manchot...

SOMMAIRE

N° 57 LE RHINOCÉROS   *Savanes et prairies*

LE RHINOCÉROS ET SES ANCÊTRES 1

LA VIE DU RHINOCÉROS

Un animal solitaire qui cherche à éviter les conflits 4-5

Des combats rituels... parfois préludes à l'accouplement 6-7

Les épines ne lui font pas peur pour trouver sa nourriture favorite 8-9

Inséparables pendant deux ans : la mère et son petit 10-11

POUR TOUT SAVOIR SUR LE RHINOCÉROS

Rhinocéros noir 14-15

Les autres rhinocéros 16-17

Milieu naturel et écologie 18

LE RHINOCÉROS ET L'HOMME 19-20

DICTIONNAIRE DES SAVANTS DU MONDE ANIMAL
Ernest Haeckel

LES TEXTES DE CE NUMÉRO ont été rédigés par François Moutou, docteur vétérinaire, Maisons-Alfort ; Monique Madier ; Vincent Darnet.
DESSINS de Guy Michel ; Thierry Chauchat.
CARTE de André Leroux.
PHOTO DE COUVERTURE : Un rhinocéros s'avance au milieu des herbes de la savane. Phot. S. Cordier - Jacana.

CRÉDITS PHOTOGRAPHIQUES p. 1, 4/5h, 11b et 20, Dressler T. - Jacana ; p. 2/3 et 8/9b, Cordier S. - Jacana ; p. 4b, Arthus-Bertrand Y. - Jacana ; p. 5b et 17b, Robert J. - Jacana ; p. 6/7h et 10b, Huot D. - Jacana ; p. 6/7m, Summ P. - Jacana ; p. 6/7b, Frédéric - Jacana ; p. 8/9h, Polking - Nature ; p. 8b, Scott J. - Planet Earth Pictures ; p. 10/11, Cordier S. - Jacana ; p. 12/13, Robert - Jacana ; p. 14, 15h et 15b, Ausloos

H. ; p. 16mg, Williams R. - Bruce Coleman ; p. 16bg, Plage D. et M. - Bruce Coleman ; p. 16bd, Dani-C. Jeske I. - Bios ; p. 17hd, Huot D. - Hoa-Qui ; p. 19bd, Camera Pix - Gamma ; p. 19bg, Sycholt-Scope A. - Gamma.

3e de couv : E. Haeckel, portrait. Phot. Bibl. Muséum hist. nat., Paris.

Photocomposition : Dawant. Photogravure : Graphotec. Impression : R.E.G. Dépôt légal 2e trimestre 1995.

VIE SAUVAGE est édité par la SOCIÉTÉ DES PÉRIODIQUES LAROUSSE (S.P.L)
1-3, rue du Départ - 75014 Paris
Tél. : 44 39 44 20
Directeur de la publication :
Bertil Hessel
Directeur éditorial :
Claude Naudin, Françoise Vibert-Guigue
Directeur de la collection :
Laure Flavigny
Edition :
Brigitte Bouhet, Catherine Nicolle
Direction artistique :
Henri Serres-Cousiné
Direction scientifique :
Christine Sourd, docteur en écologie, Conservation Officer au WWF-France
Conception graphique et mise en pages :
Frédérique Longuépée, Blandine Serret
Couverture :
Olivier Calderon, Gérard Fritsch, Simone Matuszek
Correction-révision :
Service de lecture-correction de Larousse
Documentation iconographique :
Anne-Marie Moyse-Jaubert, Marie-Annick Réveillon
Composition :
Michel Vizet
Fabrication :
Jeanne Grimbert
Service de presse :
Suzanna Frey de Bokay

VENTES

Directeur du marketing et des ventes :
Édith Flachaire
Service abonnement Vie Sauvage :
68, rue des Bruyères, 93260 Les Lilas.
Tél. : (1) 48 97 81 90
Étranger, établissements scolaires, n'hésitez pas à nous consulter.
Vente en France des numéros déjà parus :
Envoyez votre commande avec un chèque à l'ordre de SPL de 25,50 F par fascicule et de 71 F par reliure à : RIF-SPL, 25 rue Chassagnolle, 93260 Les Lilas, France.
Service des ventes :
(réservé aux grossistes, France) :
PROMEVENTE - Michel Iatca
Tél. : N° Vert : 05 19 84 57
Réassort réseau : MLP - Tél : 72 40 53 79
Prix de la reliure :
France / 59 FF ; Belgique / 410 FB ; Suisse / 19 FS ; Luxembourg / 410 FL ; Canada / 9,95 $CAN.
Distribution :
Distribué en France (MLP), au Canada, en Belgique (AMP), en Suisse (Naville S.A.), au Luxembourg (Messageries P. Kraus).
À nos lecteurs :
En achetant chaque semaine votre fascicule chez le même marchand de journaux, vous serez certain d'être immédiatement servi, en nous facilitant la précision de la distribution. Nous vous en remercions.
© 1995 Société des Périodiques Larousse.

Premiers numéros de l'encyclopédie :
1, les dauphins ; 2, le lion ; 3, le grand panda ; 4, le phoque du Groenland ; 5, le koala ; 6, le gorille ; 7, l'éléphant ; 8, la baleine ; 9, la panthère ; 10, l'aigle royal ; 11, l'ours brun ; 12, le kangourou ; 13, la marmotte ; 14, le tigre ; 15, le manchot ; 16, l'hippopotame ; 17, les abeilles ; 18, la girafe ; 19, le loup ; 20, les perroquets ; 21, les requins ; 22, le zèbre ; 23, le crocodile ; 24, la gazelle ; 25, le pélican ; 26, le jaguar ; 27, le lynx ; 28, l'hyène ; 29, le renard roux ; 30, le bison ; 31, le chacal ; 32, le puma ; 33, les hippocampes ; 34, le daim ; 35, le grand cormoran ; 36, la tortue luth ; 37, l'autruche ; 38, le hérisson ; 39, le lycaon ; 40, le buffle ; 41, la chouette effraie ; 42, les tisserins ; 43, le blaireau ; 44, le gnou ; 45, le cerf ; 46, la cigogne blanche ; 47, le macareux moine ; 48, le lièvre d'Europe ; 49, l'iguane vert ; 50, le babouin ; 51, le guépier d'Europe ; 52, les termites ; 53, l'écureuil roux ; 54, le tadorne de Belon ; 55, les étoiles de mer ; 56, les genettes.

Prochains numéros de l'encyclopédie :
n°58, le coucou ; n°59, le chat sauvage ; n°60, l'otarie de Californie ; n°61, le sanglier ; n°62, le pic épeiche ; n°63, l'opossum ; n°64, le fou de Bassan ; n°65, les tortues géantes ; n°66, le geai des chênes.

LE RHINOCÉROS

Combat ou parade ? Deux rhinocéros, tels des escrimeurs, croisent leurs cornes pour tester leur force et leurs réflexes. Derniers survivants d'une lignée prestigieuse, ils ont été impitoyablement exterminés par des braconniers sans scrupules et disparaissent peu à peu des grands espaces africains.

Cinq espèces de rhinocéros, comprenant seulement quelques milliers d'individus, vivent encore aujourd'hui en Afrique et en Asie. Il ne s'agit pourtant pas de l'extinction d'une lignée vieillissante, inadaptée au climat, à la végétation, aux aléas de la vie sauvage : ces survivants d'une famille au passé glorieux sont des animaux tout à fait à l'aise dans leur milieu naturel. Mais, face à l'homme et à ses armes de plus en plus perfectionnées, ils sont impuissants à se défendre, et leur disparition paraît pratiquement inévitable.

À l'ère tertiaire, il y a environ 40 millions d'années, la famille des rhinocérotidés — et d'autres groupes proches — a eu un foisonnement de formes rarement égalé, et quelques-unes vraiment extraordinaires. Certains ressemblaient à des chevaux et couraient sur des pieds munis de trois doigts. D'autres faisaient penser à de longs cylindres montés sur quatre petites pattes, évoquant par leur forme les hippopotames. Sans doute, ceux-là étaient-ils amphibies. D'autres, encore, arboraient de surprenantes défenses qui leur donnaient un aspect formidable. Ainsi, l'*Indicotherium* de Mongolie (appelé autrefois *Baluchitherium*), le plus grand mammifère ayant jamais existé. Cet animal mesurait de 5 à 6 m au garrot et était capable de brouter des feuilles à 8 m du sol grâce à son long cou. Il devait peser environ 30 tonnes (l'éléphant actuel en pèse au maximum 6) ; il s'est éteint il y a environ 10 millions d'années.

Les espèces actuelles datent du début de l'ère quaternaire (il y a 2 millions d'années), sauf le rhinocéros de Sumatra, très proche d'une forme déjà présente à l'ère tertiaire. Celui-ci ressemblerait au rhinocéros laineux des steppes glacées d'Europe et d'Asie, représenté sur les parois des grottes préhistoriques et éteint depuis. Les autres survivants proviennent d'une lignée qui a donné deux espèces asiatiques et deux espèces africaines. Les espèces des rameaux asiatiques et africains ont évolué indépendamment sur leurs continents respectifs.

Le rhinocéros noir était encore le plus commun des cinq espèces dans les années 1980, mais, aujourd'hui, par suite d'une chasse intensive, sa survie est extrêmement menacée. Heureusement, les mesures prises un peu partout en Afrique commencent à porter leurs fruits dans quelques réserves bien gardées, où les effectifs remontent lentement. ☐

La formidable silhouette du rhinocéros figurait déjà sur les parois des grottes préhistoriques. Une silhouette qu'on ne verra bientôt plus si rien n'est fait pour enrayer l'extermination de l'espèce. Animal mythique, convoité pour sa corne en Orient comme en Occident, il mène pourtant une vie pacifique et souvent solitaire, au milieu des grandes herbes de la savane africaine.

Solitaire, le rhinocé-
ros noir est peu enclin
à défendre le territoire
qui lui est nécessaire.
De si vastes étendues,
facilement partagées,
expliquent que les ren-
contres entre animaux
soient rares.

Pour s'accoupler, le
rhinocéros noir doit
faire preuve de
patience et amadouer
la femelle. Comme
tous les rhinocéros
noirs, celle-ci ne se
laisse pas facilement
approcher et repousse
en général violemment
les premières avances.
Le couple ne durera
pas très longtemps
après l'accouplement.

LA CORNE DE RHINOCÉROS EST-ELLE UN APHRODISIAQUE ?

L'accouplement des rhinocéros peut durer une heure et se répéter plusieurs fois par jour. Une telle vitalité, jointe à la forme suggestive de la corne, est peut-être à l'origine de la réputation d'aphrodisiaque efficace attribuée à celle-ci, semble-t-il, assez récemment. Pourtant, aucune des analyses effectuées sur différents prélèvements de cornes n'a pu mettre en évidence autre chose que de la kératine, constituant habituel de nos ongles et de nos cheveux.

Au contraire, de récentes recherches ont révélé que non seulement la corne de rhinocéros n'a aucune vertu particulière, mais que son absorption risque de provoquer l'apparition d'une lésion infectieuse redoutable : l'anthrax.

Un animal solitaire, qui cherche à éviter les conflits

■ Le rhinocéros noir est un habitué des zones de transition entre la forêt et la savane, là où abondent les buissons épineux. Dans ces larges espaces, il n'a pas souvent l'occasion de rencontrer un congénère. C'est de toute façon un animal solitaire, qui ne cherche habituellement pas à défendre son territoire. Le domaine vital occupé par un individu varie entre 3 et 90 km², selon la densité en points d'eau et en buissons épineux.

Des clans bien défendus

En Afrique orientale, dans la réserve de Ngorongoro (Tanzanie), des études ont montré que les rhinocéros noirs, malgré leur mode de vie solitaire, étaient organisés en clans. Ceux-ci regroupent quelques dizaines d'individus, mâles et femelles, qui exploitent le même point d'eau. Les résidents se connaissent et se respectent tant que les conditions restent stables. Cependant, l'agressivité peut surgir en cas de surpopulation, de diminution des ressources en eau et en nourriture ou pour toute autre cause impliquant une redistribution des domaines. Ce domaine commun à tout le clan couvre une surface moyenne de 80 km², ce qui représente un cercle d'un rayon de 5 km environ, centré sur un point d'eau, et que tous les rhinocéros du clan marquent. Ils déposent leurs urines et leurs excréments dans des lieux de défécation collectifs et éparpillent leur crottin de leurs pattes postérieures, puis, les pattes impré-

Ces oiseaux, les pique-bœufs, sont les seuls compagnons fidèles du rhinocéros pendant toute sa vie. Ils débarrassent sa peau des parasites et lui servent de sentinelles quand il dort.

gnées, ils continuent leur promenade, transportant ainsi les odeurs de tous les individus d'un bout à l'autre du domaine commun, et marquant au passage le sol et la végétation.

Pacifiques entre eux, les animaux du clan deviennent agressifs dès qu'un mâle inconnu traverse le domaine commun. Les femelles étrangères sont un peu mieux tolérées. Les animaux les plus agressifs semblent être les femelles suivies de leur petit, qui chassent tous les autres rhinocéros qui approchent.

Une cour peu romantique

Même en période de rut, la femelle rhinocéros ne se laisse pas facilement aborder. En général, les premières tentatives du mâle sont repoussées violemment. Une fois formé, non sans difficulté, le couple se maintient quelques jours, voire quelques semaines, mais jamais plus longtemps. Les deux animaux se déplacent et se nourrissent alors ensemble. Parfois même, ils se reposent l'un contre l'autre.

La cour du rhinocéros noir n'est pas très romantique : grognements, charges, coups de tête et de corne, grattages du sol, défécations et éparpillement des crottins, jets d'urine constituent l'essentiel des jeux amoureux. Ceux-ci peuvent durer des heures avant d'aboutir à l'accouplement.

On observe peu de conflits entre mâles pendant les 2 à 8 semaines que durent les chaleurs de la femelle. Chacun semble connaître son rang, les plus jeunes et les plus faibles laissant spontanément la place aux plus expérimentés. Et les rares regroupements de mâles autour d'une femelle en rut ne durent jamais très longtemps.

Après la courte période de reproduction, les rhinocéros retournent à leur vie solitaire. □

Des combats rituels... parfois préludes à l'accouplement

Cette corne, que l'on imagine redoutable, capable d'infliger les pires blessures lors des affrontements, est avant tout un moyen de faire connaître son rang.

Lorsque deux rhinocéros se rencontrent, ils se contentent de croiser leurs cornes à la manière d'escrimeurs croisant le fer, cherchant surtout à tester la force et les réflexes de l'adversaire.

Avant l'échange proprement dit, les animaux émettent parfois des grognements d'intimidation. Puis, ils se portent mutuellement des coups de cornes latéraux.

L'affrontement s'accompagne également de cris divers. Le plus souvent, l'un des rhinocéros finit par s'imposer et le combat s'arrête de lui-même.

Les rhinocéros noirs se querellent très rare-

ment entre voisins d'un même clan. Comme chez de nombreux animaux, ce n'est que lors de l'établissement des territoires que les conflits peuvent apparaître. Ensuite, les résidents se connaissent et respectent les limites des autres domaines.

Curieusement, les affrontements le plus souvent observés concernaient un mâle et une femelle. Il s'agissait probablement de préliminaires un peu rudes à l'accouplement.

Certains combats dégénèrent pourtant en assauts violents. En 1960-61 au Tsavo (Kenya), une vague de sécheresse a privé les animaux de leurs ressources habituelles. Cela a été l'origine d'affrontements sanglants, parfois même mortels. Les cornes deviennent alors de redoutables armes capables de transpercer la peau, pourtant très épaisse, des rhinocéros. En effet, lorsque l'agression est réelle, les coups sont portés de bas en haut avec l'intention évidente de blesser.

Modérément agressif envers ses congénères, le rhinocéros noir peut l'être beaucoup plus à l'égard d'un autre animal ou de l'homme. Il lui arrive de charger, corne en avant, de façon totalement imprévisible et sans provocation, attaquant même des véhicules ou de pacifiques éléphants.

Les épines ne lui font pas peur pour trouver sa nourriture favorite

■ Le rhinocéros noir a un don très particulier : il est capable de saisir les feuilles et les rameaux des buissons épineux au moyen de sa lèvre supérieure, pointue et préhensile (voir encadré). Cette faculté lui permet d'exploiter la brousse à acacias, dissuasive pour tout autre que lui. Il est vrai que son cuir épais le protège de la piqûre des épines. Il sait également utiliser ses deux cornes pour casser ou mettre à portée de sa bouche les feuilles des branches un peu hautes. Strictement végétarien, son régime alimentaire est composé de 200 plantes différentes réparties en 50 familles. Il consomme par exemple les espèces des genres *Commiphora, Grewia, Cordia, Lannea* et *Adenia*. Il semble particulièrement apprécier l'euphorbe candélabre au suc amer,

acide et gluant, la sansevière et l'aloès. Il consomme à l'occasion des melons d'eau. Mais ses préférences vont aux plantes du genre *Acacia*.

Une étude sur l'alimentation du rhinocéros noir a été faite en 1960 en Tanzanie, dans la forêt de Lerai. Cette forêt, située dans le cratère du Ngorongoro, et particulièrement riche en *Acacia xanthophloe*, hébergeait jusqu'à 23 individus sur 2,6 km² seulement, dont 17 apparemment résidents. Une telle densité d'animaux est malheureusement devenue impossible aujourd'hui. L'espèce ne se nourrit pas uniquement de buissons épineux, elle cueille également les petits rejets d'arbres, entretenant de la sorte les prairies de graminées. Le rhinocéros noir ne dédaigne pas les fruits, cueillis ou

ramassés, et broute à l'occasion l'herbe de la savane.

Au Ngorongoro, un comportement alimentaire original a été remarqué : les rhinocéros consommaient des crottins de gnous. On pense qu'il s'agirait d'un moyen de rééquilibrer leur alimentation grâce aux oligo-éléments et aux sels minéraux qu'ils contiennent. Il se peut aussi que les crottins, qui contiennent encore quelques éléments nutritifs, servent de complément quantitatif en cas de pénurie.

Toujours à proximité d'un point d'eau

Le rhinocéros est un animal qui transpire. Or, les buissons épineux sont peu riches en eau. Pour compenser ses pertes en eau dues à la transpiration, l'animal doit boire chaque jour, parfois plusieurs fois par jour.

Dans les régions quasi désertiques, en Namibie par exemple, les animaux s'adaptent au milieu et peuvent rester jusqu'à trois ou quatre jours sans s'abreuver. Mais lorsqu'ils trouvent un point d'eau, ils ne s'en éloignent guère et limitent leur aire d'activité pour rester à proximité.

Pendant la saison humide, en revanche, les points d'eau sont plus fréquents et la nature abonde en plantes riches en eau. Les rhinocéros parcourent alors de plus vastes étendues à la recherche de nourriture.   □

Progressant sans aucune gêne apparente, le rhinocéros doit parfois se frayer un passage à travers des buissons épineux. Adapté à ce milieu hostile, il crée de véritables sentiers, exploités par d'autres animaux qui sont incapables de traverser de telles zones.

En saison sèche, le rhinocéros noir limite son activité à un rayon de quelques kilomètres autour des points d'eau permanents qu'il partage avec les membresdeson« clan ».

LA LÈVRE PRÉHENSILE

La lèvre supérieure, pointue, épaisse mais très mobile, du rhinocéros noir lui permet de saisir avec la même dextérité les branches épineuses des buissons d'acacia et les trèfles sauvages poussant sur le sol. Grâce à ce remarquable outil, les enchevêtrements de végétation ne lui font pas peur.
Il peut ingurgiter à chaque bouchée une bonne quantité de feuilles coriaces et de rameaux dont les épines ne semblent pas le blesser. Elles sont broyées, comme le reste, par deux rangées de larges molaires agissant comme des meules. Le rhinocéros noir est une des rares espèces capables d'exploiter une telle végétation délaissée par les autres animaux.

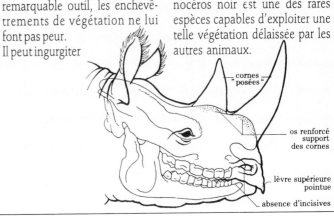

cornes "posées"

os renforcé support des cornes

lèvre supérieure pointue

absence d'incisives

Inséparables pendant deux ans : la mère et son petit

■ Plus d'un an après sa conception, 460 jours en moyenne, le petit rhinocéros vient au monde, sans corne. En milieu naturel, les naissances ont lieu tout au long de l'année, le plus souvent entre la saison des pluies et le milieu de la période de sécheresse. Cette période de plus fortes naissances correspond à des accouplements plus fréquents en saison humide. La mise bas observée en captivité ne semble pas très difficile. Qu'en est-il dans la nature ? Les observations manquent.

À la naissance, le petit rhinocéros ne pèse que 40 kg, soit environ 4 % du poids de sa mère ; quelques minutes après, il se tient déjà debout et, très vite, apprend à se déplacer de façon autonome.

La femelle reste quelques jours cachée dans les buissons avec son petit, avant de l'emmener avec elle. Très irritable durant les premières semaines de la vie de son rejeton, elle réagit à la moindre alerte, prête à le défendre contre les ennemis éventuels.

Plusieurs fois, des bandes de hyènes tachetées ont été observées harcelant une femelle et son petit jusqu'à ce que celui-ci s'éloigne suffisamment de sa mère. Hors d'atteinte des redoutables coups de corne de l'adulte, les prédateurs se ruent alors sur la jeune victime incapable de se défendre. Pour ne pas tomber dans le piège, la femelle cherche à s'interposer le plus efficacement possible entre les agresseurs et son petit. Plus tard, celui-ci apprendra à reculer contre elle pour faire front, de chaque côté, à l'ennemi. On a quelquefois observé cette attitude chez des adultes, en présence d'un danger mal localisé.

Une mère vigilante

Lors de la progression dans les buissons épineux, le petit à la peau encore fragile marche derrière sa mère, mais celle-ci reste vigilante. À la moindre alerte, il vient se placer à ses côtés. Le jeune rhinocéros est plus agile qu'il n'en a l'air. Il joue parfois avec la végétation, chargeant et poursuivant des ennemis imaginaires. Lorsque la population était plus nombreuse, les jeunes de plusieurs femelles jouaient ensemble. Un tel spectacle a pratiquement disparu de l'Afrique.

Le petit tète sa mère pendant environ deux ans. À cet âge, il est devenu tellement grand qu'il doit se coucher pour atteindre les deux mamelles situées entre les pattes postérieures. Les cornes ne commencent à pousser vraiment qu'après le sevrage.

Durant les deux premières années de la vie des jeunes rhinocéros noirs, la mortalité pour causes naturelles (accidents, prédation, maladies, malnutrition) atteindrait 16 % des naissances par an. Ce taux descend à 9 % entre 5 et 25 ans. Au Ngorongoro (Tanzanie), dans les années 1960, on pense que 28 % des femelles présentes mettaient bas chaque année. Autant dire que le renouvellement de la population était assuré, même en tenant compte des prédateurs et des maladies.

Le jeune rhinocéros quitte sa mère dès qu'elle donne naissance à un nouveau petit. Le plus souvent, il se rapproche d'autres jeunes pour former de petits groupes temporaires. Sa maturité sexuelle est atteinte vers 4 ans pour une femelle, 6 ou 7 ans pour un mâle. Sa croissance se poursuit jusque vers l'âge de 7 ans. Dans la nature, la femelle devra attendre d'avoir de 5 à 7 ans pour donner naissance à son premier petit. Le mâle ne peut s'accoupler avant l'âge de 10 ans, après avoir acquis un rang social suffisamment élevé. Jusque-là, les mâles plus âgés, dominants, l'écarteront toujours des femelles en chaleur. □

Tous les rhinocéros apprécient les bains de boue. Ils cherchent à se rafraîchir en périodes de fortes chaleurs. Ces bains ont cependant une autre fonction : recouvrir leur corps d'une couche de boue qui les protège des piqûres d'insectes. La femelle éviterait de prendre des bains de boue lorsqu'elle allaite son rejeton, sans doute pour des raisons d'hygiène ; mais le petit, lui, adore profiter de tous les trous ou flaques, qu'il rencontre.

Le jeune rhinocéros ne quitte pas sa mère pendant les deux premières années de sa vie. À l'abri de la masse imposante et des redoutables cornes. En effet, il bénéficie d'une protection efficace tant que ses cornes ne sont pas poussées, il peut difficilement se défendre tout seul contre ses prédateurs.

Double page suivante :
Le rhinocéros peut dormir tranquille, les pique-bœufs montent la garde.

Le rhinocéros, 11

Rhinocéros noir
Diceros bicornis

■ Malgré son allure massive, le rhinocéros noir fait preuve d'une certaine agilité quand il court. Ses charges à quelque 50 km/h contre des intrus sont spectaculaires. Mais, comme il ne distingue pas grand-chose à plus de 30 m et qu'il ne se dirige qu'à l'odeur, le moyen le plus sûr pour l'éviter consiste à effectuer un bond de côté au dernier moment.

C'est un strict végétarien, capable d'ingurgiter quotidiennement une grande quantité de nourriture, environ 2 % de son poids en végétaux secs. Sa lèvre supérieure, préhensile, saisit sans difficulté les feuilles et les rameaux ligneux. Il les broie avec ses molaires larges et plates qu'il frotte les unes contre les autres. Même les épines de 10 cm sont écrasées et avalées.

Les fermentations bactériennes de l'intestin accélèrent la digestion des fibres végétales, mais le rhinocéros, comme le cheval, ne rumine pas.

Ainsi que de nombreux herbivores de la savane, le rhinocéros noir se livre à des bains de boue ou de poussière, autant pour se rafraîchir que pour se débarrasser des parasites. Sa peau, très épaisse, comporte dans sa partie externe un épiderme sensible qui attire les insectes piqueurs et suceurs de sang comme le moustique. La gangue de boue n'est pas seulement un écran contre les piqûres d'insectes, elle écrase les tiques en séchant. En traversant des buissons d'épines, le rhinocéros élimine le tout.

Comme il aime aussi se rouler dans les cendres des feux de bivouac, il a acquis la réputation, sans doute légendaire, d'être attiré par le feu. On a observé des rhinocéros éparpillant des braises avec leurs cornes.

Le biologiste Kingdon a pu identifier un animal spécifique aux marques qu'il avait laissées en se roulant dans les cendres d'un feu récemment éteint.

Le rhinocéros est le seul animal capable de traverser un massif végétal hérissé de piquants sans aucune gêne apparente. Sous son épiderme, il possède une couche très épaisse à l'épreuve des pointes les plus acérées.

Mais le rhinocéros noir a tendance à emprunter toujours les mêmes itinéraires dans ses déplacements, lorsqu'il se rend quotidiennement à son point d'eau, par exemple. À force de repasser systématiquement aux mêmes endroits, il creuse de véritables sentiers dans les massifs de buissons épineux. Ces sillons sont une aubaine pour d'autres animaux qui craignent les épines.

Même si quelques mâles se regroupent parfois autour d'une femelle en rut, les rhinocéros noirs

RHINOCÉROS NOIR	
Nom (genre, espèce) :	*Diceros bicornis*
Famille :	Rhinocérotidés
Ordre :	Périssodactyles
Classe :	Mammifères
Identification :	Le plus « léger », par sa silhouette, des cinq espèces actuelles de rhinocéros. 2 cornes nasales, 3 doigts à chaque pied, lèvre supérieure pointue et préhensile
Taille :	De 3 à 3,75 m (tête et corps), plus la queue : 0,70 m ; hauteur au garrot : de 1,40 à 1,50 m (mâle et femelle) ; corne antérieure : 55 cm (moyenne)
Poids :	De 1 à 1,8 t (mâle et femelle comparables)
Répartition :	Afrique, au sud du Sahara et en dehors de la grande forêt. Réduction catastrophique récente
Habitat :	Savanes boisées entre la forêt et les savanes herbacées
Régime alimentaire :	Végétarien strict, mangeur de rameaux dont l'acacia
Structure sociale :	Apparemment non territorial et peu social
Maturité sexuelle :	Environ 5 ans
Saison de reproduction :	Peu marquée. Femelles fécondables plutôt pendant le début de la saison des pluies
Durée de gestation :	Environ 460 jours
Nombre de petits par portée :	1 (on ne connaît pas de cas de jumeaux)
Poids à la naissance :	40 kg environ
Longévité :	De 40 à 50 ans
Effectifs, tendances :	Quelques centaines seulement. Effondrement catastrophique en moins de dix ans
Statut, protection :	Classé en annexe I de la CITES (Convention de Washington) : commerce interdit
Remarques :	Fait l'objet d'une chasse d'extermination pour la corne vendue en Asie (Yémen et Asie du Sud-Est). Protection rapprochée des survivants aujourd'hui nécessaire. Record : corne antérieure de 1,40 m au Kenya

Oreilles.
En forme de tubes et très mobiles, elles garantissent une bonne audition.

Yeux.
Petits et enfouis dans les replis de la peau. Situés sur le côté, ils empêchent l'animal de voir de face.

Cornes.
La corne antérieure est d'environ 10 cm plus grande que la postérieure.

Pieds.
Munis de 3 doigts, ils laissent une empreinte en forme de trèfle.

vivent le plus souvent isolés. Le couple mère-petit est le seul lien étroit et durable que l'on ait constaté entre deux rhinocéros.

La mère donne naissance à un seul petit à la fois. L'intervalle entre deux naissances varie de 2 à 4 ans. Le petit est nourri par un lait très pauvre en calories, deux fois moins riche que le lait de vache, et un des moins énergétiques parmi les laits de mammifères.

Lorsqu'il naît, le petit n'a pas encore de cornes. Elles pousseront en deux ou trois ans, bien avant qu'elles ne servent pour les affrontements entre individus.

Parfois très agressifs à l'égard d'un autre animal, les rhinocéros noirs ne se battent presque jamais entre eux, et les affrontements rituels avec frottements de cornes et cris divers sont peu fréquents.

Si l'animal marque son domaine, c'est plutôt au moyen de ses excréments et de son urine, déposés dans des lieux de défécation communs à plusieurs animaux d'un même clan.

Éparpillant les crottins avec ses pattes postérieures, il transporte les marques olfactives d'un bout à l'autre du domaine, imprégnant au passage le sol et la végétation. C'est également grâce à son urine que la femelle en chaleur pourra attirer les mâles.

L'odorat est le sens le plus développé chez le rhinocéros ; c'est l'un des plus perfectionnés du règne animal. Pour approcher un rhinocéros, il est indispensable de se placer à contrevent.

L'ouïe est très fine, grâce à ses oreilles en forme de tube qui s'orientent dans tous les sens. Elles lui servent à repérer un danger, mais aussi à capter les sons émis par des congénères. Que ce soient des appels entre la mère et son petit ou bien des grognements et des cris divers lors d'affrontements, les signaux sonores ont une importance certaine, quoique encore mal connue, dans la communication entre animaux.

Sa vue est fort basse ; ses yeux, placés latéralement, obligent l'animal à tourner la tête pour regarder vraiment de face. □

Signes particuliers

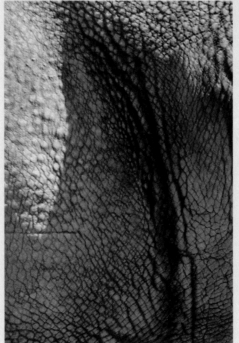

Peau
Bien que très ferme, la peau du rhinocéros est fragile. Protégeant le derme, couche épaisse à l'épreuve des épines de la brousse, se trouve l'épiderme, très apprécié de nombreux insectes. Les pique-bœufs, oiseaux insectivores, aident le rhinocéros à se débarrasser de ces suceurs de sang.

Cornes
Au nombre de deux, les cornes sont formées de kératine, comme nos ongles et nos cheveux, et n'ont ni support osseux, ni attache anatomique. Elles sont, en moyenne, longues de 55 cm. Si elles se brisent, elles repoussent en deux ou trois ans.

Doigts
Le rhinocéros est un périssodactyle, un animal dont l'axe de symétrie de la patte passe par le troisième doigt. Ce doigt médian est le plus fort et permet à l'animal de trotter avec une certaine agilité.

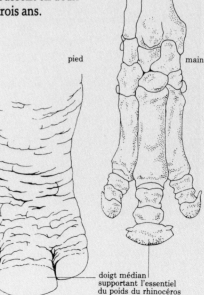

pied   main

doigt médian
supportant l'essentiel
du poids du rhinocéros

Les autres rhinocéros

■ En plus du rhinocéros africain, il existe quatre autres espèces de rhinocéros au monde : une espèce vivant aussi en Afrique, le rhinocéros blanc, et trois espèces asiatiques dont les effectifs sont très réduits. Certaines ont deux cornes comme le rhinocéros noir : ce sont le rhinocéros de Sumatra et l'autre rhinocéros africain, le rhinocéros blanc. Le rhinocéros de Java et le rhinocéros indien n'ont qu'une corne.

La population totale pour ces quatre espèces est de moins de 8 000 individus répartis dans le monde, qui, tout comme le rhinocéros noir, risquent de disparaître totalement.

RHINOCÉROS INDIEN

Rhinoceros unicornis

Il est un peu plus grand que le rhinocéros noir : 2 m au garrot, et il pèse entre 1,5 t et 2 t.

Identification : une corne unique, plus petite que celles de ses cousins africains. Il se reconnaît facilement à l'impressionnante cuirasse qui lui sert de peau. De véritables plaques délimitées par des plis de peau bien marqués lui font comme une sorte d'armure.

Répartition : localisé dans quelques réserves autour du Gange et du Brahmapoutre, au pied de l'Himalaya. Le parc national de Kaziranga héberge à lui seul plus de la moitié de l'effectif mondial (2 000 environ). Quelques centaines au Népal, localisées surtout dans le parc national royal de Chitwan (plaine du Terai). Pour tenter de préserver l'espèce, le gouvernement népalais a adopté la solution originale et apparemment efficace d'offrir les animaux morts naturellement dans les réserves à la population des villages voisins pour éviter les massacres inutiles.

Les inondations consécutives à la mousson sont une des causes de la mortalité des rhinocéros indiens. Elles ont pour origine les déboisements massifs de toutes les pentes de l'Himalaya.

Habitat : près de l'eau, voire dans l'eau ; dans les vallées humides et inondables.

Alimentation : essentiellement l'herbe des prairies des bords des fleuves. Il apprécie aussi le riz, au grand dam des paysans locaux. Il saisit sa nourriture grâce à sa lèvre supérieure préhensile qu'il peut aussi retrousser pour brouter l'herbe.

Comme les rhinocéros noirs, les animaux se partagent un domaine, chacun des résidents disposant d'environ 6 km². Une hiérarchie s'établit entre les mâles du clan, à l'avantage d'un dominant qui seul s'accouple avec les femelles en chaleur. Les parades nuptiales sont, chez cette espèce aussi, bruyantes et énergiques. De même que chez son cousin africain, on retrouve les lieux de défécation communs et très peu de conflits entre membres du clan.

L'agression envers un étranger au domaine se traduit par de réelles blessures infligées par les incisives pointées vers l'avant.

Effectifs : 2 000 individus environ (estimations).

RHINOCÉROS DE JAVA

Rhinoceros sondaicus

Assez petit, pas plus de 1,20 m au garrot ; il pèse environ 1,6 t.

Identification : cuirassé, comme le rhinocéros indien, il se distingue de celui-ci par une disposition différente des plis de la peau. Il a une seule corne. C'est un mangeur de rameaux, de fruits et de feuilles d'arbres.

Répartition : Asie, réserve d'Udjong Kulon, à l'extrémité occidentale de l'île de Java. Plus récemment, on a retrouvé au Viêt-nam une petite population paradoxalement épargnée par la guerre, semble-t-il.

Il remplaçait le rhinocéros indien dans la presqu'île indochinoise de la Birmanie jusqu'à Java.

Habitat : les forêts, depuis le niveau de la mer jusqu'à 2 000 m.

Effectifs : 50 environ (réserve d'Udjong Kulon), 10 à 15 individus au Viêt-nam.

La rareté de l'espèce et le milieu fermé dans lequel elle vit rendent les observations difficiles. On pense que les mâles utilisent leur urine plus que leurs crottins pour marquer les sentiers forestiers.

Rhinocéros de Sumatra

Rhinocéros de Java, à une corne

Rhinocéros indien, à une corne

RHINOCÉROS DE SUMATRA

Didermoceros sumatrensis

C'est le plus petit des cinq rhinocéros : moins de 1 m à 1,5 m au garrot pour 1 t environ.

Identification : seule espèce asiatique munie de deux cornes et le seul des rhinocéros à être recouvert d'un pelage clairsemé. On l'a apparenté d'ailleurs au rhinocéros laineux des périodes glaciaires.

Répartition : mal connue ; Sumatra, Bornéo, la Malaisie continentale et la Birmanie.

Habitat : forestier ; capable de gravir des pentes assez raides jusqu'à 2 000 m d'altitude.

Effectifs : de 500 à 1 000 individus (estimations).

RHINOCÉROS BLANC

Ceralotherium simum

Deuxième plus grand mammifère terrestre actuel, après l'éléphant : de 1,5 à 1,85 m au garrot ; il pèse de 2,3 à 3,6 t (respectivement de 1,4 à 1,5 m et de 1 à 1,8 t pour le rhinocéros noir).

Identification : espèce africaine. Sa corne antérieure, la plus longue des deux, mesure 65 cm en moyenne (55 cm pour le rhinocéros noir), avec un record homologué à 1,58 m. Bosse massive sur le dos, à hauteur du cou. Il se distingue du rhinocéros noir non par sa couleur, qui est identique, mais par la forme de sa bouche, droite et large, adaptée au broutement de l'herbe.

Répartition : en Afrique, sur deux aires complètement disjointes. Au nord, l'espèce se rencontrait du lac Tchad au Nil Blanc. En 1980, on en comptait 821 sur cinq pays : Tchad, Zaïre, Ouganda, Soudan, République centrafricaine. La population est descendue à 17 individus pour remonter dernièrement à une vingtaine dans le parc national de la Garamba au Zaïre. Au sud, on n'en trouvait que quelques dizaines en 1920 au Natal (Afrique du Sud). Aujourd'hui, il vit essentiellement dans les réserves d'Umfolezi et d'Hluhluwe.

Habitat : comme il broute l'herbe, abondante partout, son domaine est beaucoup moins étendu que celui du rhinocéros noir. Moins solitaire, il est aussi nettement plus territorial. Les mâles résidents, parfois 5 au km², marquent leur territoire avec leurs crottins et leur urine. Les rencontres sont fréquentes, donnant lieu à des affrontements ritualisés avec frottements de cornes et jets d'urine en arrosoir, vers l'arrière.

Effectifs : plus de 4 000 individus, surtout en Afrique du Sud et au Zimbabwe.

Bouche du rhinocéros blanc

Rhinocéros blanc à deux cornes

Milieu naturel et écologie

■ La réduction de l'aire de répartition du rhinocéros noir est, en Afrique, une des plus catastrophiques que l'on connaisse. À de rares exceptions près, qui ne dureront pas longtemps, on ne le rencontre plus que dans des réserves surveillées, voire entièrement fermées. Les destructions des années 1980 restent l'exemple parfait de l'inefficacité totale des mesures de protection.

Initialement, le rhinocéros noir devait habiter une vaste surface en Afrique, depuis la Guinée à l'ouest jusqu'à la Somalie à l'est et, de là, jusqu'au cap de Bonne-Espérance, en contournant le bloc forestier zaïrois. Vers le nord, la frange sahélienne devait limiter sa progression en raison de la rareté des arbres et arbustes. En 1990, la situation des espèces change à chaque instant. Entre le moment où ce texte sera écrit et celui où il sera lu, un certain nombre de populations auront disparu. Paradoxalement, ce sont les populations les plus abondantes qui ont souffert le plus. Il ne reste pratiquement plus aucun rhinocéros des 3 000 animaux tanzaniens ou

des 500 kenyans encore présents en 1984. Les quelques dizaines d'animaux du Cameroun ou de la République centrafricaine sont en effet moins attrayants, car moins « rentables » à chasser que les populations plus denses de l'Est africain. Les informations actuelles sur l'écologie de l'espèce sont donc toutes issues d'études passées. Les seuls endroits où on peut encore étudier le rhinocéros noir sont l'Afrique du Sud, le Zimbabwe et l'ouest de la Namibie. Partout ailleurs, il est aujourd'hui trop tard.

Autrefois répandu depuis le niveau de la mer jusqu'à 3 000 m d'altitude, le rhinocéros noir pouvait côtoyer de nombreuses espèces. Les herbivores bénéficiaient de sa présence à plus d'un titre. Ils profitaient des passages creusés au travers des buissons pour se rendre vers les zones de graminées inaccessibles autrement. De plus, le rhinocéros consomme régulièrement les pousses d'arbres en lisière des bois et maintient ainsi un équilibre entre les zones herbacées et les surfaces boisées.

Un compagnon indispensable à certains animaux

Le rhinocéros est presque toujours vu en compagnie de groupes d'oiseaux appartenant à deux genres : le héron garde-bœuf et les pique-bœufs. Le premier est un petit héron (*Bubulcus ibis*) largement répandu à la surface de la planète, présent jusqu'en France. Il se reconnaît à son plumage presque blanc et à son bec jaune. Il se nourrit de sauterelles et de criquets, de la même couleur que l'herbe, immobiles et pratiquement invisibles dans les herbes de la prairie que les grands herbivores, en se déplaçant, font bouger. Le passage des rhinocéros les lui rend plus faciles à capturer.

Les garde-bœufs accompagnent les bovins en Camargue, les zébus à Madagascar ainsi que les rhinocéros africains.

Les pique-bœufs (*Buphaga africanus* et *Buphaga erythrorhynchus*) se perchent sur les rhinocéros et les grands ongulés et se nourrissent de leurs parasites externes. Ils sont très fréquents sur les rhinocéros où, apparemment, la nourriture est abondante. De plus, ils nettoient les blessures de leur peau en consommant les tissus morts autour des plaies. Le rhinocéros se prête avec complai-

sance à ces opérations chirurgicales. Tous ces oiseaux ont une autre fonction : en cas de danger, ils s'envolent bruyamment, alertant ainsi leur hôte.

Une autre catégorie d'animaux vit en association étroite avec le rhinocéros : il s'agit des bousiers, insectes coléoptères se nourrissant des crottins d'herbivores. Leur rôle est fondamental car ils font disparaître les excréments et recyclent les éléments qu'ils contiennent. Sans cet éparpillement, l'herbe ne repousserait pas si facilement sous les amas de crottins, et le renouvellement de la végétation serait plus lent. Les différentes espèces de bousiers sont spécialisées dans l'utilisation des crottins de tel ou tel herbivore. Seuls les plus grands peuvent s'occuper des déchets des rhinocéros ou des éléphants, façonnant une boule de la taille d'une balle de tennis dans laquelle la femelle pond ses œufs.

Le rhinocéros tisse donc des relations avec de nombreux animaux de la savane. Il entretient les pâturages pour les herbivores, aménage des sentiers dans les massifs épineux, participe à l'alimentation des pique-bœufs, des hérons garde-bœufs et des bousiers. Qu'il disparaisse, et c'est tout un réseau d'interactions qui s'effondre. □

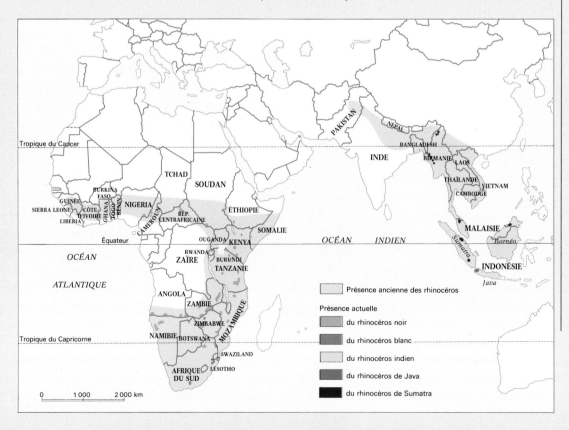

Aires de répartition. *Autrefois présents dans toute l'Afrique au sud de la frange sahélienne, les rhinocéros noirs subsistent aujourd'hui au Cameroun, République centrafricaine, Tanzanie, Kenya, Afrique du Sud, Zimbabwe et Namibie ; et le rhinocéros blanc dans quelques réserves. Le rhinocéros indien se rencontrait autrefois jusqu'à la plaine de l'Indus. Il ne vit plus qu'en Inde et au Népal. Celui de Java vit dans la réserve de Udjong Kulon et au Viêt-nam, et celui de Sumatra en populations éparses.*

Présence ancienne des rhinocéros

Présence actuelle
du rhinocéros noir
du rhinocéros blanc
du rhinocéros indien
du rhinocéros de Java
du rhinocéros de Sumatra

0   1 000   2 000 km

Pourquoi un tel acharnement contre les rhinocéros ?

Le massacre des rhinocéros est le signe de notre impuissance à gérer les grands espaces africains. Il est probable que certains pays ne reverront jamais l'espèce. Heureusement, dans certaines réserves, on assiste à une légère progression du nombre de rhinocéros, qui serviront — on peut l'espérer — à repeupler la savane.

La corne des rhinocéros responsable des massacres

■ Il y a peu d'exemples, avec celles de l'éléphant, de destructions aussi massives et aussi systématiques que celles des rhinocéros. Aujourd'hui, les seuls animaux survivants se trouvent à l'abri d'enclos gardés.

Le schéma ci-dessous résume le sort des rhinocéros noirs depuis le début du siècle.

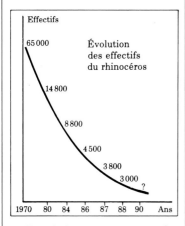

Effectifs

65 000

14 800

8 800

4 500

3 800

3 000

?

Évolution des effectifs du rhinocéros

1970 80 84 86 87 88 90 Ans

L'effectif de 1988 correspond à moins de 5 % de celui de 1970 ! Le plus extraordinaire est de penser que les animaux sont tués exclusivement pour leurs cornes qui sont vendues seulement hors d'Afrique.

Un cimetière de cornes, voilà tout ce qui reste des rhinocéros africains. La solution pour les sauver est-elle de les capturer et de les enfermer dans des réserves, comme le montre la photo de droite ?

Toutes les traditions et coutumes associées au rhinocéros et à ses produits viennent d'Asie. Autrefois, quand les hommes étaient moins armés, la clientèle moins étendue et les rhinocéros asiatiques plus nombreux, les médecins traditionnels s'approvisionnaient sur place, dans la vallée du Gange ou dans les forêts de la péninsule indo-malaise. En raison de la chute des effectifs des rhinocéros en Asie, la chasse s'est étendue aux rhinocéros africains, presque décimés maintenant.

Quelles seraient donc les vertus de cette corne ? Il semble que, dans ce domaine, de l'Inde à la Chine les idées n'aient pas manqué, toutes attribuant à la corne un pouvoir protecteur ou curatif.

Autrefois, les princes indiens se devaient de boire dans une coupe creusée dans la corne d'un rhinocéros. La légende raconte que la coupe se brisait en deux si un ennemi y avait versé du poison. On affirmait également qu'une corne de rhinocéros placée sous le lit d'une femme enceinte facilitait l'accouchement.

Une autre tradition voulait que l'on guérisse une morsure de serpent en plaçant sur la blessure un petit morceau de corne.

L'urine de l'animal aurait aussi des pouvoirs : un petit flacon accroché à l'entrée d'une maison protège les habitants contre les mauvais esprits, les fantômes et les maladies. Sachant cela, les guérisseurs continuent aujourd'hui de recueillir l'urine en se servant là où il est facile de se la procurer, c'est-à-dire auprès des soigneurs des jardins zoologiques népalais et indiens. Ce petit commerce fait gagner de l'argent à tout le monde sans aucun risque pour l'espèce.

Toutes ces pratiques, qui ne donnaient pas lieu à des massacres en règle, ont permis pendant longtemps la cohabitation du rhinocéros et de l'homme. Il n'en est pas de même depuis que la corne est vendue comme aphrodisiaque. Cette vertu illusoire est à l'origine de la flambée du marché : le kilogramme de poudre valait environ 30 000 dollars américains à la fin des années 1980.

Un autre commerce s'est développé au Yémen du Nord. La corne, entière cette fois, est richement décorée et utilisée comme étui du poignard traditionnel, le jambia. Les Yéménites, enrichis par le marché du pétrole, n'hésitent plus à se procurer à prix d'or cet objet de prestige (500 000 dollars américains la corne). La raréfaction des animaux a entraîné une flambée des prix qui n'a pas découragé la clientèle yéménite. Le braconnage africain n'en a été que plus actif.

Aujourd'hui, cependant, une certaine baisse de la demande de produits à base de rhinocéros semble se dessiner en Asie. D'une part, la baisse des effectifs rend les approvisionnements de plus en plus difficiles ; d'autre part, il existe des commerçants malhonnêtes ! En effet, la rumeur s'étend auprès des consommateurs que les marchands, pour vendre plus, mélangent la véritable corne de rhinocéros avec de la corne de vache pilée ; et les clients doutent de l'efficacité de ce produit « frelaté ». Pour une fois, la légende aurait-elle un effet positif ? □

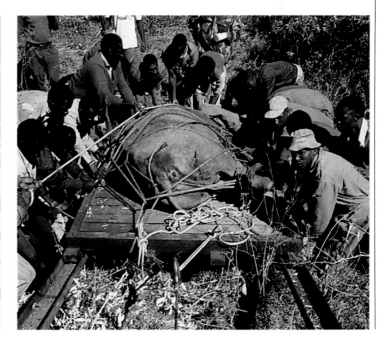

Les mesures de protection en Afrique

■ Les menaces pesant sur les rhinocéros sont telles que leur sauvetage nécessite des interventions rapides, mais lourdes et coûteuses, sur le terrain. Les animaux d'Afrique du Sud sont actuellement correctement protégés. Dans ce pays, le rhinocéros blanc a été sauvé *in extremis* et on dénombre aujourd'hui un effectif de 4 000 individus, le plus élevé pour les cinq espèces.

Les rhinocéros noirs ne sont pas encore aussi nombreux, mais, au parc Kruger comme dans les réserves du Natal, ainsi que dans Addo Elephant Park, dans la province du Cap, les effectifs commencent à remonter. À terme, il sera peut-être possible de repeupler d'autres réserves bien protégées à partir de ces animaux.

Il a été récemment démontré que les rhinocéros originaires du Kenya, du Zimbabwe et d'Afrique du Sud étaient, génétiquement, suffisamment proches pour permettre d'éventuels croisements.

La Namibie comptait 40 animaux en 1980. Des mesures de protection efficaces ont permis de faire remonter les effectifs à 100 individus en 1988. Pourtant, 16 animaux ont été tués en 1989. Face à cette menace, il a été décidé de couper les cornes des animaux et de le faire savoir, afin de décourager les braconniers. L'opération n'est simple ni pour les rhinocéros, ni pour les gestionnaires de la faune, et dangereuse pour les animaux, qui supportent mal l'anesthésie, et se retrouvent sans aucun moyen de défense, surtout les mères.

Comme la corne repousse en deux à trois ans, le travail sera à refaire. Il est donc convenu que l'on cautérisera la base de la corne pour l'empêcher de repousser.

Au Zimbabwe, les braconniers ont fait environ 700 victimes entre 1984 et 1987. Depuis 1986, les animaux encore présents dans la vallée du Zambèze sont transportés par hélicoptère vers des zones plus sûres.

Enfin, au Kenya, les survivants des grands massacres ont été remisés dans de petites réserves sous haute surveillance dans le courant de l'année 1988. Depuis, les effectifs se sont stabilisés.

Les derniers rhinocéros vivant en liberté sont apparemment ceux du Cameroun et de la République centrafricaine. Certains ont encore été vus en 1989. Sont-ils bien protégés ? Faut-il les capturer également avant qu'il ne soit trop tard ? Il reste que le bilan de vingt ans de massacres intensifs est réellement impressionnant.

Pour plusieurs milliers d'animaux massacrés, on en a sauvé quelques dizaines. Les années qui viennent seront cruciales pour l'avenir des rhinocéros.   □

Des conséquences économiques graves sur le tourisme

■ La détermination des braconniers est à la mesure des gains qu'ils retirent de leur chasse au rhinocéros et de la vente des cornes. Le parc national de Meru au Kenya venait d'acquérir six rhinocéros blancs pour le plus grand plaisir des touristes. Ceux-ci posaient fièrement à côté des animaux, paisibles comme des vaches normandes. On pouvait même les caresser sans risque. Tous les soirs, ils étaient rentrés dans un parc fermé et gardé. Pendant la journée, un garde armé faisait office de berger. Cette protection rapprochée fut pourtant insuffisante.

La nuit du 30 octobre 1988, un commando vint abattre les six animaux sous les fenêtres du bâtiment de l'administration du parc. Très bien armés, les braconniers n'eurent aucune difficulté à prélever les cornes des rhinocéros massacrés.

Depuis, au Kenya, les gardes ont ordre de tirer à vue sur toute personne suspecte dans les parcs. Cette flambée de violence s'explique par le fait qu'en plus du désastre écologique se profile un désastre économique. Le tourisme, orienté sur le spectacle de la faune, est l'industrie principale du pays. Si les parcs sont vidés d'animaux sauvages ou, pis, jonchés de cadavres blanchis au soleil, les visiteurs — et donc l'argent — vont se raréfier.

L'économie du pays dépend donc essentiellement de la protection de sa faune sauvage, richesse universelle.

Jusqu'à présent, les rhinocéros africains étaient largement valorisés par le tourisme. Avec l'intensification du braconnage de la grande faune (éléphants et rhinocéros, entre autres) et l'insécurité grandissante dans les parcs, les pays qui vivaient de leurs grands espaces naturels ont laissé disparaître une grande partie de leur potentiel sans vraiment assurer leur avenir.

La protection des rhinocéros restera difficile en Afrique car tout le trafic échappe aux pays de ce continent. Il est peut-être plus simple de faire protéger les rhinocéros unicornes du Népal parce que les habitants des villages voisins savent qu'ils pourront bénéficier de la viande des animaux morts accidentellement dans l'enceinte des réserves.   □

Un des rhinocéros blancs, cadeau de l'Afrique du Sud au parc de Meru au Kenya, broute paisiblement à côté de son gardien. Le 30 octobre 1988, l'animal et les cinq autres rhinocéros du parc ont été assassinés par des braconniers et leurs cornes arrachées.

HAECKEL
(Ernst)

Potsdam 1834 - Iéna 1919

Naturaliste allemand

Haeckel, dont les ouvrages eurent en leur temps un grand retentissement, entreprit de reconstituer l'histoire de la vie sur la Terre au prix d'extrapolations souvent hardies.

■ Ce combattant intrépide de l'évolutionnisme, qui a maintes fois failli transformer le champ clos des querelles scientifiques en pugilats, a eu une carrière universitaire paisible. Né à Potsdam, où son père remplissait les fonctions de conseiller du gouvernement, il a d'abord fait sa médecine avant de se vouer à la zoologie. Il devient en 1862 professeur d'anatomie et directeur de l'Institut zoologique d'Iéna, où une chaire de zoologie est créée pour lui en 1865. Il occupera ce poste jusqu'à sa retraite, en 1909. L'essentiel de ses travaux scientifiques a porté sur les invertébrés. Outre les radiolaires, il a particulièrement étudié les éponges et les méduses. Au cours de sa carrière, il a décrit environ quatre mille espèces nouvelles d'animaux marins inférieurs.

Le 19 septembre 1863, Ernst Haeckel, alors jeune professeur de l'université d'Iéna, prend la parole au congrès des naturalistes rassemblés à Stettin. Tout le monde s'attend à ce qu'il traite d'une de ses spécialités, les radiolaires, protozoaires aquatiques aux formes merveilleuses, mais il aborde un sujet très controversé : la théorie du darwinisme. Le livre de Darwin, *De l'origine des espèces*, vient d'être traduit en allemand, et a choqué beaucoup d'esprits conservateurs. Mais il a enthousiasmé Haeckel, qui se fait aussitôt l'un des plus zélés propagateurs de la théorie de l'évolution. Il va même plus loin. Par peur du scandale, le traducteur allemand de l'ouvrage avait supprimé l'unique phrase où il est question de l'origine de l'homme ; Haeckel, lui, ne craint pas d'aborder le sujet et de parler d'une ascendance simiesque pour notre espèce. La polémique est lancée ; il va en déchaîner d'autres.

Dans sa *Morphologie générale*, parue en 1866, il reprend et généralise la théorie de Fritz Müller, autre naturaliste allemand, selon laquelle le développement embryonnaire d'un être vivant actuel reproduirait le développement généalogique de l'espèce à laquelle cet être appartient. On sait aujourd'hui que la « loi biogénétique fondamentale » de Haeckel est erronée, mais elle a eu le mérite de susciter la naissance de l'embryologie comparée, et de conduire à des découvertes importantes. Haeckel a aussi construit l'arbre généalogique des êtres organisés en partant de l'apparition du premier germe de vie par voie de génération spontanée. En passant par les amphibiens du carbonifère, les monotrèmes, les marsupiaux, les prosimiens, puis par les singes, il en arrive à l'« homme-singe », encore muet, puis à l'homme, doté de la parole.

Comme la loi biogénétique fondamentale, l'arbre généalogique établi par Haeckel n'a pas survécu aux données apportées par la science du XXᵉ siècle. Certains ouvrages du naturaliste allemand — l'*Histoire de la création des êtres organisés d'après les lois naturelles*, l'*Anthropogénie ou Histoire de l'évolution humaine* et surtout les *Énigmes de l'univers* — atteignent à l'époque d'énormes tirages, car sa façon de retracer l'histoire de la vie comme celle d'une prodigieuse épopée lui vaut la faveur du grand public. Ses collègues scientifiques sont souvent plus réticents ou franchement hostiles. On lui reproche, à juste titre, d'extrapoler à partir d'hypothèses insuffisamment étayées par les faits. Dans les dernières années du XIXᵉ siècle, d'ailleurs, Haeckel s'oriente de plus en plus vers la philosophie. Il affirme l'unité fondamentale de la nature organique et inorganique, de l'esprit et de la matière (doctrine moniste). Pour lui, par exemple, la psychologie n'est qu'une branche de la physiologie et chaque cellule a des propriétés « psychiques ». □

> « *Spécialiste des éponges et des méduses, cet universitaire paisible fut un défenseur intrépide de l'évolutionnisme.* »

MI-SINGE MI-HOMME ?

Dans un chapitre demeuré célèbre de son *Histoire de la création des êtres organisés d'après les lois naturelles*, Haeckel traite des singes et des ancêtres de l'homme. Il affirme qu'il a existé une « forme intermédiaire » entre les grands singes et notre espèce. Il donne même un nom à cette créature hypothétique, *Pithecanthropus* (du grec *pithêkos*, singe, et *anthrôpos*, homme). Chose extraordinaire, le pithécanthrope va bientôt se matérialiser. En 1891-1892, en effet, le médecin néerlandais Eugène Dubois découvre à Trinil, dans l'île de Java, une calotte crânienne, un fémur et deux dents d'un être qu'il croit être précisément le fameux chaînon manquant. Il en publie la description en 1894 et baptise sa trouvaille *Pithecanthropus erectus*, en hommage à Ernst Haeckel. Celui-ci savoure son triomphe et son autorité scientifique en est renforcée. Cependant, les recherches ultérieures sur l'« ancêtre de Java » ont montré qu'il est moins ancien qu'on le pensait, et surtout qu'il s'agissait bien d'un homme et non d'un « intermédiaire » malgré sa faible capacité crânienne, son front très fuyant, ses fortes arcades sourcilières et sa mandibule massive s'effaçant à la hauteur du menton.

VIE SAUVAGE

ENCYCLOPÉDIE LAROUSSE DES ANIMAUX

le daim

Familier
des grands parcs
Une vie à trois
Des robes variées

DOMADAIRE   N° 34

LAROUSSE

L 3411 -   34 - 19,50 F-

137 FB / 5,90 FS / 137 FL / 2,95 $ CAN

Avec VIE SAUVAGE,
la nouvelle encyclopédie Larousse des animaux,
découvrez la vraie vie des animaux sauvages du monde entier.

Chaque semaine, partez à la rencontre d'un nouvel animal. Surprenez-le dans son intimité, grâce à des photos fortes, prises sur le vif par de grands reporters. Apprenez à connaître son comportement et ses mœurs, racontés par les plus grands experts de la faune sauvage : scènes de chasse, bains, premiers pas des petits… Vous découvrirez les grands principes écologiques de la lutte pour la vie et de l'équilibre de la nature.

Constituez-vous une collection complète des animaux sauvages du monde entier, en les regroupant selon les 11 grands milieux naturels où ils vivent :

Savanes et prairies : éléphant, lion, girafe, bison, kangourou…
Forêts tropicales : tigre, orang-outan, jaguar, perroquet…
Forêts de conifères : loup, aigle royal, lynx, hermine…
Forêts de feuillus : koala, renard, cerf, sanglier, coucou…
Mers et océans : dauphin, baleine, requin, pieuvre…
Côtes marines : otarie, tortue géante, fou de Bassan, iguane…
Rivières et fleuves : hippopotame, loutre, flamant rose, castor…
Étangs et marais : pélican blanc, crocodile, vison, libellule…
Montagnes : grand panda, condor, ours brun, macaque japonais…
Déserts et steppes : guépard, caméléon, criquet, scorpion…
Toundras et glaces : phoque, caribou, bœuf musqué, manchot…

VIE SAUVAGE est édité par la
SOCIÉTÉ DES PÉRIODIQUES
LAROUSSE (S.P.L)
1-3, rue du Départ - 75014 Paris
Tél. : 44 39 44 20

Directeur de la publication :
Bertil Hessel

Directeur éditorial :
Claude Naudin, Françoise Vibert-Guigue

Directeur de la collection :
Laure Flavigny

Edition :
Brigitte Bouhet, Catherine Nicolle

Direction artistique :
Henri Serres-Cousiné

Direction scientifique :
Christine Sourd, docteur en écologie,
Conservation Officer au WWF-France

Conception graphique et mise en pages :
Frédérique Longuépée, Blandine Serret

Couverture :
Gérard Fritsch, Simone Matuszek

Correction-révision :
Service de lecture-correction de Larousse

Documentation iconographique :
Anne-Marie Moyse-Jaubert,
Marie-Annick Réveillon

Composition :
Michel Vizet

Fabrication :
Jeanne Grimbert

Service de presse :
Suzanna Frey de Bokay

VENTES

Directeur du marketing et des ventes :
Édith Flachaire

Service abonnement Vie Sauvage :
68, rue des Bruyères, 93260 Les Lilas.
Tél. : (1) 48 97 81 90
Étranger, établissements scolaires, n'hésitez pas à nous consulter.

Vente en France des numéros déjà parus :
Envoyez votre commande avec un chèque
à l'ordre de SPL de 25,50 F par fascicule et de 71 F
par reliure à : RIF-SPL, 25 rue Chassagnolle,
93260 Les Lilas, France.

Service des ventes :
(réservé aux grossistes, France) :
PROMEVENTE - Michel Iatca
Tél. : N° Vert : 05 19 84 57

Réassort réseau : MLP - Tél : 72 40 53 79

Prix de la reliure :
France / 59 FF ; Belgique / 410 FB ; Suisse / 19 FS ;
Luxembourg / 410 FL ; Canada / 9,95 $CAN.

Distribution :
Distribué en France (MLP), au Canada, en
Belgique (AMP), en Suisse (Naville S.A.), au
Luxembourg (Messageries P. Kraus).

À nos lecteurs :
En achetant chaque semaine votre fascicule
chez le même marchand de journaux,
vous serez certain d'être immédiatement servi,
en nous facilitant la précision de la distribution.
Nous vous en remercions.
© 1994 Société des Périodiques Larousse.

SOMMAIRE

N° 34 LE DAIM

Forêts de feuillus

LE DAIM ET SES ANCÊTRES 1

LA VIE DU DAIM
Des hardes indépendantes 4-5
Écorces, fruits ou graminées selon la saison 6-7
Les arènes des mâles 8-9
Une structure sociale à trois 10-11

POUR TOUT SAVOIR SUR LE DAIM
Daim 14-15
Daim de Mésopotamie 16
Milieu naturel et écologie 17
LE DAIM ET L'HOMME 18-20

DICTIONNAIRE DES SAVANTS DU MONDE ANIMAL
Paul Belloni Du Chaillu

Premiers numéros de l'encyclopédie :
1, les dauphins ; 2, le lion ; 3, le grand panda ;
4, le phoque du Groenland ; 5, le koala ; 6, le
gorille ; 7, l'éléphant ; 8, la baleine ; 9, la panthère ;
10, l'aigle royal ; 11, l'ours brun ; 12, le kangourou ;
13, la marmotte ; 14, le tigre ; 15, le manchot ;
16, l'hippopotame ; 17, les abeilles ; 18, la girafe ;
19, le loup ; 20, les perroquets ; 21, les requins ;
22, le zèbre ; 23, le crocodile ; 24, la gazelle ; 25, le
pélican ; 26, le jaguar ; 27, le lynx ; 28, l'hyène ;
29, le renard roux ; 30, le bison ; 31, le chacal ;
32, le puma ; 33, les hippocampes.

PROCHAINS NUMÉROS DE L'ENCYCLOPÉDIE :

n°35 : le grand cormoran

n°36 : la tortue luth

n°37 : l'autruche

n°38 : le hérisson

n°39 : le lycaon

LES TEXTES DE CE NUMÉRO ont été rédigés par François Moutou, docteur vétérinaire, Maisons-Alfort ; Mauricette Vial-Andru ; Monique Madier.

DESSINS de Guy Michel. CARTE de Edica.

SCHÉMA de Thierry Chauchat.

PHOTO DE COUVERTURE : Couple de daims. Phot. Mc Carthy G. - Bruce Coleman.

CRÉDITS PHOTOGRAPHIQUES p. 1, 6/7b et 15h, Meyers S. - Ardea ; p. 2/3, 4/5, 5, 8, 8/9h, 8/9b, 10/11h, 11 et 18, Simon D. et S. ; p. 4, Blossom J. - NHPA ; p. 6/7h, Arthus-Bertrand - Jacana ; p. 7, Heathcote T. - Oxford Sc. Films ; p. 10/11b, Gissey - Cogis ; p. 12/13, Purcell A. - Bruce Coleman ; p. 14, Reinhard H. - Bruce Coleman ; p. 15b, Blossom J. - NHPA ; p. 16, Kerneis-Dragesco -

Jacana ; p. 18/19, Cayless D. et S. - Oxford Sc. Films ; p. 20, Bowman C. - Scope.

3e de couv : gorilles. Pl. extr. de *l'Afrique sauvage : nouvelles excursions au pays des Ashangris*, par Paul du Chaillu, 1868. Phot. Bibl. du Museum d'histoire naturelle, Paris.

Photocomposition : Dawant. Photogravure : Graphotec. Impression : R.E.G. Dépôt légal 4e trimestre 1994.

LE DAIM

Avant la dernière glaciation, le daim était largement répandu en Europe et en Asie Mineure. Puis il disparaît presque complètement. Depuis, il a reconquis peu à peu une grande partie de son ancienne répartition durant les derniers millénaires, considérablement aidé par l'homme qui l'a réintroduit pour le chasser. Aujourd'hui, devenu l'ornement des parcs d'agrément, il ne vit plus guère à l'état sauvage dans nos régions.

L'ordre des artiodactyles est essentiellement représenté par les cervidés et les bovidés, deux familles de ruminants à cornes. Les restes fossiles retrouvés attestent la présence de cervidés en Europe dès le miocène (entre 30 et 10 millions d'années). Chez *Euprox,* une espèce de petite taille, les mâles possèdent des canines supérieures développées et des bois simples qui reposent sur une tige osseuse persistante. Au cours de leur évolution, ces cervidés d'Europe et d'Asie grandissent, leurs canines diminuent et disparaissent, le pédicule osseux se raccourcit et les bois se ramifient. Herbivores ruminants parfaitement adaptés aux forêts tempérées, ils prospèrent pendant tout le pliocène, puis, au début du pléistocène — il y a environ deux millions d'années —, cette lignée se diversifie et deux branches apparaissent, les cerfs, *Cervus,* et les daims, *Dama* (plus particulièrement l'espèce *Dama nestii,* en Europe). Sur ce continent, depuis l'Irlande jusqu'à la Sibérie, les divers *Dama* côtoient, à cette époque, une sorte de daim géant, *Megaceros,* dont les bois atteignent parfois 3,50 m d'envergure, mais dont on ignore les liens de parenté avec *Dama.*

Très proche du daim actuel mais nettement plus grand que lui, sans toutefois atteindre la taille de *Megaceros, Dama clactoniana* vivait il y a 250 000 ans dans ce qui est aujourd'hui la Grande-Bretagne. Les fossiles retrouvés dans toute l'Europe occidentale et datés de la dernière période interglaciaire (qui se termine il y a environ 120 000 ans), sont ceux d'animaux de même taille que les daims actuels. Mais le daim disparaît peu à peu de toute son aire de répartition du pléistocène, pendant la dernière glaciation de Würm, et, il y a 10 000 ans, au début de notre époque, il ne subsiste qu'en petites populations éparses en Asie Mineure.

Ce sont les Grecs, et sans doute d'autres peuples avant eux, qui ont réintroduit l'espèce dans de nombreux pays d'Europe où elle est maintenant très apprivoisée et vit dans les parcs et les jardins. Les dernières populations de daims sauvages dans le monde sont les quelques dizaines de daims de Mésopotamie, *Dama mesopotamica,* confinés à la frontière Iran-Iraq, et très menacés. □

Les bois des daims atteignent leur plénitude en juillet-
août. Puis le sang ne venant plus irriguer le velours qui a
permis leur croissance, celui-ci se déssèche peu à peu,
entraînant sans doute des démangeaisons qui incitent les
animaux à frotter sans cesse leur ramure à tout ce qu'ils
rencontrent, pour se débarrasser de cette peau morte. Les bois
sont alors prêts pour les affrontements et le rut, à l'automne.

Des hardes indépendantes

■ Les daims se rassemblent parfois en groupes d'une centaine d'animaux, mais, le plus souvent, la taille des hardes est moindre. Chez les mâles, les hardes se divisent en petits groupes rarement constitués de plus de 6 animaux, de tous âges, et sans relations particulières entre eux. Chez les femelles, la harde se forme autour d'une daine adulte et de son petit et, éventuellement, de ses filles des années précédentes. Elle est de taille très variable et peut regrouper plusieurs dizaines d'animaux. Les jeunes faons mâles restent généralement dans le même groupe que leur mère jusqu'à ce qu'ils atteignent l'âge de 18 mois. Ils rejoignent alors les hardes de mâles célibataires, dont la composition fluctue en cours d'année.

De novembre à janvier, les mâles sont plus souvent solitaires, puis, de février à septembre, ils se retrouvent de nouveau par 4 ou 3, mais rarement à plus de 6, changeant de groupe au gré de leurs déplacements. Habituellement en octobre, les daims se rapprochent des daines et restent parfois auprès d'elles en novembre et décembre puis ils passent quelque temps solitaires.

À l'inverse, c'est en juin que les hardes de femelles sont le plus éclatées, car chaque daine cherche à s'isoler pour mettre bas. Après les naissances, ces groupes se reconstituent. Mais, là aussi, leur composition peut changer à tout moment.

Animal peu territorial, le daim se déplace beaucoup, explorant tout autant la forêt que les prairies et les pelouses à proximité des bois. Selon les ressources du milieu, la densité de daims varie de 8 à 43 animaux pour 100 ha. Les surfaces exploitées par une harde ou par un individu ne sont ni délimitées ni marquées et recoupent celles d'autres troupeaux ou animaux solitaires. L'es-pace vital nécessaire à une femelle occupe en moyenne 70 ha et celui d'un mâle 110 ha. En hiver, la surface peut doubler, les animaux devant prospecter beaucoup plus loin pour se nourrir.

Les études de divers spécialistes, en Grande-Bretagne, en France et en Nouvelle-Zélande, ont montré que les hardes changeaient d'habitat au gré des saisons, passant des forêts de feuillus à celles de conifères, mais exploitant toute l'année les allées forestières et les clairières. ☐

VARIATION SAISONNIÈRE DE L'HABITAT

Dans le parc de New Forest en Grande-Bretagne, quatre milieux sont habités : les prairies, la forêt de feuillus, la forêt de conifères, les allées forestières et les clairières. La forêt de feuillus est exploitée plutôt en automne et au printemps. La forêt de conifères est surtout visitée en hiver et en été.

printemps 20% 3% 27% 50%

hiver 33% 10% 20% 37%

- ▦ clairières
- ▤ feuillus
- ☐ prairies
- ≡ conifères

Les daims ont aujourd'hui peu de rivaux sur les vastes espaces qu'ils occupent, mais, dans les hardes, quelques daines sont toujours en alerte, prêtes à fuir dès qu'un bruit les effraie.

Pendant l'été, la moindre égratignure du velours recouvrant les bois (à droite) attire des nuées d'insectes suceurs de sang ou de nymphes, qui importunent les daims.

Dans les zones relativement boisées, les deux sexes vivent en hardes séparées. Dans les hardes de femelles, qui se composent des mères, de leurs filles et de leurs jeunes jusqu'à 18 mois, les animaux ont des activités synchrones. Sans diriger les autres daines du groupe, la femelle dominante les entraîne. C'est cette daine, souvent âgée et expérimentée, qui initie les activités de la harde. Cette sorte de hiérarchie n'existe pas chez les mâles.

Selon les époques de l'année, les daims cueillent plus qu'ils ne broutent les graminées dont ils se nourrissent. En été, lorsque leurs bois croissent, ils s'alimentent beaucoup, accumulant des réserves avant le rut.

Les hardes ne regroupent pas seulement des animaux à la robe brun-roux et tachetée de blanc, mais aussi des individus noirs, blancs ou blonds, moins sauvages que les autres.

Écorce, fruits ou graminées selon la saison

■ Sous nos climats, le daim se montre plus diurne que le cerf et peut se nourrir pratiquement toute la journée, avec, cependant, 3 pics d'activité : le matin, au milieu de la journée et le soir. Pour ruminer, il se couche généralement dans un endroit bien dégagé, d'où il surveille attentivement les alentours. Pour dormir, il s'abrite et se cache dans la forêt. Il rabat parfois sa tête le long de son flanc et prend alors une position rappelant celle du chien. Il cherche aussi le couvert lorsqu'il se sent traqué. Il allonge sa tête et son cou devant lui, sur le sol, et s'immobilise, tentant ainsi de passer inaperçu. Il ne prendra la fuite qu'au dernier moment, si le danger se précise.

Capable d'assimiler des végétaux très différents, le daim broute et cueille sa nourriture. L'essentiel de son alimentation se compose de graminées, de champignons et de lichens. En Nouvelle-Zélande, il consomme aussi bien des végétaux importés d'Europe ou d'Asie que des plantes indigènes.

Au fil des saisons, sa robe varie

en même temps que son alimentation. En été, le pelage du dos et des flancs, brun-roux tacheté de points blancs, se fond parfaitement dans un champ de blé dont le daim coupe les têtes des épis aussi nettement que le ferait une faux. L'hiver, le pelage des daims s'épaissit et s'assombrit, prenant une teinte brun-gris uniforme. Les taches s'estompent, le ventre blanc crème devient grisâtre. Seul, le contraste noir et blanc de l'arrière du corps persiste.

En automne, en plus des glands et des faines, les daims consomment des châtaignes et des marrons d'Inde. En hiver, ils élargissent leur choix et broutent des rameaux de buissons ou d'arbres, dont ils recherchent les bourgeons et les feuilles : saules, peupliers, cornouillers, fusains d'Europe, troènes, chênes, hêtres, bouleaux. Ils broutent aussi les ronciers, le lierre, les framboisiers. Au printemps, en Alsace, la neige recouvre encore le sol ou bien la forêt et les prairies sont inondées par les crues. Les daims arrachent alors l'écorce des arbres, car c'est l'époque de la montée de sève. Leurs écorces préférées sont celles des peupliers, des saules, et surtout l'écorce mince et juteuse des frênes et des érables. □

RÉGIME ALIMENTAIRE À NEW FOREST

De mars à septembre, les graminées entrent pour 60 % dans le régime alimentaire du daim. Elles ne représentent plus que 20 % au cœur de l'hiver. À cela s'ajoutent des plantes herbacées non graminées et des feuilles d'arbres. En automne, glands et faines représentent un apport important, quoique variable d'une année sur l'autre.

En plein hiver, quand les fruits et les graines sont épuisés, le daim se rabat sur le houx, les ronces, la bruyère, les rameaux de conifères. La proportion de nourriture cueillie augmente par rapport à la proportion de nourriture réellement broutée.

Comme tous les ruminants, le daim se couche pour digérer herbes et feuilles cueillies au cours des heures précédentes. Il choisit souvent de s'installer à découvert, dans l'herbe d'une prairie, afin de pouvoir observer l'approche de quiconque, ami ou ennemi, sans être surpris. Les oiseaux posés sur son dos s'envoleront à la moindre alerte. Ces pauses entre deux quêtes de nourriture ont lieu dans la matinée et dans l'après-midi.

Les arènes des mâles

■ L'accouplement du daim repose sur la conquête, par les mâles, de places particulières, plus ou moins espacées les unes des autres selon la densité des populations, que l'on appelle « arènes ».

Il arrive que les postes des mâles soient rapprochés et que 8 ou 9 animaux voisinent sur seulement quelques centaines de mètres carrés. Ces arènes sont alors connues sous le nom de « lek ». Pour les conquérir, les affrontements entre mâles sont assez fréquents. Des animaux peuvent être mortellement blessés lors de ces combats, même si cela est rare. En règle générale, ces derniers, très ritualisés, ont lieu entre animaux de taille et de corpulence comparables. Si ce n'est pas le cas, le plus jeune ou le plus faible cède le pas devant le plus grand.

L'approche des femelles

Les mêmes sites sont fréquentés année après année, un mâle retrouvant son emplacement habituel, où viennent le rejoindre les mêmes femelles que l'année précédente puis leurs filles. En Europe occidentale, la pleine période du rut du daim a lieu durant la seconde quinzaine du mois d'octobre. Bramant afin d'attirer les femelles, les mâles font entendre leurs appels pratiquement jour et nuit, bien avant d'avoir choisi une arène. Lorsqu'ils l'ont conquise ou reconquise, ils attendent l'approche des femelles, alliant à leurs appels des signaux visuels et olfactifs.

Marquer sa présence par des dépôts de sécrétions sur les hautes herbes ou sur les branches est l'une des grandes occupations du daim en rut. À cette époque, les mâles se font remarquer par leurs mouvements incessants, leurs cris et les herbes accrochées à leur front.

Le daim marque les arbres alentour en y frottant ses bois. Très excité, il urine, creuse le sol avec ses sabots et se couche dans la dépression ainsi formée.

Quand les daines traversent une zone occupée par un mâle, ce dernier cherche à les retenir en tournant autour d'elles. Il s'intéresse à celles qui sont en chaleur. Les préliminaires sont simples : reniflements du cou, du dos, de la croupe de la femelle et tentatives de chevauchement. Les accouplements sont brefs et se succèdent, mâle et femelle émettant des grognements particuliers.

Lorsque les animaux vivent en troupeaux mixtes toute l'année, notamment dans des paysages très ouverts, il n'y a pas d'arènes de reproduction, et les querelles de mâles sont rares, ceux-ci couvrant les femelles réceptives qu'ils rencontrent.

Au début de novembre, le rut cesse. Le calme revient. Les mâles entament une vie de solitaires pendant quelques semaines pour reconstituer leurs réserves de graisse, afin d'aborder l'hiver dans de bonnes conditions. Cependant, ils restent féconds et s'accouplent avec des daines non couvertes pendant le rut ou d'autres qui, ayant perdu leur embryon précocement, connaissent une nouvelle période de chaleurs. □

Sur le territoire, la présence d'un mâle exclut celle des autres mâles. Si un rival se présente, c'est l'affrontement. Chacun doit stationner sur son territoire. Sur les arènes de reproduction, on peut voir jusqu'à 30 mâles.

Pendant quelques semaines, à l'automne, le daim accueille, sur l'arène qu'il défend, son harem composé de plusieurs daines de tous âges et souvent parentes entre elles.

Durant sa première année de vie, le faon reste à proximité de sa mère et du daguet ou de la dainette, qui, nés l'année précédente et de la même mère, veillent sur lui. En naissant, il porte déjà la robe dorée et tachetée de blanc de son espèce.

Le jeune faon est précoce, à peine né, et encore tout humide, il tente de se dresser sur ses pattes frêles. Il y parvient en général après quelques minutes.

Une structure sociale à trois

■ La fécondité des daines est élevée. Même lorsque la population est dense, 90 % au moins des femelles se reproduisent. En automne, celles-ci ont plusieurs cycles. Toutefois, leur réceptivité se prolonge sans doute après novembre, car on observe des naissances très tardives, en été, voire à l'automne suivant. Pendant le rut, le cycle sexuel de la femelle dure 21 jours et elle est fécondable une quinzaine d'heures. Elle se reproduit pour la première fois à 16 mois (la maturité étant plus tardive chez le mâle), puis tous les ans. Cependant, l'ovulation est liée à son état général. Au-dessous d'un certain poids, elle n'est plus féconde.

Un jeune généralement unique

Si la fécondation a eu lieu en octobre, la naissance survient en juin, après 32 semaines de gestation, soit 230 jours environ. Les chiffres les plus précis sont de 229 plus ou moins 2,7 jours ! La saison normale des mises-bas s'étend, en fait, de mai à juillet. La daine ne met au monde qu'un seul faon.

Un peu avant la mise-bas, la femelle s'éloigne du reste de la harde, accompagnée du jeune de l'année précédente, mais, le moment venu, elle écarte celui-ci, qui reste seul quelque temps. À la naissance, le faon pèse entre 4,5 kg en moyenne, dans les troupeaux anglais de New Forest, et 2,5 kg dans ceux vivant en Alsace. Précoce, il tente de se lever dès les premières minutes de sa vie. Au bout de 2 heures, il commence à se mouvoir avec maladresse. Pendant tout ce temps, la femelle le lèche. C'est la période d'imprégnation qui crée le lien entre le jeune et sa mère.

Un sevrage progressif

Le lait de la daine est nettement plus riche en matières grasses que celui de la vache : 12,6 % de lipides contre 3,6 % en moyenne chez cette dernière ; 6,5 % de protéines et 6,1 % de sucres (lactose).

Dès l'âge de 2 ou 3 semaines, le faon goûte la végétation, mais certains jeunes animaux tètent encore à 9 mois. À New Forest, 90 % des faons boivent encore le lait de leur mère à 7 mois, bien que le rythme et l'importance des tétées soient nettement diminués.

En août, deux mois après la naissance, la femelle accepte de reprendre avec elle son petit de l'année précédente. Elle vit alors avec ses deux jeunes. Lors des déplacements, le plus jeune faon marche derrière sa mère, mais devant la dainette ou le daguet.

La mortalité est importante chez les jeunes faons de moins de un an. Le premier hiver prélève son tribut et la mort peut frapper 25 % des jeunes de l'année. Au-delà de un an, les chances de survie augmentent.

La croissance du daim n'est pas très rapide. Quand le poids de naissance est compris entre 4 et 5 kg, le jeune daguet atteint entre 19 et 32 kg à un an, et entre 50 et 80 kg à 3 ans, lorsqu'il est adulte. Les femelles sont plus légères. Leur poids varie avec le climat et les ressources. La densité de population l'année de leur naissance conditionne également la croissance des jeunes, qui se ralentit au-dessus de 10 animaux à l'hectare. Un femelle arrive à sa taille définitive vers 6 ans, un mâle vers 9 ans.

Dans la nature, les daims vivent de 8 à 10 ans et les daines 16 ans, contre 20 ans en captivité. □

Pendant la tétée, le jeune daim expose le dessous blanc de sa queue. Cela stimule sa mère qui lui lèche la région anale. Ce léchage favorise le transit intestinal du petit et renforce les liens entre la mère et son jeune.

Double page suivante :
Les premiers jours de sa vie, le jeune daim se couche de tout son long dans un fourré ou dans les hautes herbes. Bien caché, il échappe ainsi à la vue perçante des grands rapaces. Dépourvu d'odeur, il n'attire pas les mammifères carnivores.

Daim
Dama dama

■ Élégant dans sa robe tachetée, le daim est un cervidé de taille moyenne, reconnaissable à ses bois palmés volumineux. Quatre couleurs de robe se rencontrent dans les troupeaux, mais cela est dû à une sélection par l'homme des variations naturelles. Dans celle de type sauvage, les taches disparaissent en hiver, alors qu'elles persistent toute l'année dans la forme blonde, et qu'elles ne sont presque jamais visibles dans les formes noire et blanche. Toutes portent une ligne dorsale médiane sombre.

De profil, le mâle se reconnaît, dès l'âge de trois ans, à la touffe de poils qui prolonge l'étui pénien. Cette touffe est particulièrement développée pendant le rut. Celle de la femelle, située sous la vulve, peut mesurer 12 cm de long. Le daim mue 2 fois l'an, de la fin de septembre au début de novembre et de mai à juin.

Les daims mâles et femelles disposent de glandes odorantes de 3 types : les larmiers, ou glandes sous-orbitales, sur la tête, les glandes interdigitales et, aux pattes postérieures, les glandes métatarsales. Les glandes interdigitales sont actives pendant toute la vie de l'animal, chez les deux sexes. Elles sont fonctionnelles dès les premières semaines de vie. La région péri-anale est riche de glandes sudoripares et de glandes sébacées. Enfin, des glandes se développent sur l'étui pénien du mâle pendant le rut.

Le cycle de croissance des bois du mâle est sous la dépendance des hormones sexuelles et est totalement lié à la période de spermatogenèse qui dure environ d'août à mars. Le déclenchement de la chute ou de la repousse semble lié à la longueur de l'éclairement diurne au cours des saisons. Chez le daguet, les premières pousses apparaissent entre 5 et 12 mois. Elles se limitent à une simple bosse ou atteignent une vingtaine de centimètres de long sous la forme de pointes simples. Les 2ᵉ ou 3ᵉ têtes ont

DAIM	
Nom (genre, espèce) :	*Dama dama*
Famille :	Cervidés
Ordre :	Artiodactyles
Classe :	Mammifères
Identification :	Cervidé de taille moyenne ; robe fauve tachetée de blanc ; queue assez longue ; bois en palette chez les mâles
Taille :	Tête et corps : de 140 à 180 cm ; queue : de 14 à 24 cm ; hauteur au garrot : de 80 à 90 cm ; mâles plus grands
Poids :	Mâles : de 50 à 90 kg, femelles : de 40 à 60 kg
Répartition :	Largement introduit dans le monde entier
Habitat :	Forêts matures bordées de prairies herbacées
Régime alimentaire :	Herbivore généraliste, surtout brouteur
Structure sociale :	Hardes de mâles et de femelles séparées le plus souvent ; rut sur des arènes ou « leks »
Maturité sexuelle :	16 mois (femelles) ; plus tardive chez les mâles
Saison de reproduction :	Rut fin du mois d'octobre en Europe occidentale
Durée de gestation :	De 225 à 234 jours
Nombre de jeunes par portée :	1 ; jumeaux : moins de 1 % des gestations
Poids à la naissance :	De 2,5 à 5 kg
Longévité :	20 ans en captivité. Record : 32 ans
Effectifs :	200 000 animaux (estimations). Nombreux élevages
Statut, protection :	Espèce élevée en parc, donc relativement protégée

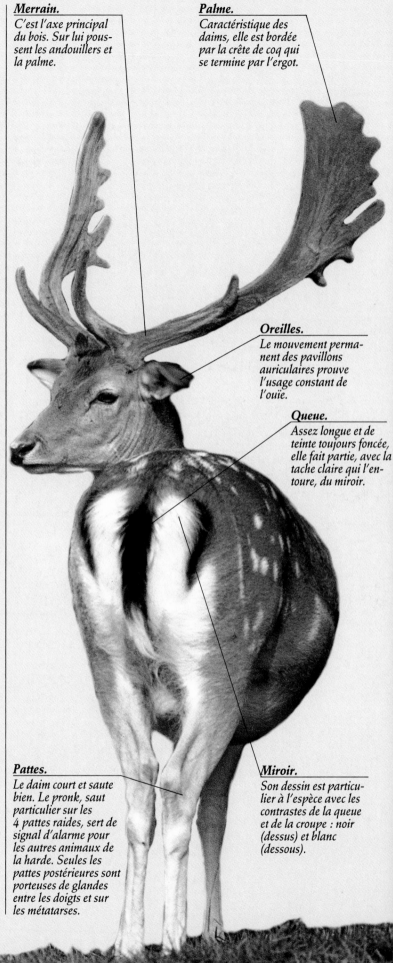

Merrain.
C'est l'axe principal du bois. Sur lui poussent les andouillers et la palme.

Palme.
Caractéristique des daims, elle est bordée par la crête de coq qui se termine par l'ergot.

Oreilles.
Le mouvement permanent des pavillons auriculaires prouve l'usage constant de l'ouïe.

Queue.
Assez longue et de teinte toujours foncée, elle fait partie, avec la tache claire qui l'entoure, du miroir.

Pattes.
Le daim court et saute bien. Le pronk, saut particulier sur les 4 pattes raides, sert de signal d'alarme pour les autres animaux de la harde. Seules les pattes postérieures sont porteuses de glandes entre les doigts et sur les métatarses.

Miroir.
Son dessin est particulier à l'espèce avec les contrastes de la queue et de la croupe : noir (dessus) et blanc (dessous).

parfois des extrémités poreuses, car le velours peut s'en aller avant la minéralisation complète de la pointe. À partir de la 3ᵉ ou 4ᵉ année, la palmure caractéristique de l'espèce apparaît, et les bois sont complètement développés chez les daims de 5 ou 6 ans. Leur croissance est très rapide ; tombés entre avril et juin, ils ont déjà repoussé en août-septembre. Les animaux les plus âgés perdent les leurs avant les plus jeunes, mais leur velours disparaît plus tard que celui de ces derniers. Les bois s'épaississent plus qu'ils ne grandissent à mesure que l'animal prend de l'âge et, chez le daim adulte, mesurent de 63,5 à 94 cm le long de la grande courbure, avec une envergure de 30,5 à 76 cm. Ils reposent sur des pivots qui font partie de l'os frontal et apparaissent dans l'année qui suit la naissance des jeunes. Longs d'environ 4 cm au début, ils s'élargissent sans s'allonger les années suivantes. Au-delà de 12-13 ans, ils commencent à régresser : on dit que la tête « ravale ».

L'allure normale du daim est le pas ou le trot. En cas de besoin, il galope. Inquiet, il pratique un saut très particulier sur ses quatres pattes raides, le pronk. Après quelques bonds, il s'arrête pour identifier la source de dérangement. Si elle se confirme, il part en courant. Il nage et saute bien, mais il passe sous une branche basse ou une barrière plutôt que par-dessus, sauf s'il est poursuivi. Bien qu'il détecte vite tous les mouvements autour de lui, il distingue très mal les objets immobiles un peu éloignés. Son ouïe et son odorat semblent plus aigus.

Pendant le rut, seuls les mâles brament constamment. Leurs appels sont chevrotants et moins graves que ceux du cerf. Les femelles sont généralement silencieuses, mais une femelle suitée peut aboyer si elle suspecte un danger. Le faon bêle jusqu'à 6 mois environ quand il cherche sa mère ou qu'il est alarmé. Pour le rassurer, elle lui répond sur le même ton. Enfin, les daims tapent du pied lorsqu'ils sont dérangés.□

Signes particuliers

Dents
À la mâchoire supérieure, les incisives sont remplacées par un simple bourrelet gingival. Les 2 canines inférieures ont la forme d'incisives. La formule dentaire par demi-mâchoire est : I 0/6 ; C 0/2 ; PM 3/3 ; M 3/3.

Miroir
On appelle « miroir » la queue et la tache blanche cernée de noir qui l'entoure sur l'arrière-train. Ce signal optique favorisant le regroupement de la harde se distingue nettement de ceux du cerf et du chevreuil, qui n'ont pas de noir, et dont le fond n'est pas aussi régulièrement blanc.

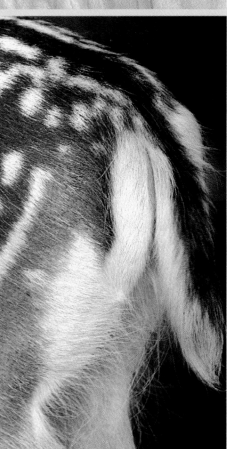

Larmier
Située dans l'os lacrymal, cette glande préorbitale produit une sécrétion que le daim dépose sur la végétation de son arène pendant le rut.

Larynx
Il est très proéminent, en particulier chez les mâles. C'est la pomme d'Adam. La raison de ce développement n'est pas connue, mais est peut-être à mettre en relation avec la voix pendant le brame.

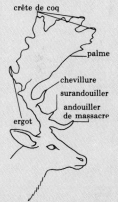

Bois
Le bois proprement dit pousse à partir du pivot qui reste solidaire du crâne. L'axe principal est le merrain : il porte la palme et les andouillers. La meule est la zone de contact entre le merrain et le pivot. De la meule vers la palme, les andouillers sont : l'andouiller de massacre, bien développé, le surandouiller, peu développé, la chevillure. Les palmes peuvent être rectangulaires, triangulaires ou en forme de sabre. La palme est bordée par la crête de coq qui se termine par l'ergot. Le bois qui tombe au printemps est appelé « mue ».

Daim de Mésopotamie
Dama mesopotamica

■ Le daim de Mésopotamie, autre espèce du genre *Dama,* est probablement, aujourd'hui, le cervidé le plus rare de la planète.

La forme particulière de ses bois l'a fait reconnaître en 1875 comme nouvelle espèce par sir V. Brooke. Par la suite, les informations sont restées rares. L'animal a même été considéré comme éteint vers 1930. Il a finalement été redécouvert en 1956-1957 par un Allemand, Werner Trense, dans le Khuzistan iranien, région proche de la frontière irakienne.

La répartition initiale du daim de Mésopotamie est encore mal connue. L'animal ne devait pas dépasser 36° de latitude nord, mais se rencontrait probablement en Iran, en Iraq, en Syrie, en Jordanie et en Israël. Il n'a pas dû atteindre la Turquie, occupée par *Dama dama.* Vers l'Afrique, on parle de daims, aujourd'hui disparus, jusqu'en Afrique du Nord et en Éthiopie. Il s'agirait de *D. mesopotamica.* Il ne faut cependant pas exclure la possibilité de déplacements anciens du daim européen par l'homme.

Le daim de Mésopotamie est un peu plus grand que le daim européen, et ses bois ont une forme différente. Au garrot, il atteint 0,90 à 1,40 m et la longueur de son corps, tête comprise, peut varier de 1,50 à 2,50 m. Sa queue mesure de 20 à 30 cm de long. Son poids est de l'ordre de 100 à 150 kg pour un mâle adulte. La coloration de la robe ressemble à celle de *D. dama* : fond brun-roux foncé marqué de taches blanches. Le ventre est blanc, les flancs sont jaune sable, la tête est grise. Une ligne foncée parcourt le haut du dos. Des poils blancs tapissent l'intérieur des oreilles et l'avant de la lèvre inférieure est blanc.

Disparue à l'état sauvage

La dernière population sauvage de daims de Mésopotamie, redécouverte par W. Trense, se trouve sur des réserves naturelles, près des rivières Dez et Karkheh, au sud-ouest de l'Iran. Mais, si la population de la région du Dez se maintient, celle vivant aux abords du Karkheh, au contraire, baisse, et l'effectif total, dans les années 1980, était compris entre 40 et 60 têtes. Malgré l'établissement d'un parc national dans le Khuzistan, la guerre avec l'Iraq et les nombreuses modifications du milieu auraient éliminé les derniers daims à la fin des années 1980. Quelques animaux vivent en captivité en Iran et dans le monde.

L'habitat naturel du daim de Mésopotamie était la forêt clairsemée, riche en buissons, s'étendant le long des deux rivières Dez et Karkheh, une zone de 25 km de long, large de quelques centaines de mètres à 2 km, entre les berges. Les buissons de peupliers, de saules, d'acacias et de tamaris offraient aux animaux gîte et nourriture. Les dérangements incessants causés par les troupeaux domestiques, les bergers et les forestiers avaient rendu les daims solitaires et nocturnes. Le rut avait lieu en été, à la fin d'août. Les animaux devaient se protéger des loups, des hyènes et... des inondations.

Conserver le type primitif

L'actuel troupeau captif est issu d'animaux pris aux abords des rivières Dez et Karkheh. Dans les années 1950, deux faons ont été conduits en Allemagne. Entre 1964 et 1967, 6 animaux ont été installés au nord de l'Iran, près de la mer Caspienne, à Dasht-e-Naz. Ils étaient une cinquantaine en 1977 et 140 à la fin des années 1980. Le petit troupeau de Sind River a été prélevé sur ce groupe, ainsi qu'un mâle et 2 femelles déplacés sur l'île de Ashk en 1977. L'effectif ne serait encore que de 9 animaux ! Il est prévu de réintroduire l'espèce au sud-ouest du pays, dans des forêts claires de chênes, sans doute dans le parc national de Dasht-e-Arjan.

Des animaux introduits en Allemagne et croisés avec le daim européen sont nés des hybrides. En 1972, le zoo de Opel a renvoyé 30 animaux à Dasht-e-Naz. Ces hybrides ont été ensuite transférés à Semeskardeh. Peu à peu, et pour ne pas dépasser la densité idéale de un daim à l'hectare, les mâles sont retirés et remplacés par des daims de Mésopotamie afin de retourner au type primitif. □

Le daim de Mésopotamie a un andouiller de massacre parfois absent, un surandouiller marqué et puissant, une palmure terminale peu marquée.

Milieu naturel et écologie

■ Les habitats fréquentés par le daim sont très variés et vont des parcs anglais à la forêt de l'Ill, en Alsace, et au parc Coto de Doñana, en Espagne. Le daim vit dans toute l'Europe ainsi que dans 9 états des États-Unis, en Amérique centrale (Barbade et Cuba), en Amérique du Sud (Argentine, Chili, Pérou), en Afrique (Tunisie, Afrique du Sud), à Madagascar, en Australie et en Tasmanie, en Nouvelle-Zélande. Cette répartition est unique pour un cervidé.

Certaines îles de la Méditerranée, de Rhodes (à l'est) à la Sardaigne (à l'ouest), en passant par Chypre, hébergeaient ou hébergent encore le daim. On admet de plus en plus qu'il s'agit d'introductions humaines anciennes, le plus souvent en provenance d'Asie Mineure d'où arrivaient les flux migratoires.

Des paysages ouverts

Quel que soit le pays où il vit, le daim apprécie la forêt, dans laquelle il s'abrite. Mais il a besoin de paysages ouverts pour se nourrir, étant avant tout un brouteur. On peut donc le rencontrer dans des lieux assez peu boisés. En forêt caducifoliée (arbres perdant leurs feuilles en automne), les groupes sont généralement petits et les sexes séparés la plupart du temps sauf à l'époque du rut. En forêt de conifères, les groupes sont plus importants. Enfin, les hardes fréquentant des zones largement ouvertes sont les plus denses et les sexes se côtoient pratiquement toute l'année.

Peu de prédateurs

Dans les parcs, le daim n'a pratiquement pas de prédateurs. Il risque de rencontrer le lynx pardelle dans le sud de l'Espagne, le lynx européen en Europe centrale, et les derniers loups ici et là. Pourtant, aucun de ces carnassiers ne représente un véritable danger pour lui. Lorsqu'il cohabite avec le renard roux (Grande-Bretagne, par exemple), ses faons sont exceptionnellement capturés par le petit canidé. Les chiens errant en liberté dans les parcs font bien plus de dégâts : jusqu'à 3 mois, un jeune daim est facilement tué par un chien de chasse.

Très sédentaire

La Nouvelle-Zélande héberge actuellement 8 espèces de cervidés, alors qu'il n'y en avait aucune avant l'arrivée des Européens. C'est un excellent champ d'expérimentation, permettant de comparer le pouvoir d'adaptation des diverses espèces introduites. On a ainsi observé que les daims se déplacent peu au cours de leur vie et qu'ils restent le plus souvent près du lieu de leur naissance. Après des lâchers d'animaux, les petites populations, bien que faisant souche, augmentent peu leur domaine vital. Elles n'avancent que de 0,6 à 0,8 km par an. Un daim peut passer toute sa vie à moins de 3 km de son lieu de naissance. Alors que les cerfs élaphes se déplacent à plus de 30 km de leur site natal et occupent ainsi beaucoup plus rapidement le terrain.

Plutôt lié aux lisières et aux clairières qu'à la grande forêt, le daim peut cependant atteindre de plus grandes densités que le cerf en forêts matures. Animal de basse altitude, il semble capable de partout évincer le cerf élaphe, sauf des zones d'altitude.

Ses aptitudes à assimiler de nombreuses plantes expliquent peut-être son succès face à ses concurrents alimentaires. Sur certains types de prairie, les daims grandissent mieux que les moutons ou les bovins. D'où l'intérêt que certains éleveurs portent à l'espèce et la tentative de domestication dont elle est l'objet actuellement.

Des études sur le polymorphisme génétique des populations de daims ont été entreprises en Grande-Bretagne et en Nouvelle-Zélande. Tous les résultats révèlent une faible diversité entre les animaux étudiés, descendant donc d'un petit nombre de parents fondateurs. Quelques animaux déplacés ont été à l'origine de chacun des troupeaux, ensuite gérés par l'homme à l'abri des conditions extrêmes, ce qui a permis aux individus noirs, blancs ou blonds de se reproduire. Il serait intéressant d'explorer par électrophorèse des protéines du sang un grand nombre de sujets. Les plus anciennes lignées se trouvent sans doute en pays méditerranéens. L'absence de diversité prouverait que l'effectif survivant à la dernière glaciation était faible. □

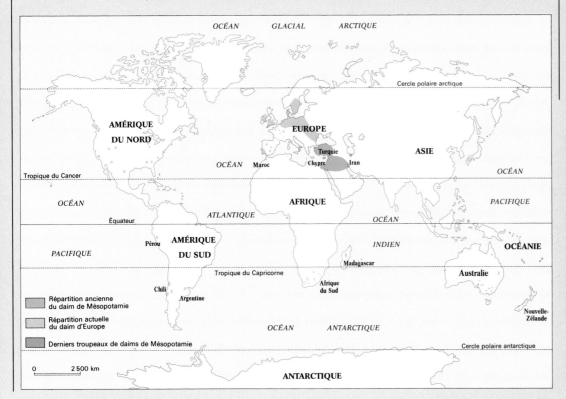

Aire de répartition des daims. Le berceau d'origine du daim est l'Asie Mineure et probablement la Turquie. Toutes les autres populations ont été déplacées par l'homme, parfois depuis le néolithique. Le statut du daim de Mésopotamie est inquiétant. Il survit en captivité et en Iran, mais le dernier troupeau sauvage a peut-être disparu. Les derniers sujets connus en sont issus et vivent en enclos près de la mer Caspienne.

Animal d'agrément, gibier ou animal domestique ?

L'alliance de l'homme avec le daim est fort ancienne. Alors que ce cervidé avait une aire de répartition sans doute limitée il y a quelques millénaires, les hommes, dès l'Antiquité, l'ont introduit partout. Sa présence à Chypre, en Crète, à Rhodes, en Sardaigne en est une preuve flagrante. Ces déplacements d'animaux se poursuivent et le daim est peut-être, aujourd'hui, en voie de domestication.

Agrément des parcs anglais

■ Dans les parcs de Grande-Bretagne évoluent aujourd'hui plusieurs dizaines de milliers de daims en semi-liberté. Pourtant, la date d'arrivée de l'espèce sur l'île est encore incertaine.

Pour tous, le daim y a disparu après la dernière glaciation, il y a 12 000 ans, et a été réintroduit. Mais certains pensent que son retour date des Phéniciens qui commerçaient avec ces contrées des siècles avant les Romains. Pour d'autres, ce sont les Romains qui l'ont réintroduit après leur conquête. Quoi qu'il en soit, des traces de sa présence existent de façon certaine à l'arrivée des Normands (au XIᵉ siècle) pour qui il représentait un gibier de choix. Dès le XIVᵉ siècle, le daim était l'hôte de centaines de parcs où on pouvait le chasser. Initialement, ces parcs étaient quasi naturels. Plus tard, des bâtiments furent construits sur place et ces paysages prirent l'aspect de parcs aménagés.

Tous les daims du Royaume-Uni descendent de ces ancêtres médiévaux. Des sujets échappés ont sans doute créé des hardes sauvages en forêt ouverte. Ces évasions ont été nombreuses durant les deux guerres mondiales.

Enfin, il existe quelques troupeaux sauvages depuis des siècles, comme ceux de New Forest (Hampshire), Epping Forest (Essex), Dean Forest (Gloucestershire), Rockingham Forest (Northamptonshire) et Cannock Chase (Staffordshire). Le daim est également présent au pays de Galles, en Irlande et, probablement depuis 1290, en Écosse. □

Viande « diététique » déjà très prisée

■ Dès l'Antiquité, le daim était élevé en enclos ; l'idée de le domestiquer n'est pas nouvelle. On le trouve dans l'iconographie de l'Égypte ancienne. Les Hittites et les Grecs gardaient ses troupeaux ou maintenaient les animaux captifs. À l'époque romaine, l'écrivain latin Columelle parle des enclos dans lesquels les Gaulois gardaient les daims. Aujourd'hui, l'élevage des cervidés se développe et le daim peut y tenir une place importante.

Le débouché de cet élevage est double : d'une part la venaison, d'autre part le marché de la médecine traditionnelle asiatique, grande consommatrice de toutes sortes de substances d'origine animale. Le daim a des qualités certaines. Il est relativement résistant aux maladies. Sa croissance semble plus rapide que celle du cerf et peut-être même que celle des ovins et des bovins. La production annuelle de viande à l'hectare de prairie peut dépasser celle des bœufs et des moutons. À cela s'ajoute le rendement excellent des carcasses. Après élimination des abats, il reste 57 % du poids de l'animal vif pour un daim mâle d'un an, c'est-à-dire autant que pour un veau ou un bovin adulte, contre seulement 50 % pour un agneau. Le pourcentage de morceaux nobles (filets) est aussi de 57 % du poids de la carcasse, autant que pour un veau à l'engrais (de 55 à 60 %), alors qu'il est de 45 à 50 % pour un agneau.

De plus, le kilo de viande de venaison se vend plus cher que la viande courante, et la chair de cervidé a la réputation d'être une viande peu grasse, pouvant obtenir le label « viande diététique ». La carcasse d'un daim adulte contient 8 % de gras, celle d'un jeune daim 4 %, et celle de nos animaux domestiques 20 %. Sans doute est-ce une des raisons pour

Certains parcs à daims anglais datent du XIVᵉ siècle. Ils sont entourés d'un mur de pierre alors que les enclos les plus récents sont fermés par du grillage. Une barrière de 1,80 m de haut suffit à contenir les daims. Les densités que l'on peut atteindre sont supérieures à celles tolérées par le cerf élaphe et le sika. Nourris seulement en hiver, les animaux disposent toute l'année de pierres à sel qu'ils lèchent et qui leur donnent les minéraux nécessaires. Très résistants, ils n'ont nul besoin de vermifugation, de vaccination ou de parage des sabots.

Dans toute l'Europe, les daims s'élèvent bien en parcs. Au Danemark, la productivité atteint 48 kg de viande à l'hectare. Petworth Park, dans le Sussex, est un parc anglais datant du Moyen Âge, dans lequel vivent 1 000 daims sur 2,6 km². Tous les ans, à l'automne, on maintient artificiellement l'équilibre du milieu en prélevant 400 animaux soit pour la venaison, soit pour les transplanter dans un autre domaine.

lesquelles nos ancêtres, qui aimaient les viandes grasses, n'entreprirent pas la domestication du daim, par ailleurs très « intéressant » puisque l'espèce se reproduit bien : 90 % des femelles ont un petit chaque année.

Les atouts en faveur de l'élevage du daim en ferme sont donc nombreux et la demande pour cette viande se précise.

En 1975-1976, l'Allemagne de l'Ouest importait déjà 26 000 tonnes de viande de daim, auxquelles s'ajoutaient les 11 700 tonnes produites sur place. Le marché représentait 139 millions de Deutsch Marks.   □

En Alsace et... en Turquie

■ Les daims du massif de l'Illwald, en Alsace, sont célèbres, car il s'agit de l'un des plus anciens troupeaux sauvages connus en France. Ils habitent le ried, plaine boisée située au cœur de l'Alsace, entre l'Ill et le Rhin. Les animaux proviennent d'un lâcher effectué en 1858 près de Sélestat. La population actuelle, répartie entre les départements français du Haut-Rhin et du Bas-Rhin, compte quelques centaines d'animaux recensés dans les divers massifs, avec des densités pouvant varier de 1 à 2 et jusqu'à 20 daims sur 100 hectares boisés.

Un plan de gestion de la forêt est prévu pour que le milieu puisse supporter 12 daims aux 100 ha, par des aménagements du milieu, avec l'introduction d'arbres fruitiers et de chênes rouges d'Amérique, par la création de parcelles agricoles et de prairies artificielles dans les massifs, l'entretien des allées forestières et l'élagage de certains arbres dont les rameaux sont recherchés par les daims. La chasse n'est pas interdite dans ces zones, mais, très sélective, elle se fera à l'approche.

La Turquie est probablement l'un des seuls pays où le daim a survécu à la glaciation de Würm. Mais c'est là qu'il est aujourd'hui le plus menacé.

' Autrefois, il abondait, surtout en Anatolie. Aujourd'hui, il s'est réfugié dans le Düzlercami sur les pentes nord de la chaîne du Taurus, près d'Antalya. En 1969, il n'en restait plus qu'une centaine. Vingt ans après, grâce à un effort important de protection, l'effectif était remonté à 600, mais il demeure trop faible pour assurer la survie de l'espèce.   □

Des couleurs et des comportements

■ La domestication du daim a été particulièrement étudiée par Helmut Hemmer. Il considère que le daim est la seule espèce réellement domestiquée depuis des siècles. Pour Hemmer, la domestication repose sur trois principes : les espèces sauvages les plus domesticables sont capables de se reproduire en captivité, même en forte densité ; au sein d'une espèce sauvage, les animaux les plus faciles à domestiquer sont ceux qui ont, relativement, le plus petit cerveau ; la sélection et la combinaison de certains morphotypes (couleurs, robes...) peuvent favoriser le processus de domestication. Si les daims captifs deviennent très familiers, ils s'affolent aussi très facilement dans un enclos et se blessent sur les clôtures en voulant s'enfuir. Pour rendre leur élevage plus facile, la domestication, c'est-à-dire la perte des réflexes de fuite et de panique, est la seule solution.

Rainer Schaad, de l'équipe de Hemmer, a pu montrer le lien entre le comportement et la couleur de la robe. Dans un troupeau où les trois robes, blanche, noire et blonde (ménil) coexistent avec la robe de type sauvage, les plus méfiants sont les daims de type sauvage. De même, les noirs, les blancs et les blonds se laissent approcher facilement, surtout si le visiteur apporte du pain. Enfin, les daims à la robe de type sauvage ont des réactions synchrones : ils se lèvent, se couchent, ruminent en même temps ; alors que les autres, notamment les daims blancs, sont plus indépendants. Ces différences prises en compte permettent d'éviter les mouvements de panique.

La population mondiale de daims est estimée à 200 000 animaux, en excluant ceux qui sont élevés pour la viande. Dans le courant des années 1980, le nombre de daims élevés pour la venaison était de 78 500 environ. L'Allemagne vient en tête avec 24 000 animaux et la Nouvelle-Zélande avec 35 000. Les pays européens et l'Amérique du Nord ne produisent que de la viande. La Nouvelle-Zélande et l'Australie (4 000 têtes) produisent à la fois de la viande et des produits de base pour la pharmacopée traditionnelle de l'Extrême-Orient. Les velours de tous les cervidés sont particulièrement recherchés dans les pays asiatiques, car ils auraient la propriété de « rajeunir » les fonctions de l'organisme humain, mais ce sont surtout les cerfs d'Asie et de Nouvelle-Zélande qui ont été les victimes de ce commerce, il est en effet interdit de couper les bois dans plusieurs pays d'Europe. □

Des réserves de viande sur pied pour les marins

■ Le daim atteint l'Australie via la Tasmanie en 1850, la Nouvelle-Zélande en 1870, l'Afrique du Sud dans les années 1890 et Madagascar en 1932. Ces pays et les États-Unis, l'Argentine, le Chili, l'Uruguay, le Pérou se souviennent de l'arrivée par bateau des premiers daims, au siècle passé ou au début de ce siècle. Peut-être s'agissait-il chaque fois de transporter des réserves de viande sur pied pour nourrir l'équipage. Le daim s'adapte à tant de situations qu'il représente une sécurité pour l'homme lors de ses longs voyages vers des terres mal connues. □

Sur les îles de la Méditerranée dès l'âge du bronze

■ Les plus anciens déplacements du daim remonteraient à l'âge du bronze, vers le VIIIᵉ ou VIIᵉ siècle av. J.-C. La présence du daim à Rhodes est fort ancienne puisqu'on l'a cru indigène de cette île. Un couple de daims en bronze figure sur les deux colonnes qui encadrent l'entrée du port de Mandraki, là où, autrefois, se dressait le colosse de Rhodes, haut de 31 m, l'une des sept merveilles du monde antique. Un tremblement de terre abattit la statue, trente ans après son édification.

Malgré la légende selon laquelle Rhodes reçut d'Athènes l'interdiction de rebâtir le colosse, dont le bronze fut emmené au loin par un marchand syrien, certains affirment aujourd'hui que les daims du port, fondus bien plus récemment, l'auraient été avec ce qui restait du bronze de la statue.

En Sardaigne, l'histoire est différente. Encore récemment, l'île possédait deux espèces de cervidés : *Cervus elaphus corsicanus*, le cerf, et *Dama dama*. Le dernier bastion du daim en Sardaigne était également une zone de refuge pour le cerf. À l'est de Cagliari, dans les montagnes de Sarrabus, le maquis et la forêt méditerranéenne ont caché l'un et l'autre. Hélas, le dernier daim a été tué en 1969 près de Castiadas ! □

De Rhodes, on aperçoit les côtes turques. Il est pourtant peu probable que le daim, présent en Turquie, soit venu seul sur cette île où quelques animaux vivent encore en liberté. Il a vraisemblablement été introduit par l'homme et ce dès le néolithique. Sa présence ancienne est attestée par les daims en bronze qui marquent aujourd'hui l'emplacement du célèbre colosse de Rhodes.

DU CHAILLU
(Paul Belloni)

Paris 1835 - Saint-Pétersbourg, Russie, 1903

Explorateur et naturaliste franco-américain

Paul Belloni Du Chaillu fut le premier Européen à avoir capturé et ramené un spécimen de gorille des plaines, fruit d'une de ses expéditions à l'intérieur du Gabon. Il décrit ainsi le grand singe : « Le gorille est une créature infernale, un être hideux, mi-homme mi-bête. »

■ D'après certaines sources, Du Chaillu serait né de parents français à La Nouvelle-Orléans, aux États-Unis, mais il est plus probable qu'il soit, en fait, né à Paris. Il passe sa jeunesse au Gabon, où son père travaille pour une société parisienne. À l'âge de 17 ans, après avoir reçu une éducation chez les Jésuites, Du Chaillu quitte le Gabon pour les États-Unis, où il devient citoyen de ce pays. En 1856, il repart vers l'Afrique, mandaté par l'Académie des sciences naturelles de Philadelphie, pour explorer une région du Gabon auparavant inconnue des pays occidentaux.

Pendant près de quatre ans, il explore quelque 12 000 kilomètres à pied, sans être accompagné par aucun autre Blanc. Il pénètre profondément à l'intérieur du pays et ramène des informations très importantes sur une rivière inconnue à l'époque, l'Ogooué, sur une tribu de cannibales, les Fang, et sur la géographie, la zoologie et l'ethnologie de toute la région.

À l'issue de cette expédition, les premières publications de Du Chaillu sur les singes anthropoïdes, certainement inconnus des scientifiques de l'époque, furent reçues comme des « histoires fabuleuses ».

Outre ses « histoires fabuleuses » de gorilles et d'autres singes, Du Chaillu rapporte 2 000 spécimens d'oiseaux, dont 60 étaient encore inconnus des scientifiques. Un grand nombre de ces spécimens fut acheté par le British Museum. Son livre, publié en 1861, *Explorations and Adven-*

tures in Equatorial Africa, est reçu avec beaucoup de méfiance, à tel point que certains sceptiques l'accusent d'avoir acheté des spécimens de gorille aux Africains et de n'avoir jamais vu la bête en chair et en os...

La description de sa première rencontre avec un gorille est tellement impressionnante que son texte est devenu désormais célèbre :

« Tout à coup, pendant que nous nous avancions furtivement dans un silence ému, la forêt se remplit du rugissement épouvantable d'un gorille. Alors, juste devant nous, le sous-bois se mit à trembler violemment et bientôt un immense gorille mâle, debout, apparut. Il avait traversé la forêt à quatre pattes, mais, quand il vit notre équipe, il se dressa sur ses pattes arrière et nous regarda droit dans les yeux. Il était là, à une douzaine de mètres de nous. Je me souviendrai toute ma vie de ce spectacle. Haut de 2 mètres, avec un immense corps, une gigantesque poitrine et des bras fortement musclés. Ses grands yeux profonds, gris foncé, fixaient sur nous un regard irrité ; et son visage avait une expression infernale, qui me semblait comme une vision de

Ses premiers récits de voyage sur les singes anthropoïdes sont reçus avec méfiance et qualifiés d'« histoires fabuleuses ».

cauchemar. Ainsi, devant nous, se dressait le roi de la forêt africaine. Il n'avait pas peur et se frappait la poitrine à coups de poings jusqu'à ce qu'elle résonne comme un tambour, tout en émettant rugissement sur rugissement... »

Heureusement, sa première expédition est suivie par celle d'une équipe française, en 1862, également sur le fleuve Ogooué, au cours de laquelle la véracité des explorations de Du Chaillu est rétablie. Du Chaillu, blessé par ce manque de confiance de la communauté scientifique à l'égard de ses exploits africains, monte une deuxième expédition en 1863-1865, après avoir enrichi ses connaissances scientifiques. Il réaffirme alors la véracité des découvertes étonnantes faites lors de sa première expédition. Son deuxième livre, *A Journey to Ashango Land* (1867), est suivi d'autres titres sur ces aventures en Afrique équatoriale.

Membre respecté de la National Geographic Society (États-Unis), Belloni Du Chaillu participe à la rédaction du célèbre magazine. Il donne aussi de nombreuses conférences entre ses divers voyages. C'est au cours de l'un d'eux qu'il meurt, en avril 1903. □

LES PAYS DU NORD

À partir de 1871, Paul Belloni Du Chaillu ne retourne plus en Afrique. Peut-être par désenchantement après l'accueil réservé à ses découvertes africaines, peut-être par curiosité pour des régions du monde totalement différentes, Du Chaillu se tourne désormais vers des expéditions moins exotiques. En 1871, il part pour cinq ans dans les pays scandinaves — qu'il est le premier à appeler « Pays du soleil de minuit » —, où il étudie les peuples, leurs traditions et leur mode de vie. Trente ans plus tard, c'est en Russie qu'il voyage pour mener le même type d'investigation, mais il meurt à Saint-Pétersbourg, avant d'avoir terminé cette dernière expédition.

VIE SAUVAGE

ENCYCLOPÉDIE LAROUSSE DES ANIMAUX

l'ourson coquau

Un porc-épic américain

Une toison agressive

Une proie pour les Indiens

BDOMADAIRE N° 76

LAROUSSE

L 3411 - 76 - 19,50 F-
137 FB / 5,90 FS / 137 FL / 2,95 $ CAN

Avec VIE SAUVAGE,
la nouvelle encyclopédie Larousse des animaux,
découvrez la vraie vie des animaux sauvages du monde entier.

Chaque semaine, partez à la rencontre d'un nouvel animal. Surprenez-le dans son intimité, grâce à des photos fortes, prises sur le vif par de grands reporters. Apprenez à connaître son comportement et ses mœurs, racontés par les plus grands experts de la faune sauvage : scènes de chasse, bains, premiers pas des petits… Vous découvrirez les grands principes écologiques de la lutte pour la vie et de l'équilibre de la nature.

Constituez-vous une collection complète des animaux sauvages du monde entier, en les regroupant selon les 11 grands milieux naturels où ils vivent :

Savanes et prairies : éléphant, lion, girafe, bison, kangourou…
Forêts tropicales : tigre, orang-outan, jaguar, perroquet…
Forêts de conifères : loup, aigle royal, lynx, hermine…
Forêts de feuillus : koala, renard, cerf, sanglier, coucou…
Mers et océans : dauphin, baleine, requin, pieuvre…
Côtes marines : otarie, tortue géante, fou de Bassan, iguane…
Rivières et fleuves : hippopotame, loutre, flamant rose, castor…
Étangs et marais : pélican blanc, crocodile, vison, libellule…
Montagnes : grand panda, condor, ours brun, macaque japonais…
Déserts et steppes : guépard, caméléon, criquet, scorpion…
Toundras et glaces : phoque, caribou, bœuf musqué, manchot…

VIE SAUVAGE est édité par la SOCIÉTÉ DES PÉRIODIQUES LAROUSSE (S.P.L)
1-3, rue du Départ - 75014 Paris
Tél. : 44 39 44 20

Directeur de la publication :
Bertil Hessel

Directeur éditorial :
Claude Naudin, Françoise Vibert-Guigue

Directeur de la collection :
Laure Flavigny

Edition :
Brigitte Bouhet, Catherine Nicolle

Direction artistique :
Henri Serres-Cousiné

Direction scientifique :
Christine Sourd, docteur en écologie, Conservation Officer au WWF-France

Conception graphique et mise en pages :
Frédérique Longuépée, Blandine Serret

Couverture :
Olivier Calderon, Gérard Fritsch, Simone Matuszek

Correction-révision :
Service de lecture-correction de Larousse

Documentation iconographique :
Anne-Marie Moyse-Jaubert, Marie-Annick Réveillon

Composition : Michel Vizet
Fabrication : Jeanne Grimbert
Service de presse : Suzanna Frey de Bokay

VENTES

Directeur du marketing et des ventes :
Édith Flachaire

Service abonnement Vie Sauvage :
68, rue des Bruyères, 93260 Les Lilas.
Tél. : (1) 48 97 81 90
Étranger, établissements scolaires, n'hésitez pas à nous consulter.

Vente en France des numéros déjà parus :
Envoyez votre commande avec un chèque à l'ordre de SPL de 25,50 F par fascicule et de 71 F par reliure à : RIF-SPL, 25 rue Chassagnolle, 93260 Les Lilas, France.

Service des ventes :
(réservé aux grossistes, France) :
PROMEVENTE - Michel Iatca
Tél. : N° Vert : 05 19 84 57

Réassort réseau : MLP - Tél : 72 40 53 79

Prix de la reliure :
France / 59 FF ; Belgique / 410 FB ; Suisse / 19 FS ; Luxembourg / 410 FL ; Canada / 9,95 $CAN.

Distribution :
Distribué en France (MLP), au Canada, en Belgique (AMP), en Suisse (Naville S.A.), au Luxembourg (Messageries P. Kraus).

À nos lecteurs :
En achetant chaque semaine votre fascicule chez le même marchand de journaux, vous serez certain d'être immédiatement servi, en nous facilitant la précision de la distribution. Nous vous en remercions.

© 1995 Société des Périodiques Larousse.

SOMMAIRE

N° 76 L'OURSON COQUAU

Forêts de conifères

L'OURSON COQUAU ET SES ANCÊTRES 1
LA VIE DE L'OURSON COQUAU
  Deux mois de vie commune chaque année 4-5
  Un domaine peu étendu pour un animal calme 6-7
  Une extraordinaire assurance 8-9
  Des feuilles ou du bois selon la saison 10-11
POUR TOUT SAVOIR SUR L'OURSON COQUAU
  Ourson coquau 14-15
  Les autres éréthizontidés 16-17
  Milieu naturel et écologie 18-19
L'OURSON COQUAU ET L'HOMME 20

DICTIONNAIRE DES SAVANTS DU MONDE ANIMAL
  Sandro Lovari

LES TEXTES DE CE NUMÉRO ont été rédigés par François Moutou, docteur vétérinaire, Maisons-Alfort ; Guillemette de Véricourt ; Monique Madier.

DESSINS de Guy Michel. CARTE de Edica.

SCHÉMAS de Thierry Chauchat.

PHOTO DE COUVERTURE : Ourson coquau. Phot. Kitchin T. - Tom Stack & Associates.

CRÉDITS PHOTOGRAPHIQUES p. 1 et 18/19, Krasemann S.J. - Jacana ; p. 2/3 et 15h, Kitchin T. - Tom Stack & Associates ; p. 4, Ponton D.A. - Planet Earth Pictures ; p. 4/5, Cooney J. - Oxford Sc. Films ; p. 5, Erize F. - Bruce Coleman ; p. 6, Carey A. - PHR - Jacana ; p. 6/7, Varin-Visage - Jacana ; p. 7 et 14, Krasemann S. - NHPA ; p. 8/9, 9 et 12/13, Winslow R. - Tom Stack & Associates ; p. 10, Shaw J. - Bruce Coleman ; p. 10/11, Foott J. - Survival

Anglia ; p. 11, Walker T. - Jacana ; p. 15m, Lee Rue L. - Bruce Coleman ; p. 15b, Cancalosi J. - Tom Stack & Associates ; p. 16, Seitre R. - Bios ; p. 16/17, Root A. - Survival Anglia ; p. 17, Marigo L.C. - Bruce Coleman ; p. 20, Oakley G. - Rapho.

3e de couv : Sandro Lovari. Phot. Lovari S.

Photocomposition : Dawant. Photogravure : Graphotec. Impression : R.E.G. Dépôt légal 3e trimestre 1995.

Premiers numéros de l'encyclopédie :
1, les dauphins ; 2, le lion ; 3, le grand panda ; 4, le phoque du Groenland ; 5, le koala ; 6, le gorille ; 7, l'éléphant ; 8, la baleine ; 9, la panthère ; 10, l'aigle royal ; 11, l'ours brun ; 12, le kangourou ; 13, la marmotte ; 14, le tigre ; 15, le manchot ; 16, l'hippopotame ; 17, les abeilles ; 18, la girafe ; 19, le loup ; 20, les perroquets ; 21, les requins ; 22, le zèbre ; 23, le crocodile ; 24, la gazelle ; 25, le pélican ; 26, le jaguar ; 27, le lynx ; 28, l'hyène ; 29, le renard roux ; 30, le bison ; 31, le chacal ; 32, le puma ; 33, les hippocampes ; 34, le bison ; 35, le grand cormoran ; 36, la tortue luth ; 37, l'autruche ; 38, le hérisson ; 39, le lycaon ; 40, le buffle ; 41, la chouette effraie ; 42, les tisserins ; 43, le blaireau ; 44, le gnou ; 45, le cerf ; 46, la cigogne blanche ; 47, le macareux moine ; 48, le lièvre ; 49, l'iguane vert ; 50, le babouin ; 51, le guêpier ; 52, les termites ; 53, l'écureuil roux ; 54, le tadorne de Belon ; 55, les étoiles de mer ; 56, les genettes ; 57, le rhinocéros ; 58, le coucou ; 59, le chat sauvage ; 60, l'otarie de Californie ; 61, le sanglier ; 62, le pic épeiche ; 63, l'opossum ; 64, le fou de bassan ; 65, les tortues géantes ; 66, les geais des chênes ; 67, le crabe violoniste ; 68, le combattant ; 69, le vison ; 70, l'élan ; 71, le pygargue ; 72, le raton laveur ; 73, les papillons de nuit ; 74, le phoque moine ; 75, les mésanges.

Prochains numéros de l'encyclopédie :
n°77, la mouette rieuse ; n°78, l'hermine ; n°79, les fourmis rousses ; n°80, la chouette lapone ; n°81, le homard ; n°82, le faucon pèlerin.

L'OURSON COQUAU

Buffon l'appelait urson, mais aurait préféré qu'il se nomme « castor épineux ». Les Américains l'appellent porc-épic, d'autres encore le qualifient d'ourson coquau, ce qui est surprenant pour ce rongeur à l'impressionnante toison de poils et de piquants.

L'ourson coquau, *Erethizon dorsatum,* appartient à la famille des éréthizontidés, qui rassemble une dizaine d'espèces d'assez gros rongeurs épineux présents en Amérique et principalement dans les régions chaudes de l'Amérique centrale et de l'Amérique du Sud. Cependant, il est le seul que l'on rencontre du nord du Mexique jusqu'en Alaska.

L'origine de cette famille est difficile à situer du point de vue paléontologique. Les premiers rongeurs apparaissent en Amérique du Sud au début de l'oligocène, il y a 40 millions d'années. On connaît quelques éréthizontidés fossiles retrouvés en Patagonie et datant également de l'oligocène, avant l'émergence des genres contemporains. L'ancêtre nord-américain de l'ourson coquau, *Erethizon,* n'apparaît qu'à la fin du pliocène, il y a 3 millions d'années. Il semble dériver, directement ou indirectement, de *Coendou,* un porc-épic à queue préhensile sud-américain.

Quant à l'ourson coquau, *E. dorsatum,* il remonte à l'ère quaternaire, au milieu du pléistocène, il y a 1 million d'années, mais son histoire reste très largement méconnue, tant les restes de fossiles sont peu nombreux.

Les systématiciens regroupent tous les porcs-épics avec les cobayes, les ragondins et les chinchillas, notamment, dans l'infra-ordre des caviomorphes, mais on ignore si les porcs-épics d'Afrique et ceux du Nouveau Monde sont proches parents. Certains chercheurs, reprenant l'explication de l'arrivée des singes en Amérique, émettent l'hypothèse selon laquelle les rongeurs africains auraient réussi à traverser l'Atlantique, nettement moins large qu'aujourd'hui, sur des radeaux de fortune. La parasitologie apporte d'ailleurs un élément en faveur de cette thèse. En effet, un ver parasite se retrouve à la fois chez *Hystrix,* le porc-épic de l'Ancien Monde, et chez les espèces du Nouveau Monde, *Erethizon* et *Coendou* . Or, selon toute probabilité, l'ancêtre de ce parasite aurait traversé l'Atlantique en compagnie des ancêtres des éréthizontidés.

D'autres paléontologistes rejettent cette idée et avancent la thèse selon laquelle les espèces présentes en Amérique du Sud seraient venues d'Amérique du Nord à travers un chapelet d'îles, à une époque où l'isthme de Panamá n'existait pas. Mais on n'a retrouvé en Amérique du Nord aucun fossile qui soit susceptible d'être leur ancêtre. □

Gros et très sûr de lui,
dans son beau pelage hérissé
de piquants qui lui servent de
bouclier, le porc-épic
américain ne semble se
préoccuper que de sa
nourriture et il faut l'inquiéter
beaucoup pour qu'il décide de
s'éloigner d'un petit galop
un peu gauche. Son aspect
pacifique peut même inviter à
la caresse. Mieux vaut
pourtant ne pas s'y frotter.

Une extraordinaire assurance

■ Équipé comme il l'est, le porc-épic américain ne craint pas grand-chose. Manifestement, il le sait et le fait savoir autour de lui. Quand il se promène au sol, il ne cherche pas à faire preuve de discrétion. Tout ce que l'on aperçoit de lui, vu de derrière, c'est le contraste entre les couleurs sombres de la partie supérieure de sa queue et de la ligne du dos et celles, beaucoup plus claires, des côtés et de la tache qui marque sa tête.

Deux autres signaux, l'un sonore, l'autre olfactif, complètent ce système d'intimidation visuel. Les prédateurs n'ont plus qu'à passer leur chemin. Sinon, ils risquent de regretter leur audace.

Face au danger, l'ourson coquau claque des dents, comme s'il avait des frissons. Il lui arrive aussi de répandre une odeur d'une âcreté telle qu'elle provoque des larmes, même à quelques mètres de distance. Cette odeur est issue d'une glande située à la base de la queue, dans une région appelée « rosette », où la peau est nue et n'a pas de piquants.

En dépit de ces signaux, l'ourson coquau ne peut pas toujours éviter un affrontement, notamment avec un jeune raton laveur ou un chien citadin. L'ultime ressource de l'ourson coquau est alors sa toison agressive, dont il peut orienter les piquants dans toutes les directions. Il baisse la tête et pointe vers l'assaillant les longues lances barbelées de 10 cm qu'il porte sur le haut du dos et la nuque. Ces piquants changent rapidement de propriétaire, car leur lien avec la peau du rongeur est fragile. Ils vont se planter dans le museau de l'intrus et peuvent même lui être fatals en l'empêchant par la suite de se nourrir.

Des piquants et des poils qui volent

Bien que nettement plus petits, les piquants de la queue sont bien utiles aussi lors de certaines batailles : en un clin d'œil, leurs pointes sont enfoncées profondément dans le corps de l'adversaire. De tels affrontements ont lieu lors des bruyants combats que se livrent les mâles et qui peuvent avoir lieu au sol ou dans les arbres. Les piquants et les poils volent et jonchent la terre au pied des arbres. Comme les oursons coquaux ont des pattes fort habiles, ils retirent rapidement les piquants qui dépassent de leur corps. En revanche, si ceux-ci sont trop profondément enfoncés, ils peuvent y rester de longs mois, voire toute une vie. □

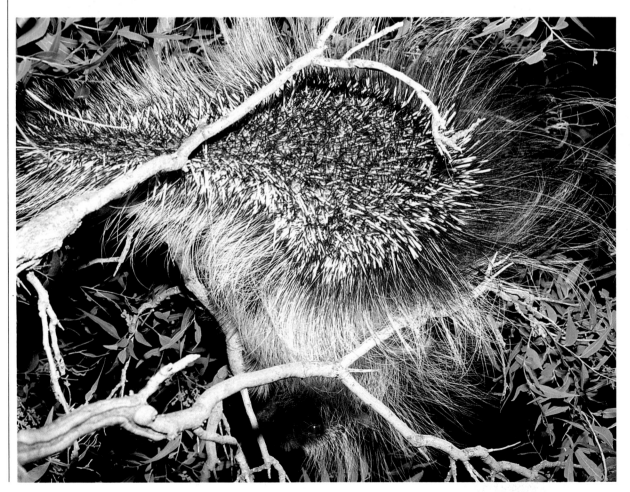

Dans les arbres, l'ourson coquau se sent en parfaite sécurité. Les seuls affrontements entre porcs-épics américains ont pour enjeux l'arbre lui-même ou les faveurs d'une femelle. Alors, ses quelque 30 000 piquants, très peu fixés dans la peau, sont une arme efficace pour l'animal. Ces aiguillons pénètrent dans la chair de l'adversaire et avancent d'environ un millimètre par heure. Ils peuvent ressortir assez loin de leur point de départ.

LES PIQUANTS

Les piquants sont des poils de jarre modifiés qui recouvrent une grande partie du corps de l'animal. Les plus longs mesurent 10 cm. Bien que très légers et rigides, ils ne sont pas creux, contrairement à ce que l'on croit parfois, mais remplis d'une substance spongieuse. L'extrémité est recouverte de petites écailles qui empêchent les pointes fichées dans un corps d'en ressortir seules vers l'arrière. Si les piquants rencontrent un organe vital, leur action peut être mortelle.

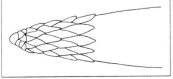

Capable d'orienter ses piquants dans toutes les directions à la moindre alerte, grâce aux muscles sous-cutanés de la nuque et du dos, l'ourson coquau oppose un rideau défensif à son adversaire, quelle que soit sa position.

Pour contre-attaquer, l'animal se retourne et, par des mouvements de queue rapides, projette ses piquants de 2 mm de diamètre et de quelques centimètres de long vers l'intrus.

L'ourson coquau, 5

Pour dormir ou se reposer à la fourche de quelques branches peu épaisses, l'ourson coquau n'éprouve pas le besoin de se dissimuler. De longues pauses ponctuent ainsi les périodes de recherche de nourriture tout au long de l'année.

Au printemps et en été, l'animal explore plus volontiers la partie terrestre de son territoire à la recherche de bourgeons, de feuilles et de tendres pousses végétales. Il s'aide de ses griffes, qui lui assurent des prises solides lors du franchissement des obstacles qui lui barrent la route.

SUR LES TRACES DES OURSONS COQUAUX

Des études sur les déplacements de l'ourson coquau ont été menées au nord-est des États-Unis, dans le Maine par exemple, où la densité de population est de 10 oursons coquaux au km², ainsi qu'au sud-est du Canada, au Nouveau-Brunswick, où elle est de 2 à 3 individus au km². Il est facile, l'hiver, de suivre les sillons que les oursons coquaux tracent dans la neige. La petite taille de leurs pattes ne leur permettant pas de se soulever beaucoup au-dessus du sol, ils s'enfoncent dans la poudreuse et l'on s'aperçoit qu'ils suivent souvent les mêmes chemins. En fait, leurs déplacements sont modestes — 81 mètres durant le jour, et 112 la nuit. La différence s'explique par le fait que ces animaux sont plus nocturnes que diurnes.

Un domaine peu étendu pour un animal calme

■ De mœurs plutôt solitaires durant l'année, l'ourson coquau se rencontre dans des sites d'habitation très diversifiés, depuis la toundra nordique jusqu'au semi-désert mexicain, à l'extrême sud de son aire de répartition.

Ce rongeur semble particulièrement à l'aise dans les forêts mixtes, passant beaucoup de temps à terre sous les conifères, au printemps et en été surtout, et préférant rester sur les branches des arbres, surtout lorsque ceux-ci sont à feuilles caduques.

Malgré son poids et son apparente gaucherie, il grimpe avec aisance le long des arbres, en s'aidant de sa queue et de ses griffes, pour atteindre les branches parfois très fines afin d'y cueillir sa nourriture. La paume nue de ses mains et de ses pieds lui assure une bonne adhérence à l'écorce.

Pour dormir, il s'installe indifféremment à la fourche d'un arbre, sur une branche, dissimulé sous le feuillage, ou à terre, sans chercher à se cacher, car il est très confiant dans ses défenses naturelles.

Actif toute l'année, l'ourson coquau reste cependant d'un naturel plutôt calme, avec des déplacements assez raisonnables puisqu'il parcourt en moyenne de 100 ou 200 m par jour. La distance entre son domaine estival et celui où il passe l'hiver est en général comprise entre 8 et 10 km, mais cette distance peut être bien moindre : 480 m, selon une étude effectuée dans l'État de Michigan.

En fait, les étendues prospectées sont assez petites en hiver, de 5 à 6 ha seulement parfois, que l'animal parcourt à raison de 8 m par jour. Quand les ressources sont pauvres, l'ourson coquau préfère ne pas se nourrir, quitte à subir un amaigrissement, mais être protégé du froid. L'été, en revanche, il couvre de 14 à 100 ha et parcourt 150 m par jour. C'est l'époque où il accumule des réserves.

La densité de la population varie en fonction des ressources d'une part et de la végétation locale d'autre part. Les extrêmes enregistrés sont de 0,77 ourson coquau au km² en Arizona, 9,5 dans le Wisconsin, la moyenne se situant entre 5 et 8 animaux au km².

Un bel indifférent

Pendant les périodes d'activité, et bien que leurs domaines vitaux se chevauchent en grande partie, les oursons coquaux ne sont absolument pas grégaires ; ils restent solitaires et plutôt indifférents à l'égard de leurs congénères. Ce climat de neutralité règne au sein des occasionnelles concentrations d'animaux sur les sites où la nourriture abonde, et les affrontements, pour la possession d'un arbre par exemple, restent ponctuels et plutôt rares.

En fait, les oursons coquaux n'apprécient la compagnie de leurs congénères qu'en hiver, lorsqu'un froid rigoureux les pousse à partager un abri. La température ambiante de l'endroit augmente grâce à la présence de plusieurs occupants, ce qui réduit la perte énergétique de chacun. Ainsi a-t-on pu voir, en hiver, 6 porcs-épics qui s'étaient regroupés dans une maison abandonnée. □

Se sentant protégé grâce à sa toison défensive, l'ourson coquau est d'un naturel indépendant et plutôt pacifique, mais il ne fuit pas pour autant ses congénères. Lorsqu'il les croise aux cours de ses déplacements, il garde en général ses distances. Cependant, on en rencontre quelquefois plusieurs vivant ensemble dans une cachette qui leur plaît particulièrement. Le rythme de vie de l'animal est assez lent. Il préfère se reposer le jour et parcourir son domaine la nuit et sans se presser. Son allure un peu gauche n'exclut pas une certaine rapidité et de l'agilité.

Deux mois de vie commune chaque année

■ L'ourson coquau, habituellement tranquille et solitaire, devient agité et bruyant au mois de septembre, à l'époque du rut. Les femelles peuvent avoir plusieurs cycles successifs si les premiers ne sont pas suivis d'une fécondation. Chacun d'eux dure de 25 à 30 jours, la période de réceptivité n'étant que de 8 à 12 heures. Avant et après, la femelle repousse les avances du mâle. En dehors de la période de reproduction, son appareil génital semble fermé par une membrane vaginale qui disparaît à la fin de l'été, ce qui favorise alors l'émission de sécrétions sexuelles destinées à attirer les mâles.

L'APPAREIL GÉNITAL DE LA FEMELLE

Chaque année, 11 mois sur 12, la femelle est en gestation ou en allaitement, car il ne semble pas qu'il y ait des années sans reproduction. L'ovaire droit et la corne droite de l'utérus sont apparemment les seuls à être utilisés. Habituellement, chez les autres mammifères, il y a alternance entre les deux côtés lorsque la portée normale ne compte qu'un seul jeune. Cette particularité du porc-épic américain peut s'expliquer par la taille importante du tube digestif, et en particulier du cæcum, qui se trouve à gauche dans la cavité abdominale. Pendant la gestation, l'ovaire prend une morphologie inhabituelle comparée à celle observée chez les mammifères. Normalement, plusieurs follicules se développent pendant la phase précédant l'ovulation et la fécondation. Ensuite, alors qu'un seul ovule est fécondé, plusieurs follicules évoluent en corps jaunes, alors qu'il n'y a normalement qu'un seul corps jaune par embryon.

En chaleur, entre septembre et novembre, la femelle commence manifestement à attirer son partenaire plusieurs jours avant l'œstrus, ce qui permet aux deux individus de s'habituer l'un à l'autre. Elle lance des cris pour appeler le mâle et répand une odeur que celui-ci identifie tout de suite.

Féroce rivalité entre mâles

Lorsque plusieurs mâles se trouvent près de la même femelle, la compétition peut être âpre. Le chercheur américain Uldis Roze, qui a observé l'espèce pendant plus de dix ans dans les monts Catskill de l'État de New York, a ramassé jusqu'à 1 474 piquants éparpillés sous des arbres en suivant un matin trois mâles et une femelle. Entre eux, les oursons coquaux se donnent souvent de grands coups avec leur queue hérissée de piquants et se mordent sauvagement. Il leur suffit ensuite de retirer adroitement de leur corps les piquants laissés par leur rival, quand il leur est possible de les atteindre.

Séduire la femelle est une tâche qui peut demander plusieurs jours. Au début, elle repousse le mâle, lui tourne le dos et n'hésite pas à lui donner des coups de queue s'il ose s'approcher de trop près. Lorsqu'elle se réfugie tout au bout d'une branche, le mâle se tient aux aguets près du tronc. Il peut rester ainsi des heures ou tenter une approche par une autre branche. Si la femelle se déplace, il va sentir l'odeur laissée sur l'écorce, qui lui indique si la femelle est capable de se reproduire. Au fur et à mesure que l'œstrus de la femelle est plus proche, celle-ci se fait plus accueillante. Le mâle s'installe d'abord à ses côtés, puis il s'avance vers elle en grognant, se redresse sur ses pattes postérieures et l'asperge d'un puissant jet d'urine. Si la partenaire n'est pas prête, elle se secoue avec vigueur ; dans le cas contraire, elle se laisse complètement tremper. La cour peut se poursuivre à terre, où la plupart des accouplements ont lieu.

Un accouplement acrobatique

Le zoologiste canadien Frank Banfield a observé les précautions prises par les partenaires pendant l'accouplement pour éviter les piquants. La femelle surélève son arrière-train, abaisse ses piquants et écarte sa queue sur le côté.

Plusieurs accouplements peuvent se succéder en quelques heures, puis les couples se séparent. Le bouchon vaginal qui se forme alors chez la femelle peut avoir un rôle dans la fécondation ou, au contraire, réduire les possibilités d'accouplement avec d'autres mâles. La gestation, très longue pour un rongeur, dure de 205 à 215 jours, (on observe pratiquement la même durée chez les cervidés).

Les piquants mous du nouveau-né

Le petit, en général unique, naît entre avril et juin. Son poids se situe entre 340 et 640 grammes. Il est couvert d'un pelage sombre et ses yeux sont ouverts. La lactation semble très longue, même si tous les chercheurs ne s'accordent pas sur sa durée précise. En nature, il semble bien que le petit s'alimente, au moins en partie, du lait de sa mère pendant presque 4 mois. Ses piquants sont mous et, pendant les quelques jours où il ne peut grimper aux arbres, il se cache sous des pierres ou sous des racines. Sa mère, qui passe la journée en haut d'un arbre, le retrouve la nuit au sol. □

Très foncé à la naissance, le petit ourson coquau a l'allure d'une peluche à peine piquante. Bien que la possibilité de naissances gémellaires ne soit pas exclue, aucun cas ne semble avoir été enregistré. Le jeune a donc une croissance très solitaire, n'ayant de contact qu'avec sa mère. Les jeunes femelles sont matures vers 18 mois, les jeunes mâles un an plus tard, et la croissance dure en tout de 3 à 4 ans.

Quand le jeune ourson coquau ne sait pas encore grimper aux arbres, il se cache à terre dans un abri naturel. La lactation est apparemment très longue — de 110 à 120 jours. Avec l'âge, l'animal acquiert la protection de piquants durs, qui lui donne l'assurance propre à son espèce. La survie des jeunes reste relativement élevée malgré toutes les difficultés provoquées par la vie en forêt.

Des feuilles ou du bois selon la saison

■ L'ourson coquau est l'un des rares herbivores des zones tempérées qui soit essentiellement mangeur de feuilles (ce régime est plus commun sous les tropiques, là où les arbres ne perdent pas toutes leurs feuilles en même temps et à la même saison). Son habitat lui offre des feuilles en abondance, au moins à certaines périodes de l'année, mais celles-ci ne sont jamais très nutritives. Il les consomme surtout l'été, et se nourrit plutôt de bois en hiver.

Pour compenser la pauvreté de ces aliments, l'ourson coquau doit en absorber une quantité importante — 450 g par jour. Et, comme seule une petite partie de ce volume est digestible, il en restitue le cinquième quotidiennement. Ses excréments se présentent sous la forme de petits croissants.

Au printemps, l'ourson coquau profite de l'explosion végétale pour se délecter de bourgeons, de petits rameaux, de feuilles tendres, et il n'hésite pas à chercher ses repas près du sol ou à terre. Les jeunes feuilles de peuplier et de

tilleul lui plaisent beaucoup. Il se nourrit même de nénuphars : sans se hasarder à plonger pour attraper ces fleurs jaunes, il lui arrive toutefois de se mouiller pour récolter leurs larges feuilles. En été, il s'alimente essentiellement de feuilles, d'herbes, d'arbres et d'arbustes, notamment le bouleau blanc et le peuplier. Près des zones cultivées, il trouve très à son goût le trèfle, la luzerne et le maïs, surtout au stade laiteux.

Quand vient l'hiver, il est obligé de se rabattre sur le bois des arbres,

ou plutôt sur la partie vivante présente sous l'écorce : le cambium. Il peut aussi couper de petits rameaux ou récolter des aiguilles de conifères. On le trouve alors sur les pins et les sapins des forêts d'Amérique boréale — sapin baumier, mélèze, pin lourd, épinette rouge et épinette blanche de l'Est, sans négliger pour autant l'écorce et le bois tendre de certains arbres à feuilles caduques, comme l'érable à sucre, le hêtre à grandes feuilles et le tilleul d'Amérique.

L'ourson coquau est également très friand de sels, surtout les sels minéraux, et de calcium. Il ronge tous les os qu'il peut trouver, notamment les bois de cervidés après leur chute ; ils sont pour lui un véritable festin de roi. □

UN INTESTIN D'ACIER

L'ourson coquau a la possibilité de ronger la bouche fermée, les lèvres closes derrière ses incisives. Pour assimiler une nourriture très peu riche et coriace parce qu'elle contient de la cellulose, il dispose d'un tube digestif très long — 8,50 m, dont 46 % pour l'intestin grêle. À la jonction des deux intestins, le cæcum est très volumineux (4,4 % de la masse corporelle globale — un record chez les mammifères) et il renferme de multiples bactéries capables de dégrader la cellulose et de la rendre assimilable. L'estomac, lui, n'est composé que d'une seule poche. Le transit assez lent de la nourriture facilite la digestion.

Lorsque l'ourson coquau mange l'écorce des arbres, le bruit qu'il produit est peu discret. Le choix de l'animal n'a rien d'aléatoire : tous les arbres n'ont pas pour lui le même attrait. Il s'attaque rarement par exemple à l'érable rouge ou au cèdre blanc. Il se montre surtout très ingénieux dans la sélection de sa nourriture en fonction des saisons. Cette capacité est très importante pour lui, car elle lui permet de survivre à la mauvaise saison.

L'hiver est la saison de la grande pénurie et de la plus forte mortalité : les ressources étant insuffisantes, l'animal maigrit.

Grâce à ses capacités de grimpeur, l'ourson coquau profite de ressources alimentaires auxquelles peu d'herbivores ont accès.

Double page suivante : le petit passe ses premiers jours à terre. Son pelage sombre se distingue nettement de celui de sa mère.

Ourson coquau
Erethizon dorsatum

■Gros rongeur à la démarche lente, mais très à l'aise dans les arbres, *Erethizon dorsatum,* le porc-épic du Nouveau Monde, ne ressemble que superficiellement au porc-épic d'Italie ou d'Afrique et aux autres hystricidés de l'Ancien Monde. Son pelage se compose de longs poils de garde (les plus longs dans le pelage) et de piquants, qui sont en fait de simples poils de garde devenus rigides. Seuls le bout du museau, le ventre et l'intérieur des pattes sont sans piquant. Sur le ventre, le pelage est sombre, presque noir, le manteau du dos étant tout en contrastes — noir et blanc, sombre et clair. Sa vue est bonne, mais seulement à courte distance. Il utilise bien plus son odorat pour chercher sa nourriture ou trouver une partenaire. Son ouïe semble correcte.

Bien que l'apparence de ce mammifère varie beaucoup, selon les régions et les individus, le nombre des piquants portés — 30 000 — est à peu près constant. S'ils tombent, les piquants repoussent en quelques semaines.

→

OURSON COQUAU	
Nom *(genre, espèce)* :	*Erethizon dorsatum*
Famille :	Éréthizontidés
Ordre :	Rongeurs
Classe :	Mammifères
Identification :	Assez gros rongeur, pattes et queue moyennement développées ; le corps est couvert de poils et de piquants
Taille :	Tête et corps : 64,5 à 68 cm ; queue : 14,5 à 30 cm
Poids :	De 3,5 à 7 kg. Certains mâles atteignent 18 kg
Répartition :	Du nord du Mexique à l'Alaska
Habitat :	Typique de la forêt mixte, arbres à feuilles caduques et conifères, mais en fait présent du désert à la toundra
Régime alimentaire :	Herbivore à tendance folivore. Bourgeons, écorce
Structure sociale :	Solitaire, peu territorial
Maturité sexuelle :	Femelle 18 mois, mâle 30 mois
Saison de reproduction :	Automne
Durée de gestation :	De 205 à 215 jours
Nombre de jeunes par portée :	1 seul d'environ 600 g
Longévité :	18 ans
Effectifs, tendance :	Encore commun. Lié à la forêt

Piquants.
Les plus longs se trouvent sur la nuque et le dos. Ils peuvent être orientés dans différentes directions.

Silhouette.
Elle est assez massive. L'animal sait se tenir sur ses pattes postérieures et sa queue pour libérer ses mains.

Pattes.
Courtes, puissantes et plutôt trapues, elles sont munies de griffes solides et en forme de crochets qui servent à la toilette, à l'alimentation et à l'escalade.

Au printemps, ce sont les poils de bourre (les plus petits du pelage) qui se renouvellent, à la suite, sans doute, du retour à une nourriture riche en protéines, après les mois de pénurie. Le phénomène a pu être observé par le chercheur canadien Uldis Roze dans l'État de New York, vers le mois de mai. La chute de ces poils s'effectue pendant une période de 6 jours. Les nouveaux poils repoussent, eux, à la belle saison.

L'ourson coquau peut marcher, vivre dans les arbres, voire traverser un étang à la nage. Bien que ses piquants ne soient pas creux, ils sont légers et l'aident probablement à nager. Le zoologiste canadien Frank Banfield fut surpris, alors que lui-même se trouvait en canoë sur un lac, de croiser un ourson coquau qui nageait lentement, comme toujours, mais régulièrement.

Comparé aux autres mammifères arboricoles, le porc-épic américain est plutôt lourd : il se peut même qu'il ait atteint le poids maximum supportable pour un rongeur de son type, qui se nourrit de feuilles et de bourgeons ; plus lourd, il serait probablement gêné pour atteindre la fine extrémité des rameaux. Lorsqu'il se déplace dans les arbres, il prend appui sur son ventre et sur sa queue. Le frottement continu contre les écorces pourrait nuire aux organes situés sous le ventre, si ceux-ci n'étaient protégés : les deux paires de mamelles de la femelle (l'une pectorale, l'autre abdominale) sont discrètes, et l'appareil génital du mâle se trouve à l'abri dans une sorte de cloaque. Des muscles spéciaux rattachés au baculum, l'os du pénis, tirent celui-ci en arrière. L'animal ne risque donc pas de se blesser. Observant en 1983 un ourson coquau dont la patte arrière gauche était paralysée, sans doute à la suite d'une chute, Uldis Roze a été surpris de voir que l'animal était capable de grimper dans les arbres, et même d'aller jusqu'au bout des branches, et qu'il rabattait sa queue sur la gauche pour avoir un appui symétrique par rapport à la patte arrière droite. □

Signes particuliers

Museau
Généralement foncé, il pointe sous le crâne. Les yeux sont peu développés et les oreilles dépassent à peine de la toison. Le nez est encadré de longues vibrisses, organes tactiles dont le rôle est important lors des déplacements nocturnes. Les 2 paires d'incisives, dont la croissance est continue, ont une face antérieure orangée et sont capables de ronger le bois le plus coriace. L'animal possède 20 dents. Un espace, le diastème, sépare les incisives des molaires et des prémolaires.

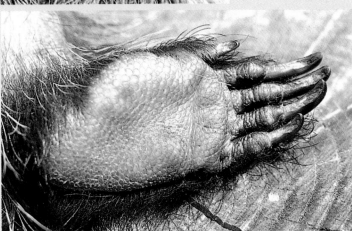

Pattes
Les pattes antérieures se terminent par 4 doigts, les postérieures en ayant 5. Les griffes en crochet sont utiles pour l'escalade. La paume palmaire présente des irrégularités antidérapantes. Les doigts agiles permettent à l'animal de retirer les piquants plantés dans son corps.

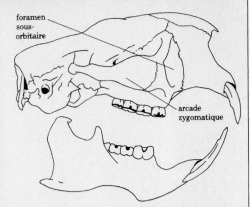

Piquants
Les piquants sont bicolores, clairs à la base, sombres à l'extrémité, et peuvent être pointés dans toutes les directions. Les plus petits mesurent environ 3 cm et les plus grands de 6 à 10 cm. Leur pointe noire correspond en fait à une accumulation de corps gras, une substance composée de plusieurs acides. Ces molécules sont connues pour leur rôle antibiotique. L'ourson coquau peut se blesser avec ses propres piquants en cas de chute, mais grâce à ces antibiotiques, les blessures ne s'infectent que rarement.

Crâne
Le foramen sous-orbitaire, laisse passer une grande partie du muscle masséter profond. L'arcade zygomatique confirme la présence de muscles masticateurs puissants.

Les autres éréthizontidés

■ Les autres espèces appartenant à la famille des éréthizontidés sont moins bien connues que l'ourson coquau, qui fait figure d'original : c'est le seul porc-épic qui ait quitté l'Amérique du Sud, il est le plus gros de tous, et certains traits anatomiques le séparent encore des autres espèces.

Selon les auteurs, il y aurait de 10 à 15 espèces regroupées en 3 ou 4 genres. L'un des genres, *Chaetomys*, n'a qu'une espèce, *C. subspinosus*, ou porc-épic à piquants courts, et on ignore s'il faut la classer dans la famille des éréthizontidés ou dans celle des échimyidés, qui rassemble des rongeurs sud-américains dont le pelage comprend des piquants mélangés aux poils, mais qui ressemblent plus à des rats qu'à des porcs-épics. Certains spécialistes proposent donc de classer cette espèce dans sa propre famille. Outre le genre *Erethizon,* auquel appartient l'ourson coquau, les autres genres sont donc *Echinoprocta, Coendou* et *Sphiggurus*.

Genre *Echinoprocta*

Ce genre ne comprend qu'une espèce, que l'on distingue facilement des autres représentants sud-américains par sa courte queue.

PORC-ÉPIC DU HAUT AMAZONE

Echinoprocta rufescens
Identification : corps de 31 à 37 cm, queue courte, de 10 à 15 cm ; pelage dorsal foncé, entre brun et noir. Face ventrale nettement plus pâle. Pieds et queue gris ou noirs. Piquants courts mais nombreux, les plus longs se trouvant au niveau de la croupe. L'espèce est en fait peu connue.
Comportement : arboricole.
Répartition : on ne le connaît qu'en Colombie, et plus particulièrement dans la région de Bogotá, entre 800 et 1 200 m d'altitude.

Genre *Coendou*

Ce genre ne comprend plus que 3 espèces. Toutes ont une queue préhensile.

PORC-ÉPIC DU BRÉSIL

Coendou prehensilis
Identification : corps de 44 à 56 cm, longue queue préhensile de 35 à 58 cm, pour un poids de 3,2 à 5,3 kg ; ne possède que des piquants et pas de poils. Les piquants ont 3 anneaux de couleur successifs : la base et la pointe claires, le centre foncé. De loin, l'ensemble paraît gris clair. Odeur caractéristique marquée. Nez assez volumineux, rose et glabre. Petits yeux et oreilles cachées dans les piquants. Pattes à quatre doigts. À la place du pouce, les pieds ont un coussinet légèrement mobile et qui peut s'opposer aux autres doigts. Comme les paumes des mains sont nues, elles ont aussi des prises précises pour les déplacements dans les branches.
Répartition : à l'est des Andes en Colombie, Venezuela, Guyanes, une grande partie du Brésil, île de la Trinité, Bolivie. On le trouve en altitude (1 500 m). Domaines vitaux de 8 à 38 ha.
Alimentation : régime végétarien : feuilles, fruits, fleurs, écorces ou même racines.
Comportement : plutôt nocturne, apparemment solitaire, le plus souvent arboricole. Au cours d'une étude, on a capturé 91 % de ces animaux dans des arbres et 9 % seulement à terre. Très agile, même sur des lianes fines, grâce à sa queue dont la partie inférieure est nue. Néanmoins, cet animal ne saute pas et doit redescendre à terre pour passer d'un arbre à l'autre, lorsque ceux-ci ne sont pas reliés par leurs branches ou par leurs lianes.

Il se repose, soit dans les arbres au fond d'un trou entre 6 et 10 m de haut, soit à terre dans la végétation. La gestation dure 203 jours et il naît un jeune

Porc-épic à fourrure nain de Bahia (Sphiggurus insidiosus).

Porc-épic du Brésil (Coendou prehensilis).

unique, très développé, pesant près de 400 g. Il ne semble pas y avoir de saison marquée pour les naissances. Un spécimen a vécu 17 ans et 4 mois en captivité.

PORC-ÉPIC BICOLORE

Coendou bicolor
Identification : corps de 38 à 49 cm, queue plus longue, de 46 à 54 cm, pour un poids de 3,4 à 4,7 kg ; plus sombre que *Coendou prehensilis*. Piquants de 2 couleurs : en général base claire, pointe sombre (parfois claire, mais sans que la teinte générale de l'animal se modifie).
Répartition : plus occidental que le précédent. Ouest des Andes, en Colombie, Équateur, Pérou. Est des Andes dans les hautes vallées du bassin de l'Amazone, Colombie, Venezuela, Équateur, Pérou, Bolivie. Atteint une altitude de 2 500 m.

Les animaux présents entre la Colombie et Panamá appartiennent probablement à cette espèce. Certains auteurs les considèrent pourtant comme une espèce à part, qu'ils appellent le coendou de Rothschild, *C. rothschildi,* de plus petite taille que les autres et ne pesant que 2 kg.

En 1992, une nouvelle espèce, décrite sous le nom de *Coendou koopmani,* aurait été découverte au Brésil, au sud du fleuve Amazone, entre le rio Madeira, à l'ouest, et Belem, à l'est : très sombre et ne pesant que 950 g, l'animal pourrait s'appeler porc-épic nain noir.

Comportement : analogue à celui du *Coendou prehensilis.*

Genre Chaetomys

1 seule espèce.
Ce genre comprend au moins 6 espèces à fourrure, que l'on rencontre du Mexique jusqu'au nord

de l'Argentine et à l'Uruguay. Ces porcs-épics sont dans l'ensemble un peu plus petits que les coendous, mais leur ressemblent beaucoup, avec fourrure queue préhensile, leurs pattes bien adaptées à la préhension et une biologie très proche. Ils ont aussi un gros nez rose et glabre, cependant ils ont plus de poils qu'eux et possèdent sur le ventre une fourrure douce et laineuse, caractéristique. Certaines espèces ne sont connues que par très peu de spécimens et d'autres semblent très variables.

PORC-ÉPIC À FOURRURE MEXICAIN

Sphiggurus mexicanus
Identification : corps de 35 à 46 cm,

queue de 20 à 36 cm (de 50 à 80 % de la longueur du corps), pour un poids de 1,4 à 2,6 kg ; pelage dense, foncé, qui recouvre les piquants sur tout le dessus du corps. Jaune sur la tête et le cou.
Répartition : du centre-est du Mexique (État de Veracruz) à l'ouest de Panamá.
Alimentation : végétarienne. Surtout frugivore, quand les fruits sont nombreux.
Comportement : nocturne, plutôt lié aux forêts d'altitude, jusqu'à 3 000 m.

PORC-ÉPIC À FOURRURE NAIN DE BAHIA

Sphiggurus insidiosus
Identification : petit ; corps de 29 à 35 cm, queue de 18 à 22,2 cm (de 50 à 75 % du corps), pour un poids de moins de 1 kg. Recouvert d'un pelage enveloppant complètement les piquants. De coloration brun fumé à gris.
Répartition : Brésil, États de Bahia et d'Espírito Santo. Jusqu'en Guyane et au Surinam, selon certains auteurs (tout

dépend de la classification de *Sphiggurus melanurus,* considéré comme appartenant tantôt à une espèce distincte, tantôt à *S. insidiosus*).

PORC-ÉPIC À FOURRURE ORANGE NAIN

Sphiggurus villosus
Identification : corps de 30 à 54 cm, queue de 20 à 37,8 cm (de 41 à 100 % de la longueur du corps). Il doit son nom à la coloration de ses piquants, qui est très variable. Piquants de 3 couleurs : ceux du dos sont jaunes à la base, sombres au milieu et orange à l'extrémité. Le tout est parfois recouvert de longs poils bruns à l'extrémité orange pâle.
Répartition : Côte atlantique brésilienne, de l'État de Rio de Janeiro à celui de Rio Grande do Sul.

PORC-ÉPIC À FOURRURE BRUNE NAIN

Sphiggurus vestitus
Identification : corps de 29 cm, queue de 13 cm ; brun, pointe des piquants claire.

Répartition : une partie de la Colombie, dans des forêts aujourd'hui presque totalement détruites.

PORC-ÉPIC À FOURRURE NAIN DU PARAGUAY

Sphiggurus paragayensis (ou *S. spinosus*)

Identification : corps de 28 à 34 cm, queue de 22,8 à 26 cm (de 73 à 90 % de la longueur du corps) ; coloration assez claire. Piquants du dos jaunes ; ceux de la tête et des épaules forment une cape. Poils également jaunes et doux. Bas du dos et croupe plus foncés.
Répartition : Paraguay, sud et est du Brésil, Uruguay et nord-est de l'Argentine.
Remarque : il existe encore 2 ou 3 espèces de ce genre, dont *S. pallidus,* probablement éteinte (2 spécimens connus, en provenance des Antilles).

PORC-ÉPIC À PIQUANTS COURTS

Chaetomys subspinosus
Identification : corps de 38 à 45 cm, queue de 26 à 27,5 cm (de 60 à 70 % de la longueur du corps) ; poids 1,3 kg ; couleur générale brune. Petits piquants de 1,5 cm sur la tête et les épaules, de 3 à 5 cm sur le dos, la croupe et la base de la queue ; rigides sur l'avant du corps, nettement plus souples vers l'arrière, comme des soies. Queue nue, préhensile et s'enroulant vers le dessus. Nez nu, mais moins développé que dans les genres précédents.
Répartition : forêts de la côte atlantique brésilienne, de Bahia à Espírito Santo.
Alimentation : frugivore, apprécie particulièrement le fruit du cacaoyer.
Comportement : nocturne et arboricole.

Porc-épic à fourrure orange nain (Sphiggurus villosus).

Milieu naturel et écologie

■ De la toundra de l'Alaska aux semi-déserts du nord du Mexique, l'ourson coquau occupe des milieux très variés, même si c'est dans les forêts tempérées qu'il est le plus à l'aise.

Des populations fluctuantes

La présence de ce rongeur est liée à la quantité de nourriture disponible, d'où des densités variables d'un milieu à l'autre. Dans certaines régions sèches, le porc-épic américain ne fréquente que quelques zones privilégiées — fonds de vallée, rives boisées des fleuves ou encore, tout au nord, pentes abritées, couvertes de buissons. Il est totalement absent en revanche dans toute la partie est et sud-est des États-Unis (sud du Minnesota, du Wisconsin, du Michigan et de la Pennsylvanie), et cela même si les forêts y sont ou y furent assez importantes. D'autres facteurs, d'ordre climatique ou alimentaire, l'empêchent ou l'ont empêché de s'y installer ou de s'y maintenir.

La présence de fossiles en Alabama, en Virginie de l'Ouest, dans le Missouri et en Floride prouve que cet animal est passé là à d'autres époques, même s'il y a

disparu ensuite. On ne trouve en revanche aucune trace de lui dans le sud du bassin du Mississippi.

Dans le nord-ouest de son aire, et autour des Grands Lacs, le porc-épic américain dépend pour sa survie de la pruche de l'Est (conifère), ou hemlock du Canada (*Tsuga canadensis*). Dans la région des Cascades de l'État de Washington, l'arbre le plus important pour lui est le sapin de Douglas (*Pseudotsuga menziesii*), puis vient la pruche de l'Ouest, ou tsuga de Californie (*Tsuga heterophylla*). Autour de l'État de l'Orégon, il survit en hiver grâce au pin jaune des montagnes Rocheuses (*Pinus ponderosa*). Pendant la belle saison, il reste souvent à terre, où il

peut profiter de la végétation des sous-bois.

Parallèlement à ces variations liées à l'âge de la forêt, les populations de l'espèce suivent des fluctuations plus ou moins régulières, qui aboutissent à des pics de densité après un intervalle de l'ordre de 12 à 20 ans. Le mécanisme de ces fluctuations n'est que partiellement connu, mais il est sans doute lié au cycle des plantes, plus ou moins riches selon les années.

On a ainsi noté que, lorsque les chênes produisent beaucoup de glands, en Nouvelle-Angleterre par exemple, les oursons coquaux passent un temps considérable à couper toutes les petites branches pour consommer les fruits, les feuilles et les tiges jonchant ensuite le sol après leur passage.

Quant à l'eau, l'ourson coquau en trouve une bonne partie dans sa nourriture. Il n'a donc pas besoin, l'été, de descendre des

Bien que victime de la martre de Pennant, l'ourson coquau est encore abondant. Sa survie dépend de la forêt, où il apprécie les baies, la luzerne, le trèfle ou le carex. Les hivers rudes, responsables de la mortalité, sont en fait des facteurs de régulation, naturelle et efficace, de la population.

L'aire de répartition de l'ourson coquau est limitée à l'Amérique du Nord. L'animal est le seul de sa famille à être venu en zone boréale, tempérée ou froide. On le rencontre à l'extrême nord du Mexique, dans l'ouest des États-Unis, au Canada, du Pacifique à l'Atlantique (mais pas dans le Nord-Est) et en Alaska. Il est absent de nombreuses îles de la côte pacifique. À l'est, il est présent à Anticosti, mais pas à Terre-Neuve.

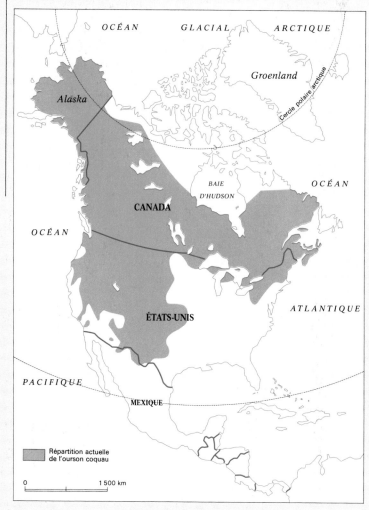

crêtes, où les ruisseaux sont à sec, pour se rapprocher du fond des vallées où l'eau court encore, car sa nourriture est assez humide pour satisfaire ses besoins.

Un prédateur : le pékan

En dépit de leurs défenses naturelles et de leur vigilance, les oursons coquaux ont au moins deux ennemis redoutables : un parasite, l'acarien de la gale, et surtout un prédateur, la martre de Pennant, que les Américains appellent « fisher » (pêcheur) et les Indiens « pékan ». Cette martre est le seul carnivore américain capable de chasser régulièrement les oursons coquaux en pleine santé. En revanche, de nombreux autres animaux (coyotes, loups, lynx roux et grands ducs américains) ne s'en prennent aux oursons que si ceux-ci sont malades ou affaiblis par les privations de l'hiver ; toutefois, ce type de capture est épisodique et rarement sans danger pour l'assaillant. Le pékan, lui, est capable de harasser l'ourson coquau en le mordant à la tête jusqu'à l'étourdir. Et, comme ce prédateur est d'une taille et d'un poids comparables à ceux de sa proie, il n'hésite pas à la poursuivre, dans les arbres comme à terre. On le voit tourner rapidement autour du rongeur, viser sa tête et tenter de mordre celle-ci, avant que l'animal ait eu le temps de se retourner et de lancer sa queue. Les morsures épuisent la victime parfois jusqu'à ce que mort s'ensuive. La martre peut alors la dévorer, ne laissant que les os, la peau et les piquants... Il arrive aussi que l'ourson coquau soit attaqué par un puma qui le capture sans grandes difficultés ni précautions ; étant donné sa taille, il ne craint guère les aiguilles plantées dans sa chair. Mais c'est un prédateur trop rare pour représenter un danger sérieux. □

Une proie providentielle pour les Indiens

Le porc-épic du Nouveau Monde a toujours intéressé l'homme, qui lui a octroyé de nombreux rôles dans des traditions très anciennes. Les Amérindiens voyaient en lui un animal facile à capturer et dont les piquants leur servaient d'ornements. Les forestiers d'aujourd'hui le considèrent comme un ennemi de la forêt. En réalité, celle-ci a plus souffert de la hache et du feu que de la dent du rongeur.

Une proie providentielle

■ Dans les forêts de l'est de l'Amérique du Nord, on a appelé certaines tribus indiennes du nom générique d'Indiens du Porc-Épic — c'était le cas pour les Micmacs du Nouveau-Brunswick et de Nouvelle-Écosse et les Montagnais de l'est du Québec. Ce nom avait un sens. En effet, ces groupes, ne pratiquant pas l'agriculture, se nourrissaient en été de produits de la chasse, de la pêche en eau douce ou des cueillettes en forêt. En hiver, les caribous et les élans, chassés du Grand Nord par le froid, constituaient l'essentiel de leur alimentation, tandis que l'automne était pour eux une saison de pénurie. Lorsque le gel précédait la neige, il était impossible d'attraper les crustacés et les mollusques d'eau douce ; quant aux grands ongulés, leur capture était trop difficile. Seul le porc-épic américain assurait leur survie.

Au XVIIᵉ siècle, les jésuites français qui accompagnaient les premiers colons ont rapporté des témoignages décrivant en détail ces chasses au porc-épic. Les récits du père Lejeune, datés de 1633, évoquent un certain automne où, la chasse étant particulièrement mauvaise, un ourson coquau « gros — précise le père — comme un cochon de lait » avait sauvé toute une tribu à la recherche de bons terrains de chasse.

L'animal une fois mangé, les restes recevaient un traitement particulier : ils devaient être brûlés ou jetés à la rivière, mais on ne pouvait en aucun cas les donner aux chiens. Les Indiens pensaient en effet que le porc-épic s'offrait à eux pour leur sauver la vie et qu'il méritait donc le plus grand respect. Si on le molestait sans raison, il risquait de devenir rare ou difficile à capturer.

Au Québec, des Canadiens d'origine indienne estiment qu'il ne faut pas tuer inutilement le seul animal qu'un homme perdu dans les bois peut capturer sans arme pour se nourrir. □

Des décorations de piquants

■ D'une façon plus générale, les Indiens d'Amérique du Nord ont toujours utilisé les piquants de l'ourson coquau, à la fois comme ornements et comme monnaie d'échange entre eux, avant l'arrivée des Européens.

Par la suite, ces « bijoux » furent remplacés par les colliers de coquillages (wampum). Les piquants étaient travaillés, il fallait les ranger par taille, souvent les colorer et les assembler sur une peau de cerf ou sur de l'écorce. Les diverses teintures utilisées étaient à base de terre, de cendres et de colorants végétaux. Avec les peaux ainsi travaillées, on pouvait fabriquer des ceintures, des mocassins, des vêtements divers, des tabatières ou encore toutes sortes de sacs.

On s'est étonné dans un premier temps de découvrir l'importance de l'exploitation artisanale de ces piquants dans des zones où l'espèce n'existait pas. Cela est en fait dû à un commerce intense entre les tribus des forêts et celles des plaines, là où, sans arbres et sans végétation, le porc-épic n'aurait pas pu vivre. □

Un peigne pour les jeunes filles

■ D'autres usages pouvaient être faits des piquants : évidés, ils servaient pour récolter le sirop d'érable. Les Indiens exploitaient aussi d'autres parties du porc-épic. Les jeunes filles, par exemple, avaient un peigne constitué du pelage inférieur de la queue du rongeur : en effet, les poils raides exploités par l'animal pour mieux adhérer au tronc de l'arbre étaient parfaits pour démêler la chevelure de ces belles...

En arrivant dans le Nouveau Monde, les Européens ont naturellement posé un regard différent sur l'espèce. Certains continuent certes à manger le porc-épic : en 1934, une personne est morte au bout de 12 jours à cause d'un piquant absorbé avec un sandwich à la viande de porc-épic (la blessure interne s'était infectée et l'on n'avait pu la guérir). Mais les hommes ont surtout vu d'un mauvais œil les destructions de cet animal, capable de ronger non seulement les écorces mais aussi d'autres substances très diverses comme des fils électriques, par exemple, ou certains contreplaqués dont la colle plaît à l'espèce, on encore des avirons, la coque d'une embarcation...

Les forestiers ont exagéré les dégâts commis dans les forêts — ou plutôt dans les plantations d'arbres d'ornement ou d'arbres fruitiers. Selon certaines estimations, un seul animal pourrait causer 6 000 dollars de dégâts. En réalité, de tels méfaits restent exceptionnels. Autrefois, les États payaient des primes pour la destruction de l'espèce. Le dernier à abolir ce système, en 1979, fut le New Hampshire. □

Des courses de porcs-épics sont organisées aux États-Unis, mais l'ourson coquau n'est sûrement pas l'animal de compagnie idéal car il a tendance à ronger tout ce qui est en bois

LOVARI
(Sandro)
Sienne, 1946

Biologiste italien

Sandro Lovari est un des premiers chercheurs italiens à s'être intéressés aux influences du milieu naturel et de l'environnement sur le comportement des animaux sauvages. Les études sur le terrain de ce spécialiste des ongulés ont permis la découverte d'une nouvelle espèce : le chamois du Sud-Ouest.

■ Né à Sienne en 1946, Sandro Lovari est, dès sa plus tendre enfance, fasciné par les animaux et leur comportement. Ce jeune citadin met à profit les week-ends qu'il passe à la campagne pour parcourir la région toscane à la recherche de criquets, de coléoptères (abeilles), de sauterelles, dans leur milieu naturel, et il leur construit lui-même des terrariums. Au grand dam de ses parents, il apprivoise une quantité de petits animaux tels que musaraignes, coucous et hiboux. À l'âge de quatorze ans, il a déjà lu trois fois les dix volumes des *Souvenirs entomologiques* de J.H. Fabre, mais il ne découvre l'éthologie qu'en 1969. Cette science du comportement des espèces animales est alors très peu développée en Italie, et l'ouvrage de Konrad Lorenz *l'Anneau du roi Salomon* est pour lui une révélation.

Sandro Lovari pressent l'importance que peut avoir l'environnement, qui, comme il l'écrira plus tard, « influence largement le comportement de l'animal ». Il oriente son travail vers les branches de l'éthologie et de l'écologie du comportement, prépare sa thèse de doctorat à Cambridge, dans le laboratoire du professeur R.A. Hinde, puis poursuit ses études sur le comportement animal à l'université de Groningue (Pays-Bas), puis à Sienne, à Stockholm et à Parme.

C'est là qu'il réalise de nombreuses enquêtes en laboratoire et à l'extérieur, de manière à « étudier le comportement animal en estimant l'influence des variables propres au milieu, qui le modifient ». Au début, il étudie surtout les corvidés et les rapaces et leurs comportements liés à l'alimentation et à la reproduction. Mais, à partir de 1978, il oriente ses recherches vers la sociobiologie des ongulés des montagnes d'Eurasie, « animaux longtemps considérés par les scientifiques comme des sujets d'étude inappropriés... peut-être à cause du climat où ils vivent... ou encore parce qu'ils manquaient d'exotisme », comme il le note dans la préface de *The Biology and Management of Mountain Ungulates,* paru en 1985.

Ses nombreuses observations des chamois sur le terrain lui ont permis d'établir des différences comportementales entre les populations alpines, celles des Apennins et celles des Pyrénées. *Le Peuple des rochers,* qui paraît en Italie en 1984 et reçoit le prix Glaxo pour la vulgarisation de la science, est le récit passionnant et vivant de ces découvertes.

Le travail de Lovari et de ses collaborateurs sur l'écologie comportementale du renard rouge (*Vulpes vulpes*), dans le parc naturel de Maremma, a permis de mieux comprendre les étroites relations existant entre les variations du milieu, l'activité et l'utilisation de l'habitat chez ce carnivore.

Pour Lovari, comme pour de nombreux biologistes, la conservation de la nature et de la faune est l'objectif essentiel des années à venir, car « la plupart des animaux sauvages sont continuellement repoussés vers des espaces de plus en plus petits par leurs deux grands ennemis : le développement économique et le progrès ». Mais la protection des espèces animales doit être mise en œuvre avec discernement, en « prenant appui sur des données scientifiques solides... ». Tel est le constat de Sandro Lovari, qui a visité de nombreux pays : entre autres le Pakistan, le Kenya, la Chine, mais aussi l'Allemagne, la Grèce, la Yougoslavie et la France — il organise même des expéditions en Thaïlande (1985, 1986, 1987), au Népal et en Inde (1990).

Membre du WWF depuis 1967, Lovari est président du groupe des spécialistes de caprinés de l'IUCN (Union mondiale pour la nature), membre délégué auprès de la CITES et secrétaire de la commission de la faune. Aujourd'hui, il se partage entre la recherche et l'enseignement. Considérant comme son devoir de scientifique de divulguer son savoir, il rédige de nombreux articles de vulgarisation pour des magazines, donne des conférences et collabore à des revues spécialisées. Il a également été conseiller scientifique de films animaliers pour la BBC et pour la télévision suisse. □

> « *L'animal se trouve confronté de manière permanente à son environnement. Il semble indispensable d'évaluer l'influence du milieu de vie sur l'animal lorsqu'on procède à une étude de son comportement.* »

UNE EXPÉDITION AU NÉPAL

En septembre et octobre 1989, sous l'égide du Conseil national italien de recherche, Lovari part dans le parc national de Sagarmatha, sur le mont Everest. Il parcourt plus de 200 km à pied en 22 jours, entre 2 000 et 6 000 m, à la recherche d'ongulés sauvages. Ses observations sur le terrain (relevés d'empreintes, estimation du poids de l'animal, localisation de son espace de vie...), réalisées en majorité entre Pangboche et Phortse, à 4 000 m d'altitude, lui permettent de situer le taux de reproduction d'un des caprins les plus répandus, *Hemitragus jemlahicus,* à 0,18 naissance par femelle.

DANS LE PROCHAIN NUMÉRO
LA MOUETTE RIEUSE

VIE SAUVAGE
ENCYCLOPÉDIE LAROUSSE DES ANIMAUX

la mouette rieuse

Un oiseau
pique-assiette
Des nids
regroupés
Une éboueuse
bénévole

HEBDOMADAIRE   N° 77

LAROUSSE

137 FB / 5,90 FS / 137 FL / 2,95 $ CAN

l'oiseau des côtes et des rivages

VIE SAUVAGE

ENCYCLOPÉDIE LAROUSSE DES ANIMAUX

le macaque

Une société matriarcale

Des bains d'eaux chaudes
en hiver

Un sujet de laboratoire

N° 36

PRIX 19,50 FF
39 FB / 5,90 FS
39 FL

Hebdomadaire

M 1431 - 36   2,95 $

WWF — Fonds Mondial pour la Nature

Avec VIE SAUVAGE,
la nouvelle encyclopédie Larousse des animaux,
découvrez la vraie vie des animaux sauvages du monde entier.

Chaque semaine, partez à la rencontre d'un nouvel animal. Surprenez-le dans son intimité, grâce à des photos fortes, prises sur le vif par de grands reporters. Apprenez à connaître son comportement et ses mœurs, racontés par les plus grands experts de la faune sauvage : scènes de chasse, bains, premiers pas des petits... Vous découvrirez les grands principes écologiques de la lutte pour la vie et de l'équilibre de la nature.

Constituez-vous une collection complète des animaux sauvages du monde entier, en les regroupant selon les 11 grands milieux naturels où ils vivent :

Savanes et prairies : éléphant, lion, girafe, bison, kangourou...
Forêts tropicales : tigre, orang-outan, jaguar, perroquet...
Forêts de conifères : loup, aigle royal, lynx, hermine...
Forêts de feuillus : koala, renard, cerf, sanglier, coucou...
Mers et océans : dauphin, baleine, requin, pieuvre...
Côtes marines : otarie, tortue géante, fou de Bassan, iguane...
Rivières et fleuves : hippopotame, loutre, piranha, castor...
Étangs et marais : pélican blanc, crocodile, vison, libellule...
Montagnes : grand panda, condor, ours brun, macaque japonais...
Déserts et steppes : guépard, caméléon, criquet, scorpion...
Toundras et glaces : phoque, caribou, lemming, bœuf musqué...

VIE SAUVAGE est le fruit d'une collaboration entre Larousse et le WWF (Fonds Mondial pour la Nature - France). Cette encyclopédie est née d'une volonté commune d'agir en faveur de la protection des animaux sauvages.

© : 1986. Copyright WWF. ® : WWF propriétaire des droits.

VIE SAUVAGE est édité par la Société des Périodiques Larousse

Directeur de la publication : Bertil Hessel

Directeur éditorial : Claude Naudin

Directeur de la collection : Laure Flavigny

Rédaction : Catherine Nicolle

Direction artistique : Henri Serres-Cousiné

Direction scientifique : Christine Sourd, docteur en écologie, Conservation Officer au WWF-France

Conception graphique et mise en pages : Frédérique Longuépée

Couverture : Gérard Fritsch

Correction-révision : Service de lecture-correction de la Librairie Larousse

Documentation iconographique : Anne-Marie Moyse-Jaubert, Marie-Annick Réveillon

Composition : Michel Vizet

Fabrication : Jeanne Grimbert

Service de presse : Régine Billot

EN VENTE TOUS LES MERCREDIS

Service des ventes : PROMEVENTE - Michel Iatca
Tél. : 45 23 25 60
Terminal : EB6
L'encyclopédie Vie Sauvage se compose de 144 fascicules pouvant être assemblés en 9 volumes sous reliure mobile.
La publication est hebdomadaire, mais, en juillet et en août, il ne paraîtra que deux numéros au lieu de quatre.

Administration et souscription : Société des Périodiques Larousse
17, rue du Montparnasse
75298 Paris Cedex 06
Tél. : 44 39 44 20 (ligne directe)

© 1990, Société des Périodiques Larousse
17, rue du Montparnasse, 75006 Paris.
Imprimé en France (Printed in France).
Distribution N.M.P.P. pour la France.

Conditions d'abonnement : Écrire ou téléphoner à la Société des Périodiques Larousse

Prix du fascicule et de la reliure

	Fascicule	Reliure
France	19,50 FF	49,00 FF
Belgique	139,00 FB	350,00 FB
Suisse	5,90 FS	15 FS
Luxembourg	139 FL	350 FL

Vente aux particuliers d'anciens numéros. Envoyez les numéros des fascicules commandés et un chèque d'un montant de :
— 25,50 FF par fascicule
— 61,00 FF par reliure
à GPP. BP 46
95142 Garges-lès-Gonesse

PROCHAINS NUMÉROS DE L'ENCYCLOPÉDIE :

L'autruche

Les chameaux

Le zèbre

Le buffle

Les scorpions

Le caribou

La pieuvre

Le fourmilier

Le manchot

Le coyote

SOMMAIRE

N° 36 LE MACAQUE
Montagnes

LE MACAQUE ET SES ANCÊTRES 1

LA VIE DU MACAQUE
Mères et filles vivent ensemble toute leur vie 4-5
Un amateur de fruits, de feuilles et de fleurs 6-7
En hiver, des bains d'eau chaude pour se réchauffer 8-9
Blotti dans la fourrure de sa mère 10-11

POUR TOUT SAVOIR SUR LE MACAQUE
Macaque japonais 14-15
Les autres macaques 16-17
Milieu naturel et écologie 18

LE MACAQUE ET L'HOMME 19-20

DICTIONNAIRE DES SAVANTS DU MONDE ANIMAL
Christian Gottfried Ehrenberg

LES TEXTES DE CE NUMÉRO ont été rédigés par Martine Todisco, maître ès sciences en biologie, Michel Manière, Monique Madier.

DESSINS de Guy Michel.

SCHÉMA de Thierry Chauchat.

CARTE de Edica.

PHOTO DE COUVERTURE : Macaque japonais. Phot. M. Iijima - Ardea.

CRÉDITS PHOTOGRAPHIQUES p. 1, Y. Arthus-Bertrand - Ardea ; p. 2/3, C. Cole - Black Star - Rapho ; p. 4, M. Iijima - Ardea ; p. 4/5, E. Hashimoto - OSF ; p. 5, Z. Leszczynski - Animals Animals ; p. 6, F. Gohier - Jacana ; p. 6/7, N. Tanaka - Orion Press - Bruce Coleman ; p. 7, M. Iijima - Ardea ; p. 8, Y. Arthus-Bertrand - Ardea ; p. 8/9, Sygma - Cinéma 7 (Extr. du film le Peuple singe de G. Vienne) ; p. 9, S. Kaufman - Bruce Coleman ; p. 10bg, M. Iijima - Ardea ; p. 10bd, M. Iijima - Ardea ; p. 10/11, F. Gohier - Jacana ; p. 11, F. Gohier - Jacana ; p. 12/13, Sygma - Cinéma 7 (Extr. du film le Peuple singe de G. Vienne) ; p. 14, M. Iijima - Ardea ; p. 15h, Y. Arthus-Bertrand - Jacana ; p. 15b, F. Gohier - Jacana ; p. 16bg, Varin-Visage - Jacana ; p. 16bd, E. Hanumantha Rao - NHPA ; p. 17bg, R. Seitre - Bios ; p. 17bd, R. Williams - Bruce Coleman ; p. 19, M. Kavanagh - Survival Anglia ; p. 20, F. Gohier - Jacana. 3ᵉ de couv. : Christian Ehrenberg, portrait, gravure sur bois. Phot. Bildarchiv Preussischer Kulturbesitz, Berlin.

Composition : Dawant. Photogravure : Graphotec. Impression : Jean Didier

LE MACAQUE

Ce singe à la face rouge, qui a su s'adapter aux froids rigoureux de l'hiver japonais, se transmet de génération en génération une « culture » qui s'enrichit au fil des ans. Les chercheurs sont témoins de cette évolution qui le rapproche de l'homme.

Les premiers restes d'animaux retrouvés sur Terre datent d'environ un milliard d'années. Or, parmi les primates, le plus ancien est *Purgatorius,* qui vit à la fin de l'ère secondaire, il y a 70 millions d'années. De la taille d'un rat, il vit dans les arbres et est végétarien, alors que ses ancêtres étaient mangeurs d'insectes. Après lui, les primates du paléocène et de l'éocène ont la taille d'un écureuil, avec une longue queue, quatre membres et cinq doigts, dont un pouce opposable. Ils vivent dans les arbres sous un climat tempéré.

Il y a environ 36 millions d'années, leurs descendants, les simiiformes, dont font partie les catarhiniens de l'Ancien Monde, sont déjà des primates modernes (leur crâne est mieux développé).

On a retrouvé la trace de catarhiniens en Égypte. Parmi ces fossiles datant de l'oligocène, *Propliopithecus* et *Ægyptopithecus,* qui pourraient bien être les ancêtres de tous les primates supérieurs de l'Ancien Monde.

Les autres cercopithèques qui leur succèdent au miocène, environ 17 millions d'années plus tard, vont coloniser de nouveaux milieux. En effet, entre-temps, le continent africain est entré en contact avec l'Eurasie, ce qui a rendu possible le passage des animaux de l'Afrique vers l'Europe et l'Asie, des cercopithèques en particulier. Un membre de cette famille, le macaque, colonise l'Europe et l'Asie. On trouve des restes de macaques dans toutes les couches paléontologiques, depuis le miocène jusqu'à nos jours. Pourtant, ses origines ne sont pas encore connues avec certitude.

Un squelette presque entier de macaque, datant probablement du début du quaternaire, c'est-à-dire de un million d'années environ, a été retrouvé, vers 1960, sur l'île de Shikoku. L'étude du crâne a révélé qu'il s'agissait d'un singe adulte ressemblant assez à un macaque japonais mâle d'aujourd'hui. Cependant, à y regarder de plus près, la grande taille de ses orbites et la petite dimension de la cavité alvéolaire d'une de ses canines, ainsi que sa face particulièrement large, l'apparentent plutôt au *Macaca robustus,* fossile trouvé en Chine.

Il existe aujourd'hui 19 espèces de macaques dans le monde. Comme son nom l'indique, le macaque japonais vit au Japon. C'est le plus septentrional de tous les singes. Résistant aux grands froids grâce à sa fourrure épaisse et à sa solide constitution, il est devenu célèbre à cause de son aptitude à acquérir des comportements nouveaux. □

Le petit macaque est très perturbé lorsqu'on le sépare de sa mère. Il crie, s'agite et donne tous les signes du plus grand désarroi. Si l'absence de sa mère se prolonge, il devient insensible aux événements extérieurs et sans réactions. Mais, dès qu'il retrouve sa mère, tout rentre dans l'ordre et il s'accroche à son cou avec détermination. Les femelles macaques sont d'ailleurs des mères attentives, très protectrices et profondément attachées à leur petit.

Le toilettage est fréquent. *Il occupe une grande partie de la journée et se pratique souvent à plusieurs, entre individus apparentés, chacun étant à son tour toiletteur et toiletté. Relèvement des sourcils, regard fixe, bouche ouverte, redressement ou aplatissement des oreilles, grimaces, présentation du dos sont les mimiques les plus fréquentes. Le regard fixe, le relèvement des sourcils et le hérissement du pelage traduisent une menace.*

4, Le macaque

Mères et filles vivent ensemble toute leur vie

■ Contrairement aux gibbons, qui vivent en couples, ou aux géladas d'Éthiopie, qui vivent en harems, le macaque japonais, comme tous les macaques, vit en groupes cohérents et stables, organisés comme de vraies sociétés.

On cite l'exemple d'une troupe de macaques de 81 individus, comprenant 7 mâles adultes, 24 femelles adultes et 50 jeunes de tous âges. Les chercheurs japonais, qui étudient les macaques depuis 1950, ont observé qu'au sein d'un groupe, les lignées sont matrilinéaires, formées par une femelle, ses filles et les enfants de ses filles, qui restent toute leur vie dans leur groupe de naissance, alors que certains mâles adolescents le quittent vers l'âge de 4 ans. Les femelles sont donc plus nombreuses dans le groupe et assurent la cohésion sociale de celui-ci, fondée sur l'attachement. Lorsqu'un groupe est trop important, il se scinde en deux. Dans certains cas, les femelles, rompant leur entente sociale, migrent dans des directions différentes et les mâles tentent de s'intégrer à d'autres groupes voisins.

Chaque femelle adulte a une position hiérarchique précise. Ses filles héritent en général du rang social de leur mère. Un rang élevé assure une meilleure reproduction et un statut plus favorable pour les jeunes.

Un art consommé de la négociation

L'unité du groupe n'empêche pas les conflits de hiérarchie entre individus. Les conflits mineurs se règlent par des cris ou des mimiques. Le rapport dominant-dominé se base sur un subtil dosage de soumission et de contestation. Si le dominé remet en cause la dominance, le conflit est inévitable. À l'issue de l'affrontement, le vaincu reconnaît sa défaite.

Cris, mimiques, toilettage font partie du langage de la négociation. Quand un macaque japonais souhaite en toiletter un autre, il le lui propose par un cri. L'autre répond favorablement ou non, par un cri ou une mimique. Le toilettage (« grooming » des Anglo-Saxons) consiste à prospecter minutieusement la fourrure en écartant du bout des doigts les touffes de poils. Il élimine la poussière et démêle le pelage. Les parasites, tiques et poux, sont extirpés ainsi que les cellules mortes de l'épiderme. Mais la principale fonction du toilettage serait de réduire la tension entre individus, d'éviter les conflits. Pourtant, un individu réagit parfois agressivement vis-à-vis de son toiletteur, ce qui semble contradictoire.

La signification d'une mimique dépend de l'âge de l'animal, de sa taille, de sa position dans le groupe. Elle peut indiquer la menace, la soumission, la crainte ou la bienveillance.

Le macaque japonais émet des cris clairs, nets, de longue portée. Leur fréquence se situe à hauteur de 1 000 Hz. Chaque individu a une voix particulière, qui permet aux autres de l'identifier, de reconnaître ses liens de parenté et son statut au sein du groupe. □

LES MOUVEMENTS DE LA TROUPE

Dans une troupe de macaques japonais en déplacement, les mâles adultes dominants sont au centre. Autour d'eux, gravitent les femelles et leurs descendants mâles et femelles de tous âges, regroupés par « familles ». Les mâles adolescents en passe de quitter leur groupe d'origine et ceux qui tentent de s'intégrer dans la troupe sont en périphérie. Les mâles adultes sont tolérants entre eux ; ils veillent sur la troupe et le territoire, décident des déplacements et définissent les priorités au temps des accouplements.

Les groupes de femelles apparentées sont très soudés au sein de la troupe, une mère étant entourée de plusieurs générations de ses filles et de tous leurs petits.

Un amateur de fruits, de feuilles et de fleurs

■ Du nord au sud du Japon, le macaque japonais se nourrit de feuilles, de fruits et de graines, de fleurs et de champignons. Ce végétarien consomme aussi des invertébrés (vers, insectes ou mollusques) pour compléter son régime, qui varie en fonction du climat et de ce que lui offre la nature. Pour chercher sa nourriture, la troupe progresse lentement, au hasard, passant d'un arbre à l'autre en agrippant une branche voisine, cueillant d'un geste précis le fruit ou la feuille convoités, ou descendant à terre si l'arbre est trop éloigné.

Dans l'île de Koshima, au sud du Japon, le climat n'est pas trop rigoureux et la nourriture est assez variée et abondante. Des cher-

cheurs japonais ont étudié pendant six mois Shiba, une femelle adulte, et Bara, sa fille âgée de 4 mois. En octobre, Shiba se nourrit à parts égales de fruits et d'invertébrés. En novembre, elle consomme moins d'invertébrés, mais plus de graines et de fruits. En décembre, c'est le contraire, mais elle complète son alimentation avec des feuilles. En janvier, la quête des graines tombées au sol et celle des fruits représentent environ 20 % du temps qu'elle consacre à se nourrir. La quantité

d'invertébrés diminue de nouveau pour faire place aux fleurs, aux feuilles persistantes et à quelques fruits. Février est l'époque la plus difficile pour Shiba, qui est alors sous-alimentée. Elle se nourrit en effet de toutes sortes de feuilles, mais les feuilles persistantes (base de son alimentation) sont riches en cellulose, aussi indigeste que peu nourrissante..

Mars est consacré au ramassage des graines, l'essentiel de sa nourriture ; quelques invertébrés et des feuilles sont toujours là, mais en moindre quantité.

Dans le nord du Japon, sur la péninsule de Shimokita, l'hiver est rigoureux et les macaques doivent se contenter d'un régime de survie, composé principalement d'écorce

et de bourgeons d'arbres à feuilles caduques. Ils décortiquent habilement le bois de son écorce en maintenant la branche d'une main ou des dents. La pauvreté de la végétation les oblige à se déplacer continuellement. Heureusement, la mer est là pour leur offrir, à l'occasion, quelques mollusques comme les patelles (berniques).

Surtout des fruits dans le Sud

Dans le Sud, sur l'île de Yakushima, le climat est au contraire nettement plus tropical. L'étude d'une troupe de macaques de cette région a montré qu'ils sont plutôt frugivores. Ils peuvent consommer jusqu'à 76 variétés de plantes, certaines pour leurs feuilles (notamment au printemps, celles de végétaux à feuilles caduques), mais la plupart pour leurs fruits et leurs baies arrivés à maturité, l'essentiel de l'alimentation aux autres saisons. Les macaques complètent leur alimentation de noix tombées au sol en hiver, et de graines de hêtre ramassées au printemps. □

UNE OCCUPATION PRENANTE

Le chercheur japonais T. Iwamoto a observé des macaques pendant six mois, d'octobre à mars, et a établi le temps moyen, en minutes, qu'ils passent chaque jour à se nourrir (en bleu). Le schéma montre aussi, en grammes de matière sèche, la quantité de nourriture absorbée (en noir). C'est entre 12 h 30 et 13 h 30, puis de 16 h à 18 h que la récolte est la plus fructueuse.

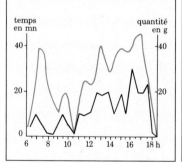

Quant la forêt est enneigée, les macaques se nourrissent d'écorces et de bourgeons qu'ils prélèvent surtout sur les arbres à feuilles caduques.

Les macaques prennent leurs « repas » ensemble, surtout tôt le matin et l'après-midi. Les plus légers se déplacent de branche en branche ; ils ont tôt fait d'attraper la feuille ou le fruit convoités. Mais les gros, contraints de rester sur les rameaux les plus solides, doivent ruser, faire ployer les branches vers eux et les casser.

Les écorces des arbres sont tout ce qu'il reste à manger en hiver dans les forêts à feuillages caduques. Les macaques les détachent habilement de la tige en s'aidant des mains et des dents. Ils en remplissent le plus possible leurs abajoues, sortes de garde-manger qu'ils ont à l'intérieur des joues, et les dégusteront ensuite tout à loisir pendant les moments de repos.

Pour les jeunes macaques de la vallée de Jigoku Dani, les bains d'eaux chaudes sont un terrain de jeux idéal. Sauts, plongeons et cabrioles sont prétextes à mesurer leur force, leur habileté et leur souplesse.

En sortant trempés des bassins de pierre, jeunes et adultes se retrouvent sur le bord. Le moment est propice aux échanges pacifiques, simples instants de repos ou séances de toilettage.

En hiver, des bains d'eaux chaudes pour se réchauffer

■ Le Pays des cerisiers en fleurs est aussi exposé aux vents glacés du continent asiatique. Le long de la mer du Japon, sur la côte ouest, il n'est pas rare de compter jusqu'à 8 m de neige au niveau de la mer. Dans le Japon central, la neige tombe de façon intermittente durant tout l'hiver, et la température extérieure, en février, varie de − 5 à − 20 °C. Là, sur les plateaux de Shiga (île de Honshu), à environ 1 500 m d'altitude, des sources d'eaux chaudes chargées de soufre, de fer et d'alun, jaillissent naturellement à une température de 40 à 60 °C et sont captées dans des petits bassins, au-dessus desquels s'élève une brume de vapeur d'eau chaude.

Ces bains, très populaires parmi les Japonais, ont été adoptés par tous les macaques de la région, qui s'y glissent ou y plongent plusieurs fois par jour. Ils y demeurent 5, 10 minutes ou plus, au milieu d'un bassin ou en bordure, dans la position, au départ, d'un nageur sur le dos. Une fois réchauffés, ils en ressortent, curieusement « amaigris », leur épaisse fourrure mouillée collée au corps, et s'ébrouent sur la margelle.

Les singes ont-ils eu seuls l'idée de prendre ces bains revigorants ou l'ont-ils fait par imitation des hommes ? La légende raconte qu'un marin venu se reposer dans la région se serait lié d'amitié avec les singes. Ces liens auraient été suffisamment étroits pour que l'homme occupe un rang hiérarchique supérieur dans la troupe, et les macaques l'auraient suivi dans les bains d'eaux chaudes.

La culture simienne

Cette faculté du macaque à acquérir un nouveau comportement et à se le transmettre est appelée « culture simienne ». En 1953, alors qu'ils cherchaient à étudier individuellement les divers membres d'une troupe de macaques sur la petite île de Koshima, à Kyushu, des biologistes japonais observèrent un peu par hasard le début d'un comportement acquis. Pour faciliter leurs observations, ils eurent l'idée d'attirer les macaques en déposant régulièrement des patates douces sur une petite plage de sable.

En septembre 1953, alors qu'il regardait les macaques en train de se nourrir, l'un de ces chercheurs, Masao Kawai, fit une découverte surprenante. Imo, une femelle d'un an et demi, prit une patate douce entre ses mains et, au lieu de la manger, la plongea dans l'eau et la frotta, comme pour la nettoyer ! Les jours suivants, elle recommença, imitée, petit à petit, par les autres membres de la troupe. Au bout d'un mois, un de ses compagnons de jeu faisait comme elle et, en août 1962, sur 46 singes de 2 ans, 36 étaient devenus des adeptes de cette nouvelle cuisine. Chez les adultes, l'apprentissage fut beaucoup plus lent, et la plupart d'entre eux ne pratiquaient pas encore cette technique qu'elle était devenue naturelle pour les plus jeunes. □

Il vient juste de neiger, cette femelle macaque, tenant son petit dans un bras, a encore de la neige sur la tête, mais elle ne craint pas le froid. Encore réchauffée par l'eau du bain, elle attend tranquillement sur le bord du bassin. La vapeur d'eau, qui forme comme un brouillard aux alentours et réchauffe légèrement la température extérieure, protège les animaux du froid et permet à leur fourrure de sécher rapidement.

Blotti dans la fourrure de sa mère

■ Un chercheur de l'université de Kyoto a étudié, durant 24 mois, c'est-à-dire deux saisons, le phénomène de la reproduction dans une troupe de macaques japonais. Une saison va du premier accouplement observé au dernier. Dans le cas étudié, 125 jours pour la première année, 139 pour la seconde.

La première année, la troupe comptait 210 individus, dont 22 mâles sexuellement matures de plus de 4 ans et demi et 84 femelles de plus de 3 ans et demi. La deuxième année : 230 individus, dont 28 mâles matures et 94 femelles. 94 conceptions ont eu lieu en deux ans, le nombre des accouplements augmentant entre octobre et mars et se raréfiant entre avril et septembre. En général, les naissances se produisent surtout en avril et juillet, avec une pointe au mois de mai.

La femelle est en chaleur de 52 à 54 jours. Celle qui n'a pas encore eu de petits l'est plus tôt que les autres (mi-octobre, au lieu de mi-décembre). Les premières chaleurs ont lieu vers 3 ans et demi, mais elles sont encore très passagères. Leur durée augmente un an plus tard, pour se stabiliser vers 7 ans. La fréquence des accouplements dépend de l'âge des femelles. À 17 ans, l'activité de celles-ci baisse notablement.

Les mâles s'accouplent assez souvent avec les femelles âgées de 6 ans environ, et peu avec les femelles plus jeunes ; ils s'accouplent surtout avec celles de 7 ans et demi à 10 ans et demi. Les partenaires mâles des femelles de 3 ans et demi sont en général des immatures d'environ 2 ans et demi. Ceux de 5 ans et demi à 7 ans et demi ont une activité sexuelle importante. Chez les mâles, la production de spermatozoïdes n'est pas constante durant l'année.

Des signes indiquent que la femelle est prête pour l'accouplement : la peau de son visage et de son sexe devient rouge vif, elle produit une sécrétion vaginale odorante. Faute de mâle, elle manifeste une tendance à chevaucher une autre femelle. Durant cette période, le mâle lui aussi change de comportement. Il observe les femelles, se rapproche d'elles, les sollicite. Dans l'accouplement, le mâle se place derrière la femelle, agrippé à elle, les pieds posés sur ses jambes.

Un lien physique indispensable au développement

Un seul petit naît à la fois. Il fait l'objet de soins attentionnés de la part de sa mère qui l'allaite durant les premiers mois de son existence. Les premiers temps, il reste collé contre elle, sans rien faire d'autre que téter. Son univers se limite aux mamelles. Ce n'est que petit à petit, au fur et à mesure de son développement physique, qu'il s'éveille au monde extérieur.

Sa mère l'emmène partout avec elle et lui fait partager toutes ses activités. Elle le tient constamment serré contre elle, et l'on pense que ce lien physique permanent est important pour le développement psychique du jeune macaque. En effet, éloigné de sa mère, le très jeune macaque manifeste un état dépressif.

À califourchon sur le dos de sa mère, lorsque celle-ci s'alimente, il tend de plus en plus souvent les mains pour attraper les feuilles en même temps qu'elle. Si elle le permet, il la quittera bientôt quelques instants pour se hasarder plus ou moins loin. Mais il reviendra vite dans la chaude fourrure. En grandissant, il se tient contre elle de façon de plus en plus lâche et intermittente. Plus il grandit, plus il lui arrive fréquemment de « prendre le train en marche », c'est-à-dire de s'accrocher au dernier moment aux poils des jambes maternelles. On ne renonce pas aussi vite à un moyen de transport si pratique et si confortable ! □

L'allaitement ne sert pas qu'à se nourrir. Sans sa mère pour l'allaiter, le jeune macaque ne survivrait pas. Il se tient d'ailleurs constamment contre elle, et c'est par ce lien physique, qui ne se relâche que peu à peu, que l'enfant acquerra sans traumatisme son indépendance d'adulte.

Les jeux de l'hiver. Les très jeunes se contentent de lécher la neige, mais les adolescents et les adultes jouent avec celle-ci. Ils sont capables de fabriquer des boules de 60 cm de diamètre ! Pour cela, ils poussent et roulent la neige devant eux, avec leurs mains, puis jouent comme avec un ballon.

Le mode de contact le plus fréquent entre jeunes macaques japonais est le jeu. Il leur permet d'apprendre ce qu'est la société et de s'y intégrer peu à peu. Ce lien avec leurs congénères est essentiel. En l'absence de contact, le jeune singe devient très émotif, prend des postures bizarres, s'agrippe lui-même faute de pouvoir toucher les autres. Le combat est aussi un mode d'apprentissage, du moins pour le jeune mâle.

Double page suivante : Les macaques d'une même famille s'unissent parfois pour mieux en dominer une autre.

Macaque japonais
Macaca fuscata

MACAQUE JAPONAIS	
Nom *(genre, espèce)* :	*Macaca fuscata*
Ordre :	Primates
Classe :	Mammifères
Identification :	Singe à grosse fourrure, à face rouge, pas de queue
Taille :	76 cm de long en moyenne
Poids :	11 kg en moyenne pour les mâles, 9 kg pour les femelles
Répartition :	Uniquement au Japon
Habitat :	Forêts de feuillus et de conifères
Régime alimentaire :	Végétarien (feuilles, fruits) essentiellement ; omnivore (insectes)
Structure sociale :	Groupe multimâle
Maturité sexuelle :	De 3 ans et demi à 4 ans
Saison de reproduction :	Marquée, septembre-avril
Durée de gestation :	De 170 à 180 jours
Durée du cycle mensuel :	28 jours
Nombre de jeunes par portée :	1
Poids à la naissance :	500 g en moyenne
Longévité :	Record : 19 ans et 3 mois au zoo de San Diego
Remarque :	Le plus septentrional de tous les singes ; il est capable de comportements acquis et transmis aux générations suivantes, comme le montrent les études scientifiques dont il est l'objet dans la nature, surtout depuis les années 1950

■ Le macaque japonais appartient à la famille des cercopithécidés, dont font aussi partie, entre autres, les mangabeys, les babouins et les mandrills, du genre *Macaca,* extrêmement diversifié et dont la répartition est l'une des plus larges parmi les primates, et au groupe des *fascicularis,* qui rassemble des macaques dont le gland du pénis est bilobé et étroit.

Le macaque japonais se distingue par une morphologie robuste et des membres particulièrement puissants. C'est le plus lourd des macaques.

Sa fourrure est dense, d'une belle couleur pouvant aller du brun-gris au brun olive, en passant par le gris-bleu, avec une zone plus claire dans la région du ventre. Les poils sont plus longs sur les bras, les épaules et le dos. Le pelage est moins fourni sur le ventre et la poitrine.

Il n'a ni queue ni callosités fessières, et la peau de sa face est colorée en rouge. L'intensité de cette couleur varie selon l'âge et le sexe : rose clair chez les jeunes, de plus en plus foncée à mesure qu'ils vieillissent ; elle est rouge vif chez les femelles à l'approche de la maturité sexuelle et chez les femelles en chaleur. La différence entre mâle et femelle est d'ailleurs assez marquée, même si les représentants des deux sexes portent la barbe et de longs favoris : le mâle est nettement plus lourd que la femelle. Ils ont tous deux 32 dents et appartiennent au groupe sanguin B.

Les orbites des macaques, en avant de la face, sont protégées par une arcade sourcilière développée chez les mâles. La vue est leur sens le plus aigu. Ils bénéficient comme nous d'une vision stéréoscopique, c'est-à-dire qu'ils voient en relief et évaluent les distances.

Le macaque japonais utilise un vaste répertoire de mimiques et de sons pour communiquer avec ses congénères. Les animaux sont capables de se reconnaître uniquement à la voix.

Le macaque japonais est un animal diurne, qui se nourrit une grande partie de la journée, entrecoupant ses recherches alimentaires de plages de repos durant lesquelles il mange les provisions qu'il a stockées dans ses abajoues →

Peau.
De couleur plutôt claire sur l'ensemble du corps, la peau de la face et du sexe des femelles devient d'un rouge intense quand elles sont fécondables.

Pelage.
Le pelage est épais et plus développé sur le dessus du crâne, le dos et les membres, beaucoup moins sur le ventre ; d'où la position repliée du macaque en hiver.

Nez.
Comme tous les singes de l'Ancien Monde, le macaque japonais possède 2 narines orientées vers le bas et séparées par une cloison étroite.

Main.
La main comporte 5 doigts munis d'ongles. Le pouce est opposable aux autres doigts et facilite la préhension.

(voir signes particuliers). Il vit dans les forêts d'arbres à feuilles caduques et d'arbres à feuilles persistantes (conifères). Dans le nord du Japon, c'est dans ces dernières qu'il préfère dormir. Il évolue le plus souvent dans les arbres, mais peut aussi bien se déplacer au sol. Quadrupède, il devient bipède à l'occasion, pour pouvoir transporter des objets dans ses mains.

La vie arboricole, qui demande une intégration rapide des données sensorielles, une excellente coordination des mouvements et une extrême agilité, a favorisé son développement sensorimoteur et aiguisé son intelligence : la partie la plus développée de son cerveau est le cortex. Plus que tout autre animal, il est capable de faire des gestes précis, et d'utiliser, par exemple, certains objets dérobés aux hommes venus l'observer.

Pour le singe, comme pour l'homme, il existe trois moyens d'acquérir la connaissance : la transmission génétique, l'apprentissage individuel et la transmission culturelle. La vie en groupe facilite l'apprentissage. Le macaque japonais est devenu célèbre en manifestant une capacité d'apprentissage évoluant en processus culturel. Quand le comportement nouveau d'un seul individu est progressivement adopté par d'autres, c'est qu'il y a eu transmission d'informations, d'où ébauche de culture : protoculture, comme disent les spécialistes, ou « culture simienne ». Le macaque japonais est capable d'accomplir un geste apparemment contradictoire par rapport au but qu'il vise, comme de lâcher du blé mêlé de sable dans l'eau (ce qui ressemble fort à un abandon de nourriture), pour ne récupérer que le blé flottant à la surface. Cela nécessite une capacité d'abstraction supérieure.

Il existe deux sous-espèces : *Macaca fuscata fuscata,* dont les orbites sont arrondies, est la plus répandue ; *Macaca fuscata yakui,* dont les orbites sont plus ovales, vit exclusivement sur l'île de Yakushima, au sud du Japon. □

Signes particuliers

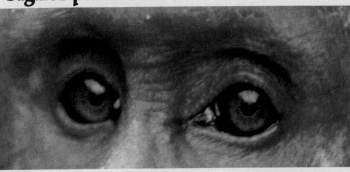

Face
Elle est nue et se caractérise par une peau plus ou moins rouge. Plus le macaque est âgé, plus ce rouge est prononcé. Il acquiert une intensité particulière chez la femelle en chaleur.

Abajoues
Pour stocker sa nourriture, le macaque japonais possède des abajoues, qui consistent en 2 poches internes situées de chaque côté de la bouche. Ces poches forment un diverticule qui se prolonge vers le bas, jusque sous la peau du menton. Elles communiquent avec la bouche par un orifice rétréci. Un tissu corné les tapisse intérieurement. Elles s'appuient sur le muscle principal de la joue et des lèvres, appelé « muscle buccinateur », qui occupe l'espace compris entre la mandibule et le maxillaire. La distension des abajoues est proportionnelle à la quantité de nourriture stockée. Pour faire passer de nouveau la nourriture dans la bouche, la musculature ne suffit pas, et le macaque doit appuyer sur ses abajoues avec ses mains.

Membres postérieurs
Ils se divisent en 4 parties : la région du bassin, ou région pelvienne, la cuisse, la jambe et le pied. 19 muscles forment la musculature du bassin, 19 forment celle de la cuisse, 16 celle de la jambe et 16 celle du pied, soit un total de 70 muscles, impliqués dans le fonctionnement moteur du membre. L'axe d'appui du pied passe par le troisième doigt. Le macaque étant un singe ni complètement terrestre ni complètement arboricole, il possède des phalanges de taille moyenne.

Région pelvienne
Elle se divise en deux parties, la droite et la gauche, renfermant chacune 3 os : l'os iliaque, l'ischion et l'os pubien. La largeur iliaque est de 7,7 cm, contre 5,8 cm chez le lémurien et 13 cm chez l'homme. Plus la surface est importante, plus la musculature fessière est bien accrochée, et plus le corps est apte à se redresser. Quant à la crête iliaque, elle mesure 5,2 cm, contre 2,9 cm chez le lémurien et 26 cm chez l'homme. Si l'on calcule le rapport entre la largeur de la surface iliaque et la longueur du corps, on obtient : 21 pour le macaque, 16 pour le lémurien et 28 pour le gorille. Les 2 autres parties du bassin, l'ischion et le pubis, ne présentent pas de caractéristiques particulières.

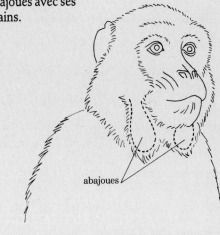

abajoues

Les autres macaques

■ En dehors du macaque japonais, le genre *Macaca* comporte 18 autres espèces de macaques, assez différentes les unes des autres. Tous appartiennent à l'ordre des primates simiens et sont des cercopithèques. Ils sont robustes et possèdent des membres puissants. Leur pelage est souvent brun jaunâtre, avec une zone plus claire sur la face ventrale. Certaines espèces ont des callosités fessières qui deviennent rouges à l'état adulte. Tous sont diurnes et bien adaptés à une vie arboricole. Certains pourtant descendent fréquemment au sol pour de longs déplacements ou pour chercher leur nourriture. Les biologistes ont réparti les macaques en quatre groupes, qui se distinguent par la forme du gland pénien des mâles. Celui du groupe *fascicularis* est bilobé et étroit, celui du groupe *silenus-sylvanus* est bilobé et large, celui du groupe *sinica* est large et allongé, et celui du groupe *arctoides* est très allongé ou atypique. Le macaque japonais fait partie du groupe *fascicularis,* avec 3 autres espèces.

Groupe *fascicularis*

MACAQUE DE FORMOSE

Macaca cyclopis
Aussi appelé macaque de Taiwan. De même taille que le macaque japonais, c'est un singe puissant et d'aspect un peu lourd, à la queue moyennement longue. Le mâle est plus grand que la femelle. On ne connaît pas la structure sociale de ce singe.
Répartition : présent uniquement à Taiwan, il vit naturellement en bordure de mer et fréquente les falaises et les rochers ; en raison de la forte pression humaine, on le trouve aujourd'hui à l'intérieur des terres, entre 600 et 800 m d'altitude. Il peut habiter jusqu'à 3 000 m d'altitude.

Macaque de Buffon (Macaca irus)

Alimentation : végétarien omnivore.
Statut : l'espèce recherchée pour sa viande et pour la réalisation de préparations médicinales, est vulnérable. Effectifs peu précis.

MACAQUE À LONGUE QUEUE

Macaca fascicularis
Aussi appelé macaque crabier.
C'est la plus petite espèce de macaques. Il remplace le macaque rhésus au sud de l'Inde.
Taille : de 31 à 63 cm de long, avec une longue queue de 30 à 60 cm.
Poids : 5 kg pour les mâles, 3 kg pour les femelles.
Pelage tirant sur le gris.
Répartition : il vit en bordure de mer ou de rivière ou dans la mangrove, en Birmanie, Thaïlande, Indochine, Malaisie, Indonésie (sauf aux îles Célèbes) et dans les îles Nicobar.
Comportement : ce macaque, plutôt terrestre et très opportuniste, vit en grands groupes multimâles d'une quarantaine d'individus en moyenne (de 6 à 100) avec une densité moyenne de 39 à 90 animaux par kilomètre carré. Bon nageur à l'occasion.
Alimentation : frugivore et omnivore (crustacés — d'où lui vient son nom de macaque crabier — et insectes).
Statut : populations en déclin dans certaines régions ; il bénéficie parfois d'une protection, comme aux abords des temples à Bali. Il est commercialisé pour la recherche (jusqu'à 70 000 individus capturés en une année).

MACAQUE RHÉSUS

Macaca mulatta
C'est l'un des macaques les plus répandus. Singe assez grand, queue moyenne.

Les mâles sont plus forts que les femelles. Il supporte aussi bien les fortes chaleurs et la neige.
Répartition : habitat varié depuis le niveau de la mer jusqu'à 2 500 m, des semi-déserts à la forêt dense. Présent en Afghanistan, Inde, Népal, Indochine et Chine.
Dans le nord de l'Inde, plus de la moitié des populations vivent en ville, au milieu des habitations, comme à Calcutta.
Alimentation : végétarien (fruits, graines, feuilles, écorces et fleurs) et omnivore (insectes, petits animaux, œufs).
Statut : l'espèce n'est pas protégée, probablement en augmentation dans les villes, mais en diminution dans les zones rurales. Elle a fait l'objet d'exportations massives organisées par le gouvernement indien. Effectifs estimés à 500 000 individus en 1978.

Groupe *arctoides*

MACAQUE À FACE ROUGE

Macaca arctoides
De 48 à 60 cm de long, queue courte de 3 à 8 cm, en forme de moignon. Poids : de 8 à 12 kg.
Crinière fournie sur les épaules ; visage rouge parfois tacheté, rougit à la chaleur et bleuit au froid. Très endurant, il résiste bien au froid et à la neige.
Répartition : régions boisées d'altitude et montagnes jusqu'à 2 000 m. Présent en Inde, au Bangladesh, en Indochine, Malaisie, Chine. Parfois, migrations saisonnières d'une montagne à l'autre.
Comportement : groupes de 20 à 100 individus, en général conduits par un mâle adulte. Plutôt terrestre, il parcourt de longues distances au sol.

Macaque ouandérou (Macaca silenus)

Alimentation : végétarien, omnivore.
Statut : espèce aujourd'hui rare en Malaisie. Très utilisé pour la recherche biomédicale.

Groupe *sinica*

MACAQUE D'ASSAM
Macaca assamensis
Animal d'aspect massif et puissant, queue courte plutôt aplatie ; pelage brun épais sur le dos ; callosités fessières peu prononcées. Insensible au froid, il peut marcher dans la neige profonde.
Répartition : forêts d'altitude jusqu'à 2 250 m ; Népal, Bangladesh, Indochine, Thaïlande.
On a récemment découvert une forme géante en Chine.
Comportement : larges groupes multimâles (jusqu'à 100 individus).
Alimentation : végétarien, omnivore.
Statut : Espèce non menacée ; effectifs mal connus.

MACAQUE BONNET CHINOIS
Macaca radiata
Il ressemble au macaque rhésus. Taille petite à moyenne, aspect élancé, longue queue ; tête à poils longs coiffés soigneusement ; front très haut, chauve.
Habitat : milieux boisés avec rivières, Inde méridionale.
Alimentation : végétarien (jeunes pousses, fruits, graines) omnivore (insectes).
Comportement : larges groupes avec un ou plusieurs mâles adultes. Passe un tiers de son temps au sol.
Statut : espèce non protégée, assez répandue.

MACAQUE COURONNÉ
Macaca sinica
Singe vif et intelligent.
De 37 à 53 cm de long pour 2,5 à 6 kg ; femelles plus petites que les mâles ; longue queue ; pelage marron clair tirant sur le gris ; visage à peau claire avec taches plus foncées ; paupières bleu pâle ; coiffure de même couleur que le corps. Coiffure et taches de pigmentation permettent d'identifier les animaux individuellement.
Répartition : forêts tropicales ; présent seulement à Sri Lanka.
Comportement : groupes multimâles essentiellement arboricoles : peu à l'aise au sol.
Alimentation : fruits disséminés, jeunes pousses de bambou, graines, bourgeons, insectes.
Statut : Il existe quelques réserves ; populations en diminution, estimées à 600 000 en 1976.

MACAQUE DU TIBET
Macaca thibetana
Singe puissant ressemblant au macaque d'Assam ; pelage brun, queue courte, résistant.
Répartition : zones montagneuses de Chine (Centre et Sud).
Alimentation : végétarien et omnivore.
Statut : espèce non protégée dont les effectifs sont inconnus.

Groupe *silenus-sylvanus*

MAGOT
Macaca sylvanus
Singe puissant. De 56 à 70 cm de long pour plus de 7 kg ; pas de queue ; pelage brun-gris.
Répartition : régions rocheuses, collines et forêts de conifères et à feuilles caduques, jusqu'à 2 000 m d'altitude. Afrique du Nord, petite colonie maintenue artificiellement à Gibraltar.
Alimentation : plantes herbacées, quelques baies, graines et insectes.
Comportement : larges groupes multimâles ; moyenne de 43 à 70 individus au kilomètre carré.
Statut : espèce vulnérable, protégée au Maroc ; de 9 000 à 17 000 individus au Maroc ; environ 5 000 en Algérie.

MACAQUE OUANDÉROU
Macaca silenus
Aussi appelé macaque à queue de lion. De 50 à 60 cm de long ; queue de 25 à 38 cm, avec une touffe de poils à l'extrémité ; pelage gris foncé à noir ; collerette de longs poils grisâtres.
Répartition : forêts denses montagneuses ; sud-ouest de l'Inde.
Comportement : groupes de 4 à 34 individus (moyenne entre 10 et 20), avec 1 à 3 mâles adultes ; arboricoles.
Statut : longtemps commercialisé pour les parcs zoologiques et comme animal de compagnie ; espèce menacée, classée en Annexe I de la CITES (commerce interdit) ; 400 individus en 1976.

MACAQUE À QUEUE DE COCHON
Macaca nemestrina
Singe grand et trapu ; de 47 à 58 cm de long ; 4,5 à 9 kg ; queue de 14 à 23 cm, fine et presque toujours portée en arc ; favoris courts ; petite barbe en collier.
Répartition : forêts et espaces cultivés ; Assam, Birmanie, Thaïlande, Indochine, Malaisie, Sumatra et Bornéo.
Comportement : groupes de 15 à 40 individus ; arboricoles, ils descendent à terre en cas de danger ; moue caractéristique des lèvres, en signe de salutation.
Statut : 45 000 individus en 1975 ; presque disparu à Bornéo ; domestiqué et utilisé pour la cueillette des noix de coco dans certaines régions ; sous-espèce des îles Mentawai (Indonésie) protégée en réserve.

Macaques des Célèbes

7 espèces sont localisées exclusivement sur cette île. Très peu étudiées, elles sont mal connues. On distingue :
Macaque de Tonkean, *Macaca tonkeana*, vivant au centre de l'île et dans les îles Togian, en groupes de 5 à 25 animaux, conduits par un vieux mâle.
Macaque nègre, *Macaca nigra*, dans la péninsule nord, de 44 à 65 cm de long, 6 kg ; touffe pointue de poils au-dessus du crâne.
Macaque des Célèbes, *Macaca maura*, vulnérable ; péninsule sud-ouest ; mufle court, pas de crête.
Macaque des Célèbes à bras gris, *Macaca ochreata*, mufle court, pas de crête ; sud-est de la péninsule.
Macaque de Muna, *Macaca brunnescens*, dans les îles de Muna et de Butung.
Macaque de Temminck, *Macaca nigrescens*, mufle long, touffe de poils au sommet du crâne ; centre de la péninsule nord.
Macaque à crête, *Macaca hecki*, vulnérable, jonction de la péninsule nord et de la partie centrale.

Macaque nègre des Célèbes (Macaca nigra)

Macaque rhésus (Macaca mulatta)

Milieu naturel et écologie

■ Les singes appartenant au genre *Macaca* ont une répartition extrêmement large sur le globe, puisqu'on les trouve, à travers l'Asie, de l'est de l'Afghanistan au Japon, à la Chine et à Taiwan. Ils sont également présents dans le Sud-Est asiatique et en Indonésie. Quelques individus, formant des « populations reliques », résident encore en Algérie et au Maroc.

Le macaque japonais habite exclusivement au Japon, où il peuple toutes les îles comprises entre 41° et 30° de latitude nord : de la péninsule de Shimokita à la toute petite île de Yakushima, au sud de Kyushu. Il est absent d'Hokkaido, probablement en raison de l'extrême rigueur de ses hivers : la mer d'Okhotsk gèle entièrement deux mois par an.

Les macaques occupent une grande variété d'habitats : forêt tropicale humide, bois clairs, mangrove, forêt tempérée, prairie, rochers et plages. Ils vivent jusqu'à 4 000 m d'altitude.

L'habitat du macaque japonais est essentiellement la forêt — de conifères ou de feuillus —, où il existe des espaces ouverts tels que les champs et prairies. Mais, dans le nord du Japon, par exemple, on le rencontre dans les rochers, en bordure de mer. Tout à fait au sud de son aire de répartition, sur l'île de Yakushima, le macaque japonais fréquente la forêt tropicale luxuriante. En lisière de celle-ci, il n'hésite pas à faire quelques incursions sur les terres cultivées, comme les plantations d'agrumes, que les habitants doivent protéger.

Le macaque japonais est le plus septentrional de tous les primates, humains exceptés, et il a su parfaitement s'adapter aux conditions climatiques difficiles — le froid et l'enneigement notamment —, auxquels il est confronté.

Certaines recherches récentes des primatologues concernent les stratégies écologiques des singes,

considérées du point de vue alimentaire. On sait, en effet, que tout comportement alimentaire de l'animal est une stratégie plus ou moins complexe qu'il développe en vue d'obtenir une nourriture d'une meilleure qualité, tout en faisant le moins d'effort possible et en y consacrant le minimum de temps.

Tout primate doit adapter sa stratégie alimentaire aux quantités disponibles des ressources présentes dans l'environnement naturel où il se trouve. Les écologistes étudient cette dépendance interactive vis-à-vis du milieu naturel. La quantité disponible de ressources alimentaires détermine le nombre d'individus pouvant subsister dans un espace donné.

On a aussi observé que la taille d'un territoire pouvait se modifier en fonction du nombre d'animaux présents. À la suite de la capture de 60 individus dans une troupe en contenant initialement 100, leur territoire de 4,7 km² s'est

trouvé réduit à 2,67 km².

Un autre facteur modifiant la stratégie alimentaire est le changement des saisons et de la végétation. Les chercheurs japonais Kazuo Wada et Eischi Tokida se sont demandé comment le macaque japonais utilisait son habitat pour se nourrir durant l'hiver, alors que la neige rend indisponible une grande partie de sa nourriture habituelle.

Ils ont choisi d'étudier une troupe dénommée « Shiga B2 » et basée sur les monts Shiga, au centre du Japon. L'observation a duré un bon mois, à cheval sur février et mars. Shiga B2 occupe une zone comprise entre 800 et 1 360 m d'altitude, dans un milieu forestier essentiellement composé de hêtres, qui, en certains endroits, ont cédé petit à petit la place à divers conifères : thuyas, pins, sapins. Ce mélange de végétation feuillue et persistante constitue ce qu'on appelle un patchwork. Le territoire couvre une superficie de 1,99 km². Chaque jour, la troupe se déplace, parcourant jusqu'à 1,8 km. Généralement, elle reste à l'intérieur de son territoire, mais, de temps à autre, elle se risque au-delà. Ainsi a-t-on dénombré, au

cours de l'hiver, 8 déplacements extraterritoriaux. De tels mouvements cycliques peuvent tout aussi bien être dus au hasard qu'organisés.

À observer cette même troupe, on constate que les activités consacrées à l'alimentation, au déplacement et au toilettage sont plus nombreuses en mars. Inversement, le repos et le rassemblement l'emportent en février. Les observations journalières permettent de noter que les singes s'alimentent intensivement à partir de 9 h du matin. Cette différence dans le comportement est à mettre en relation avec les conditions météorologiques de mars et de février. En mars, les chutes de neige sont de moins en moins nombreuses et la température commence à s'élever. D'où une reprise d'activité des macaques.

En se repliant sur eux-mêmes et en se regroupant les uns contre les autres, les macaques japonais évitent que se disperse la chaleur de leur corps. Cette immobilité leur permet, en outre, de ne pas trop dépenser de calories. Les déplacements ne se font qu'en dehors des tempêtes de neige, quand la température n'est pas trop basse. □

Le Japon, qui s'étend sur 373 000 km² environ, comprend 4 îles principales : Hokkaido, Honshu, Shikoku et Kyushu, plus une multitude d'îlots éparpillés dans le Pacifique, au sud de Kyushu. Le macaque japonais habite toutes les îles du Japon comprises entre 41° et 30° de latitude nord. Dans les plateaux de Shiga (Centre), se trouvent les sources d'eaux chaudes. L'île de Yakushima est la limite sud de la répartition des macaques japonais. Forêts et prairies y jouissent de l'influence tropicale. C'est dans cette île que vit exclusivement la sous-espèce Macaca fuscata Yakui.

Image de la sagesse ou sujet de laboratoire

De tous ses rapports avec les animaux, ceux que l'homme entretient avec le singe sont certainement les plus contradictoires et les plus étranges : sa curiosité envers les macaques ne se limite pas à l'observation pacifique et ces petits singes, si semblables à lui, paient chaque année un lourd tribut à la recherche médicale à cause de cette ressemblance.

Respecté en Inde et menacé partout dans le monde

■ En 1758, Linné réunit l'homme et le singe dans le même ordre des primates. Plus tard, Darwin, fondateur de la théorie de l'évolution, imagina pour eux un ancêtre commun. Qu'en est-il aujourd'hui ? Bien des questions se posent encore, sans qu'on puisse prévoir dans combien d'années la recherche les aura résolues.

Toujours est-il que les hommes, frappés par leur ressemblance avec le singe, en ont parfois conçu pour lui une certaine considération. Les bouddhistes symbolisent ainsi la sagesse par trois macaques japonais, dont le premier se bouche les yeux, le deuxième les oreilles et le troisième la bouche ; ce qui signifie : ne pas voir le mal, ne pas entendre le mal, ne pas dire le mal. De même, les hindous ont ouvert leurs cités et même leurs temples au macaque rhésus, qui profite des offrandes — grains de riz, fleurs, fruits — pour se nourrir.

Cette considération n'empêche pas, hélas, les primates en général et les macaques en particulier d'être de plus en plus menacés par les activités humaines, qu'on détruise leur habitat, qu'on les chasse pour leur chair ou leur fourrure ou qu'on les capture pour la recherche médicale.

La destruction de l'habitat est spectaculaire en Amazonie, mais presque aussi préoccupante en Asie du Sud-Est. Habitant de la forêt tropicale au sud de l'Inde, le macaque ouandérou — l'espèce la plus menacée — a vu son habitat se réduire considérablement au profit des cultures de thé et de café, mais aussi à cause de l'exploitation forestière pour la récolte du bois d'œuvre.

Le macaque à queue de cochon, très chassé pour sa chair comestible, a pratiquement disparu de Bornéo. En Malaisie, sa population est passée de 80 000 individus en 1958, à 45 000 en 1976.

Le magot, autrefois largement répandu au nord-ouest de l'Afrique, a disparu de Tunisie dès la fin du siècle dernier. Actuellement, il n'occupe plus que quelque cinq îlots éparpillés en Algérie et au Maroc, où il est interdit de le chasser. Mais, outre la chasse, le surpâturage des chèvres et des moutons a entraîné la raréfaction des plantes herbacées dont il se nourrit. Cette concurrence alimentaire a provoqué le déplacement des singes vers des zones d'altitude plus élevée. □

Les magots de Gibraltar

■ En 711, lorsque le général berbère Tariq débarqua à la tête de ses troupes musulmanes pour envahir l'Espagne, les magots étaient déjà là. Ils traversèrent les siècles sans réel dommage, mais, à la fin du XIXᵉ siècle, une terrible maladie les décima et seulement trois magots survécurent.

Aujourd'hui, il existe toujours une petite population de magots à Gibraltar. Entretenue artificiellement, elle est protégée par la loi et toute exportation, destruction ou capture d'un de ces petits singes doit avoir reçu l'autorisation préalable des autorités militaires britanniques. En effet, selon la légende, les Anglais perdront Gibraltar quand la population de magots de la ville disparaîtra. Soucieux de conserver ce point stratégique et respectant la légende, les Britanniques ont donc toujours protégé leurs magots. Ainsi le

Dans les temples hindous, les macaques sont habitués à la fréquentation des hommes, qui les respectent. Ils jouent parfois quelques tours aux touristes, chapardant sans vergogne appareils photo et porte-monnaie.

commandant en chef des armées britanniques en Afrique du Nord reçut-il un message de sir Winston Churchill en 1942, en pleine guerre mondiale, lui ordonnant de capturer et d'envoyer à Gibraltar quelques macaques. La population actuelle, d'une trentaine d'individus, est répartie en deux groupes : « Queen Gate » et « Middle Hill ». Et deux soldats ont la charge de leur distribuer leur nourriture et de surveiller leur comportement.

Régulièrement, quelques animaux sont prélevés et envoyés dans des parcs zoologiques. De plus, les touristes donnent n'importe quoi à manger aux magots, perturbant ainsi l'équilibre de leur régime alimentaire et, par voie de conséquence, le nombre des naissances. Pour mieux protéger ces magots un peu particuliers, la communauté scientifique a suggéré la création d'un parc régional. Le projet est à l'étude. ☐

Le formidable essor de la primatologie japonaise

■ Les études de terrain sur les primates ne débutèrent vraiment qu'après la Seconde Guerre mondiale, en 1948, et en 1951 pour les macaques japonais : des études comme *la Société des macaques japonais sauvages,* par Kinji Imanishi et *les Communications chez les macaques japonais sauvages,* par Junichiro Itani, rédigées en japonais, n'attirèrent pas toute l'attention qu'elles méritaient. Ces travaux avaient une nette orientation anthropologique et les animaux y étaient décrits comme l'auraient été des hommes, mais ils constituaient un progrès dans l'étude des primates.

En 1953, les mêmes auteurs publièrent des articles sur les relations mère-petit chez les macaques. 1956 vit la création du Japan Monkey Centre et de la Japanese Society of Primatology. De 1953 à 1959, une cinquantaine d'articles consacrés au macaque japonais attirèrent enfin réellement l'attention des chercheurs étrangers. Mais ce n'est qu'en 1966 que la Société internationale de primatologie tint son premier congrès. En 1974, sa cinquième réunion eut lieu au Japon, signifiant ainsi la reconnaissance de la communauté scientifique internationale envers ce pays. ☐

Les macaques et la recherche médicale

■ Plusieurs espèces de macaques ont été largement mises à contribution pour des expériences de recherche scientifique, particulièrement dans le domaine biomédical. Certains individus ont été utilisés lors de vols dans l'espace. Le macaque rhésus a permis la démonstration de l'existence du facteur Rhésus dans le sang. La mise au point du vaccin contre la polio s'est faite aussi grâce au concours de cette espèce.

Dans les années 1950, 200 000 macaques rhésus étaient expédiés chaque année vers les États-Unis ! Heureusement, des mesures prises, depuis, tant par les États-Unis que par le gouvernement indien, ont permis de réduire notablement ce nombre.

Actuellement, c'est la Convention internationale de Washington (CITES) qui réglemente le commerce des espèces sauvages. 107 États en font partie, qui acceptent de respecter les mesures prises pour que le commerce de ces animaux soit pratiqué légalement et sous contrôle.

En France, on importe chaque année une centaine de macaques crabiers sauvages pour servir à la recherche. Or, l'utilisation des animaux pour l'expérimentation est régulièrement contestée par les organismes de protection animale. Pour sauver l'homme, a-t-on le droit de faire souffrir un autre être vivant ? La question s'impose d'autant plus dans le cas des singes qui sont des animaux à psychisme évolué, somme toute assez proches des humains.

Il existe des élevages de singes, particulièrement de macaques crabiers, spécifiquement destinés à la recherche. Toutefois, le prix d'achat d'un macaque dans l'un de ces établissements est élevé et on préfère le plus souvent continuer à capturer l'animal dans la nature. ☐

LE FACTEUR RHÉSUS

Le système Rh (rhésus) doit son nom à une découverte faite en 1940 par les Américains Landsteiner et Miller. Des lapins auxquels on inoculait des globules rouges du macaque rhésus pouvaient produire un anticorps permettant de distinguer deux groupes parmi les échantillons de globules rouges humains : les Rh+ et les Rh−. Les globules rouges des singes contenaient des antigènes similaires à ceux déjà connus chez l'homme.

La même année, Wiener et Peters mettent en évidence des anticorps anti-Rh dans certains cas d'immunisation faisant suite à une transfusion. Et en 1941, Levine démontre que la maladie hémolytique des nouveau-nés résulte d'une immunisation acquise par la mère, à l'encontre du fœtus.

Pour qu'un macaque accepte de suivre un homme, plusieurs mois sont nécessaires. L'homme peut alors trouver sa place dans la société macaque, et même pratiquer le toilettage.

EHRENBERG
(Christian Gottfried)
Delitzsch 1795 - Berlin 1876
Naturaliste allemand

Il participe dans sa jeunesse à deux grandes expéditions scientifiques, dont la première, en Égypte, tourne à la tragédie, et effectue de nombreux travaux sur les organismes microscopiques.

■ Le premier ouvrage d'Ehrenberg, paru en 1818, concerne la connaissance des champignons. L'auteur est encore étudiant et termine sa médecine. Sa thèse de doctorat portera également sur les champignons dont il décrit de nombreuses espèces nouvelles et dont, l'un des premiers, il étudie la reproduction. En 1820, il part, en tant que naturaliste, avec une mission archéologique envoyée en Égypte par l'Académie des sciences de Prusse et l'université de Berlin. Son ami Hemprich fait partie de l'expédition. Celle-ci, prévue pour durer deux ans, tourne bientôt au désastre. Ses membres succombent les uns après les autres aux fatigues du voyage et aux épidémies. Quand Ehrenberg revient en Europe, cinq ans plus tard, il est le seul survivant des neuf personnes parties avec lui. Il a parcouru l'Égypte, une partie de la Libye et du littoral de la mer Rouge.

Malgré les circonstances, Hemprich (mort en 1825) et Ehrenberg ont réussi à amasser un riche butin scientifique : 34 000 spécimens d'animaux, 46 000 de plantes, de nombreux échantillons de roches, des fossiles... Malheureusement, certaines pièces sont endommagées au cours du transport, et d'autres sont subtilisées après leur arrivée à Berlin. C'est donc sans nul enthousiasme qu'Ehrenberg s'attaque à la rédaction d'un premier compte rendu de cette expédition intitulé *Voyages par l'Afrique septentrionale et l'Asie occidentale, entrepris dans l'intérêt des sciences naturelles, pendant les années 1820-1825.*

Devenu en 1827 professeur à l'université de Berlin, il est invité en 1829 à participer à une autre expédition, financée celle-ci par le tsar Nicolas Ier et dirigée par le grand naturaliste Alexander von Humboldt. Durant le voyage, qui le conduit avec ses compagnons dans l'Oural, en Sibérie et dans l'Altaï, il collecte de nouveaux spécimens botaniques et zoologiques (notamment de nombreux poissons destinés aux muséums de Saint-Pétersbourg, Berlin et Paris) et se livre à des études sur le plancton de la mer Caspienne. Au bout de huit mois, il est de retour à Berlin, qu'il ne quittera plus que pour de courts voyages, et où il se consacre à ses recherches.

Ses études sur les coraux, publiées entre 1831 et 1834, sont le fruit de ses observations minutieuses lors de son séjour sur les bords de la mer Rouge, et contribuent à améliorer la connaissance que l'on a de ces animaux. Il découvre par ailleurs que la phosphorescence de la mer est due aux éléments du plancton. De plus, il

Les recherches qui lui vaudront le plus de notoriété en son temps et aussi le plus de critiques sont celles qu'il mène, à partir de 1829, sur les infusoires.

met en évidence la présence d'organismes fossiles de petite taille dans certaines roches, ce qui fait de lui le fondateur de la micropaléontologie, cette science qui permet de faire remonter l'arbre généalogique des êtres vivants dans le temps et d'essayer de comprendre leur évolution en comparant leurs formes. Mais les recherches qui lui vaudront le plus de notoriété en son temps sont celles qu'il mène, à partir de 1829, sur les infusoires (parmi lesquels étaient classés les bactéries et certains vers minuscules). Ehrenberg est persuadé que les animaux, du plus petit au plus grand, sont tous bâtis sur le même modèle et comportent tout un ensemble d'organes élaborés. Il croit distinguer chez les infusoires qu'il étudie au microscope un système nerveux et musculaire, des organes digestifs et sexuels, des dents même. Très controversée à l'époque, cette thèse d'Ehrenberg se révéla totalement fausse lorsque les microscopes devinrent plus perfectionnés. □

LES CORAUX DE LA MER ROUGE

À cause de son apparence, qui évoque des forêts en fleurs ou des arbustes, le corail a été longtemps considéré comme une plante. Vers 1725 seulement on reconnaît sa nature animale, mais il reste très mal connu, car les très nombreuses espèces de coraux diffèrent les unes des autres, tant sur le plan de leur anatomie que sur celui de leur organisation (en colonies ou solitaires). Ehrenberg va sonder ses mystères. À la suite de son voyage en Afrique, le savant allemand fait paraître en 1834 un très important mémoire intitulé *les Coraux de la mer Rouge.* Il donne, dans cette étude, les premières informations de nature véritablement scientifique sur la forme, la structure, la biologie, l'écologie et l'origine de la plus étrange et la plus gigantesque communauté vivante de la mer.

VIE SAUVAGE

ENCYCLOPÉDIE LAROUSSE DES ANIMAUX

le combattant

Une migration au long cours

Des petits vite élevés

Des plumes de toutes les couleurs

n° 67

hebdomadaire

Larousse

M 1431 - 67 - 19,50 F

139 FB / 139 FL / 5,90 FS / 2,95 $ CAN

WWF — Fonds Mondial pour la Nature

Avec VIE SAUVAGE,
la nouvelle encyclopédie Larousse des animaux,
découvrez la vraie vie des animaux sauvages du monde entier.

Chaque semaine, partez à la rencontre d'un nouvel animal. Surprenez-le dans son intimité, grâce à des photos fortes, prises sur le vif par de grands reporters. Apprenez à connaître son comportement et ses mœurs, racontés par les plus grands experts de la faune sauvage : scènes de chasse, bains, premiers pas des petits... Vous découvrirez les grands principes écologiques de la lutte pour la vie et de l'équilibre de la nature.

Constituez-vous une collection complète des animaux sauvages du monde entier, en les regroupant selon les 11 grands milieux naturels où ils vivent :

Savanes et prairies : éléphant, lion, girafe, bison, kangourou...
Forêts tropicales : tigre, orang-outan, jaguar, perroquet...
Forêts de conifères : loup, aigle royal, lynx, hermine...
Forêts de feuillus : koala, renard, cerf, sanglier, coucou...
Mers et océans : dauphin, baleine, requin, pieuvre...
Côtes marines : otarie, tortue géante, fou de Bassan, iguane...
Rivières et fleuves : hippopotame, loutre, piranha, castor...
Étangs et marais : pélican blanc, crocodile, vison, libellule...
Montagnes : grand panda, condor, ours brun, macaque japonais...
Déserts et steppes : guépard, caméléon, criquet, scorpion...
Toundras et glaces : phoque, caribou, lemming, bœuf musqué...

VIE SAUVAGE est le fruit d'une collaboration entre Larousse et le WWF (Fonds Mondial pour la Nature - France). Cette encyclopédie est née d'une volonté commune d'agir en faveur de la protection des animaux sauvages.

© : 1986. Copyright WWF. ® : WWF propriétaire des droits.

VIE SAUVAGE est édité par la SOCIÉTÉ DES PÉRIODIQUES LAROUSSE

Directeur de la publication : Bertil Hessel
Directeur éditorial : Claude Naudin
Directeur de la collection : Laure Flavigny
Rédaction : Catherine Nicolle
Direction artistique : Henri Serres-Cousiné
Direction scientifique : Christine Sourd, docteur en écologie, Conservation Officer au WWF-France
Conception graphique et mise en pages : Frédérique Longuépée assistée de Blandine Serret
Couverture : Gérard Fritsch
Correction-révision : Service de lecture-correction de Larousse
Documentation iconographique : Anne-Marie Moyse-Jaubert, Marie-Annick Réveillon
Composition : Michel Vizet
Fabrication : Jeanne Grimbert

EN VENTE TOUS LES MERCREDIS

Directeur du marketing et des ventes : Edith Flachaire

Service des ventes :
PROMEVENTE - Michel Iatca
Tél. : 45 23 25 60
Terminal : EB6

Service de presse : Régine Billot

L'encyclopédie Vie Sauvage se compose de 144 fascicules pouvant être assemblés en 9 volumes sous reliure mobile. La publication est hebdomadaire, mais en juillet et en août, il ne paraîtra que deux numéros au lieu de quatre.

Administration et souscription :
Société des Périodiques Larousse
1-3, rue du Départ
75014 Paris
Tél. : 44 39 44 20

© 1991, Société des Périodiques Larousse
17, rue du Montparnasse, 75006 Paris.
Imprimé en France (Printed in France).
Distribution N.M.P.P. pour la France.

Conditions d'abonnement :
Écrire ou téléphoner à la Société des Périodiques Larousse

Prix du fascicule et de la reliure

	Fascicule	Reliure
France	19,50 FF	49,00 FF
Belgique	139,00 FB	350,00 FB
Suisse	5,90 FS	15 FS
Luxembourg	139 FL	350 FL

Vente aux particuliers d'anciens numéros pour la France.
Envoyez les noms des fascicules commandés et un chèque d'un montant de :
— 25,50 FF par fascicule
— 61,00 FF par reliure
à GPP. BP 46, 95142 Garges-lès-Gonesse

SOMMAIRE

N° 67   LE COMBATTANT   *Côtes marines*

Le Combattant et ses ancêtres 1

LA VIE DU COMBATTANT
Des oiseaux migrateurs au long cours 4-5
Une alimentation qui change au fil des saisons 6-7
Des plumes de toutes les couleurs 8-9
Les femelles assurent seules l'élevage des poussins 10-11

POUR TOUT SAVOIR SUR LE COMBATTANT
Combattant 14-15
Les autres oiseaux de la famille 16-17
Milieu naturel et écologie 18-19

Le Combattant et l'homme 20

DICTIONNAIRE DES SAVANTS DU MONDE ANIMAL
Henri de Lacaze-Duthiers

LES TEXTES DE CE NUMÉRO ont été rédigés par Guilhem Lesaffre, président du Centre ornithologique de la Région Île-de-France ; Simon Charloux ; Monique Madier.

DESSINS de Guy Michel.

CARTE de Edica.

PHOTO DE COUVERTURE : Combattant près d'un étang. Geoff du Feu - Planet Earth Pictures.

Photocomposition : Dawant. Photogravure : Graphotec. Impression : Jean Didier.

CRÉDITS PHOTOGRAPHIQUES p. 1, Cordier S. - Jacana ; p. 2/3, Walz U. - GDT - Bruce Coleman ; p. 4h, Ziesler G. - Bruce Coleman ; p. 4b, Mc Carthy G. - Bruce Coleman ; p. 4/5h, Johnson P. - NHPA ; p. 4/5b, Scott J. - Planet Earth Pictures ; p. 6m, Scott J. - Planet Earth Pictures ; p. 6b, Lemoigne J.L. - Jacana ; p. 6/7, Wilmshurst R. - Bruce Coleman ; p. 7, Bruce Coleman ; p. 8/9h, De Nooyer F. - Bruce Coleman ; p. 8/9b, Ziesler G. - Bruce Coleman ; p. 9, Fisher B. - Bios ; p. 10h, Laub J.P. - Ardea ; p. 10b, Baranger Cl. - Jacana ; p. 12/13, Tidman R. - NHPA ; p. 14, Geoff du Feu - Planet Earth Pictures ; p. 15h, Lanceau Y. - Jacana ; p. 16, Danegger M. - NHPA ; p. 17m, Hellio-Van Ingen - Jacana ; p. 17bg, Grey M. - NHPA ; p. 17bd, Van De Kam J. - Bruce Coleman ; p. 18/19, Ziesler G. - Bruce Coleman ; p. 20, Nardin Cl. - Jacana ; 3e de couv., Henri de Lacaze-Duthiers, portrait. Phot. Petit. D.R. Coll. Larousse.

NUMÉROS PRÉCÉDENTS :

L'éléphant. Le tigre. Les dauphins. Le loup. Le grand panda. Le lion. L'aigle royal. Le gorille. Le rhinocéros. La baleine. Le kangourou roux. Le condor. L'orang-outan. Les requins. L'ours brun. La girafe. Le guépard. L'hippopotame. Le chimpanzé. Le chacal. Le phoque. La gazelle. Le lynx. Le koala. Le pélican blanc. Le jaguar. Les perroquets. L'hyène. Le renard roux. Le bison. Le crocodile. Le puma. Les abeilles. Les lamas. L'ours blanc. Le macaque. L'autruche. Les chameaux. Le zèbre. Le buffle. Les scorpions. Le caribou. La pieuvre. Le fourmilier. Le manchot. Le coyote. Les lièvres. Le castor. Le chamois. Le guépier. Les termites. Les calaos. Le mouflon. Les coraux. La marmotte. Le coucou. Le criquet. L'orque. Les caméléons. Le bœuf musqué. Les méduses. La moufette. Les tortues géantes. Le monarque. Le paresseux.

PROCHAINS NUMÉROS :

Le morse. L'élan. L'opossum. Le gnou. Les plongeons. Les renards volants. Le cygne. Le hérisson. La poule d'eau. L'hermine. Les fourmis rousses.

LE COMBATTANT

La silhouette de ce petit échassier aux longues pattes ressemble étonnamment à celle des chevaliers, ces autres oiseaux des rivages. Cela explique sans doute que cet habitant de l'Ancien Monde, aux origines mal connues, ait longtemps été appelé « chevalier combattant ».

Reconstituer l'arbre généalogique du combattant de façon précise est une tâche malheureusement impossible. La même difficulté existe d'ailleurs pour de très nombreux groupes d'oiseaux dont on ne peut retracer l'évolution qu'en se contentant de formuler des hypothèses tant il manque de maillons dans la chaîne de leurs transformations biologiques. Ainsi, pour tous les petits échassiers de la famille du combattant, ou scolopacidés, les bécasses, bécassines et bécasseaux, mais aussi les courlis et les barges, seulement une trentaine de fossiles ont été retrouvés, dont ceux de *Paractitis, Elorius* et *Palnumenius,* aujourd'hui disparus. Il est possible d'affirmer que ces parents éloignés du combattant vivaient dans l'Ancien Monde, entre l'éocène et le pléistocène, il y a entre 40 millions d'années et 10 000 ans, car leurs vestiges ont été découverts dans des terrains de cette époque. Des restes non fossilisés d'oiseaux de cette famille, exhumés lors de fouilles dans des cavernes préhistoriques, témoignent également de l'existence contemporaine des scolopacidés et de l'homme préhistorique.

En ce qui concerne les combattants du genre *Philomachus* , dont *Philomachus pugnax* est aujourd'hui l'unique représentant, il est possible d'affirmer qu'ils existaient déjà il y a environ 2 millions d'années, grâce à la découverte, peu avant le milieu du XXe siècle, d'un fossile dans des terrains du pléistocène inférieur, à Binagady, près de Bakou, en Azerbaïdjan. Par allusion à son origine géographique, le paléornithologue soviétique Sérébrovsky donna à cette espèce très proche de *P. pugnax* le nom de *Philomachus binaga-densis*. Mais on ignore toujours qui furent le ou les ancêtres de ces petits échassiers. Il semble plus que probable, toutefois, qu'ils ne vécurent pas en Amérique, car le genre *Philomachus* est absent de ce continent aujourd'hui.

À l'époque de la nidification, les combattants se rencontrent dans les zones humides septentrionales, depuis la France jusqu'à la Sibérie orientale. Ils descendent à l'approche de l'hiver sur le pourtour de la Méditerranée, en Afrique ou sur les rives du golfe du Bengale, en Asie. L'espèce est partout considérée comme un gibier, mais elle compte encore plusieurs millions d'individus de par le monde et n'est pas menacée dans son ensemble, même si certains aménagements humains détruisent localement son habitat. □

Pour mettre en valeur leurs splendides ornements de plumes bigarrées et séduire les femelles qui les observent, les combattants mâles, revêtus de leurs atours nuptiaux, prennent des attitudes avantageuses et paradent sur les « arènes » où ils se retrouvent chaque année.

Des oiseaux migrateurs au long cours

■ Les combattants sont naturellement grégaires. En Europe du Nord et en Sibérie orientale, où ils nichent pendant la saison chaude, ils forment des populations de quelques dizaines d'oiseaux. Mais, à l'approche de l'hiver, pour rejoindre les zones d'hivernage, ou au printemps, pour revenir, ils se regroupent et migrent ensemble par milliers. Le trajet de ces migrations est d'une ampleur parfois stupéfiante. En effet, les ornithologues ont constaté, grâce au baguage, que les combattants qui nichent en Sibérie orientale vont pour la plupart hiverner en Afrique australe, ce qui représente un parcours annuel de quelque 30 000 km. Mais c'est en Afrique tropicale, depuis l'Afrique de l'Ouest jusqu'à l'Afrique de l'Est, que l'essentiel des populations se rend pour la période d'hivernage. Enfin, quelques milliers d'oiseaux opèrent des déplacements plus modestes, passant la saison froide en Europe occidentale, autour de la Méditerranée ou jusqu'au Bengale.

Au cours de ce long voyage migratoire, les combattants forment d'impressionnants rassemblements. L'ornithologue français F. Roux a recensé en 1972 près de un million de ces oiseaux, réunis au même endroit pour dormir dans le parc national sénégalais du Djoudj, et un peu plus dans la zone d'inondation du Niger, elle aussi très fréquentée par les combattants. Les chercheurs Mundy et Cook ont observé la même concentration dans le nord-ouest du Mali. Il semble que mâles et femelles aient tendance à hiverner séparément (ainsi, au Kenya, les femelles sont jusqu'à quinze fois plus nombreuses que les mâles), et que les mâles retournent un peu plus tôt vers le nord. □

LES MIGRATIONS

À l'approche de l'hiver, les proies se raréfient et deviennent inaccessibles, à cause du gel qui envahit le nord de l'Europe et la Sibérie centrale. Les combattants sont alors contraints à hiverner au sud. Mais, s'ils préfèrent, par sécurité, longer les côtes, ils ne sont pas inféodés aux courants thermiques d'origine terrestre, comme les rapaces et les cigognes, et leurs capacités de vol leur permettent de traverser la mer sans emprunter l'un des grands couloirs de migration.

Certains combattants mâles sont déjà pourvus de touffes de plumes qui forment leurs atours nuptiaux, une large collerette et deux oreillettes, lorsqu'ils regagnent au printemps leurs sites de reproduction. D'autres ne commencent leur mue qu'après la migration.

Prompt à l'envol s'il se sent inquiété, le combattant fréquente assidûment les rizières et les vasières fluviales de ses quartiers d'hivernage africains.

Le combattant est un migrateur au long cours, comme la plupart des petits échassiers de sa famille. Les rapides battements de ses ailes, assez longues et pointues, lui permettent de couvrir des distances de plusieurs milliers de kilomètres.

Chaque année, durant l'hivernage, les combattants se retrouvent par dizaines de milliers, pour se nourrir et pour dormir, manifestant ainsi le grégarisme de l'espèce. À cette période, mâles et femelles vivent souvent en groupes séparés.

Une alimentation qui change au fil des saisons

■ Le régime alimentaire du combattant se caractérise par sa diversité, selon qu'il se trouve sur ses aires de reproduction ou sur ses zones d'hivernage.

Dans le premier cas, lorsqu'il niche dans les milieux humides septentrionaux, il se nourrit principalement d'invertébrés, qu'il capture à proximité de l'eau. Il attrape les insectes et leurs larves, qui abondent au printemps et en début d'été, mais aussi des coléoptères (dytiques, carabes, chrysomèles et staphylins) et des diptères, surtout des « moustiques » (tipules et anophèles), eux aussi très nombreux dans les zones humides. D'autres insectes, comme les éphémères, les phryganes, les forficules, les sauterelles, les fourmis, les fourmis-lions et même les abeilles, figurent à son menu ainsi que des petits crustacés d'eau douce (copépodes, amphipodes), des mollusques (planorbes, hélicelles), des araignées et des vers.

Enfin, des petits poissons, des alevins ou des œufs et des grenouilles de petite taille complètent l'alimentation du combattant, qui n'hésite pas à s'aventurer dans les mares. Tant que la profondeur l'y autorise, il marche dans l'eau,

picorant ses proies à la surface ou immergeant la tête pour sonder la vase à l'aide de son bec. Lorsque l'eau devient trop profonde, il arrive que l'oiseau, dont les doigts ne sont pas palmés, se mette à nager tout en continuant à picorer ; le battement rapide de ses pattes suffit à assurer sa propulsion.

Granivore pendant l'hiver

Selon les travaux d'ornithologues, principalement des Soviétiques Shaposhnikov, Krechmar, Kistchinski, Flint et Tolchin, le régime alimentaire du combattant commence à évoluer dans le courant de l'été. Les sources alimentaires animales deviennent peu à peu végétales, et l'oiseau consom-

me des graines de plantes, aquatiques ou non. Cette modification de l'alimentation devient quasi totale lorsque les oiseaux parviennent dans leurs secteurs d'hivernage africains, comme l'a observé l'ornithologue français G. Morel, au Sénégal. Les hivernants, qui arrivent entre la fin de juillet et la mi-août, consomment les graines de graminées qui se sont développées après la saison des pluies. En décembre, ils sont attirés par les grains de riz perdus, comme ceux qui tombent des sacs lors du chargement des camions. Ils se rassemblent alors sur les routes pour y picorer frénétiquement. Plus au sud, les combattants dépendent, en février et en mars, des grains de millet qu'ils glanent après la récolte. En Afrique australe, ces oiseaux semblent moins friands de graines et se nourrissent davantage sur les vasières, reprenant la même alimentation que l'été. □

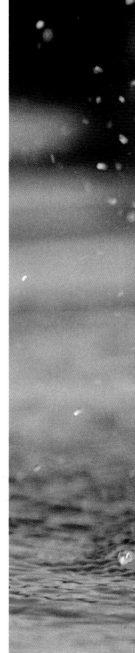

Le combattant s'aventure dans l'eau, pour traquer en marchant les insectes et les petits mollusques. Il n'hésite pas, le cas échéant, à immerger la tête pour capturer sa pitance, et, si l'eau devient plus profonde, il se met à nager, grâce aux battements rapides de ses pattes.

Le bec est un instrument précieux pour débusquer des proies, telles que les larves et les vers, enfouies dans les bancs de vase des lacs et des cours d'eau.

Ébouriffant son plumage pour favoriser la pénétration de l'eau, l'oiseau s'ébroue dès que l'occasion s'en présente, et provoque ainsi un jaillissement de gouttelettes qui le rafraîchissent.

Le lissage des plumes occupe de longs moments dans la journée du combattant. Il y apporte beaucoup de soin, un plumage en bon état étant essentiel pour effectuer les longs vols migratoires.

Des plumes de toutes les couleurs

La mue printanière des plumes sur la tête des mâles annonce l'approche de la saison de reproduction. Lorsque ceux-ci sont pourvus d'oreillettes formant perruque et d'une large collerette de différentes couleurs selon leur rang dans la hiérarchie, les parades nuptiales commencent. Elles obéissent à un rituel compliqué et se déroulent sur des espaces délimités, ce que les ornithologues appellent « arènes ». Ces zones sont occupées année après année, et certaines depuis un siècle. Envahies par plusieurs mâles — de 5 à 20 en moyenne —, elles se divisent en territoires de 1 m² environ, les « résidences ».

Plusieurs catégories de mâles se rencontrent sur ces arènes : les « satellites » à collerette et oreillettes blanches, qui sont d'âges divers, n'ont pas de territoire et se tiennent à l'écart sans attitudes agressives, et les « indépendants », portant collerette et oreillettes noires ou bigarrées, qui ont seuls le droit de s'affronter et de parader pour séduire les femelles. Ces derniers se subdivisent en « résidents », qui disposent d'un territoire âprement défendu, et en « marginaux ». Ceux-ci s'adjugent, parfois pour quelques instants seulement, une résidence qu'ils défendent comme si elle leur appartenait réellement. Souvent d'ailleurs, ils possèdent un territoire sur une arène voisine, qu'ils regagnent après avoir goûté aux charmes du dépaysement.

Sous les latitudes où la nuit existe, même brièvement, les combattants rejoignent l'arène avant l'aube et s'y tiennent jusqu'à la nuit tombée, ne l'abandonnant provisoirement que pour s'alimenter. Les parades sont intenses surtout tôt le matin, à l'arrivée des femelles : courbettes, piétinements, tours sur soi, bonds soutenus par quelques battements d'ailes se succèdent. Au comble de l'excitation, il arrive que deux voisins s'agressent à coups de pattes et d'ailes. Les oreillettes et la collerette des adversaires sont tantôt plaquées, tantôt ébouriffées.

Les femelles observent ces luttes, puis chacune se dirige vers un mâle et se couche sur le sol, pour indiquer sa réceptivité. Le mâle choisi monte sur son dos, lui saisit les plumes de la tête avec son bec pour assurer son équilibre, et s'accouple. Une même femelle peut copuler successivement avec plusieurs mâles, ou repart sans avoir fait son choix, lorsque les prétendants s'engagent dans des luttes trop longues.

Chez les combattants, la femelle couve seule dans un nid dissimulé au milieu des herbes et qu'elle a construit sans aide. Pendant environ trois semaines, elle ne s'en éloigne guère.

Débouchant d'un couloir aménagé dans la végétation par le piétinement des va-et-vient, la femelle accède à son nid discret et s'apprête à poursuivre l'incubation de ses œufs tachetés.

Les femelles assurent seules l'élevage des poussins

■ Totalement accaparés par la possession d'un territoire de parade et par les escarmouches avec leurs rivaux, les mâles ne participent à aucune des phases de la nidification, que les femelles assurent donc seules. Chacune d'elles détermine tout d'abord l'emplacement du nid, généralement une petite dépression dans le sol, masquée par les herbes ou la végétation palustre, selon le milieu ambiant. Elles choisissent volontiers des prairies ou des bords de route herbeux. Puis elles aménagent la cuvette en la tapissant grossièrement de quelques brins d'herbe, de fétus de paille et autres débris végétaux.

Ces préparatifs une fois achevés commence la ponte, qui dure trois jours entiers, la femelle déposant d'ordinaire ses quatre œufs un à un, à 24 heures d'intervalle au moins. Parfois, il peut s'écouler 36 heures entre deux pontes. Chaque œuf, d'une couleur vert pâle ou olivâtre, est moucheté de petites taches brun foncé, pèse 22 grammes et mesure en moyenne 44 × 31 mm.

Tant que la ponte n'est pas complète, la femelle ne couve pas, elle quitte même son nid et se rend sur les arènes où les mâles paradent.

La couvaison débute après la ponte du dernier œuf, ce qui explique l'éclosion simultanée de toute la couvée. Cette synchronisation des naissances est fondamentale pour les espèces (comme celle du combattant) dont les poussins, nidifuges, quittent le nid peu après avoir brisé leur coquille et suivent aussitôt l'adulte qui les a en charge.

Prudence et camouflage

Durant la couvaison, la femelle se montre très prudente et ne s'éloigne guère du nid. À moins d'être brutalement chassée, elle ne le quitte jamais spontanément.

Lorsqu'elle revient, elle se pose à quelque distance, puis marche jusqu'à ses œufs le long d'un couloir ménagé dans la végétation ; quand elle s'absente, elle inverse le processus.

Après trois semaines d'incubation environ, les poussins voient le jour. Ce sont de petites boules duveteuses, d'où dépassent un bec et des pattes déjà assez allongées. Le duvet est beige en dessous et couleur cannelle, marqué de taches et de raies noirâtres, sur le dos et la tête. Ces couleurs et ces dessins composent un ensemble cryptique, ce qui signifie qu'ils se fondent avec l'environnement. Associé à l'immobilité dont font preuve instinctivement les poussins en cas de danger, ce camouflage constitue une excellente protection contre les prédateurs.

Des petits vite élevés

Les petits quittent le nid très vite, mais il est fréquent qu'ils y reviennent pour se faire réchauffer, lors des premières 48 heures suivant leur sortie. Puis ils s'éloignent du gîte progressivement et désertent les lieux après une dizaine de jours.

Leur mère subvient à l'essentiel de leurs besoins alimentaires — bien qu'ils sachent capturer de menus insectes 24 heures après l'éclosion —, mais elle les délaisse au bout de 10 à 15 jours, semble-t-il, avant même qu'ils soient capables de voler. Les premiers envols interviennent à l'âge de 25 à 28 jours. Parés d'un plumage tout neuf, les jeunes peuvent alors entreprendre le grand voyage migratoire vers le sud. □

Double page suivante : Seuls les combattants mâles aux couleurs et aux dessins variés ou noirs paradent ; les mâles à collerette blanche se contentent de les observer.

PARADES DE DIVERSION

Les combattants mâles avertissent souvent les femelles de l'approche d'un prédateur par des attitudes de défense ou des parades de diversion qui peuvent être combinées de multiples façons. La première concerne des démonstrations aériennes telles que des vols circulaires autour de l'intrus, en restant à distance respectueuse néanmoins. La seconde, terrestre, consiste en un trottinement parfois très rapide destiné à entraîner le prédateur loin de la nichée. La troisième enfin, terrestre également, mais plus sophistiquée, est apparemment moins souvent employée. Il s'agit de la parade « de l'oiseau blessé », décrite notamment par l'ornithologue Mildenberger, et que l'on retrouve chez d'autres limicoles. Pour abuser le prédateur et l'attirer loin des petits (1), l'oiseau laisse pendre ses ailes (2), étale la queue, titube, volette et, au moment où le prédateur (ou l'homme) va s'emparer de lui, s'envole brusquement (3).

Combattant
Philomachus pugnax

■ Le combattant, longtemps appelé chevalier combattant, parce qu'il avait une taille, une silhouette et des allures comparables à celles des chevaliers *(Tringa)*, est un limicole (de *limis*, boue), nom générique donné aux échassiers fréquentant les rivages lacustres ou marins. Sa taille correspond approximativement à celle d'une tourterelle, mais, juché sur des pattes allongées, il paraît plus volumineux.

Les mâles sont plus grands que les femelles. Ce dimorphisme sexuel s'accentue au printemps, pendant les quelques semaines que dure la période nuptiale, et il est alors impossible de confondre l'un et l'autre sexe. Le combattant est l'un des rares oiseaux à avoir recours à des parades nuptiales aussi complexes et aussi ritualisées. Les mâles sont alors ornés d'un plumage spectaculaire, comportant une large collerette érectile, qui s'étale autour du cou, et deux oreillettes, qui forment perruque en retombant de chaque côté de la tête. Cette parure a la particularité de présenter des variations de couleurs pratiquement pour chaque individu — on prétend même qu'on ne peut rencontrer deux mâles rigoureusement identiques. Ces ornements de plumes, souvent bigarrés en une combinaison de noir, de roux, de châtain, de blanc, avec des dessins très diversifiés qui forment des stries ou des taches, indiqueraient le rang hiérarchique des individus mâles : indépendants ou satellites. Chez certains sujets, généralement des « satellites » qui se tiennent à l'écart des arènes, cette parure est d'une blancheur presque immaculée.

Ces atours de parade disparaissent à partir du mois de juin, et les individus des deux sexes se retrouvent alors avec le même plumage. Celui-ci se distingue du plumage des autres petits échassiers : il est beige sur le ventre et qualifié d'« écailleux » sur le dos. Cet aspect typique est dû au fait que chacune des plumes dorsales est sombre au centre et bordée d'un net liseré fauve clair, l'ensemble dessinant un réseau maillé.

Lorsque le combattant déploie ses ailes apparaît une fine barre claire qui les traverse dans leur longueur, ainsi que deux taches blanches ovales, situées de part et d'autre de la queue sombre. Ces taches, qui attirent l'œil, sont semblables à celles des bécasseaux, espèce proche du combattant. Elles permettent de maintenir la cohésion des oiseaux en vol, alors qu'au sol les ailes repliées forment un ensemble homochrome (le plumage s'harmonise avec le milieu ambiant). Ces ailes sont longues et pointues, avec une envergure qui peut atteindre 60 cm. Lors des voyages migratoires, leurs battements rapides permettent aux

COMBATTANT	
Nom *(genre, espèce)* :	*Philomachus pugnax*
Famille :	Scolopacidés
Ordre :	Charadriiformes
Classe :	Oiseaux
Identification :	Petit échassier ; mâle plus grand que la femelle ; porte une collerette nuptiale
Envergure :	De 45 à 60 cm
Poids :	De 120 à 200 g
Répartition :	Nord de l'Europe et de l'Asie, Afrique équatoriale
Habitat :	Zones humides, prairies, polders
Régime alimentaire :	Insectivore et granivore
Structure sociale :	Polygame complexe ; parades collectives des mâles
Maturité sexuelle :	À 1 ou 2 ans
Saison de reproduction :	De la mi-avril à août
Durée de l'incubation :	De 20 à 23 jours
Nombre de jeunes :	De 2 à 4
Longévité :	Maximum enregistré : 10 ans et 11 mois
Effectifs, tendances :	Au moins 4 à 5 millions ; légère diminution récente
Statut, protection :	Espèce partiellement protégée

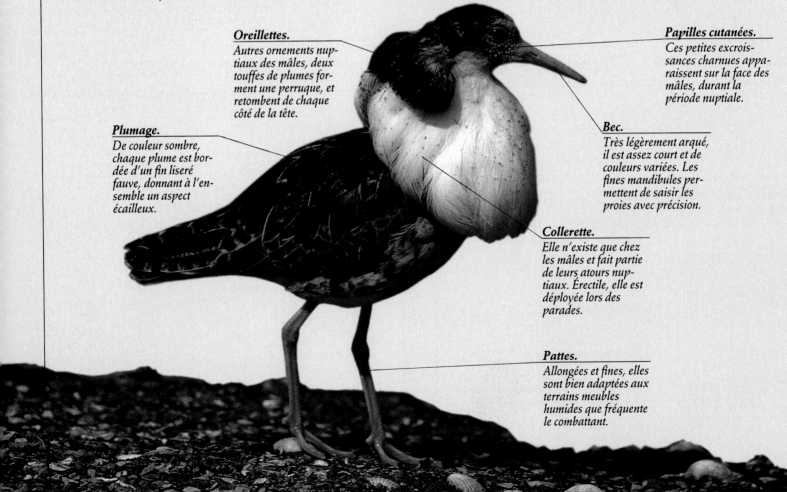

Oreillettes.
Autres ornements nuptiaux des mâles, deux touffes de plumes forment une perruque, et retombent de chaque côté de la tête.

Plumage.
De couleur sombre, chaque plume est bordée d'un fin liseré fauve, donnant à l'ensemble un aspect écailleux.

Papilles cutanées.
Ces petites excroissances charnues apparaissent sur la face des mâles, durant la période nuptiale.

Bec.
Très légèrement arqué, il est assez court et de couleurs variées. Les fines mandibules permettent de saisir les proies avec précision.

Collerette.
Elle n'existe que chez les mâles et fait partie de leurs atours nuptiaux. Érectile, elle est déployée lors des parades.

Pattes.
Allongées et fines, elles sont bien adaptées aux terrains meubles humides que fréquente le combattant.

combattants de couvrir des distances de plusieurs milliers de kilomètres.

Les pattes, longues et fines, sont adaptées à la marche dans les habitats que fréquente le combattant. Leur hauteur facilite la progression dans l'herbe et permet également d'évoluer dans les mares peu profondes, pour y rechercher la nourriture. Elles se terminent par quatre doigts non palmés, dont un pouce minuscule, qui ne touche pas le sol. Les trois autres doigts sont fonctionnels : allongés, ils aident l'oiseau à arpenter des terrains meubles, humides, qu'ils soient vaseux ou sablonneux, sans s'enfoncer excessivement. La coloration des pattes varie selon les individus, le sexe et l'âge : elle va du brun noirâtre ou du gris à l'orange, en passant par le verdâtre, le rose et le jaune.

La tête, assez ronde, est prolongée par un cou fin, souvent étiré sous l'effet de l'inquiétude ou de la curiosité. Le bec est très légèrement arqué ; il mesure 4 cm de long, ce qui est plus court que chez de nombreux autres limicoles. Comme pour les pattes, sa couleur est très variable en fonction du sexe et de l'âge.

Il peut être noirâtre, olivâtre, rosé, ocre, jaune ou orange. Sa fonction est double : il sert aussi bien à capturer les proies qu'à sonder la vase.

Parmi les différents traits distinctifs du combattant, il faut citer sa quasi-absence de voix. L'ornithologue suisse Paul Géroudet résume bien cette particularité : « En règle générale, il paraît muet : un limicole qui crie n'est presque jamais un combattant. » En effet, les rares émissions vocales de ces oiseaux se limitent à des cris rauques et étouffés, parfois de sourds grognements. Souvent, elles sont le fait de femelles surprises au nid et inquiétées. En vol, les bandes sont étonnamment silencieuses, contrairement à celles des autres petits échassiers, qui, par des cris incessants, marquent leur besoin de cohésion ou alertent leurs congénères d'un danger.   □

Signes particuliers

Plumes

Le combattant mâle est l'unique petit échassier à posséder un plumage nuptial aussi spectaculaire. À partir de mi-avril, les nouvelles plumes sont nettement plus allongées que les anciennes et légèrement recourbées vers l'intérieur à leur extrémité. Les deux touffes de plumes qui partent en arrière des yeux et retombent sur les côtés de la tête et sur la nuque sont les oreillettes ; celle qui fait le tour du cou, sauf en arrière, forme la collerette. En parade, ces atours sont ébouriffés.

Vision

Le champ visuel est étendu, comme chez la quasi-totalité des limicoles, grâce à la situation latérale prononcée des yeux. En revanche, la vision binoculaire (assurant la vision du relief) est restreinte. Les yeux, assez grands, favorisent une vision nocturne satisfaisante. Comme d'autres migrateurs nocturnes, le combattant compte, lors de ses déplacements particuliers en ambiance à luminosité réduite, sur les cellules en bâtonnets de la rétine, sensibles tant au mouvement qu'à la faible lumière. Les cellules en cônes, elles, perçoivent les formes et les couleurs et sont davantage mises à contribution par bonne lumière.

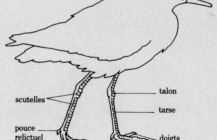

Pattes

Comme la majorité des limicoles, le combattant possède des pattes allongées, adaptées à la marche dans les milieux humides. Lorsque l'oiseau prend son envol, il les replie sous son corps, de manière qu'elles dépassent à peine de la queue. En l'air, leur finesse compense leur longueur, détail important du point de vue du poids et capital pour l'équilibre de ces voiliers. Leur couleur est très variable et contribue, tout comme le plumage, à donner des informations sur le sexe et l'âge des individus. Toutefois, l'interprétation de ce code de couleurs est affaire de spécialistes en raison de sa complexité.

Bec

Long d'un peu plus de 4 cm, le bec est assez court pour un oiseau de cette taille. Il contribue à lui donner sa silhouette particulière, permettant l'identification à distance. Les mandibules fonctionnent à l'instar de pinces fines pour saisir avec précision les petits invertébrés sur la végétation ou dans l'eau. Le bec est aussi utilisé pour sonder la vase.

Papilles

En période nuptiale, les petites plumes, appelées couvertures, qui recouvrent la face du mâle, sont remplacées par des excroissances charnues jaune orangé, ou papilles cutanées, qui, semble-t-il, participent à la stimulation visuelle des femelles.

Les autres oiseaux de la famille

■ Le combattant appartient à la famille des scolopacidés, de *Scolopax,* nom scientifique de la bécasse, l'un des représentants de cette famille, qui comprend six sous-familles, qui sont : les calidridinés, les gallinagoninés, les scolopacinés, les tringinés, les arénariinés et les phalaropodinés. Le combattant est l'unique représentant du genre *Philomachus,* qui est classé dans la sous-famille des calidridinés.

Tous les scolopacidés sont des limicoles, que les ornithologues qualifient de petits, moyens ou grands pour désigner leur taille, ce qui correspond respectivement à celle d'un moineau, d'un merle et d'un pigeon. Il ne faut pas confondre cette taille apparente avec la longueur de l'oiseau, qui, elle, indique sa dimension entre la pointe du bec et la queue. Or, le bec de ces limicoles peut être très long, ce qui explique que des espèces ayant la même longueur peuvent avoir des tailles différentes. Ainsi, la bécassine des marais et le tourne-pierre noir ont une longueur identique, mais pas la même taille, le bec de la première étant trois fois plus long. □

CALIDRIDINÉS

Bécasseaux ; 24 espèces, surtout petites. Quelques-unes de taille moyenne.
Identification : bec court, de 1,5 à 4 cm de long. Plumage brun, gris ou blanchâtre en hiver ; plus coloré en période de nidification : roux, beige, noir.
Quelques espèces : le bécasseau maubèche, *Calidris canutus,* le plus gros des bécasseaux (de 23 à 25 cm), niche au Groenland, au Spitzberg, dans les îles sibériennes, au nord du Canada ; il hiverne en Afrique, en Australie et au sud de l'Amérique du Sud.
Le bécasseau sanderling, *Calidris alba* (20 cm), suit l'avancée et le recul des vagues en trottinant très vite sur le sable. Il niche au nord (Europe, Asie et Amérique) et hiverne en Amérique du Sud, en Australie et en Inde.
Le bécasseau minute, *Calidris minuta* (13 cm), l'un des plus petits scolopacidés — il peut ne peser que 19 g —, niche au nord de l'Europe ; il hiverne au sud de l'Afrique et à l'ouest de l'Inde.
Le bécasseau tacheté, *Calidris melanotos* (de 19 à 23 cm), niche au nord du Canada et à l'est de la Sibérie ; il hiverne en Amérique du Sud.
Le bécasseau violet, *Calidris maritima* (21 cm), qui doit son nom aux reflets de son plumage nuptial, niche dans l'Arctique européen et canadien et hiverne au nord-est des États-Unis.
Le bécasseau variable, *Calidris alpina* (de 16 à 22 cm), qui porte une large tache noire ventrale en période nuptiale, niche en bandes comptant jusqu'à 100 000 individus (Europe, Asie, Canada et au Groenland) ; il hiverne en Afrique, en Inde, en Chine et aux États-Unis.

GALLINAGONINÉS

Bécassines ; 20 espèces, petites.
Identification : bec court à très long (de 3,5 à 13 cm) et tactile. Plumage brun, moucheté de beige et de noir.
Quelques espèces : la bécassine des marais, *Gallinago gallinago* (25 cm), s'envole en zigzaguant. Elle niche au nord (Europe, Asie, Canada) et hiverne en Afrique, en Inde, en Chine, au sudouest des États-Unis, en Amérique centrale et aux Caraïbes.
La bécassine double, *Gallinago media* (28 cm), niche au nord de l'Europe et à l'ouest de l'Asie et hiverne en Afrique de l'Est.
La bécassine géante, *Gallinago undulata* (de 40 à 43 cm), espèce tropicale, vit au nord-est de l'Amérique du Sud.
La bécassine sourde, *Lymnocryptes minima* (18 cm), ne décolle qu'à la dernière extrémité. Elle niche au nord de l'Europe et à l'ouest de l'Asie et hiverne en Afrique du Nord, en Iran et en Inde.
Le limnodrome à bec long, *Limnodromus scolopaceus* (de 27 à 30 cm), niche au nord-ouest du Canada et hiverne du sud des États-Unis à l'Équateur. Son nom signifie « qui court sur la vase ».

SCOLOPACINÉS

Bécasses ; 6 espèces, de taille moyenne.
Identification : bec long (de 6 à 9 cm) et tactile, utilisé pour rechercher au contact les vers et les larves enfouis dans le sol. Plumage brun tacheté.

Courlis cendré (Numenius arquata).

Quelques espèces : la bécasse des bois, *Scolopax rusticola* (34 cm), ne fuit qu'au dernier moment devant un danger. Elle niche en Europe et en Asie et hiverne en Inde et dans le sud de la Chine.

La bécasse américaine, *Scolopax minor* (de 26 à 29 cm), vit au sud du Canada et au sud-est des États-Unis.

TRINGINÉS

30 espèces, de petites à grandes, réparties en plusieurs groupes, dont les barges, les courlis et les chevaliers.

Les barges (4 espèces) se reconnaissent à leur long bec (de 6 à 12 cm), à leur plumage gris, beige ou roux en période nuptiale.

La barge à queue noire, *Limosa limosa* (de 36 à 44 cm), niche en Europe et en Asie et hiverne en Afrique du Nord, en Inde, en Chine, au nord de l'Australie.

La barge rousse, *Limosa lapponica* (de 37 à 41 cm), au bec légèrement retroussé, niche en Europe et en Asie et au nord-ouest du Canada ; elle hiverne en Afrique tropicale et en Australie.

Les courlis (8 espèces) ont un long bec arqué vers le bas (de 4 à 19 cm selon les espèces) et un plumage beige moucheté. Les plus remarquables sont : le courlis cendré, *Numenius arquata* (de 50 à 60 cm, dont 8,3 à 19,2 cm pour le bec), qui niche dans le nord de l'Europe et hiverne en Afrique et dans le nord-ouest de l'Inde.

Le courlis corlieu, *Numenius phaeopus* (de 40 à 46 cm), se reconnaît aux bandes sombres ornant le sommet de la tête. Il niche au nord de l'Europe, de l'Asie et du Canada et hiverne en Afrique, en Australie et en Amérique du Sud.

Le courlis de Tahiti, *Numenius tahitiensis* (de 40 à 44 cm), est peu connu ; le premier nid a été découvert il y a moins de 50 ans. Il nidifie en Alaska et hiverne en Polynésie.

Le courlis esquimau, *Numenius borealis* (de 29 à 34 cm), dont il ne doit plus rester qu'une vingtaine d'individus, nichait au nord du Canada et hivernait au sud de l'Amérique du Sud. On ignore ses aires de répartition actuelles.

Les chevaliers et leurs alliés (17 espèces) ont le bec assez long ou long (de 2 à 6,5 cm), parfois coloré de rouge, et un plumage gris, brun moucheté ou noir, qui peut varier en période nuptiale.

Le chevalier gambette, *Tringa totanus* (28 cm), niche en Europe et en Asie et hiverne en Afrique et en Asie.

Le chevalier arlequin, *Tringa erythropus* (de 29 à 32 cm), au plumage nuptial presque entièrement noir, niche dans le nord de l'Europe et hiverne en Afrique et en Chine.

Le chevalier cul-blanc, *Tringa ochropus* (de 21 à 24 cm), niche dans le nord de l'Europe et de l'Asie et hiverne de l'Afrique aux Philippines.

Le chevalier guignette, *Actitis hypoleucos* (20 cm), vole au ras de l'eau, les ailes arquées vers le bas. Il niche en Europe et en Asie et hiverne en Afrique et du nord-est de l'Asie à l'Australie.

ARÉNARIINÉS

Tourne-pierres, 2 espèces.

Petits limicoles trapus, à bec court (2 cm) utilisé pour retourner les galets et les algues, à la recherche d'invertébrés.

Le tourne-pierre à collier, *Arenaria interpres* (de 21 à 25 cm), a un plumage grisâtre en hiver, bigarré de roux, de noir, de brun, mais blanc en période nuptiale. Il niche au nord de l'Europe et de l'Asie et hiverne en Afrique, dans le sud-est de l'Asie, en Australie, en Amérique du Sud et aux Caraïbes.

Le tourne-pierre noir, *Arenaria melanocephala* (de 22 à 25 cm), est noirâtre et vit en Alaska, à l'ouest des États-Unis.

PHALAROPODINÉS

Phalaropes, 3 espèces, petites.

Identification : bec entre 2 et 3,5 cm ; plumage gris, brun, roux, blanc. Le rôle des sexes est inversé durant une partie de la reproduction. La femelle prend l'initiative lors de la parade ; le mâle couve seul les œufs et s'occupe de l'élevage des petits.

Quelques espèces : le phalarope de Wilson, *Phalaropus tricolor* (23 cm), niche à l'ouest du Canada et des États-Unis et hiverne au sud de l'Amérique du Sud.

Le phalarope à bec large, *Phalaropus lobatus* (21 cm), niche au nord (Europe, Asie, Amérique) et hiverne le long des côtes de l'hémisphère Sud.

Le phalarope à bec étroit, *Phalaropus fulicarius* (18 cm), a la même aire de nidification que l'espèce précédente ; il hiverne sur les côtes (Afrique et Chili).

Bécassine des marais (Capella gallinago).

Barge à queue noire (Limosa limosa).

Chevalier gambette (Tringa totanus).

Milieu naturel et écologie

■ Le combattant ne fréquente pas le même type d'habitat tout au long de l'année, et les conditions écologiques dans lesquelles il évolue varient suivant qu'il s'agit de la période de nidification ou de l'hivernage. Les milieux occupés pendant la saison de reproduction ne sont, eux-mêmes, pas identiques selon leur situation géographique : ceux du nord et de l'est de l'aire de répartition de l'espèce se distinguent nettement de ceux de l'ouest.

Dans les régions septentrionales d'Europe et d'Asie, c'est-à-dire en zones arctique et subarctique, le combattant recherche les régions basses et humides, mais il évite, en général, la véritable toundra, dont la végétation trop au ras du sol ne lui convient pas. Sa préférence va à des secteurs marécageux, ponctués d'étendues d'eau — mares, étangs, lacs — séparées par des tertres herbeux, où se situent les arènes de parade. La végétation environnante est constituée de graminées (herbes), de prêles, de potentilles des marais et de laîches (ou carex). Ces dernières, souvent confondues avec les roseaux, sont de fines plantes élancées, caractéristiques de la végétation palustre. Elles forment d'impénétrables fourrés, qui assurent la sécurité des femelles en train de couver, de leurs œufs, puis celle des poussins. Les oiseaux se faufilent dans ces lieux touffus, où ils tracent de véritables chemins qu'ils empruntent chaque jour, au cours de va-et-vient à la recherche de nourriture. Celle-ci est souvent prélevée sur l'eau ou dans l'eau, les petits échassiers pataugeant à proximité des rives, tout en picorant leurs proies.

Si, dans les régions arctique et subarctique, les combattants rencontrent des zones qui n'ont jamais été altérées par l'homme, il n'en est pas de même pour les populations qui se reproduisent en Europe occidentale. Là, les habitats naturels ont souvent été complètement transformés par les activités humaines, et les oiseaux ont dû s'adapter à de nouveaux milieux. Certes, ils parviennent encore à trouver des zones sauvages appropriées à leurs besoins vitaux, comme les landes humides à bruyère ou les marais couverts de buissons de saules. Mais de tels endroits deviennent rares et ils cessent de répondre aux besoins des combattants dès que la proportion d'arbres augmente. Les oiseaux s'établissent alors sur les prairies humides artificielles réservées à l'élevage du bétail, colonisant à l'occasion les polders, comme aux Pays-Bas. Mais, quel que soit le milieu, le site nécessaire aux combattants doit couvrir une surface minimale de 5 hectares, sinon les exigences éthologiques et écologiques de l'espèce ne peuvent plus être satisfaites.

En période d'hivernage, le combattant affectionne les « deltas intérieurs », c'est-à-dire les zones inondées à faible profondeur d'eau, les grandes étendues boueuses à proximité des fleuves et des lacs, comme il s'en trouve en Afrique de l'Ouest. Il peut également fréquenter des prairies sèches, des éteules, des rizières, mais, contrairement à la plupart des limicoles, il évite les rivages maritimes.

Des proies faciles pour les rapaces

Sur les sites de reproduction, les prédateurs du combattant sont les petits mammifères carnivores, comme le putois, ainsi que les rapaces. Lors des parades collectives sur les arènes, situées en un lieu proéminent et à découvert, les combattants mâles sont des proies faciles. Leurs ornements bigarrés se remarquent de loin, lorsque les oiseaux bondissent en virevoltant. Lors de ces affrontements entre rivaux, les adversaires relâchent leur vigilance, devenant des proies idéales pour le faucon pèlerin, le faucon émerillon, le busard des

En Europe occidentale, la disparition de nombreux habitats naturels a contraint le combattant à s'adapter à de nouvelles conditions de vie. Passant des marais aux prairies humides d'élevage, il doit effectuer ses parades rituelles en compagnie de vaches laitières.

Aires de répartition du combattant. En période de nidification, la répartition géographique de ces oiseaux est nettement septentrionale et intéresse l'Europe et l'Asie sibérienne. Depuis le siècle dernier, la régression de l'espèce dans la partie occidentale de son domaine est sensible, les populations remontant davantage vers le nord, où elles trouvent encore des habitats naturels intacts. Les quartiers d'hivernage sont majoritairement africains. Certains combattants, d'origine asiatique, passent l'hiver sur le pourtour de l'Inde, mais la plupart des effectifs préfèrent gagner l'Afrique, plus favorable écologiquement.

roseaux. D'autres rapaces, notamment certaines espèces de faucons, attaquent les combattants durant l'hivernage.

D'ingénieuses adaptations pour éviter la compétition

Parmi les 84 autres espèces appartenant à la famille du combattant, un grand nombre fréquente des habitats variables selon les saisons, surtout dans le cas de migrateurs au long cours qui passent d'un continent à l'autre. Toutefois, tous ces limicoles, à l'exception d'un seul, recherchent la proximité de l'eau, qu'elle soit douce, saumâtre ou salée, et les milieux ouverts, où la vue est dégagée et la sécurité accrue.

Les courlis se rencontrent dans les prairies humides, mais aussi dans les landes sèches ; les bécasseaux nichent si possible dans la toundra, puis ils se fixent le long des côtes, sur les vasières. Deux des espèces de phalaropes passent l'hiver en pleine mer, s'y nourrissant de plancton.

Pour éviter la compétition dans l'exploitation des ressources alimentaires, plusieurs espèces se sont spécialisées. Ainsi, le bécasseau violet, cantonné sur les rochers du littoral battus par les vagues, est le seul oiseau limicole de ces lieux inhospitaliers.

Les tourne-pierres sont maîtres dans l'art de soulever galets, coquilles vides et algues pour y débusquer les petites proies. Étant les seuls à procéder de la sorte sur les plages où circulent d'autres petits échassiers, ils ne craignent pas l'intervention de rivaux.

La longueur différente des becs des divers scolopacidés aide sans doute à empêcher la concurrence entre ces oiseaux qui se nourrissent de façon très similaire et se côtoient sur les zones d'alimentation. Les barges et les courlis peuvent gober des vers nichés dans le sable à 10, voire 20 cm de profondeur, mais le bec des chevaliers fouille à moins de 10 cm, et celui des bécasseaux n'atteint pas les 5 cm de profondeur. Ces oiseaux picorent même en surface.

Les phalaropes ont apporté une solution personnelle au problème de la compétition. Ils nagent pour se nourrir et possèdent d'ailleurs à cet effet des lobes membraneux entre les doigts de leurs pattes, qui jouent le rôle de palmes. Ils tournent sur eux-mêmes de façon incessante, comme des toupies, et capturent les insectes aquatiques ou ceux tombés à l'eau.

Mais le plus original des limicoles dans la spécialisation écologique reste la bécasse. Seule espèce de la famille à vivre en forêt, elle est également la seule à posséder des ailes courtes, larges et arrondies, qui lui permettent de louvoyer à toute vitesse entre les arbres, pour fuir le danger. Son plumage est un modèle de camouflage en milieu forestier : il imite à la perfection écorces, brindilles et feuilles mortes, et rend la bécasse tout à fait invisible quand elle conserve une immobilité absolue. Enfin, son étonnant champ visuel, qui couvre 360°, lui permet de prévenir les attaques surprises. □

Une espèce à protéger en Europe et en Afrique

Dans de nombreux pays d'Europe, le combattant est contraint d'abandonner les lieux de nidification traditionnels de son espèce à cause des travaux de l'homme. Depuis quelques années, il est en outre poursuivi jusque dans ses quartiers d'hiver africains par des chasseurs trop zélés.

Des pertes d'habitats importantes

■ Le combattant fait partie de ces espèces qui sont abondantes à l'échelle du globe, mais qui, localement, enregistrent des baisses importantes d'effectifs, essentiellement à cause de la disparition de leurs habitats naturels, les milieux humides.

Dans les régions septentrionales de l'Eurasie, où la pression humaine est faible, voire nulle, les oiseaux prospèrent tranquillement. En Europe occidentale, notamment aux Pays-Bas, en Belgique, en France, en Allemagne, en Pologne et en Grande-Bretagne, où les combattants nidifiaient nombreux il y a encore quelques années, le drainage à grande échelle des zones humides et l'assèchement ou le comblement des marais, pour bonifier les terrains et les rendre exploitables, ont dénaturé leurs anciennes zones de nidification, ce qui a engendré un net déclin de leurs populations.

Çà et là, en Europe, les oiseaux sont parvenus à s'établir dans des prairies d'élevage, et, en Grande-Bretagne, des mesures ont été prises pour favoriser la réinstallation du petit échassier. Mais beaucoup remontent plus au nord pour éviter les dérangements causés par l'homme, et vont désormais nidifier en Norvège et en Finlande, seuls pays européens qui connaissent des remontées d'effectifs. □

Gibier en Europe et en Afrique

■ Ainsi que de nombreux petits échassiers, le combattant est considéré comme du gibier dans plusieurs pays. En Europe, c'est le cas en France, en Italie et en Espagne. L'espèce est donc soumise à des prélèvements non négligeables, bien qu'ils ne soient pas alarmants. Toutefois, cet état de fait se complique depuis quelques années, avec le développement de la chasse sportive en Afrique. Des quantités considérables d'oiseaux en hivernage y sont abattues. Or, les oiseaux migrateurs ne bénéficient pas des mesures de protection avec quotas fixés, mises en place pour certaines espèces animales comme les grands mammifères. Ou ils sont intégralement protégés, ou ils peuvent être chassés en nombre illimité. De plus, leur qualité d'espèce migratrice rend impossible la gestion cynégétique des populations de combattants, les lâchers d'animaux d'élevage, les déplacements artificiels de populations et les aménagements des milieux naturels ne pouvant être prévus comme ils le sont pour la protection des oiseaux d'espèces sédentaires. □

Une confiance naturelle

■ Il apparaît qu'en certaines occasions, l'homme et des oiseaux comme le combattant ou d'autres petits échassiers (bécasseaux, chevaliers...) peuvent entrer en contact, comme si toute barrière était abolie. Parfois, il est en effet possible d'approcher de très près les jeunes limicoles nés dans l'année, lorsqu'ils se posent au cours de leur premier voyage migratoire. Il s'agit surtout d'individus isolés, les groupes restant toujours plus craintifs.

L'explication de cette confiance est simple : la majorité des limicoles se reproduit dans des régions circumboréales, à l'extrême nord de l'Europe, de l'Asie et de l'Amérique du Nord, d'où l'homme est quasiment absent. Les jeunes combattants ne l'ont, pour la plupart, jamais rencontré lorsqu'ils quittent leurs régions natales et se mettent en route vers le sud. Ils n'associent pas immédiatement une menace quelconque à l'apparence des premiers hommes qu'ils rencontrent. Mais, au premier contact avec des chasseurs, ils apprennent vite le danger. S'instaure aussitôt une relation de méfiance, les oiseaux se mettant à fuir au plus vite.

Mais, à supposer qu'une telle rencontre n'ait pas eu lieu, on peut espérer approcher les jeunes échassiers à un ou deux mètres, voire moins, à condition de ne pas faire de gestes brusques, d'être de préférence seul et de se tenir accroupi, ou mieux, de s'allonger. □

En Europe occidentale, les effectifs de combattants sont en nette diminution, essentiellement en raison de la disparition de leurs habitats naturels, les milieux humides. Pourtant, l'espèce est protégée en Irlande, en Grande-Bretagne, en Allemagne, au Luxembourg, aux Pays-Bas et au Danemark.

LACAZE-DUTHIERS
(Henri de)

Montpezat, Lot-et-Garonne, 1821 — Las-Fons, Dordogne, 1901

Naturaliste français

Toute sa vie de scientifique fut axée sur l'étude du monde marin. Pour faciliter le travail des chercheurs, il créa deux laboratoires de zoologie au bord de la mer, les premiers du genre en France.

■ Deuxième fils du descendant d'une vieille famille gasconne, le baron de Lacaze-Duthiers, le jeune Henri se heurte à l'opposition de son père quand il lui fait part de sa volonté d'entreprendre à Paris des études de médecine et de sciences naturelles. Il passe outre et se retrouve dans la capitale sans grandes ressources. Pour subsister, il devient préparateur du professeur Milne-Edwards, célèbre pour ses travaux sur les mollusques, les crustacés et les anthozoaires, puis devient répétiteur de zootechnie à l'institut agronomique de Versailles. En 1851, il passe sa thèse de médecine et en 1853 celle de doctorat ès sciences sur l'« armature génitale des insectes ». Entre-temps, son refus de prêter serment lors de l'arrivée au pouvoir de Napoléon III lui a valu d'être révoqué de l'Université. Cette sanction va être à l'origine de sa vocation de zoologiste marin.

En 1853, il accompagne un ami malade aux Baléares. Ébloui par les richesses des côtes méditerranéennes, il fréquente assidûment les marchés de poissons et de coquillages, accompagne les pêcheurs en mer et dessine dans leurs barques inconfortables. Il commence avec enthousiasme un travail de longue haleine sur les acéphales, ces mollusques que l'on préfère appeler aujourd'hui « bivalves ». Il étudie tout particulièrement les anomies, à la coquille irrégulière, mince, translucide et légèrement nacrée à l'intérieur.

Sur les côtes bretonnes, il s'intéresse ensuite aux dentales, mollusques à coquille en forme de cornet présents dans pratiquement toutes les mers du globe. À son retour à Paris, en 1854, il obtient, grâce à Milne-Edwards, un poste de professeur de zoologie à la faculté des sciences de Lille dont le doyen, à l'époque, n'est autre que Louis Pasteur. Assuré désormais d'un revenu régulier, il profite de tous les congés universitaires pour poursuivre ses recherches sur les mollusques en Bretagne. En 1858, il se lance dans l'étude du corail en Corse et surtout aux Baléares. Entre 1860 et 1862, chargé d'une mission par le gouvernement français, il se rend en Algérie pour approfondir les connaissances que l'on a du sujet. Dans la foulée, il écrit une *Histoire naturelle du corail,* qui consacrera sa réputation de naturaliste.

On l'appelle à Paris comme maître de conférences à l'École normale supérieure en 1863.

Deux ans plus tard, il est professeur au Muséum d'histoire naturelle. En 1869, il prend la chaire de zoologie, d'anatomie et de physiologie comparées à la faculté des sciences de Paris. Après 1870, il aura la tâche d'organiser la recherche zoologique en France. Les *Archives de zoologie expérimentale,* publication fondée par lui en 1872, connaîtront un grand succès dans les milieux universitaires français et étrangers. Il en ira de même des deux laboratoires de zoologie marine qu'il crée, l'un à Roscoff en 1872, l'autre à Banyuls en 1881.

Il a débrouillé le lacis, jusque-là inextricable, du système nerveux des gastropodes.

Lacaze-Duthiers est l'auteur de plus de deux cent cinquante publications, portant notamment sur le corail, les mollusques et les tuniciers (animaux marins dont le corps est protégé par une épaisse enveloppe, ou tunique). Observateur et anatomiste de tout premier ordre, il a débrouillé le lacis, jusque-là inextricable, du système nerveux des gastropodes. Disciple de Cuvier par son adhésion à une science très empirique, il insistait sans cesse sur l'importance de l'étude des animaux dans leur habitat naturel.   □

ZOOLOGIE EXPÉRIMENTALE

Henri de Lacaze-Duthiers n'était pas homme à rester confiné dans un laboratoire parisien pour y étudier les animaux marins. Dans sa jeunesse, il explora les côtes de la Manche et de la Méditerranée pour « voir les animaux dans les conditions qui leur sont propres ». Après la guerre de 1870, il réalisa un projet qui lui tenait particulièrement à cœur : la création d'une station de zoologie marine à Roscoff, en Bretagne. Les débuts furent difficiles : il fallait faire fonctionner l'établissement avec une somme très modique et avec, pour tout matériel de pêche, une méchante barque valant 200 F. Ses collaborateurs se plaignaient du manque de chauffage et, surtout, de l'absence d'éclairage le soir. Cependant, la réputation de la station grandit rapidement et les chercheurs affluèrent.

Ce succès incita Lacaze-Duthiers à fonder, neuf ans plus tard, le laboratoire de Banyuls sur la Méditerranée. L'État lui ayant refusé son aide, il dut avoir recours à l'initiative privée. Lui qui n'avait pas un caractère très souple fut obligé d'aller tirer bien des sonnettes. Il préleva souvent sur ses maigres économies pour boucler les fins de mois difficiles de son second « enfant ». Les deux laboratoires existent toujours. Ils sont rattachés à l'université de Paris.

DANS LE PROCHAIN NUMÉRO
LE MORSE

VIE SAUVAGE
ENCYCLOPÉDIE LAROUSSE DES ANIMAUX

le morse

Mangeur de mollusques
Des amours sur la banquise
De longs poignards
pour combattre

N° 68
hebdomadaire

139 FB / 139 FL / 5,90 FS / 2,95 S CAN

Larousse

Fonds Mondial pour la Nature
WWF

un mammifère arctique aux dents longues

VIE SAUVAGE

ENCYCLOPÉDIE LAROUSSE DES ANIMAUX

le crocodile

Un dangereux reptile
aquatique

L'estomac souvent vide

Une naissance sur
la terre ferme

OMADAIRE   N° 23

LAROUSSE

Avec VIE SAUVAGE,
la nouvelle encyclopédie Larousse des animaux,
découvrez la vraie vie des animaux sauvages du monde entier.

Chaque semaine, partez à la rencontre d'un nouvel animal. Surprenez-le dans son intimité, grâce à des photos fortes, prises sur le vif par de grands reporters. Apprenez à connaître son comportement et ses mœurs, racontés par les plus grands experts de la faune sauvage : scènes de chasse, bains, premiers pas des petits… Vous découvrirez les grands principes écologiques de la lutte pour la vie et de l'équilibre de la nature.

Constituez-vous une collection complète des animaux sauvages du monde entier, en les regroupant selon les 11 grands milieux naturels où ils vivent :

Savanes et prairies : éléphant, lion, girafe, bison, kangourou…
Forêts tropicales : tigre, orang-outan, jaguar, perroquet…
Forêts de conifères : loup, aigle royal, lynx, hermine…
Forêts de feuillus : koala, renard, cerf, sanglier, coucou…
Mers et océans : dauphin, baleine, requin, pieuvre…
Côtes marines : otarie, tortue géante, fou de Bassan, iguane…
Rivières et fleuves : hippopotame, loutre, flamant rose, castor…
Étangs et marais : pélican blanc, crocodile, vison, libellule…
Montagnes : grand panda, condor, ours brun, macaque japonais…
Déserts et steppes : guépard, caméléon, criquet, scorpion…
Toundras et glaces : phoque, caribou, bœuf musqué, manchot…

VIE SAUVAGE est édité par la
SOCIÉTÉ DES PÉRIODIQUES
LAROUSSE (S.P.L)
1-3, rue du Départ - 75014 Paris
Tél. : 44 39 44 20

Directeur de la publication :
Bertil Hessel

Directeur éditorial :
Claude Naudin, Françoise Vibert-Guigue

Directeur de la collection :
Laure Flavigny

Edition :
Brigitte Bouhet, Catherine Nicolle

Direction artistique :
Henri Serres-Cousiné

Direction scientifique :
Christine Sourd, docteur en écologie,
Conservation Officer au WWF-France

Conception graphique et mise en pages :
Frédérique Longuépée, Blandine Serret

Couverture :
Gérard Fritsch, Simone Matuszek

Correction-révision :
Service de lecture-correction de Larousse

Documentation iconographique :
Anne-Marie Moyse-Jaubert,
Marie-Annick Réveillon

Composition :
Michel Vizet

Fabrication :
Jeanne Grimbert

Service de presse :
Suzanna Frey de Bokay

VENTES

Directeur du marketing et des ventes :
Édith Flachaire

Service abonnement Vie Sauvage :
68, rue des Bruyères, 93260 Les Lilas.
Tél. : (1) 48 97 05 96
Étranger, établissements scolaires, n'hésitez pas à nous consulter.

Vente en France des numéros déjà parus :
Envoyez votre commande avec un chèque
à l'ordre de SPL de 25,50 F par fascicule et de 71 F par reliure à : RIF-SPL, 25 rue Chassagnolle, 93260 Les Lilas, France.

Service des ventes :
(réservé aux grossistes, France) :
PROMEVENTE - Michel Iatca
Tél. : N° Vert : 05 19 84 57

Réassort réseau : MLP - Tél : 72 40 53 79

Prix de la reliure :

France	59 FF
Belgique	410 FB
Suisse	19 FS
Luxembourg	410 FL
Canada	9,95 $CAN

Distribution :
Distribué en France (MLP), au Canada, en Belgique (AMP), en Suisse (Naville S.A.), au Luxembourg (Messageries P. Kraus).

À nos lecteurs :
En achetant chaque semaine votre fascicule chez le même marchand de journaux, vous serez certain d'être immédiatement servi, en nous facilitant la précision de la distribution. Nous vous en remercions.

Premiers numéros de l'encyclopédie :
1, les dauphins ; 2, le lion ; 3, le grand panda ; 4, le phoque du Groenland ; 5, le koala ; 6, le gorille ; 7, l'éléphant ; 8, la baleine ; 9, la panthère ; 10, l'aigle royal ; 11, l'ours brun ; 12, le kangourou ; 13, la marmotte ; 14, le tigre ; 15, le manchot ; 16, l'hippopotame ; 17, les abeilles ; 18, la girafe ; 19, le loup ; 20, les perroquets ; 21, les requins ; 22, le zèbre.

SOMMAIRE

N° 23   LE CROCODILE   *Étangs et marais*

LE CROCODILE ET SES ANCÊTRES 1

LA VIE DU CROCODILE
Un respect très strict de la hiérarchie 4-5
Les crocodiles vivent l'estomac vide 6-7
Les petits naissent sur la terre ferme 8-9

POUR TOUT SAVOIR SUR LE CROCODILE
Crocodile du Nil 12-13
Les autres crocodiles 14-15
Milieu naturel et écologie 16-17

LE CROCODILE ET L'HOMME 18-20

DICTIONNAIRE DES SAVANTS DU MONDE ANIMAL
Lucien Cuénot

PROCHAINS NUMÉROS DE L'ENCYCLOPÉDIE :

n°24 : la gazelle
n°25 : le pélican
n°26 : le jaguar
n°27 : le lycaon
n°28 : l'hyène

LES TEXTES DE CE NUMÉRO ont été rédigés par Jacques Fretey, membre de l'U.I.C.N. ; Emmanuelle Martignoni ; Monique Madier.

DESSINS de Guy Michel. CARTE de Edica.

SCHÉMA de Thierry Chauchat.

PHOTO DE COUVERTURE : Crocodiles du Nil au bord d'une rivière. Phot. Falls V. - OSF.

CRÉDITS PHOTOGRAPHIQUES p. 1, Johnson P. - NHPA ; p. 2/3 et 13h, Bannister A. - NHPA ; p. 4 et 4/5b, Warren A. - Ardea ; p. 4/5h, Davey P. - Bruce Coleman ; p. 5 et 12/13, England M.D. - Ardea ; p. 6h, Cappelli G. - Bruce Coleman ; p. 6b, 6/7, 7 et 10/11, Scott J. - Planet Earth Pictures ; p. 8, Lang J.W. - Photos Researchers - Jacana ; p. 8/9, Harvey M. - WWF - Bildarchiv - Bios ; p. 9, Burton J. - Bruce Coleman ;

p. 13m, Reinhard H. - Bruce Coleman ; p. 13b, Robinson S. - NHPA ; p. 14h, Tomalin N.O. - Bruce Coleman ; p. 14b, Ziesler G. - Bruce Coleman ; p. 15h, Myers N. - Bruce Coleman ; p. 15b, Foott J. - Bruce Coleman ; p. 16/17, Futil F. - Bruce Coleman ; p. 18/19, Maiofiss M. - Gamma ; p. 19, Panon - Gamma ; p. 20, Ziegler J.L. - Bios. 3e de couv : Lucien Cuénot, portrait. Phot. Roger-Viollet.

Photocomposition : Dawant. Photogravure : Graphotec. Impression : R.E.G. Dépôt légal 3e trimestre 1994.

LE CROCODILE

Reptile aux allures préhistoriques, ce très lointain cousin des oiseaux primitifs et des dinosaures a une solide réputation de tueur. Depuis 65 millions d'années, le crocodile s'adapte à tous les changements. Il aura disparu dans quelques décennies si l'homme ne cesse de pourchasser ce survivant des temps anciens.

Issus d'ancêtres communs aux reptiles et aux oiseaux, les tout premiers crocodiles, ou protosuchiens, seraient apparus sur Terre voici quelque 240 millions d'années. De petite taille (à peine un mètre) avec un museau court et une cuirasse ventrale, ils marchent dressés sur quatre pattes et ressemblent à des lézards, ce qui laisserait supposer qu'ils étaient plutôt terrestres qu'aquatiques. Les protosuchiens sont largement répandus sur l'unique continent d'alors, la Pangée, et l'on en a retrouvé des restes fossiles en Europe. Il y a environ 200 millions d'années, ils se diversifient. Dans la branche des mésosuchiens, le groupe des goniopholididés, vraisemblablement le plus évolué, comprend des espèces assez proches du crocodile du Nil actuel.

À la fin de l'ère secondaire, il y a 65 millions d'années, certains mésosuchiens terrestres évoluent progressivement. La structure de leurs vertèbres se modifie, celle du palais aussi, facilitant la respiration aérienne en milieu aquatique. Il semble que ce soit vers cette époque que les crocodiles deviennent vraiment amphibies. On appelle eusuchiens ces crocodiles primitifs. Ils seraient les seuls reptiles de grande taille à avoir survécu aux bouleversements climatiques de la fin du crétacé, qui furent fatals aux dinosaures. *Crocodylus sivalensis,* indien, et *Crocodylus lloidi,* qui vivait encore en Afrique il y a 15 000 ans environ, là où plus tard habitera le crocodile du Nil, sont les plus proches parents disparus de celui-ci.

Ces reptiles que sont les crocodiles et les tortues géantes auraient habité nos régions jusqu'à l'époque tertiaire ; puis les glacia-tions du quaternaire les auraient repoussés vers les régions tropicales humides du globe.

On ignore encore à quelle époque les crocodiles se sont différenciés des autres crocodiliens, les alligators et caïmans, mais on a découvert en Nouvelle-Calédonie les restes d'un eusuchien primitif et terrestre, *Mekosuchus inexpectatus,* possédant à la fois les caractères du crocodile et ceux de l'alligator. Selon le paléontologue Balouet, ce crocodile insulaire de 2 m de long aurait encore existé sur l'île vers l'an 100 de notre ère quand régnait l'empereur romain Trajan. Il aurait été depuis totalement exterminé.

Le crocodile du Nil, qui pullulait en Afrique au début de ce siècle, est aujourd'hui protégé après avoir été chassé pour sa peau. □

Les crocodiles sont les rois du camouflage. Seuls leurs yeux et leur museau émergent lorsqu'ils s'approchent de leur proie. Ils n'aiment pas être dérangés par les vagues ou le vent et vivent de préférence dans des eaux calmes et abritées, le long de rives aux pentes douces.

Aux heures chaudes de la journée, les crocodiles de tous âges se retrouvent sur la berge pour profiter du soleil. Les conflits sont rares et chaque animal respecte la hiérarchie.

Les préludes nuptiaux durent souvent plusieurs jours. Le mâle nage autour de la femelle, la maintient sous l'eau ou au contraire la soulève, frottant sa tête et sa gorge contre la tête de celle-ci.

Un respect très strict de la hiérarchie

■ Les crocodiles du Nil vivent en communautés réunissant des groupes distincts d'animaux de même âge et de même sexe. Tous respectent une hiérarchie stricte, excepté en période de grande sécheresse. Les crocodiles de tous âges se retrouvent alors sur les seuls points d'eau qui restent et les comportements de territorialité ou de hiérarchie s'estompent. Les mâles les plus grands et les plus agressifs dominent, vivant en permanence sur leur territoire, à proximité les uns des autres. Le territoire est à la fois terrestre et aquatique, l'animal défendant une portion de berge le long d'un point d'eau. Les femelles, soumises aux mâles, ont des territoires qui se chevauchent, englobant les sites de ponte sur la partie terrestre du territoire commun.

La position de la tête, du dos et de la queue donnent des informations importantes sur le statut social d'un crocodile et sur ses intentions. Ainsi, un mâle dominant nage ostensiblement à la surface de l'eau, tandis qu'un animal moins élevé dans la hiérarchie ne laisse dépasser que la tête, et se tient toujours prêt à s'immerger complètement. Devant un animal dominant, il relève le museau hors de l'eau et entrouvre ses mâchoires. La tête immobile, il annonce, par des mouvements du museau, qui il est — mâle, femelle ou jeune — à celui qu'il approche.

Il est très rare que les crocodiles se combattent, même lors de grands rassemblements d'animaux. Pour faire fuir son rival, le crocodile dominant se contente en général de rester immobile, tête et queue dressées, en gonflant son corps le plus possible afin d'exagérer sa taille. Si cela ne suffit pas, il attaque, mordant son adversaire à la base de la queue et derrière les pattes. Les cicatrices laissées à ces endroits indiquent donc des animaux de rang inférieur.

La femelle fait les premiers pas

Selon certains zoologistes, le crocodile du Nil mâle est monogame, selon d'autres, le mâle courtise quatre ou cinq femelles à la fois, ce qui semble plus probable, la proportion moyenne de la population étant d'un mâle pour dix à vingt femelles.

Les préliminaires amoureux commencent souvent quatre à cinq mois avant la ponte. C'est la femelle qui fait les premiers pas, visitant tour à tour les territoires de plusieurs mâles et se présentant à eux tête et queue complètement immergées. Elle doit bien marquer sa soumission à son partenaire, particulièrement agressif en cette période. Après parfois plusieurs jours de séduction, l'accouplement a lieu sous l'eau. □

PLUSIEURS SONS POUR SE COMPRENDRE

Pour communiquer, les crocodiles du Nil peuvent émettre des signaux vocaux, dont certains à peine audibles par l'homme. Ces sons, toussotement, sifflement, meuglement ou rugissement répétitif très puissant, sont produits en contractant fortement les muscles de la poitrine pour faire passer l'air, par à-coups ou en continu, le long du larynx jusque dans les fosses nasales. Les appels répétitifs permettent aux autres animaux de localiser celui qui vocalise. Selon Beach, certains crocodiles répondent vocalement à des vibrations sonores de 57 Hz.

À terre, le crocodile se déplace avec aisance et rapidité, particulièrement lorsqu'il décide non de ramper mais de se dresser sur ses pattes.

Tête levée, les deux animaux se frottent le museau sans se mordre. Le musc émis par les glandes des mandibules du mâle stimulent la femelle. Lorsqu'elle est consentante, celle-ci émet un long grognement sourd, caractéristique, et l'accouplement a lieu sous l'eau.

Les crocodiles vivent l'estomac vide

■ Un crocodile du Nil adulte ne fait, en moyenne, que 50 repas par an, parce qu'il utilise l'énergie apportée par son alimentation de façon beaucoup plus efficace que les autres animaux. Il stocke environ 60 % de la nourriture qu'il absorbe dans le gras de la queue, dans l'abdomen et le long du dos. Un vieux crocodile peut ainsi rester deux ans sans se nourrir, de même qu'un nouveau-né quatre mois ; le crocodile adulte mange plutôt pendant les saisons chaudes. Les plus grands se nourrissent d'oiseaux, de poissons ou de mammifères (buffle, zèbre ou antilope), et parfois de charognes qu'ils repèrent à l'odeur. En période de froid, la digestion est ralentie, et seuls les jeunes s'alimentent, consommant surtout des insectes.

Partisans du moindre effort

Au Natal, vers avril ou mai, les jeunes crocodiles profitent de la migration des mulets qu'ils chassent à plusieurs en se plaçant en demi-cercle, bouchant ainsi le passage aux poissons. Lors de ces chasses en groupe, chacun reste à son poste sans bouger jusqu'à l'encerclement final.

Lorsqu'il pêche seul, le crocodile nage lentement, recourbant la queue pour créer un arc avec son corps. Un coup de gueule latéral de son museau plat, et les petits poissons qui se sont laissés prendre dans ce filet sont avalés sans être mâchés. Le crocodile fait glisser les gros poissons dans sa gorge en levant la tête verticalement. Mais, en général, il évite les efforts superflus. Son long corps dissimulé dans l'eau, il guette, immobile, pendant de longues journées, des proies éventuelles venues se désaltérer. Seules ses narines et le haut de sa tête émergent. Parfois, d'un coup de queue, il décroche d'une branche un nid d'oiseaux. Lorsqu'une antilope ou un buffle approche sur la berge boueuse, le crocodile glisse silencieusement et, de ses puissantes mâchoires, saisit une patte ou le museau de sa proie qu'il déséquilibre, l'assomme ou lui casse les pattes d'un coup de sa lourde tête. Puis il l'entraîne dans l'eau pour la noyer. Et le festin commence. Le crocodile déchiquette l'animal et avale tout sans mâcher, os compris. S'il ne peut déplacer seul une proie trop grosse, un ou plusieurs congénères l'aident. Le zoologiste sud-africain Pooley a observé deux animaux transportant au-dessus du sol une antilope que l'un d'eux avait tuée sur la berge. □

Patience et longueur de temps... Le crocodile du Nil peut capturer une proie à terre. Il propulse son corps sur la berge par un saut parfois long de plusieurs fois la longueur de son corps.

La capture au bord d'une rivière ou d'une mare est la méthode de chasse la plus employée par les crocodiles de grande taille. La prise est facilitée par la berge boueuse ou pentue, où les proies glissent.

LES PETITS CROCODILES MANGENT SURTOUT DES INSECTES

La zoologiste E. Hamard, en 1979, a étudié les estomacs de plusieurs dizaines de crocodiles du Nil et a ainsi montré que leur régime alimentaire variait en fonction de leur taille.

Ainsi, les insectes constituent 70 % de la nourriture des jeunes crocodiles de moins de 0,30 m et encore 30 % de celle des animaux de 1,50 m ; mais ils ne font plus partie de l'alimentation des crocodiles de plus de 3,50 m. Lorsqu'ils mesurent entre 1,50 m et 3,50 m, les crocodiles consomment surtout des poissons et des mollusques. Les grands crocodiles mesurant plus de 3,50 m se nourrissent principalement de mammifères (de 15 à 40 %) et de poissons (de 35 à 80 %). Leur alimentation se compose aussi de reptiles, de mollusques et de quelques oiseaux (environ 10 %), mais ils préfèrent capturer de grosses proies plutôt que dépenser leur énergie à chasser des animaux de moindre importance.

ration en %

(d'après Hamard, 1979)

Insectes — Arachnides — Crustacés — Mollusques — Poissons — Reptiles — Amphibiens — Oiseaux — Mammifères

100 90 80 70 60 50 40 30 20 10 0

0,3 0,5 1 1,5 2 2,5 3 3,5 4 4,5 4,7 m — taille

Les œufs de crocodile sont blancs, *avec une coquille dure à la surface poreuse. Ils pèsent entre 40 et 90 g. À peine sortis de l'œuf, les minuscules crocodiles cherchent déjà à happer tout ce qui passe à leur portée. Jeunes, mâles et femelles, sont très joueurs et se pelotonnent les uns contre les autres pour se réchauffer. Ils apprennent très vite à se nourrir pendant qu'ils sont encore sous la protection de leur mère.*

Les petits crocodiles percent eux-mêmes la coquille de l'œuf. *Mais, parfois, la mère doit les aider en réchauffant l'œuf dans sa gueule. Pour cela, elle le fait rouler entre sa langue et son palais jusqu'à ce que la coquille se brise. Puis elle porte son petit juste éclos jusqu'à la rivière, où il se met aussitôt à nager. Il est alors une proie facile pour de très nombreux prédateurs dont, parfois même, les crocodiles mâles adultes.*

Les petits naissent sur la terre ferme

■ Peu avant la ponte, les femelles deviennent agressives et se disputent parfois les meilleurs sites de nidification. Dressées sur leurs pattes, elles se poussent l'une l'autre, cherchant à renverser leur rivale et n'hésitant pas à mordre.

Elles creusent leur nid sur la partie terrestre commune à plusieurs domaines, dans le sable ou la terre meuble du rivage, à plus ou moins grande distance de l'eau, mais presque toujours au-dessus du niveau des hautes eaux. À l'aide des pattes postérieures, chaque femelle creuse un puits de 30 à 45 cm de profondeur ; une fois le puits creusé, la femelle s'installe, cloaque au-dessus du trou et pattes traînantes, et pond de 16 à 80 œufs. L'oviposition dure de 20 minutes à une heure. Sitôt la ponte terminée, la mère recouvre le trou, tassant le sol sur les œufs. Dans ce nid où les œufs vont incuber, la température n'est pas la même au centre et à la périphérie. Il semble que cette différence ait une influence sur la détermination du sexe des petits (voir encadré). L'in-

cubation dure de 84 à 90 jours. Pendant tout ce temps, la femelle jeûne et ne cesse de surveiller le nid. Elle ne s'éloigne que pour boire de temps en temps ou pour se mettre à l'ombre. Le mâle reste lui aussi à proximité du nid, sans toutefois s'en approcher. Quelquefois, il va capturer une proie mais revient vite.

À la fin de la période d'incubation, les petits crocodiles, prêts à sortir de leur coquille, poussent de légers glapissements. Leur mère les dégage, creusant le nid des pattes et du museau, et les saisit délicatement dans sa gueule. La peau de sa gorge s'enfonce sous leur poids, formant une poche. Chaque nouveau-né pèse environ 500 g. La femelle les transporte ainsi jusqu'à la rivière où elle les lâche dans une eau peu profonde. Ce premier habitat provisoire a le double avantage de cacher les nouveau-nés aux prédateurs et d'éviter qu'ils ne se déshydratent.

Le nid une fois dégagé, aucun œuf n'est laissé à l'intérieur. La mère saisit ceux qui ne sont pas

encore éclos dans sa gueule et les roule entre la langue et le palais jusqu'à ce que la coquille se brise.

Des crèches protectrices

Pendant les six à huit premières semaines de leur vie, les jeunes crocodiles sont regroupés dans des crèches. Celles-ci sont situées sur la terre ferme, dans un endroit un peu retiré. Les petits se débrouillent seuls, mais leur mère ou toute femelle adulte veille, attentive au moindre de leurs cris et répondant immédiatement à ces appels. À cette époque, les petits sont des proies faciles et recherchées par toutes sortes de prédateurs. Des chercheurs ont observé que des mâles étaient capables, à l'occasion, de prendre soin de leur progéniture avec la même délicatesse que les femelles.

Au contraire des adultes, les jeunes crocodiles ont besoin de la protection d'un abri pour ne pas se faire manger par plus gros qu'eux. Après la période de crèche, ils s'éloignent du groupe des adultes pour se chercher un terrier en commun. Celui-ci est généralement assez éloigné du bord de l'eau. Parmi ces jeunes apprenant ensemble à se nourrir, s'instaure une hiérarchie où les plus grands décident pour les autres. Puis, les groupes se disloquent d'eux-mêmes, chaque crocodile devient plus indépendant et s'en va, solitaire, à la recherche d'un territoire à coloniser.   □

À sa naissance, le crocodile ne pèse que 500 g. Il grandit en moyenne de 30 cm par an jusqu'à sa maturité sexuelle, qu'il atteint entre 12 et 15 ans.

Double page suivante :
Un gnou a glissé de la berge pour venir tomber tout droit dans la gueule du crocodile. Celui-ci va l'entraîner dans l'eau et le dévorer.

LE SEXE DÉPEND DE LA TEMPÉRATURE DU NID

Selon l'emplacement des œufs à l'intérieur du nid, la température varie et joue un rôle dans la détermination du sexe des petits. Chez les crocodiles, les chercheurs ont observé que les femelles étaient le produit de températures basse ou très élevée, alors que les mâles naissaient de températures intermédiaires. La période critique a lieu pendant la première moitié de l'incubation. La température est plus élevée en général au centre du nid qu'à la périphérie. En période sèche, la température est plus élevée qu'au moment des pluies. Cela bouleverse les conditions thermiques du nid et favorise l'un des deux sexes.

Crocodile du Nil
Crocodylus niloticus

■ Le crocodile du Nil, l'un des plus grands reptiles vivants avec le crocodile marin, l'anaconda et le python réticulé, est aussi l'un des plus lourds avec la tortue luth.

Comme chez la plupart des reptiles, les écailles qui couvrent tout son corps sont des reliefs épidermiques, et sont donc différentes de celles « détachables » des poissons. Elles sont jointives et quadrangulaires sur le dos et sur le ventre, et espacées les unes des autres sur les flancs. Les écailles ventrales sont alignées sur 26 ou 32 rangées qui s'échelonnent du collier ventral à l'anus. Ce nombre varie selon les espèces et constitue un bon critère d'identification.

Les flancs ne sont revêtus que de petites plaques réparties sur 16 ou 17 rangées transversales et sur 6 à 8 rangées longitudinales. La main est palmée uniquement à la base, mais les orteils sont reliés par une véritable palmure. Les pattes sont terminées par des griffes (étuis cornés).

Un crocodile peut avancer très rapidement et atteindre 17 km/h sur plusieurs kilomètres en effectuant une sorte de galop. Le corps, étiré vers l'avant, est comme poussé par les pattes postérieures. Les pattes antérieures reçoivent le poids du corps et amortissent la fin du « saut ». Puis le dos s'arrondit et les pattes postérieures se portent vers l'avant, propulsant le corps dans un nouveau bond.

Une sorte de baguette cartilagineuse part de la dernière vertèbre et forme la queue. Peu mobile, elle repousse parfois lorsqu'elle a été amputée.

Les anatomistes considèrent le crocodile comme faisant partie des reptiles les plus évolués. Il possède, à l'égal des mammifères, un cœur divisé en quatre cavités qui effectue de 22 à 47 pulsations par minute ; il se caractérise par de grandes oreillettes recouvrant en partie les ventricules et présente une autre différence avec celui des reptiles « inférieurs » : il est séparé en deux chambres distinctes par une cloison interventriculaire complète. Grâce à cette paroi, le sang oxygéné est séparé du sang veineux. Ces deux flux sanguins peuvent cependant se mélanger lorsqu'un clapet, appelé foramen de Panizza et situé entre les crosses aortiques, s'ouvre et fait communiquer les ventricules. Lorsque l'animal plonge, ce clapet se ferme, permettant au cœur et au cerveau de continuer à être irrigués de sang oxygéné, et ce au détriment des muscles.

En rétrécissant ou en dilatant ses vaisseaux sanguins, le crocodile peut régler le flux de son sang et régler par le même fait la température des diverses parties de son corps. Et la fréquence des battements du cœur dépend de cet afflux nouveau d'oxygène ou non dans le système sanguin.

La bouche est isolée du pharynx du reptile par le repli gulaire, un tissu recouvrant le pli osseux du palais. C'est une sorte de voile qui empêche l'eau de pénétrer dans la gorge. Le crocodile peut ainsi rester sous l'eau la gueule ouverte, sans que ses poumons ou son œsophage soient noyés. Il continue de respirer la gueule remplie d'eau grâce à des fosses nasales qui conduisent l'air au-delà du repli. En plongée, deux valves ferment automatiquement les narines et empêchent l'eau de pénétrer dans les fosses nasales.

Les deux poumons, de forme ovoïde, sont subdivisés en cavités et ressemblent à des éponges. L'air qui arrive de l'extérieur les emplit par succion, comme aspiré par le piston d'une seringue. Ce rôle de piston est joué par le foie, lui-même tiré vers l'arrière sous l'effet des muscles qui se contractent. Le crocodile peut en même temps fermer sa glotte et son repli gulaire, formant ainsi un circuit clos. Le pharynx s'abaisse, ce qui aspire l'air et le fait pénétrer dans la cavité olfactive. Selon les chercheurs Pooley et Gors, l'air sti-

CROCODILE DU NIL	
Nom *(genre, espèce)* :	*Crocodylus niloticus*
Famille :	Crocodilidés
Ordre :	Crocodiliens
Classe :	Reptiles
Identification :	De 26 à 32 rangées d'écailles ventrales ; 4 écailles nuchales jointives formant un dessin carré. Museau de 1,6 à 2 fois aussi long que large au niveau de l'œil
Taille :	De 3,50 m à 4,50 m. Record de 7,90 m (lac Kioga)
Répartition :	Afrique, du sud du Sahara au Lesotho ; Madagascar et Comores
Habitat :	En eaux douces, fleuves, lacs, marais ; parfois dans les estuaires et les mangroves littorales
Régime alimentaire :	Carnivore. Se nourrit de mammifères, reptiles, batraciens, oiseaux, insectes, araignées
Maturité sexuelle :	Vers 12-15 ans
Saison de ponte :	Pendant la saison sèche ou au début de la saison des pluies, selon les régions
Nombre d'œufs :	De 16 à 80
Temps d'incubation des œufs :	De 84 à 90 jours
Taille à la naissance :	Environ 28 cm
Effectifs, tendances :	Espèce exterminée sur une grande partie de son aire de distribution. Populations très affaiblies, vulnérables
Statut, protection :	Classée en annexe I de la CITES (commerce interdit), quotas annuels à l'exportation dans certains pays

Écailles nuchales.
Au nombre de 6, elles sont disjointes et séparées des écailles dorsales et post-occipitales.

Yeux.
Ils sont placés de chaque côté de la tête et haut sur le crâne.

Queue.
À sa base, elle comporte une double crête d'écailles et se termine par une crête simple.

Pattes.
Les 5 doigts des pattes sont munis de griffes.

mulerait la partie du cerveau commandant le sens de l'odorat, particulièrement développé chez le crocodile du Nil. À l'extrémité du museau, les narines transmettent aussi les stimuli chimiques, émis par les proies ou les partenaires sexuels, directement à des sacs olfactifs qui les analysent. Ce système de transmission des odeurs est particulier aux crocodiles ; chez les autres reptiles, c'est la langue qui, en liaison avec l'organe de Jacobson, véhicule les particules odorantes.

On a cru longtemps, et à tort, que les reptiles étaient sourds. Les crocodiles du Nil possèdent, au contraire, une audition très développée grâce à une oreille interne dont la structure est comparable à celle des vertébrés supérieurs. Le tympan, très grand, est recouvert sur sa face externe par un volet mobile qui se ferme en plongée, comme les clapets des narines, afin de limiter les infiltrations d'eau. La qualité de l'oreille interne de ces reptiles leur permet de communiquer vocalement entre eux par des sons variés, ce qui enrichit leur vie sociale.

La rétine des crocodiles leur donne la possibilité de voir aussi bien dans la pénombre qu'en pleine lumière : on dit qu'ils sont euryphotes. Leurs yeux sont situés très haut sur la tête et de chaque côté. De cette façon, ils affleurent la surface de l'eau lorsque l'animal est immergé. □

Dents.
La 4ᵉ prémolaire inférieure est la seule dent visible lorsque le crocodile ferme la bouche. C'est à cela que l'on reconnaît un crocodile d'un caïman ou d'un alligator.

Signes particuliers

Yeux
Comme ceux des chats, les yeux des crocodiles ont une pupille verticale. La présence de cristaux de guanine (composé de l'A.D.N.) fait briller l'iris d'un éclat jaune métallique. Dans l'obscurité, la rétine de ces reptiles prend une couleur pourpre et, la nuit, les crocodiles deviennent ainsi facilement repérables à la lumière électrique. Une troisième paupière transparente, dite paupière nictitante, protège l'œil du crocodile lorsqu'il est sous l'eau.

Peau
C'est une véritable cuirasse de plaques osséifiées, les ostéodermes, ou ostéocutes, parfois épaisses de plusieurs millimètres. Celles-ci sont parcourues de cavités percées d'orifices latéraux où passent les nerfs et les vaisseaux. Sur la nuque, on trouve 6 grandes plaques disposées sur 2 rangs transversaux, les nuchales, bien séparées du bouclier dorsal. Celui-ci comporte 16 ou 17 séries transversales de 6 ou 8 plaques. La peau des flancs est constituée de petites plaques isolées.

Dents
Des séries de dents de remplacement se substituent automatiquement aux dents trop vieilles qui tombent ou se cassent.

Chaque petite dent de remplacement est située à la base de la lame dentaire d'une dent fonctionnelle.

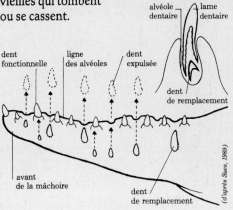

dent fonctionnelle — ligne des alvéoles — dent expulsée

alvéole dentaire — lame dentaire

dent de remplacement

avant de la mâchoire

dent de remplacement

(d'après Sues, 1989)

Les autres crocodiles

■ L'ordre des crocodiliens actuels comporte 22 espèces en 3 familles. Les crocodiles du genre *Crocodylus* (12 espèces dont le crocodile du Nil) forment, avec le crocodile nain et le gavial malais, la famille des crocodilidés, soit 14 espèces. Les alligators et les caïmans sont regroupés dans la famille des alligatoridés (7 espèces). Enfin, le gavial du Gange forme à lui seul la famille des gavialidés. Tous se ressemblent et vivent dans les régions tropicales et subtropicales.

Lorsqu'un alligatoridé a la gueule fermée aucune dent n'est visible. Au contraire, la gueule fermée d'un crocodilidé laisse voir les dents de la mâchoire inférieure et notamment la 4e dent mandibulaire, très longue.

On appelle alligators l'alligator du Mississippi, *Alligator mississippiensis*, et l'alligator de Chine, *Alligator sinensis*. Les 5 autres alligatoridés sont nommés caïmans et vivent en Amérique centrale et en Amérique du Sud.

Le gavial, *Gavialis gangeticus* (6,50 m), au long museau fin et cylindrique, est très protégé. Il vit au Pakistan et au nord de l'Inde, presque toujours dans l'eau. Il se nourrit surtout de poissons. □

CROCODILE AMÉRICAIN

Crocodylus acutus
De 3 à 4,60 m ; dos et queue gris verdâtre à rayures sombres ; ventre blanc-jaune ; taches grises sur les flancs. Long museau triangulaire ; de 25 à 26 écailles ventrales.
Habitat : mangroves littorales, estuaires, eaux saumâtres ; sud de la Floride et côtes mexicaines, Amérique centrale, Grandes Antilles, et nord de l'Amérique du Sud.
Alimentation : invertébrés aquatiques, poissons, petits mammifères, oiseaux, tortues.
Statut : espèce menacée (annexe I de la CITES).

GAVIAL AFRICAIN

Crocodylus cataphractus
De 2 à 2,50 m ; dos vert olivâtre avec 10 à 13 bandes sombres ; ventre crème parfois taché de noir ; long museau triangulaire ; de 25 à 29 rangées d'écailles ventrales.

Habitat : cours d'eau de forêt ou de savane, lagunes côtières, grands fleuves. Afrique occidentale et centrale.
Alimentation : poissons, crustacés, grenouilles, serpents aquatiques.
Statut : espèce menacée (annexe I de la CITES), quotas pour le Congo.

CROCODILE DES MARAIS

Crocodylus palustris
De 2 à 3 m. Dos olivâtre, taches sombres sur le dos et les flancs ; ventre blanc. Museau moyen sans crête préorbitaire ;

Crocodile nain (Osteolaemus tetrapsis)

de 26 à 32 rangées d'écailles ventrales.
Habitat : eaux calmes jusqu'à 5 m, rivières, mares forestières, réservoirs d'irrigation. Inde, peut-être Bangladesh, Iran, Népal, ouest du Pakistan, Sri Lanka.
Alimentation : poissons, oiseaux, grenouilles, insectes, petits mammifères.
Statut : 50 en Iran ; environ 2 800 au Sri Lanka (annexe I de la CITES).

CROCODILE MARIN

Crocodylus porosus
De 3,50 à 4 m. Dos vert olive foncé, parties inférieures claires et unies. Museau moyen avec crête préorbitaire ; de 30 à 35 rangées d'écailles ventrales. Peut nager loin en mer.
Habitat : estuaires, deltas, rivières profondes subissant les marées, mangroves. Sud-Est asiatique, Papouasie-Nouvelle-Guinée, Brunei, nord de l'Australie, archipels des Salomons et de la Sonde, Vanuatu, Nouvelles-Hébrides, Fidji.
Alimentation : poissons, crustacés, insectes (jeunes) ; mammifères, oiseaux, gros poissons, requins (adultes). Cannibalisme fréquent.
Statut : en danger à cause de la chasse. Élevage en ferme en Thaïlande. En annexe I de la CITES, sauf en Papouasie-Nouvelle-Guinée, en Australie et en Indonésie (quotas).

CROCODILE DE L'ORÉNOQUE

Crocodylus intermedius
4 m. Femelles plus petites. Dos et dessus de la queue jaune-vert clair à bandes noires ; ventre blanc jaunâtre. Long museau triangulaire à gros renflement terminal ; de 20 à 25 rangées d'écailles ventrales.
Habitat : larges rivières, « charcos », eaux calmes à végétation abondante (jeunes) ; réseau de l'Orénoque.
Alimentation : poissons, petits mammifères, oiseaux. Insectes, escargots, crabes et autres invertébrés pour les jeunes de moins de 90 cm.
Statut : semble avoir disparu de Colombie et de vastes régions du Venezuela (annexe I de la CITES).

CROCODILE DE JOHNSON

Crocodylus johnsoni
2,60 m. Dos brun olivâtre ; ventre jaune. Long museau triangulaire à renflement terminal réduit ; 2 rangées de petites postnuchales ; de 22 à 24 rangées d'écailles ventrales.
Habitat : larges rivières, étangs, lacs, lagunes, eaux saumâtres ; Australie.

Crocodile des marais (Crocodylus palustris)

Alimentation : petits mammifères, reptiles, oiseaux, poissons, grenouilles, crustacés.
Statut : espèce vulnérable protégée.

CROCODILE DE CUBA
Crocodylus rhombifer
De 2,50 à 3 m ; record : 5 m. Dos verdâtre avec taches sombres ; motifs noirs et jaunes sur les flancs ; ventre blanc. Museau moyen triangulaire, sans crête préorbitaire ; doigts atrophiés aux pattes antérieures ; 32 ou 33 rangées d'écailles ventrales.
Habitat : marécages, eaux saumâtres parfois. Cuba.
Alimentation : poissons, tortues palustres, petits mammifères.
Statut : espèce menacée (annexe I de la CITES) ; population introduite au sud de Cuba seule viable.

CROCODILE DE SIAM
Crocodylus siamensis
De 2,50 à 3 m. Dos vert olivâtre sombre, taches noires, ventre blanchâtre ou jaunâtre uni. Museau moyen avec crête préorbitaire ; de 30 à 34 rangées d'écailles ventrales.
Habitat : lacs, rivières et marécages d'eau douce ; Thaïlande, Cambodge, archipel de la Sonde, Bornéo.
Alimentation : poissons.
Statut : espèce menacée (annexe I de la CITES). Élevage en ferme près de Bangkok. Essais de réintroduction.

CROCODILE DE MINDORO
Crocodylus mindorensis
2 m ; 3 m max. Dos olivâtre, larges bandes sombres latérales sur la queue ; ventre blanc verdâtre. Museau très large.

Habitat : rivières, lacs, marécages ; Philippines et archipel Sulu.
Alimentation : mal connue.
Statut : espèce menacée (annexe I de la CITES).

CROCODILE DE MORELET
Crocodylus moreletii
1,50 m. Dos vert très sombre, ventre jaune, motifs sur les flancs. Museau moyen, triangulaire ; profil convexe ; de 27 à 32 rangées d'écailles ventrales.
Habitat : marécages, lagunes à végétation flottante et dense ; eaux calmes, peu profondes ; Mexique (côte atlantique et peut-être pacifique), Belize, nord du Guatemala.
Alimentation : poissons, crustacés, petits mammifères.
Statut : espèce menacée (annexe I de la CITES), exterminée dans une partie du Guatemala.

CROCODILE DE NOUVELLE-GUINÉE
Crocodylus novaeguinae
De 1,50 m à 3 m. Dos olivâtre à bandes sombres jusque sur les flancs ; ventre blanc. Museau moyen ; crête longitudinale en avant des orbites ; de 24 à 26 rangées d'écailles ventrales.
Habitat : eaux douces ou saumâtres peu profondes et calmes ; estuaires. Papouasie, Nouvelle-Guinée, Irian Jaya, îles de Kepulanak Aru.
Alimentation : oiseaux aquatiques, poissons, lézards, serpents, insectes.
Statut : très chassé pour sa peau ; vulnérable ; petits élevages familiaux en Papouasie.

CROCODILE NAIN
Osteolaemus tetrapsis
De 1,30 m à 1,50 m. Dos et ventre brun sombre ou noir. Museau court, large et rectangulaire ; arcade sourcilière très saillante. De 21 à 27 rangées d'écailles ventrales. L'espèce n'est pas strictement aquatique.
Habitat : cours d'eau et marécages de zones forestières, ruisseaux à cours lent ; Afrique de l'Ouest.
Alimentation : batraciens, poissons, crabes, fruits.
Statut : chassé pour la viande et la vente d'animaux naturalisés (annexe I de la CITES), quotas au Congo.

FAUX GAVIAL MALAIS
Tomistoma schlegelii
De 3 à 3,50 m. Dos olivâtre ou jaunâtre taché de noir, ventre gris pâle uni. Museau très long, cylindrique, faible renflement terminal ; pas de crête ; de 22 à 24 rangées d'écailles ventrales.
Habitat : rivières, marécages, lacs ; Malaisie, archipel de la Sonde.
Alimentation : poissons surtout.
Statut : espèce protégée (Malaisie et Indonésie), menacée par la riziculture (annexe I de la CITES).

Crocodile américain (Crocodylus acutus)

Gavial africain (Crocodylus cataphractus)

Milieu naturel et écologie

■ Aujourd'hui, la plupart des crocodiles habitent les régions tropicales, mais les aires de répartition de quelques espèces comme le crocodile du Nil débordent sur des régions subtropicales plus tempérées. Amphibies, ces reptiles ont des habitats mixtes composés d'une zone de terre ferme et d'une partie aquatique d'eaux dormantes ou vives. Ils affectionnent particulièrement les mangroves, les marais et l'embouchure des rivières où ils disposent d'une nourriture abondante, de berges bien ensoleillées et d'une végétation touffue pour s'y cacher. Ces habitats recèlent cependant deux pièges mortels pour des reptiles :

le sel est en trop grande concentration pour eux dans les eaux des mangroves littorales et des estuaires et la chaleur y est très forte. Ces animaux étonnants ont donc modifié leur comportement et leur organisme.

La thermorégulation corporelle (voir encadré) et la présence de glandes à sel leur permettent d'échapper à ces deux périls. Les reins des crocodiles sont incapables d'excréter la grande quantité de sel contenue dans l'eau et dans leur nourriture. Les glandes à sel pallient cette incapacité et excrètent le surplus de sel avant qu'il pénètre dans le corps du reptile. Chez *Crocodylus porosus*, l'es-

pèce la plus concernée, elles sont placées dans la bouche et se présentent comme des glandes salivaires modifiées. Les chercheurs s'interrogent sur l'existence de telles glandes chez tous les crocodiles même s'ils vivent en eaux douces. En revanche, les alligators et les caïmans en sont dépourvus et l'on pense que c'est une des raisons pour lesquelles ils colonisent rarement des habitats littoraux.

Des petits décimés par les nombreux prédateurs

Le crocodile adulte, protégé par son impressionnante cuirasse, a pour seuls ennemis l'homme et... ses propres congénères. Il en va tout autrement des œufs et des petits. La phase importante de la nidification a lieu sur la terre ferme. La majorité des espèces choisit des bancs de sable non inondables pour nidifier. Ces nids

terrestres ont l'inconvénient d'être très facilement accessibles aux divers oiseaux et mammifères, mais surtout aux lézards, qui les pillent. Le plus redoutable de ces prédateurs est le varan du Nil. Profitant de l'inattention des parents, il fouille et déterre les nids avec son long museau. S'il est surpris par un crocodile, sa rapidité lui permet de s'enfuir. Il reviendra plus tard. Certaines années, le varan du Nil détruit jusqu'à 50 % des nids de *Crocodylus niloticus*.

Les œufs sont très recherchés en Afrique noire et en Nouvelle-Guinée autant pour être consommés que pour leurs vertus médicinales. Les zoologistes estiment que près de 90 % des animaux meurent durant la première année de leur vie.

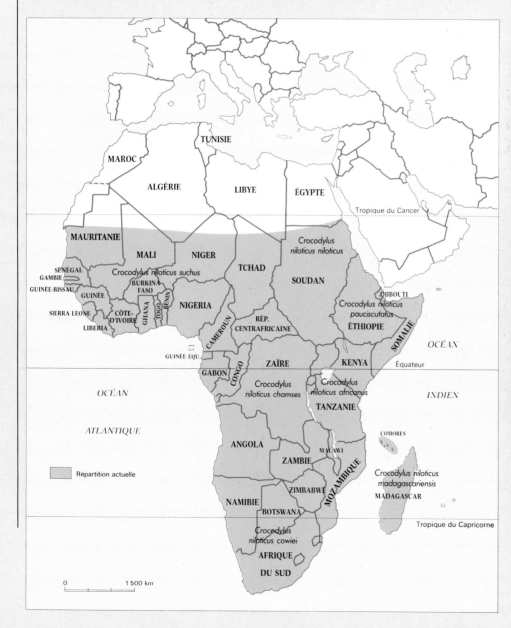

Pour se rafraîchir et conserver une température interne constante, le crocodile du Nil reste dans l'eau la plus grande partie de la journée. Seuls les narines (pour respirer) et les yeux (pour voir) affleurent la surface de l'eau.

Aire de répartition du crocodile du Nil. (selon Wermuth et Fuchs, 1978). Du sud du Sahara jusqu'au Lesotho, à Madagascar et aux Comores, il vit dans les marais, les mangroves littorales et les estuaires des rivières. Décimé sur une grande partie de son habitat, il est aujourd'hui complètement protégé dans de nombreux pays où il est interdit de le tuer. Quelques pays, ont droit à des quotas annuels pour l'exportation de crocodiles du Nil. Ce sont le Kenya, le Cameroun, le Congo, le Botswana, le Zimbabwe, le Soudan, la Tanzanie, la Zambie, le Mozambique, Madagascar et les îles Malawi.

Nouveau-nés et jeunes crocodiles sont également des proies faciles pour les gros poissons comme les silures et les requins d'estuaire ; pour les grands oiseaux comme les rapaces, les hérons, les marabouts, les cormorans et les spatules. Les félins, les chacals, les hyènes, les mangoustes et les genettes apprécient aussi ces jeunes animaux. L'hécatombe serait encore plus grande sans la stratégie des crèches où les parents protègent les petits pendant les douze semaines où ils sont le plus vulnérables.

Dès qu'il atteint la maturité sexuelle, le crocodile n'a plus rien à craindre de ces prédateurs, mais il devient alors l'hôte de nombreux parasites. Un oiseau, le pluvian d'Égypte, vivrait ainsi sur le dos du crocodile du Nil et pénétrerait dans sa gueule pour becqueter les fragments de nourriture restés dans les dents du reptile. L'entomologiste Villiers ne nie pas une certaine association entre les deux animaux, mais il émet des doutes sur ce que trouve l'oiseau entre les dents du reptile. L'oiseau débarrasse peut-être le palais de son hôte des sangsues qui le parasitent.

Un rôle essentiel à l'équilibre écologique

En tant que grands prédateurs, les crocodiles ont un rôle clef dans le maintien de la stabilité de la chaîne alimentaire en participant au recyclage des substances nutritives. Capables de creuser des flaques en période sèche, ils créent de petits habitats non négligeables pour de nombreuses espèces animales et maintiennent ouverts des canaux amenant l'eau dans les marais.

Les crocodiles sont aussi des « nettoyeurs ». Leur rôle de charognard, à l'occasion, peut avoir une importance considérable en cas d'épidémie, surtout pour les poissons, qu'ils protègent aussi en assurant la régulation des populations de leurs prédateurs : loutres et poissons ichtyophages. De plus, à Madagascar, on a noté une recrudescence de rage canine après le massacre des grands reptiles qui se nourrissaient de chiens malades. □

THERMORÉGULATION

Les crocodiles prennent la température du milieu ambiant : ils sont poïkilothermes. Pour maintenir une température interne constante (thermorégulation), ils adoptent des méthodes qui varient selon l'espèce, le sexe, la taille, la santé et le statut social. L'exposition au soleil des muqueuses buccales produit un refroidissement par évaporation. À jeun, le crocodile cherche un endroit frais pour économiser de l'énergie. Après avoir dévoré une proie, il préfère les endroits ensoleillés afin d'accroître sa vitesse de digestion.

Dieux vénérés ou tueurs redoutés ?

L'homme, qui a toujours vénéré ce qu'il craignait, a élevé le crocodile au rang de divinité, mais leurs rapports ont évolué au cours des temps. Sa réputation de mangeur d'homme et la qualité de sa peau en ont fait un animal pourchassé et sur le point d'être exterminé.

Honoré et déifié depuis toujours

■ Le crocodile est omniprésent sur les divers continents. On a découvert en Australie des peintures rupestres où figuraient des crocodiles et parmi lesquelles les aborigènes, bien avant les systématiciens, différenciaient déjà deux espèces distinctes. En Afrique, il est fréquemment évoqué dans les contes et très représenté dans l'art : portes de cases, bancs, poids... De très anciennes peintures de lui ont été retrouvées au Sahara où le crocodile du Nil n'existe plus depuis fort longtemps.

Le crocodile était honoré dans l'ancienne Égypte sous le nom de Sobek. De nombreux crocodiles momifiés témoignent de ce culte. Sobek était figuré sous la forme d'un homme à tête de crocodile surmontée d'un soleil. Les crocodiles étant surtout visibles lors des crues du Nil, les Égyptiens associaient Sobek à la fertilisation de la terre. Le Grec Hérodote rapporte que, dans certaines régions d'Égypte, chaque foyer possédait un crocodile « domestique ». Paré de bijoux et nourri tous les jours, il était embaumé après sa mort et conservé sur un autel.

Les œufs du crocodile étaient eux aussi vénérés des Égyptiens anciens. On en a découvert une grande quantité, enduits de poix et entourés de bandelettes, dans un caveau à Maabde, à côté de milliers de reptiles embaumés. Sur les bords du lac Moeris, une ville entière (Medinet-el-Fayoum) était consacrée à Sobek.

Cette déification du crocodile a disparu en Égypte mais se perpétue dans d'autres régions. En Afrique occidentale, le crocodile est un personnage de la mythologie. En Côte-d'Ivoire, il est le destinataire légendaire des offrandes adressées par les Baoulés aux dieux du fleuve Comoué, au XVIIIᵉ siècle, pour leur reine Abra Pokou, alors en exode. □

Élevage en batterie

■ Pour répondre aux besoins du marché des peaux, on a créé un système d'élevage de crocodiles en batteries. Les premiers établissements furent créés au Zimbabwe dès 1965. Il en existe au Mozambique, en Afrique du Sud, au Tchad, à Madagascar. On distingue deux sortes d'élevage : le ranch et la ferme. Dans le premier, les œufs et les jeunes sont récupérés dans la nature ; dans le second, l'élevage se déroule entièrement en circuit fermé, mais on renouvelle les géniteurs pour éviter les problèmes génétiques. Les accouplements et la ponte se font sur place, grâce à un cheptel de reproducteurs.

La ferme nationale de Lae, située en Papouasie-Nouvelle-Guinée, a été créée en 1979 et comporte environ 28 500 crocodiles. Elle fonctionne comme une ferme pouvant incuber 6 000 œufs

à la fois, mais aussi comme un ranch achetant des crocodiles sauvages aux chasseurs. L'Australie compte 4 fermes et 3 ranchs qui élèvent *Crocodylus porosus* et *C. johnsoni*. Ranchs et fermes nourrissent les jeunes jusqu'à ce qu'ils atteignent une taille commerciale.

Dans les élevages de *Crocodylus niloticus,* il faut environ 6 ans pour que les jeunes atteignent 1,80 m. Les peaux ventrales, de 22-23 cm de large, sont les plus demandées sur le marché. Elles proviennent d'animaux âgés de 3 à 4 ans.

Ce système, bien qu'apparemment meilleur pour les animaux, en fait, encourage le commerce mondial des peaux. De plus, ce type d'élevage entretient le prélèvement d'animaux en milieu naturel pour alimenter les fermes. Et beaucoup de frontières demeurant perméables, le braconnage se porte bien, malgré la prise de conscience, par les pays qui abritent des crocodiles, des menaces qui pèsent sur ces animaux. □

2 millions de crocodiles tués chaque année

■ La principale cause du massacre de crocodiles est le commerce de leur peau qui, en quelques décennies, a réduit les populations de crocodiliens.

En 1943, Hyatt Verril, voyageant en barque en Afrique, écrit, à propos de ces grands reptiles, qu'ils « étaient si abondants qu'on ne pouvait regarder dans aucune direction sans en apercevoir sur les berges ou flottant à la surface de l'eau ». Imagination ou réalité ? Aujourd'hui, en tout cas, non seulement les crocodiles n'abondent plus, mais ils sont vulnérables ou en danger immédiat de disparition, et cela vaut pour toutes les espèces. Mal connus, ces animaux furent, avant le XIXᵉ siècle, longtemps considérés comme nuisibles, et on offrait des récompenses pour leur destruction.

Depuis le début du XXᵉ siècle, 15 des 22 espèces de crocodiliens sont régulièrement exploitées pour leur peau et d'autres produits annexes ; pattes et têtes de jeunes servent de trophées, certains animaux sont naturalisés, d'autres sont exportés vivants pour alimenter les zoos et les ventes d'animaux « domestiques » ; d'autres encore sont vendus pour leur viande ; leurs dents et griffes sont commercialisées comme objets décoratifs, bijoux ou amulettes ; leurs ostéodermes servent d'engrais ou d'aliment pour le bétail ; l'urine et le musc entrent dans la composition de parfums...

La Seconde Guerre mondiale a ralenti cette industrie florissante. Mais, vers le milieu des années 1950, on estimait qu'environ 60 000 peaux étaient exportées chaque année d'Afrique orientale. Selon Pooley, 3 millions de crocodiles du Nil auraient été tués en Afrique entre 1950 et 1980 pour le seul commerce du cuir. En quinze ans, l'Ouganda a exporté 108 000 peaux. En 1979, 35 470 peaux de *Crocodylus novaeguinae* sortirent de Nouvelle-Guinée. Quand on sait qu'en Thaïlande le prix d'une peau équivaut à la moitié d'un an de salaire, on comprend que la protection soit difficile.

Le crocodile a été massacré là même où il fut naguère idolâtré. L'arrivée à Madagascar d'un colon qui obtint, en 1920, le monopole de la chasse a entraîné le massacre des crocodiles de la côte ouest. Les registres indiquent, pour l'année 1930, l'exportation de plus de 80 tonnes de peaux. On exterminait ces animaux pour leur peau, mais aussi pour l'ivoire de leurs dents qui servait à fabriquer des boutons et des manches de cannes, et pour leur graisse. L'herpétologue Charles Blanc note, à propos des espèces actuellement menacées de l'île de Madagascar, que *Crocodylus niloticus* a subi en quelques décennies une réduction extrême de ses effectifs et qu'il ne subsiste sur l'île que parce qu'il occupe des sites très difficiles d'accès.

Peter Brazaitis, de la New York Zoological Society, estime que le commerce international de la maroquinerie nécessite annuellement le massacre d'au moins 2 millions de crocodiles, caïmans et alligators ! La nature paie cher la mode (relancée périodiquement par les tanneries) des objets de luxe en « croco », dont l'équivalent utilitaire existe en peaux d'animaux domestiques. □

Les crocodiles élevés pour leur peau dans des fermes d'élevage, ici aux États-Unis, naissent sur place grâce à un cheptel de reproducteurs renouvelé par des prélèvements dans la nature. Dès qu'ils ont atteint une taille suffisante, ils sont tués et leur peau est vendue aux tanneries.

De très jeunes crocodiles importés de leur pays d'origine ou provenant d'établissements d'élevage sont « adoptés » par des particuliers. Souvent, ces animaux meurent jeunes, faute de soins appropriés, ou sont abandonnés lorsqu'ils grandissent.

À Madagascar, le crocodile bien vivant des légendes

■ Dans l'île de Madagascar, mille légendes courent sur le crocodile, appelé « voay » par les Malgaches. On prétend, par exemple, qu'il avale un caillou par an et qu'il suffit d'ouvrir l'estomac d'un voay tué pour connaître son âge.

En 1950, Raymond Decary, qui fut administrateur des colonies, note que l'ethnie Zafindravoay se proclame apparentée aux crocodiles. On raconte qu'une femme est à l'origine de cette ethnie. Elle se fit un jour piéger dans la rivière où elle vivait avec un voay. Elle accoucha, à terre, de deux enfants avant de s'échapper pour retrouver son mari lacustre. Fidèles à cette légende, les Zafindravoay ne tuent jamais de crocodiles et affirment pouvoir traverser sans danger les rivières.

Dans le nord de Madagascar, un autre clan de cette ethnie offre aux voays de grandes funérailles.

Toujours selon Decary, les riverains du lac Itasy se réunissaient autrefois sur les rives du lac pour adresser un avertissement aux crocodiles. Ils les priaient de ne pas s'attaquer aux pêcheurs et aux femmes venant puiser l'eau et laver le linge. Ce clan respectait totalement les voays et ses lois interdisaient formellement de tuer ou même de blesser l'un d'eux. Quiconque dérogeait à ce principe était condamné à mort car l'on pensait que sa vie était réclamée par les « habitants du lac ». À Madagascar, ce sont les sorciers qui dialoguent avec les voays ainsi que certains hommes nommés « les maîtres des crocodiles ». En parlant avec un voay, ils communiqueraient, en fait, avec l'âme de leur enfant mort et réincarné dans ce crocodile « apprivoisé ».

Selon une autre légende, le village d'Antankara prospérait naguère à l'endroit où se trouve actuellement un lac. Ce village aurait été englouti avec tous ses habitants, dont descendraient les crocodiles actuels. C'est dans une atmosphère de fête que des cérémonies réunissant des foules se tiennent sur les bords de ce lac. On y offre de la viande de bœuf aux voays sacrés ; le tout accompagné de musiques et de danses. À Komakoma, le rituel exigeait d'offrir à ces reptiles les viscères des rois Sakalava décédés. Ces entrailles sacro-saintes devaient transmettre leurs pouvoirs aux crocodiles du lac. La seule exception où un homme pouvait capturer un de ces animaux était pour lui prélever des dents, utilisées ensuite dans un but religieux. Encore fallait-il que cet homme ne fût pas né un dimanche ! On capturait le voay vivant à l'aide d'un piège, puis on lui frottait les mâchoires avec de la citrouille ou de l'igname cuits. Trois dents facilement déchaussables étaient alors pieusement recueillies et serties dans une monture d'argent. Le crocodile édenté avait les pattes ornées d'anneaux d'argent. Relâché et portant désormais le titre de razan'panjaks (ancêtre royal), il devenait une sorte de justicier dévorant tout criminel qui s'approchait de son territoire lacustre.

À ce propos, Leguevel, de Lacombe rapporte, en 1840, le récit d'une épreuve de justice à laquelle il lui a été donné d'assister. Une jeune femme, accusée d'avoir eu des relations avec un esclave, fut condamnée à subir « l'ordalie par le crocodile » une nuit de pleine lune. On la fit s'avancer nue dans la rivière et y plonger trois fois devant un îlot peuplé de voays. Sortie indemne de l'épreuve, elle fut reconnue innocente et largement dédommagée par son accusateur.   □

■ À Madagascar, dans les îles du Pacifique et en Afrique, le crocodile a la réputation d'être un « mangeur d'hommes », non sans raison.

Sur 43 cas reconnus d'attaques d'hommes par des crocodiles du Nil dans l'est de l'Afrique du Sud et au Mozambique, 39 correspondent à la période de reproduction des reptiles, quand les comportements agressifs de défense du territoire par les mâles et la défense des petits sont le plus exacerbés ! Souvent, la victime appartenait à un groupe bruyant lavant du linge ou se baignant. Le bruit ne dissuade donc pas un crocodile d'attaquer ; il semble même plutôt qu'il repère sa proie à l'agitation qu'elle produit dans l'eau. Pour certains zoologistes, les attaques correspondraient à l'époque posthivernale, lorsque le crocodile a un plus grand besoin de nourriture.

On a aussi signalé en Afrique des attaques de pirogues pénétrant sur le territoire d'un reptile, mais sans que celui-ci s'en prenne aux occupants ; sa vision dans l'eau ne lui permettrait pas de distinguer des hommes à bord.

On évalue à plus de 50 les personnes qui auraient été tuées ou blessées par *Crocodylus porosus* à l'ouest de la Nouvelle-Guinée, dans les années 1960. L'instinct de défense du territoire et des petits semble être la cause principale des agressions mortelles, l'attaque du reptile étant comme un réflexe, déclenché par un comportement provocateur de l'homme.

Le nombre d'agressions mortelles de la part de ces animaux dans le nord de l'Australie et les menaces pesant sur leur avenir ont obligé la Commission de conservation à informer le public qui pénètre dans les zones fréquentées par les crocodiles.   □

Avec la seule force de ses bras, un homme peut bloquer une mâchoire de crocodile, car les muscles qui la commandent sont peu développés.

CUÉNOT
(Lucien)
Paris 1866 — Nancy 1951

Zoologiste et biologiste français

Cet homme de science, que le « pouvoir d'invention de la vie » fascinait, participa à la fondation de la génétique en prouvant que les lois de Mendel étaient applicables aux animaux.

■ S'il fut l'un des premiers généticiens, Cuénot fut aussi, curieusement, l'un des derniers naturalistes que l'on pourrait qualifier d'« universel ». Grâce aux recherches auxquelles il voua toute son existence, il avait une connaissance approfondie de la vie et de l'organisation des animaux, des plantes et des êtres disparus. Fils d'un employé des postes, licencié ès sciences en 1885, docteur ès sciences deux ans plus tard, il est d'abord maître de conférences, puis, à partir de 1898, titulaire de la chaire de zoologie de la faculté des sciences de Nancy où il fera toute sa carrière. Il prend sa retraite en 1937, mais continue à travailler. Il meurt en 1951, en corrigeant les épreuves de *l'Évolution biologique*, écrit en collaboration avec Andrée Tétry.

Ses premières investigations en zoologie portent sur des animaux à l'anatomie bien particulière, les échinodermes — auxquels appartiennent, entre autres, les oursins et les étoiles de mer. Désireux de comprendre les formes animales dans leur intégrité, il ne se satisfait pas de la zoologie descriptive en honneur à cette époque : « Je ne vois pas très bien, dit-il, l'avantage qu'il y a à décrire cent crevettes nouvelles, autant de poissons ou de mollusques... » Il entame donc des recherches de physiologie comparée, discipline qui n'en est alors qu'à ses premiers balbutiements. Après deux *Études sur le sang et les glandes lymphatiques dans la série animale*, il se lance dans une série de monographies portant aussi bien sur les crustacés décapodes que sur les orthoptères

ou sur les tardigrades des mousses, ces curieux animaux capables de « revivre » après plusieurs années de dessiccation complète. Il décrit les phases du cycle sexuel des grégarines, minuscules parasites des vers de terre, et analyse les modes d'absorption et d'excrétion chez les invertébrés, éclairant du même coup tout un pan, jusque-là obscur, de la zoologie.

Il est l'un des premiers à aborder, en 1899, le problème de la détermination du sexe. Ses expériences sur des chenilles de papillons, des larves de mouches, des têtards de grenouilles, des jeunes rats, lui permettent d'exclure l'influence de la nourriture ou de diverses circonstances extérieures,

et d'affirmer que le sexe est irrévocablement déterminé dans l'œuf. Affirmation qui se trouve renforcée par la constatation que les vrais jumeaux, c'est-à-dire ceux issus d'un même œuf, sont toujours du même sexe.

À l'aube du XXᵉ siècle, on commence à redécouvrir les lois de Mendel — ce moine autrichien mort en 1884 dans la plus totale obscurité. Au moment où l'Anglais Bateson mène sur les cobayes des recherches parallèles, Cuénot va démontrer, en procédant à des expériences sur l'hérédité de la pigmentation des souris, que les lois en question concernent aussi bien le règne animal que végétal. Il s'aperçoit, par ailleurs, en essayant de croiser entre elles des souris jaunes qu'il ne peut obtenir de souris jaunes de race pure. Il en conclut que la combinaison jaune-jaune, issue de la rencontre entre un ovule jaune et un spermatozoïde jaune, ne pouvait pas se produire. On sait aujourd'hui qu'elle est réalisable mais que les zygotes (œufs fécondés) ainsi formés ne dépassent pas le stade embryonnaire. Il avait, sans le savoir, découvert le caractère « létal » (c'est-à-dire non compatible avec

la vie) de certains arrangements de gènes. Cuénot se passionne très tôt aussi pour les problèmes de l'origine et de l'évolution du monde vivant. En 1902, il formule sa théorie de la préadaptation, qui s'oppose à la post-adaptation imaginée par Lamarck (et voulant que le milieu moule les habitants à sa convenance). Selon lui, c'est parce qu'elles présentent des caractères avantageux pour se maintenir et se reproduire dans un milieu différent du leur, que certaines espèces peuvent conquérir des « espaces vides » dans la nature ; si, au départ, elles n'avaient pas de tels caractères, elles disparaîtraient. Il attache également une certaine importance à la notion de finalité et s'intéresse de près à ces organes ou dispositifs qui, chez les animaux et les plantes, sont comparables à des outils humains et paraissent, comme eux, « construits » dans un but précis. La réalité vivante lui semble impliquer un facteur d'invention constructive, d'activité intentionnelle et prévoyante. □

"La personnalité de Lucien Cuénot a profondément marqué la pensée biologique de notre temps."

CES MERVEILLEUX OUTILS...

Dans son livre *l'Invention et la finalité en biologie* (1941), Lucien Cuénot énumère et décrit les organes-outils si minutieusement élaborés des animaux, qui composent un pittoresque tableau d'histoire naturelle : ainsi, le pédicellaire de l'oursin fonctionnant comme une pince à sucre à trois branches, le « coin à ouvrir les coquilles » du murex, la canne à pêche perfectionnée qu'un petit poisson abyssal porte sur sa tête, le « bouton-pression » du manteau de la seiche, les pattes ravisseuses de la mante religieuse, l'aiguillon inoculateur de l'abeille, la dent-canule de la vipère, les freins couplant les ailes de l'insecte pendant le vol, la ventouse de nombre de vers... De tels organes, nous dit-il, « apparaissent comme des œuvres d'artisans poursuivant un but et le réalisant par une invention ».

VIE SAUVAGE

NCYCLOPÉDIE LAROUSSE DES ANIMAUX

les tortues géantes

Une longévité proverbiale

Des joutes bruyantes

Massacrées pour leur chair

DOMADAIRE   N° 65

LAROUSSE

Avec VIE SAUVAGE,
la nouvelle encyclopédie Larousse des animaux,
découvrez la vraie vie des animaux sauvages du monde entier.

Chaque semaine, partez à la rencontre d'un nouvel animal. Surprenez-le dans son intimité, grâce à des photos fortes, prises sur le vif par de grands reporters. Apprenez à connaître son comportement et ses mœurs, racontés par les plus grands experts de la faune sauvage : scènes de chasse, bains, premiers pas des petits… Vous découvrirez les grands principes écologiques de la lutte pour la vie et de l'équilibre de la nature.

Constituez-vous une collection complète des animaux sauvages du monde entier, en les regroupant selon les 11 grands milieux naturels où ils vivent :

Savanes et prairies : éléphant, lion, girafe, bison, kangourou…
Forêts tropicales : tigre, orang-outan, jaguar, perroquet…
Forêts de conifères : loup, aigle royal, lynx, hermine…
Forêts de feuillus : koala, renard, cerf, sanglier, coucou…
Mers et océans : dauphin, baleine, requin, pieuvre…
Côtes marines : otarie, tortue géante, fou de Bassan, iguane…
Rivières et fleuves : hippopotame, loutre, flamant rose, castor…
Étangs et marais : pélican blanc, crocodile, vison, libellule…
Montagnes : grand panda, condor, ours brun, macaque japonais…
Déserts et steppes : guépard, caméléon, criquet, scorpion…
Toundras et glaces : phoque, caribou, bœuf musqué, manchot…

VIE SAUVAGE est édité par la **SOCIÉTÉ DES PÉRIODIQUES LAROUSSE (S.P.L.)**
1-3, rue du Départ - 75014 Paris
Tél. : 44 39 44 20

Directeur de la publication :
Bertil Hessel
Directeur éditorial :
Claude Naudin, Françoise Vibert-Guigue
Directeur de la collection :
Laure Flavigny
Edition :
Brigitte Bouhet, Catherine Nicolle
Direction artistique :
Henri Serres-Cousiné
Direction scientifique :
Christine Sourd, docteur en écologie, Conservation Officer au WWF-France
Conception graphique et mise en pages :
Frédérique Longuépée, Blandine Serret
Couverture :
Olivier Calderon, Gérard Fritsch, Simone Matuszek
Correction-révision :
Service de lecture-correction de Larousse
Documentation iconographique :
Anne-Marie Moyse-Jaubert, Marie-Annick Réveillon
Composition :
Michel Vizet
Fabrication :
Jeanne Grimbert
Service de presse :
Suzanna Frey de Bokay

VENTES

Directeur du marketing et des ventes :
Édith Flachaire
Service abonnement Vie Sauvage :
68, rue des Bruyères, 93260 Les Lilas.
Tél. : (1) 48 97 81 90
Étranger, établissements scolaires, n'hésitez pas à nous consulter.
Vente en France des numéros déjà parus :
Envoyez votre commande avec un chèque à l'ordre de SPL de 25,50 F par fascicule et de 71 F par reliure à : RIF-SPL, 25 rue Chassagnolle, 93260 Les Lilas, France.
Service des ventes :
(réservé aux grossistes, France) :
PROMEVENTE - Michel Iatca
Tél. : N° Vert : 05 19 84 57
Réassort réseau : MLP - Tél : 72 40 53 79
Prix de la reliure :
France / 59 FF ; Belgique / 410 FB ; Suisse / 19 FS ; Luxembourg / 410 FL ; Canada / 9,95 $CAN.
Distribution
Distribué en France (MLP), au Canada, en Belgique (AMP), en Suisse (Naville S.A.), au Luxembourg (Messageries P. Kraus).
À nos lecteurs :
En achetant chaque semaine votre fascicule chez le même marchand de journaux, vous serez certain d'être immédiatement servi, en nous facilitant la précision de la distribution. Nous vous en remercions.
© 1995 Société des Périodiques Larousse.

Premiers numéros de l'encyclopédie :
1, les dauphins ; 2, le lion ; 3, le grand panda ; 4, le phoque du Groenland ; 5, le koala ; 6, le gorille ; 7, l'éléphant ; 8, la baleine ; 9, la panthère ; 10, l'aigle royal ; 11, l'ours brun ; 12, le kangourou ; 13, la marmotte ; 14, le tigre ; 15, le manchot ; 16, l'hippopotame ; 17, les abeilles ; 18, la girafe ; 19, le loup ; 20, les perroquets ; 21, les requins ; 22, le zèbre ; 23, le crocodile ; 24, la gazelle ; 25, le pélican ; 26, le jaguar ; 27, le lynx ; 28, l'hyène ; 29, le renard roux ; 30, le bison ; 31, le chacal ; 32, le puma ; 33, les hippocampes ; 34, le daim ; 35, le grand cormoran ; 36, la tortue luth ; 37, l'autruche ; 38, le hérisson ; 39, le lycaon ; 40, le buffle ; 41, la chouette effraie ; 42, les tisserins ; 43, le blaireau ; 44, le gnou ; 45, le cerf ; 46, la cigogne blanche ; 47, le macareux moine ; 48, le lièvre ; 49, l'iguane vert ; 50, le babouin ; 51, le guépier ; 52, les termites ; 53, l'écureuil roux ; 54, le tadorne de Belon ; 55, les étoiles de mer ; 56, les genettes ; 57, le rhinocéros ; 58, le coucou ; 59, le chat sauvage ; 60, l'otarie de Californie ; 61, le sanglier ; 62, le pic épeiche ; 63, l'opossum ; 64, le fou de bassan.

Prochains numéros de l'encyclopédie :
n°66, le geai des chênes ; n° 67, les crabes violonistes ; n° 68, le combattant ; n°69, le vison d'Amérique ; n°70, l'élan ; n°71, le pygargue ; n°72, le raton laveur ; n°73, les papillons de nuit ; n°74, le phoque moine.

SOMMAIRE

N° 65 LES TORTUES GÉANTES
Côtes marines

LES TORTUES GÉANTES ET LEURS ANCÊTRES 1
LA VIE DES TORTUES GÉANTES
  Une vie tranquille soumise au climat 4-5
  Des kilos de verdure mais surtout de l'eau 6-7
  Des joutes bruyantes et impressionnantes 8-9
  Indépendantes dès leur naissance 10-11
POUR TOUT SAVOIR SUR LES TORTUES GÉANTES
  Tortue géante des Galapagos 14-15
  Les autres tortues géantes 16-17
  Milieu naturel et écologie 18-19
LES TORTUES GÉANTES ET L'HOMME 20
DICTIONNAIRE DES SAVANTS DU MONDE ANIMAL
  Louis Joubin

LES TEXTES DE CE NUMÉRO ont été rédigés par Jacques Fretey, membre de l'UICN (Union mondiale pour la nature) ; Monique Madier.
DESSINS de Guy Michel.
CARTE de Edica.
PHOTO DE COUVERTURE : Tortue aux Galapagos. Phot. Parer-Cook D. et E. - Auscape.

CRÉDITS PHOTOGRAPHIQUES p. 1, 6/7b, 11, 12/13, 15h, 18/19 et 19, Parer-Cook E. & D. - Auscape ; p. 2/3, Soler J. - Jacana ; p. 4, Erize F. - Bruce Coleman ; p. 4/5h, Ardea ; p. 4/5b, et 14/15, Parer-Cook E. & D. - Ardea ; p. 5, Ardea ; p. 6, Gohier F. - Ardea ; p. 6/7h, Paton W. - NHPA ; p. 7, Thonnerieux Y. - Bios ; p. 8h, Ferrero J.P. - Auscape ; p. 8b, Root A. - Survival Anglia ; p. 9, Lanting F. - Bruce Coleman ; p. 10/11h,

Dossenbach H. - Ardea ; p.10, Harcourt S. - Survival Anglia : p. 15m, Soler J. - Jacana ; p. 16h, Varin J. Ph. - Jacana ; p. 16b, Burton J. - Bruce Coleman ; p. 17h, Greer K. - Oxford Sc. Films ; p. 17b, Beamish T. - Ardea ; p. 20, Pignères M.

3e de couv : portrait de Louis Joubin. Phot. : H. Manuel - D.R. Coll. Larousse.

Photocomposition : Dawant. Photogravure : Graphotec. Impression : R.E.G. Dépôt légal 3e trimestre 1995.

LES TORTUES GÉANTES

Semblables à des monstres préhistoriques, les tortues géantes occupent paisiblement les îles Galápagos depuis des siècles. Elles se comptaient autrefois par milliers, conséquence probable de leur présence très ancienne. Cependant leur arrivée sur cet archipel, qui n'a jamais été rattaché au continent sud-américain, reste toujours empreinte de mystère pour tous les scientifiques.

Comme la plupart des animaux, mammifères et oiseaux notamment, les tortues ont pour très lointains ancêtres des reptiles. Toutes les tortues, qu'elles soient marines ou terrestres, appartiennent à l'ordre très homogène des chéloniens.

À la fin de l'ère primaire, au permien, il y a environ 250 millions d'années, seraient apparus sur Terre les premiers animaux à carapace.

Quelque 50 millions d'années plus tard, au trias supérieur, vivaient des reptiles à l'aspect de tortues, les placodontes. Aujourd'hui disparus, ils avaient des dents, une longue queue et savaient nager. Ce n'est qu'au crétacé supérieur, vers – 150 millions d'années, qu'ont dû apparaître les baenoidés, ces tortues dites primitives qui n'ont plus de dents et peuvent protéger leur tête à l'abri de leur carapace en rétractant le cou. Les actuelles tortues géantes des Galápagos seraient parmi les descendantes directes de ces baenoidés.. Ces tortues terrestres sont, avec les dernières tortues géantes des Seychelles, les plus grands des chéloniens. Aujourd'hui encore, les scientifiques se demandent comment elles sont arrivées sur l'archipel, car ces îles n'ont jamais été rattachées au continent, mais proviennent d'un plateau volcanique immergé par 1 250 m de fond, dont les roches se sont lentement enfoncées, créant l'archipel.

Peut-être les tortues des Galápagos descendent-elles toutes d'un animal terrestre continental qui, tombé accidentellement à la mer, aurait survécu. De tels exemples de peuplement d'îles par des espèces animales ne manquent pas.

Sur chacune des îles, les tortues ont évolué séparément, développant de légères particularités morphologiques et constituant des sous-espèces différentes. À l'époque de la marine à voile, ces géantes furent une source de viande fraîche inespérée pour les bateaux qui relâchaient dans les parages. Ces massacres décimèrent les populations. Sur certaines îles, les tortues ont disparu, et seulement sept îles de cet archipel abritent encore des tortues géantes. Pour mieux protéger la diversité génétique, les systématiciens pensent classer la population de chaque île comme une espèce à part entière. □

La grande longévité de la tortue géante est proverbiale, tout autant que la lenteur avec laquelle elle se déplace. S'il existe des exceptions, comme celle d'une tortue capturée adulte qui aurait vécu 152 ans en captivité, il semble que la plupart d'entre elles ne vivent pas beaucoup plus d'un siècle sur l'île du Pacifique où elles sont nées.

Une vie tranquille soumise au climat

■ Durant la majeure partie de l'année, les tortues terrestres des Galápagos vivent sur les hautes terres humides ou sur les flancs des volcans où la température de l'air descend parfois, la nuit, jusqu'à − 10 °C. De temps en temps, elles migrent vers les terres basses pour des périodes plus ou moins longues. Sur certaines îles, les populations de tortues descendent sur ces terres plus chaudes pour toute la saison des pluies, ne remontant vers les hautes terres que lorsque le temps change et devient très sec.

Le comportement de ces animaux est encore très mal connu, mais, quel que soit l'endroit et pendant les migrations, ces tortues géantes vivent en groupes de taille variable, pouvant atteindre de 20 à 30 animaux de tous âges. Pourtant, ces groupes n'ont apparemment aucune cohésion sociale, chaque tortue semblant agir sans tenir compte des autres, sans même communiquer d'aucune façon avec ses voisines. Le seul langage observé consiste en des mouvements rituels de tête entre mâles rivaux pendant la période de reproduction.

Les tortues sont diurnes. Tout le jour, elles explorent la végétation qui les entoure, marchant d'un pas lourd, dressées sur leurs pattes. Elles se déplacent tranquillement le long des sentiers que des générations de tortues ont ouverts avant elles, s'arrêtant parfois pour manger, se baigner ou se reposer. Elles peuvent ainsi parcourir 13 km en trois jours. Lorsqu'elles se reposent, à l'air libre ou au bord de l'eau, elles s'appuient sur le plastron de la carapace (partie ventrale), ne rentrant que le haut de leurs pattes.

Des nuits si possible dans l'eau

Pour dormir la nuit, les tortues s'abritent dans des gîtes sommaires, simples trous qu'elles se sont creusés dans la terre meuble avec l'avant de leur carapace, ou elles s'enfoncent simplement dans la végétation, leur carapace leur servant de bouclier protecteur. Mais, dès que l'occasion s'en présente, elles préfèrent s'immerger dans l'eau boueuse d'une mare ou d'un marécage, sans toutefois jamais perdre pied. Selon Mac Farland, le premier zoologiste à les avoir étudiées, ce comportement surtout nocturne leur permettrait sans doute de conserver une chaleur corporelle suffisante pour digérer les végétaux avalés dans la journée, les nuits étant plutôt froides sur les hautes terres des Galápagos. Pour le zoologiste américain Hendrickson, ce comportement aquatique faciliterait aussi leur respiration. □

LES TORTUES EFFRAYÉES

Leur carapace est le seul recours des tortues géantes lorsqu'elles sont effrayées. Immédiatement, elles s'immobilisent et posent la partie ventrale de leur carapace, ou plastron, sur le sol. Elles replient leur long cou, rentrant complètement la tête, puis les pattes. À l'avant, les avant-bras ferment totalement l'ouverture et isolent la tête de l'extérieur. À l'arrière, ce sont les soles des pieds qui ferment l'ouverture, protégeant la courte queue de l'animal.

Posée sur le plastron de sa carapace, les pattes repliées, la tortue terrestre géante se repose, surveillant les alentours, à l'écoute de chaque bruit. Vivant surtout le jour, elle reste à l'affût des dangers.

Le très long cou de la tortue des Galápagos lui permet de le mouvoir en tous sens à la recherche de nourriture ou pour tenter de se débarrasser des tiques et parasites qui se logent dans les replis de sa peau. Lorsqu'elle est effrayée, elle le replie un peu comme un accordéon et rentre la tête complètement.

Véritables colonnes de chair, *les pattes de la tortue géante ne lui servent qu'à marcher et à porter tout le poids de son corps. Au repos, le haut des pattes seul est replié.*

Empruntant toujours les mêmes sentiers, *véritables « routes » creusées dans la végétation au fil des générations, les tortues vont silencieuses et en file indienne. Darwin fut sans doute le premier à découvrir et à décrire ce phénomène.*

Des kilos de verdure, mais surtout de l'eau

■ Étirant son long cou vers les plantes hautes ou, au contraire, vers le sol en plaçant ses pattes à l'oblique, la tortue des Galápagos se saisit de pratiquement tous les végétaux, herbes, plantes ou arbustes, qu'elle rencontre. Elle recherche en particulier le mancenillier *(Hippomane mancinella)*, dont elle raffole et qu'elle consomme en grandes quantités. Sa langue, très épaisse et charnue, l'aide à maintenir le végétal qu'elle convoite pour le découper avec son bec tranchant, puis pour le mâchouiller et le broyer avant de l'avaler.

La tortue doit beaucoup boire. Lorsqu'elle trouve à s'abreuver, elle ouvre à peine le bec, en trempe l'extrémité et aspire par succion le plus d'eau possible. Elle boit longtemps, stockant des litres d'eau dans son cou. Cette eau douce en réserve conserve une fraîcheur surprenante.

Les cactus

La rareté de l'eau sur certaines îles est telle que les tortues qui y demeurent se désaltèrent presque uniquement du liquide que contiennent les raquettes charnues des cactus opuntias. Ces cac-tus s'élèvent en un long tronc non comestible, pouvant atteindre 10 m de hauteur et d'où partent des ramifications et des feuilles en raquettes nombreuses qui retombent vers le sol. Les tortues n'ont qu'à tendre le cou pour s'en saisir et en savourer le jus.

Selon le botaniste américain Dawson qui a recensé sept espèces d'opuntias, leur forme arborescente les protégerait des tortues (sur les îles Tower et Bindloe, d'où les tortues sont absentes, les opuntias sont rampants), mais cette théorie est contestée.   □

UN BEC PUISSANT

Les mâchoires de la tortue ne comportent aucune dent. Chacune est formée d'un seul os arqué et gainé d'un bec corné à bords tranchants. C'est par un mouvement de va-et-vient qui fait glisser l'une sur l'autre les parties supérieure et inférieure du bec que s'effectue la mastication. Celle-ci est facilitée par les crêtes présentes sur les bords du bec des tortues qui ne mangent que des végétaux.

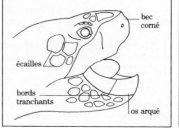

Pattes posées à l'oblique pour mieux atteindre l'herbe ou le fruit tombé au sol qu'elle convoite, la tortue géante des Galápagos ne peut s'aider que de son cou et de sa tête pour saisir sa nourriture. En effet, sa carapace rigide freine tous ses mouvements.

Sa langue mobile, très épaisse et charnue, l'aide à maintenir la plante qu'elle va couper de son bec puissant aux bords finement denticulés.

La tortue mâchouille longuement les trop gros morceaux, les déchiquetant par un mouvement de va-et-vient de ses mâchoires pendant que sa langue les écrase.

Toute source d'eau sur ces îles, souvent arides et chaudes, est appréciée par la tortue qui se délecte alors et s'abreuve longuement dans les mares. Le soir venu, elle s'immerge, pour, semble-t-il, faciliter sa digestion en régulant la température de son corps.

Des joutes bruyantes et impressionnantes

■ Il n'y a pas de saison particulière de reproduction chez les tortues des Galápagos. Lorsqu'un mâle est excité, il se déplace beaucoup et à plus vive allure qu'à l'ordinaire, tournant autour des femelles et les flairant afin de découvrir celle avec laquelle il pourrait s'accoupler. Contrairement aux tortues continentales, le mâle est toujours d'une taille supérieure à celle de la femelle ; peut-être est-ce lié au petit volume des œufs dans l'archipel équatorial.

Durant cette période de rut, il n'hésite pas à se mesurer à d'autres mâles dans des joutes rarement dangereuses. Ne sont pour lui des rivaux potentiels que les mâles de sa taille. Quand il en rencontre un, il lui fait face et les deux animaux commencent à balancer latéralement le cou et la tête en des mouvements saccadés.

Ils ne prolongeront cet affrontement que s'ils sont de la même espèce, c'est-à-dire si ces mouvements respectent un rituel extrêmement précis. Selon certains chercheurs, ce moyen de recon-naissance permettrait aux tortues d'éviter les hybridations entre espèces différentes.

Commence alors le combat qui n'est pas sans rappeler les tournois médiévaux. Tête dressée, les deux tortues soufflent bruyamment, cherchant à atteindre le dessus de la tête de l'autre pour le mordre. Si l'une des deux tourne le dos, son adversaire tentera de lui saisir une patte avec son bec. Parfois, les deux animaux se jettent à l'assaut l'un de l'autre, tête rentrée ; leurs carapaces se heurtent avec violence par l'avant.

Dans la plupart de ces joutes spectaculaires, les coups amorcés sont souvent inachevés et les opposants semblent plutôt chercher à s'intimider mutuellement et à faire fuir l'autre qu'à le combattre réellement.

Parfois, l'un des adversaires se fait bousculer si fort qu'il se retrouve sur le dos. Cette position est dangereuse pour lui, car les sangs vicié et oxygéné risquent de se mélanger, aussi joue-t-il énergiquement des pattes en balançant sa carapace bombée pour se retourner au plus vite. Mais il a perdu la bataille.

Celui qui s'avoue vaincu part tête basse, aussi vite que le lui permettent ses lourdes pattes.

L'accouplement

Une fois qu'il a identifié une partenaire possible, le mâle la tapote avec l'avant de sa carapace et essaie de l'empêcher de sortir la tête pour qu'elle ne fuie pas. Il immobilise alors la femelle de tout son poids en se hissant sur sa dossière par l'arrière. Le mâle ne maintient pas la partenaire avec les pattes ou par des morsures.

La partie ventrale de la carapace du mâle, ou plastron, est concave, ce qui aide l'animal à se tenir dans une position verticale périlleuse sur le dos bombé de la femelle. Le pénis du mâle sort du cloaque et est introduit dans les conduits génitaux de celle-ci. Alors que la plupart des tortues sont habituellement muettes , pendant les préliminaires et l'accouplement, les mâles émettent des sons rauques très sonores, qui peuvent s'entendre d'assez loin. □

Les combats de mâles en période de rut sont spectaculaires, mais non meurtriers. Gueules entrouvertes, et têtes dressées, les deux animaux se font face, cherchant à frapper du bec le dessus de la tête de l'adversaire.

La première des deux tortues mâles qui réussira à intimider l'autre sera gagnante. Le vaincu fuira alors tête baissée.

Lors de l'accouplement, le mâle, hissé sur la dossière de sa partenaire, émet de longs grognements rauques, audibles à des centaines de mètres.

La minuscule tortue fend la membrane de son œuf à l'aide d'un petit cal pointu qui arme l'extrémité de son museau à sa naissance et tombe après quelques jours.

La tortue femelle doit creuser plusieurs heures le sol avec ses pattes postérieures avant de pondre ses œufs blancs et ronds.

VIE SAUVAGE

Encyclopédie Larousse des Animaux

TOME 5

Société des Périodiques Larousse

N° 65 LES TORTUES GÉANTES

Une vie tranquille soumise au climat 4-5
Des kilos de verdure mais surtout de l'eau 6-7
Des joutes bruyantes et impressionnantes 8-9
Indépendantes dès leur naissance 10-11
Tortue géante des Galapagos 14-15
Les autres tortues géantes 16-17
Milieu naturel et écologie 18-19
Massacrées pour leur chair savoureuse 20

N° 66 LE GEAI DES CHÊNES

Les bruyantes sentinelles de la forêt 4-5
Des réserves de fruits pour l'hiver 6-7
Des histoires d'amour qui durent 8-9
Un partage équitable des tâches 10-11
Geai des chênes 14-15
Les autres geais 16-17
Milieu naturel et écologie 18-19
Un compagnon de l'homme de mauvaise réputation ... 20

N° 67 LE CRABE VIOLONISTE

Des colonies de solitaires très combatifs 4-5
Une parade musicale 6-7
Des accouplements terrestres
    qui durent une heure 8-9
Des repas pris en communauté 10-11
Uca de Tanger 14-15
Les autres crabes 16-17
Milieu naturel et écologie 18
Démiurges ou démons du mal ? 19-20

N° 68 LE COMBATTANT

Des oiseaux migrateurs au long cou 4-5
Une alimentation qui change au fil des saisons 6-7
Des plumes de toutes les couleurs 8-9
Les femelles assurent seules
    l'élevage des poussins 10-11
Combattant 14-15
Les autres oiseaux de la famille 16-17
Milieu naturel et écologie 18-19
Une espèce à protéger en Europe et en Afrique 20

N° 69 LE VISON

Un solitaire plutôt sédentaire 4-5
Un petit carnivore dont la morsure est fatale 6-7
Moins bon nageur qu'un poisson 8-9
Des petits seuls avec leur mère 10-11
Vison d'Amérique 14-15
Vison d'Europe 16
Milieu naturel et écologique 17
Une beauté qui lui coûte cher 18-20

N° 70 L'ÉLAN

Du feuillage et des plantes aquatiques 4-5
Solitaire ou en petits groupes
    toujours en marche 6-7
Une parade amoureuse bien orchestrée 8-9
Les faons grandissent très vite 10-11
Élan 14-15
Milieu naturel et écologie 16-18
Une difficile adaptation au monde moderne 19-20

N° 71 LE PYGARGUE

Un pêcheur
    tout à fait exceptionnel 4-5
Prêt à tout pour se nourrir 6-7
En groupe pour survivre l'hiver 8-9
Un droit d'aînesse très développé 10-11
Pygargue à tête blanche 14-15
Les autres pygargues 16-17
Milieu naturel et écologie 18
La fin d'une cruelle persécution 19-20

N° 72 LE RATON LAVEUR

Un solitaire nocturne 4-5
Un carnivore aux mains habiles 6-7
Des petits bien protégés
    par leur mère 8-9
Raton laveur 12-13
Les autres procyonidés 14-15
Milieu naturel et écologie 16-18
Chassé, piégé, empoisonné,
    mais familier des hommes 20

Nº 73 LES PAPILLONS DE NUIT

La vie de la chenille 4-5
Survivre pour devenir papillon 6-7
La vie éphémère du papillon 8-9
Papillon isabelle 12-13
Les autres papillons 14-15
Milieu naturel et écologie 16-17
De fragiles insectes
    inoffensifs ou destructeurs 18-20

Nº 74 LE PHOQUE MOINE

Un instinct grégaire
    peu développé 4-5
Cent kilomètres pour se nourrir 6-7
Un sevrage brutal
    à quelques semaines 8-9
Phoque moine de Hawaii 12-13
Les autres phoques moines 14
Milieu naturel et écologie 15-17
Des relations anciennes
    mais toujours difficiles 18-20

Nº 75 LES MÉSANGES

Des bandes unies
    pendant tout l'hiver 4-5
Des pommes, des poires…
    et des insectes 6-7
Une nichée épuisante 8-9
Mésange à tête noire 12-13
Les autres mésanges 14-15
Milieu naturel et écologie 16-17
Petites, mais très efficaces 18-20

Nº 76 L'OURSON COQUAU

Deux mois de vie commune chaque année 4-5
Un domaine peu étendu pour un animal calme 6-7
Une extraordinaire assurance 8-9
Des feuilles ou du bois selon la saison ... 10-11
Ourson coquau 14-15
Les autres éréthizontidés 16-17
Milieu naturel et écologie 18-19
Une proie providentielle pour les Indiens 20

Nº 77 LA MOUETTE RIEUSE

Indépendante mais néanmoins sociable 4-5
Une alimentation variée et équilibrée 6-7
De la mer à la terre 8-9
Des nids regroupés par milliers 10-11
Mouette rieuse 14-15
Les autres laridés 16-17
Milieu naturel et écologie 18
Un oiseau peu farouche 19-20

Nº 78 L'HERMINE

Seule sur son territoire 4-5
La chasse aux campagnols, aux lapins
    et aux oiseaux 6-7
Presque toute blanche en hiver 8-9
Des mères qui portent leurs petits
    pendant un an 10-11
Hermine 14-15
Les belettes 16-17
Milieu naturel et écologie 18-19
«Plutôt mourir que de se souiller» 20

Nº 79 LES FOURMIS ROUSSES

Des kilomètres de galeries souterraines ... 4-5
Quelques fourmis chassent
    pour toute la colonie 6-7
L'élevage des pucerons et la récolte du miellat ... 8-9
Un vol nuptial éphémère 10-11
Fourmis rousses 14-15
Les autres fourmis 16-17
Milieu naturel et écologie 18-19
Fléau nuisible ou auxilliaire écologique ... 20

Nº 80 LA CHOUETTE LAPONE

Un habile chasseur nuit et jour 4-5
Une vie paisible sur un petit territoire ... 6-7
Des parades longuement chantées 8-9
Des oisillons très intrépides 10-11
Chouette lapone 14-15
Les autres chouettes 16-17
Milieu naturel et écologie 18-19
Un prédateur mal adaptés à la vie actuelle ... 20

Indépendantes dès leur naissance

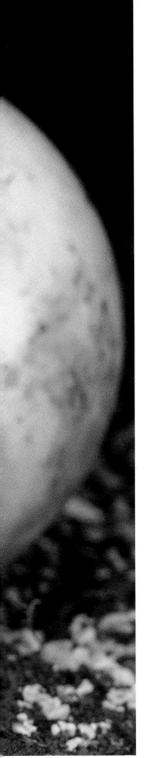

■ Sur l'île Santa Cruz, le zoologiste Hendrickson a étudié, en 1965, le comportement de la femelle qui va pondre. La tortue gravide descend de son site habituel de nidification vers les terres basses du sud-ouest de l'île où le sol est limoneux. Ces endroits appelés *campos* sont des sites de ponte depuis des siècles et des fragments de coquilles d'œufs effritées s'y mélangent à la fine terre brun rougeâtre.

Pour creuser le nid qui recevra les œufs, la tortue choisit un endroit ensoleillé et se met à creuser la terre de ses pattes postérieures. Régulièrement, elle arrose la terre de son urine pour faciliter son travail. Durant environ 5 heures, elle creuse ainsi, rejetant la boue extraite sur les côtés du puits. Lorsque celui-ci est terminé, il mesure de 17 à 30 cm de profondeur et de 20 à 25 cm de dia-

mètre et accueille en moyenne 9 œufs sphériques d'environ 70 mm et qui pèsent de 66 à 80 g.

Selon l'île où elles demeurent, les tortues terrestres des Galápagos ne pondent pas exactement à la même époque et pas le même nombre d'œufs. Sur l'île Duncan, les femelles pondent de 2 à 8 œufs (soit une moyenne de 4,8) entre août et décembre, mais, à Sierra Negra, elles le font début novembre. Sur Isabela, les œufs sont plutôt plus petits que sur les autres îles et les tortues appartenant à la forme *guntheri* déposent de 8 à 17 œufs dans leur nid, mais en trois fois.

Pour boucher le puits une fois la ponte terminée, la tortue ramène la boue extraite d'un mouvement de va-et-vient du plastron et nivelle la surface. Vite asséché et durci par le soleil, ce tampon de boue a la consistance d'une brique

et il va protéger les œufs de la déshydratation, des prédateurs mais aussi des tentatives d'autres tortues pour pondre au même endroit. L'incubation est généralement de deux mois et demi à trois mois, mais il arrive qu'elle dure 8 mois si les conditions climatiques ne sont pas favorables. Ce sont sans doute les pluies qui détrempent le tampon dur et permettent aux jeunes tortues de sortir du nid : les pontes seraient plus nombreuses les années pluvieuses ou chez les espèces ayant accès à des sites de ponte constamment humides.

À leur naissance, les futures tortues géantes sont minuscules et, souvent, entièrement noires. Elles ne pèsent en moyenne que 90 g. Sans contact avec les adultes, elles doivent subvenir seules à leurs besoins et retrouver sans aide les terres hautes où vit leur espèce. □

Double page suivante :
L'aide du pinson de Darwin est inappréciable contre tous les parasites.

Les tortues vivent en groupes très lâches *qui comportent des animaux de tous les âges. Ayant brisé leur carapace sans aide, les jeunes tortues doivent s'orienter seules pour rejoindre les adultes de leur espèce et se mêler au groupe, car il n'existe apparemment pas de liens privilégiés entre adultes et plus jeunes.*

Tortue géante des Galápagos
Chelonoidis elephantopus

TORTUE GÉANTE DES GALÁPAGOS	
Nom (genre, espèce) :	*Chelonoidis elephantopus*
Famille :	Testudinidés
Ordre :	Chéloniens
Classe :	Reptiles
Identification :	Haute carapace très bombée ; long cou et long museau
Taille :	La plus grande des tortues terrestres ; peut atteindre une longueur de 122 cm
Poids :	Certaines tortues dépassent souvent 200 kg
Répartition :	Sud-ouest de l'île Isabela (archipel des Galápagos)
Habitat :	Pentes du volcan Cerro Azul
Régime alimentaire :	À peu près tous les végétaux rencontrés : surtout des cactus opuntias
Saison de ponte :	De juillet à octobre
Nombre d'œufs :	De 2 à 17
Temps d'incubation des œufs :	De 3 à 8 mois
Effectifs :	Environ 13 000 adultes pour l'ensemble des espèces de l'archipel
Statut :	Figure sous le nom de *Geochelone elephantopus* en annexe I de la CITES. L'archipel des Galápagos a été déclaré parc national en 1959. Production de jeunes en incubation artificielle à la station Charles-Darwin.

■ La grande particularité des tortues est leur carapace, sorte de boîte osseuse qui protège tout le corps de l'animal. Elle est formée de plaques plates juxtaposées et soudées les unes aux autres et se divise en trois parties. La dossière, ou partie dorsale, est très bombée et relevée dans la région nuchale. Le plastron, ou partie ventrale, est plat chez la femelle et concave chez le mâle pour faciliter l'accouplement. Enfin, le pont relie la dossière au plastron de chaque côté de la carapace. Par-dessus cette boîte osseuse et soudées à elle, des plaques cornées en kératine forment des sortes d'écailles qui peuvent se détacher individuellement.

Plastron et dossière ne se rejoignent ni à l'avant ni à l'arrière, seuls endroits où la carapace est ouverte pour laisser passer la tête, le long cou et les pattes antérieures d'une part, les pattes postérieures et la queue assez courte et arrondie d'autre part. Ces parties du corps sont les seules à être couvertes d'une peau épaisse, soudée à la carapace et d'aspect écailleux. Il ne s'agit pas d'écailles mais de replis de peau. Durcie par endroits, elle présente des aspérités, comme à l'avant des pattes.

La partie interne de la colonne vertébrale et les côtes de l'animal sont soudées à la carapace.

Extérieurement, la colonne vertébrale se prolonge à l'arrière par la queue et à l'avant par un long cou que l'animal peut rentrer.

La tête porte les organes des sens. Au-dessus du bec tranchant s'ouvrent les deux narines de la tortue, qui a un odorat très développé. Les yeux sont en position latérale et permettent à l'animal une vision limitée. Il n'existe pas de conduit auditif externe, la zone du tympan étant apparente grâce à une écaille plus ronde que les autres. Des expériences récentes ont déterminé que les tortues géantes captaient les vibrations transmises par l'air et que leur →

Peau.
Elle recouvre les parties molles externes de la tortue et est soudée à la carapace à la jointure avec celle-ci.

Dossière.
C'est la partie supérieure de la carapace. Elle est relevée dans la région du cou.

Tête.
Couverte d'une peau très épaisse, elle porte les organes des sens.

Cou.
Prolongement de la colonne vertébrale, il est très long. Quand la tortue le rentre sous la carapace, il se replie, un peu à la façon d'un accordéon.

Pattes.
Massives, elles sont terminées par 5 doigts munis d'ongles forts dont l'animal se sert pour creuser.

acuité auditive était comparable à celle des chats.

Les tortues géantes peuvent rétracter leurs membres et leur tête sous leur carapace, mais cette protection semble avoir un rôle secondaire. En revanche, la carapace s'est adaptée au milieu des diverses îles des Galápagos où vivent ces tortues. Les deux spécialistes contemporains des tortues (chélonographes), M. Bour et M. Pritchard, ont classé ces adaptations selon 6 critères (voir ci-contre).

Le poids de ces grandes tortues terrestres dépasse souvent 200 kg et leur croissance, très rapide, est continue durant toute leur vie. Ces tortues terrestres géantes sont réputées pour leur longévité, le record étant détenu par une de leurs cousines des Seychelles qui aurait vécu 152 ans en captivité à l'île Maurice.

Les diverses populations de tortues géantes qui vivent sur les îles Galápagos ont longtemps été considérées par les scientifiques comme des sous-espèces qui se sont adaptées aux particularités propres à chaque île. La tendance actuelle est d'élever au rang d'espèce à part entière chacune d'elles, pour faciliter leur protection. □

Pont.
C'est la partie de la carapace qui joint le plastron à la dossière, de chaque côté de l'animal.

Plastron.
C'est la partie ventrale de la carapace. Elle possède deux ouvertures, l'une à l'avant et l'autre à l'arrière.

Signes particuliers

Tête
De face, elle paraît triangulaire avec son bec pointu. De profil, elle présente un aspect particulier avec les narines et les yeux alignés, l'absence de conduit auditif externe et l'arrière du crâne bombé.

Peau du cou
Comme toutes les parties externes du corps de la tortue, le cou est couvert d'une peau épaisse et résistante mais néanmoins très souple, puisque l'animal est capable de rentrer entièrement le cou sous la carapace pour se protéger ou se reposer. L'aspect écailleux de cette peau est dû aux nombreux replis, niches de choix pour tous les parasites.

Adaptation des carapaces
Une carapace massive (1) permet à la tortue d'accumuler des réserves lorsque la végétation est pauvre, mais aussi d'offrir une protection contre les trop grands écarts de température. Lorsque la végétation est luxuriante, au contraire, la carapace diminue de volume, devenant plus basse et moins large (2). Dans les zones accidentées, elle est plus légère et son plastron est réduit, autorisant plus d'agilité (3). Pour mieux progresser dans un environnement touffu, aux obstacles nombreux, la carapace devient

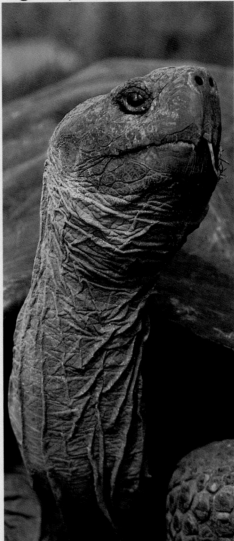

étroite (4). À Pinzon par exemple, où il y a surpopulation, on assiste à une miniaturisation (5). Enfin, lorsque la nourriture doit être recherchée en hauteur, on assiste à une modification en « selle » ou en « niche de chien » du bord antérieur de la dossière et à un allongement significatif du cou (6).

Écailles
La partie osseuse de la dossière est recouverte de grandes écailles juxtaposées, mais qui pourraient être dissociées individuellement. Ces plaques en kératine, de forme grossièrement rectangulaire, grandissent en périphérie tout au long de la vie de l'animal. Les stries qui les marquent indiquent cette croissance, mais ne peuvent permettre de connaître l'âge de l'animal, la croissance étant fonction des conditions climatiques favorables du milieu plutôt que de l'âge de l'animal.
Un climat sec et froid ralentit certainement la croissance de la tortue dont le métabolisme réclame un climat humide.

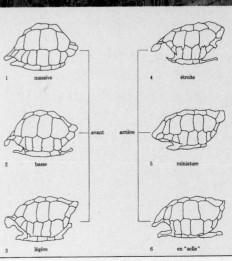

Les autres tortues géantes

■ Les tortues terrestres sont regroupées dans la famille des testudinidés. On reconnaît actuellement environ 15 genres différents, la plupart représentés dans les régions tropicales. Un seul genre occupe la région néotropicale et deux genres se trouvent dans l'hémisphère Nord. Mais quatre genres seulement comportent des grandes espèces ; ce sont le genre *Manuria* en Asie (1 grande espèce), le genre *Geochelone* en Afrique et en Asie (2 grandes espèces), le genre *Dipsochelys* dans l'océan Indien (1 grande espèce) et le genre *Chelonoidis* auquel appartiennent les tortues des Galápagos (deux autres grandes espèces en Amérique du Sud). □

TORTUE GÉANTE DES SEYCHELLES

Dipsochelys elephantina
La plus grande des tortues terrestres.
Identification : jusqu'à 130 cm de long ; carapace unie de couleur gris sombre à noir, très bombée et massive ; tête plutôt petite à région frontale « bulbeuse », nez long, deux longues écailles préfrontales ; deux bords tranchants du bec finement denticulés.
Répartition : zones herbeuses ouvertes avec arbres et buissons ou broussailles, et mangroves (forêts de palétuviers) marécageuses de l'atoll d'Aldabra, à 400 km au sud-ouest des Seychelles dans l'océan Indien.
Alimentation : végétaux nains divers, plantes herbacées, roseaux.
Statut : 150 000 individus recensés ; les effectifs ne semblent pas en déclin. Toutefois, elle est vulnérable de par la concentration de ses populations sur une seule île. Classée en 1991 en annexe II de la CITES.

TORTUE LÉOPARD

Geochelone pardalis
Autrefois classée dans le genre *Testudo*.
Identification : les adultes les plus grands peuvent mesurer 60 cm de long et peser 30 kg environ. Carapace très bombée avec des marques noires ou en radiation ou bien en taches ; forme relevée des plaques marginales.
Répartition : savanes à végétation riche et abondante. De l'Éthiopie jusqu'à la Zambie et l'Angola pour la sous-espèce *Geochelone pardalis babcocki* ; Namibie depuis la région de Keetmanshoop jusqu'au littoral pour la sous-espèce *Geochelone pardalis pardalis*.

Alimentation : herbes, melons d'eau, haricots sauvages, chardons, fruits tombés des arbres.
Effectifs : inconnus précisément.
Statut : la sous-espèce namibienne est rare. L'espèce est classée vulnérable (annexe II de la CITES) en 1991.

TORTUE SILLONNÉE

Geochelone sulcata
Parfois classée dans le genre *Centrochelys*.
La plus grande tortue terrestre vivant sur un continent.
Identification : elle mesure couramment une soixantaine de centimètres de long. Certains vieux individus peuvent atteindre 90 cm et peser plus de 100 kg. Carapace très caractéristique : de couleur ocre jaune à brunâtre ; très bombée mais déprimée dans la région dorsale ; plaques marquées de profonds sillons concentriques, d'où son nom. Sur les cuisses, éperons cornés coniques.
Répartition : régions arides sans points d'eau ni pluies fréquentes ; Afrique, depuis le sud du Sahara (Mauritanie, Sénégal, Mali, Niger, Tchad) jusqu'en Éthiopie. Elle aurait disparu des îles du Cap-Vert.
Comportement : pendant les mois les plus chauds, elle s'abrite dans un long terrier qu'elle creuse avec ses pattes antérieures.
Alimentation : des herbes les plus sèches aux plantes et fruits les plus charnus. Elle boit beaucoup et souvent dès qu'elle en a la possibilité.
Statut : espèce menacée dans certaines régions ; inscrite en 1991 en annexe II de la CITES (vulnérable).

TORTUE DENTICULÉE

Chelonoidis denticulata
Identification : taille moyenne adulte 40 cm ; exceptionnellement de 50 à 75 cm. Carapace de couleur unie, brun jaune à gris terreux ; plus de deux fois plus longue que haute, régulièrement bombée chez les femelles, plus plate avec l'arrière plus haut chez les mâles ; bords libres denticulés chez les jeunes (d'où le nom de l'espèce) ; tête et pattes gris jaune avec des plaques orangées sur la carapace.
Répartition : forêts ombrophiles même très humides ; Amérique du Sud : tout le bassin de l'Amazone et le massif des Guyanes jusqu'au sud du Venezuela et en Bolivie. L'espèce a été introduite dans de nombreuses îles des Caraïbes pour y être consommée.

Tortue sillonnée (Geochelone sulcata).

Tortue charbonnière (Chelonoidis carbonaria).

Alimentation : omnivore avec une préférence pour les feuilles tendres, les fruits juteux et sucrés et les fleurs ; à l'occasion, mange insectes, souriceaux ou même charognes.

Statut : espèce relativement commune, protégée par la CITES où elle est inscrite en annexe II (vulnérable) en 1991. Vente, achat et exportation de l'espèce sont ainsi interdits depuis plusieurs années en Guyane française.

Remarques : les Amérindiens élèvent l'espèce en captivité et consomment sa viande, utilisant les os pour la fabrication des pointes de leurs flèches.

Record : la carapace d'un mâle adulte en captivité au zoo de Manaus (Brésil) atteint 82 cm de long.

TORTUE CHARBONNIÈRE
Chelonoidis carbonaria
Elle ressemble tant à la tortue denticulée que certains zoologistes les ont parfois confondues.

Identification : 25 cm de long en moyenne, peut parfois atteindre le double (exceptionnel). Carapace d'un noir soutenu, ornée d'auréoles jaune doré ou orange vif ; tête sombre tachée de jaune citron ou de rouge ; pattes ornées d'écailles vermillon à rouge rubis, mais parfois jaunes comme la tête.

Répartition : savanes inondées souvent plantées de palmiers ; Amérique du Sud, du nord du Brésil au nord de l'Argentine et à la Bolivie ; et également de la Guyane à Panamá en plusieurs zones ; introduite dans plusieurs îles des Caraïbes pour y être consommée.

Comportement : lors de grosses chaleurs, il lui arrive de rechercher l'humidité et la fraîcheur des marais ou des forêts.

Alimentation : feuilles, fruits tombés (dont ceux des palmiers), fleurs, invertébrés (larves d'insectes surtout).

Statut : indéterminé sur l'ensemble de son aire de répartition. Populations en nette régression en Guyane et au Surinam où l'espèce est très chassée avec des chiens spécialement dressés. Vente, achat et exportation interdits en Guyane française.

TORTUE À 6 PATTES
Manuria emys
Aussi appelée grande tortue d'Asie.

Identification : de 50 à 60 cm de long pour un poids de 25 à 30 kg ; carapace sombre, déprimée, très large ; énormes plaques imbriquées sur les avant-bras ; une paire de gros tubercules ou éperons sur la face interne des cuisses, d'où son nom.

Répartition : fôrets humides du sud-est asiatique ; Assam, Birmanie, péninsule indonésienne, Sumatra, Bornéo.

Alimentation : omnivore.

Comportement : c'est la seule tortue connue qui protège son nid, restant à proximité, elle fait preuve d'agressivité. Elle recherche l'humidité et se baigne volontiers.

Statut : espèce protégée depuis 1991. Deux sous-espèces : *Manuria emys emys* dans le sud de l'aire de répartition, et *Manuria emys phayrei*, plus au nord, à partir de la Thaïlande.

Autrefois cette tortue occupait tout le sud de la Chine ; elle est représentée sur un monument à Pékin.

Tortue léopard (Geochelone pardalis).

Tortue géante des Seychelles (Dipsochelys elephantina).

Milieu naturel et écologie

■ C'est du nom espagnol des tortues d'eau, *galápago*, que provient celui de l'archipel des Galápagos. Ce groupe d'îles perdu dans le Pacifique, à quelque 950 km à l'ouest de l'Amérique du Sud, représente une superficie totale de 7 844 km². Sept très grandes îles, 23 îles de moyenne importance et 47 îlots ou rochers constituent l'archipel. La population totale de tortues géantes y représente, en 1991, moins de 9 000 adultes répartis sur 7 îles seulement. Sur chaque île, les tortues géantes se sont adaptées à l'environnement et les systématiciens distinguent 13 formes de tortues géantes des Galápagos. Deux d'entre elles, *Chelonoidis phantastica*, qui se trouvait sur l'île Fernandina, et *C. galapagoensis*, sur l'île Floreana, semblent éteintes.

Sept îles à tortues

Isabela, comme toutes les autres îles des Galápagos, porte aussi un nom anglais : Albemarle. C'est la plus grande des îles de l'archipel (120 km du nord au sud) ; elle a la forme d'un J à base épaisse. Sur chacun des cinq volcans de l'île, des populations de tortues géantes spécifiques ont élu domicile. À l'heure actuelle, environ 2 000 *Chelonoidis becki* occupent le volcan Wolf, tout au nord, la plus haute montagne des Galápagos. La plupart sont des jeunes ou des tortues encore immatures.

De 500 à 1 000 *Chelonoidis microphyes* vivent sur les pentes sud et ouest du volcan Darwin, également dans le nord de l'île, où elles sont pourchassées par les rats et les chats importés autrefois par l'homme sur l'île.

Sur Isabela comme sur toutes les autres îles, la prédation des jeunes tortues par les animaux domestiques introduits par l'homme (chats, chiens, porcs,...) est un fléau que la présence de rats renforce. Mais *C. vandenburghi*, qui occupe la caldera et le sud du volcan Alcedo, dans le centre de l'île, ne semble pas trop touchée par cette prédation, et prospère. Elle compte quelque 5 000 individus. En revanche, sur le volcan Cerro Azul, au sud-est de l'île, cette prédation ne permet pas aux quelque 700 *Chelonoidis elephantopus* restantes une structure démographique normale. Quant à la population de *Chelonoidis guntheri* (de 300 à 500 individus environ), qui occupe le volcan Cerro Negra, elle a été scindée en deux groupes par les colons de l'île.

Séparées par des kilomètres de lave infranchissable, les trois populations les plus septentrionales n'ont aucun contact entre elles, mais il est possible que les deux populations les plus au sud se croisent dans les terres basses.

Sur l'île San Salvador (île James), au nord-est d'Isabela, la population de *Chelonoidis microphyes* migre de haut en bas du volcan toute l'année, alors que celle de *Chelonoidis darwini* (de 500 à 700 individus) vit entre 250 et 700 m. Vers 1940, son taux de reproduction aurait baissé à cause d'un basculement de l'équilibre des sexes en faveur des mâles. Vers 1960, l'arrêt complet de la reproduction incita les chercheurs à en déterminer la cause. Selon les études de J.L. Villa dans les années 1970, les porcs qui avaient détruit œufs et nouveau-nés en étaient les principaux responsables.

Sur l'île Pinzon (île Duncan), entre Isabela et Santa Cruz, il semble que 150 *Chelonoidis ephippium* subsistent au sud-ouest, protégées par les hautes falaises qui rendent la terre inaccessible depuis la mer ; mais toutes celles qui habitaient le cratère principal et le centre de l'île ont été exterminées.

Sur Santa Cruz (île Indéfatigable), les chiens domestiques et les cochons ont beaucoup décimé *Chelonoidis nigrita* (aussi appelée *C. porteri*). Pour faciliter la repopulation de l'île qui ne compte plus que de 2 000 à 3 000 tortues, l'incubation des œufs se fait au centre Darwin.

Répartition des tortues géantes des Galápagos. L'archipel des Galápagos est un ensemble d'îles et d'îlots qui portaient autrefois des noms anglais ; il se situe dans le Pacifique à 950 km des côtes de l'Équateur dont il constitue une province. L'archipel a été transformé en parc national en 1959. Autrefois toutes réunies sous le nom de tortues à pieds d'éléphant (Geochelone elephantopus), les tortues géantes des Galápagos font aujourd'hui partie du genre Chelonoidis. Certaines ont totalement disparu de l'île où elles vivaient, d'autres sont très menacées.

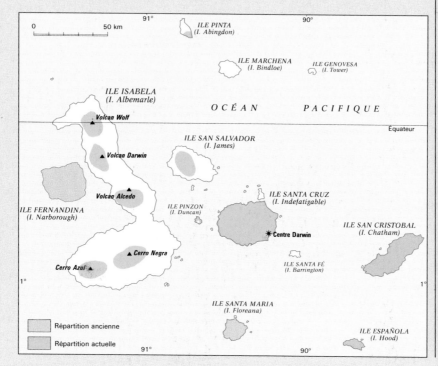

ILE PINTA (I. Abingdon)
ILE MARCHENA (I. Bindloe)
ILE GENOVESA (I. Tower)
ILE ISABELA (I. Albemarle)
Volcan Wolf
OCÉAN PACIFIQUE
Équateur
Volcan Darwin
ILE SAN SALVADOR (I. James)
Volcan Alcedo
ILE FERNANDINA (I. Narborough)
ILE PINZON (I. Duncan)
ILE SANTA CRUZ (I. Indefatigable)
Cerro Negra
Centre Darwin
ILE SAN CRISTOBAL (I. Chatham)
Cerro Azul
ILE SANTA FÉ (I. Barrington)
ILE SANTA MARIA (I. Floreana)
ILE ESPAÑOLA (I. Hood)
Répartition ancienne
Répartition actuelle
0   50 km

Sur Espanola (île Hood), l'île la plus méridionale, il ne restait, lors du recensement des années 1970, qu'une quarantaine de *Chelonoidis hoodensis*.

Sur le versant sud de l'île de Pinta (île Abingdon), tout à fait au nord de l'archipel, vivait autrefois une population de *Chelonoidis abingdoni*, dont il ne subsiste qu'un seul individu appelé Lonesome George. En 1958, l'introduction massive des chèvres qui détruisirent la végétation acheva l'extermination des tortues de l'île.

Sur l'île San Cristobal (ou île Chatham), la plus orientale des îles de l'archipel, *Chelonoidis cha-* *thamensis* subit le même sort, les hommes étant cette fois aidés par les ânes, qui détruisaient les nids, et les chiens errants, qui tuaient les jeunes. En 1964, quelques jeunes tortues furent découvertes par hasard et, quelque temps après, on retrouva une population d'adultes reproducteurs. Aujourd'hui, de 500 à 700 tortues vivent sur San Cristobal.

La régulation des populations

L'incroyable longévité des tortues et l'absence de prédation sur les animaux adultes depuis des dizaines d'années maintenant auraient dû entraîner naturellement la formation de populations très nombreuses, du moins sur certaines îles, s'il n'existait des facteurs naturels de régulation.

Le premier est alimentaire : une végétation dense entraîne une croissance de la population de tortues. En plus grand nombre, les animaux consomment alors plus globalement et moins individuellement, ce qui réduit leur taux de reproduction.

Selon Pritchard, le second facteur serait lié au petit nombre des zones de ponte. Les nids sont souvent exigus, car les terres basses sont composées en majeure partie de blocs de lave, et leur concentration y est telle que les femelles détruisent des pontes en creusant leur propre puits. Ces œufs écrasés signifient un moins grand nombre de jeunes dans la population. Ce phénomène de destruction des nids continue sur l'île Pinzon. □

Les îles Galápagos, d'origine volcanique, ont un climat chaud et humide. La végétation qui y pousse diffère selon les îles et semble convenir aux tortues géantes dont la morphologie s'est adaptée pour l'atteindre.

Massacrées pour leur chair savoureuse

Lorsque les premiers baleiniers firent relâche dans ces îles, les tortues formaient une mer de carapaces sur le rivage. Ils ne résistèrent pas à la tentation de les capturer, de consommer leur chair, décimant ainsi les populations. Éruptions, incendies, animaux domestiques firent le reste. Aujourd'hui, la fondation Darwin tente de préserver les dernières tortues géantes.

Viande fraîche pour les baleiniers

■ La découverte de poteries précolombiennes atteste la très lointaine présence de l'homme sur l'archipel des Galápagos. Pourtant, ce n'est qu'en mars 1535 que l'évêque de Panamá, Tomas de Berlanga, témoigne de l'existence de ces îles. On connaît bien le rôle néfaste que les baleiniers eurent plus tard sur les populations de tortues géantes, mais rien ne permet de dire que les premiers occupants des temps modernes massacrèrent les tortues. En 1925, l'Anglais Townsend précise que, 200 ans avant l'arrivée des baleiniers dans ces régions, les chasseurs de phoques et les boucaniers tuaient des tortues pour se nourrir.

Chaque capture de tortue était scrupuleusement notée sur les journaux de bord des baleiniers, précisant le nom de l'île et la date de la prise. Ces bateaux, en grande majorité américains, relâchaient dans l'archipel pour s'approvisionner en eau douce et en bois. Très vite, ils prirent l'habitude de charger en cale de grandes quantités de tortues vivantes, qui leur assuraient une réserve de viande fraîche appréciable. Le foie et la chair étaient, paraît-il, d'une saveur incomparable.

Seules les femelles capturées dans les basses terres étaient assez petites pour être renversées sur la dossière, attachées à des rames et transportées par trois ou quatre hommes. Si l'animal s'avérait trop lourd, il était dépecé et sa chair était consommée sur place. Un certain Porter écrit, en 1812, que, sur les 14 tonnes de tortues montées à bord de son bateau (en une seule escale !), seuls 3 animaux étaient des mâles.

D'après les registres, Townsend a calculé qu'en 189 voyages, entre 1831 et 1868, ce sont 13 013 tortues qui ont ainsi été prélevées ; lors d'un voyage en 1834, le baleinier Moss prit en une fois 350 tortues *Chelonoidis galapagoensis* (espèce aujourd'hui éteinte) sur l'île Charles.

Dès 1832, des colons équatoriens s'étaient installés sur certaines îles et aidaient les baleiniers à massacrer les tortues.

Les plus récentes prédations, et parmi les plus importantes, semblent avoir été celles des scientifiques. En 1905, 250 tortues furent prises pour l'Académie des sciences de Californie. En 1928, ce furent 180 tortues qui furent capturées pour la Société zoologique de New York. Dans le but de les sauver ! □

La fondation Darwin

■ La fondation Darwin pour les Galápagos porte ce nom en l'honneur de Charles Darwin qui passa par cet archipel autrefois. Cette station d'étude et de protection fut créée en 1959 sous les auspices de l'Unesco et grâce au travail du professeur Victor Van Straelen. Par un accord signé avec le gouvernement de l'Équateur, dont dépend l'archipel, la fondation fut autorisée à s'implanter à Santa Cruz, où elle protège les tortues et leurs pontes. Le texte de l'accord précise que la station est chargée de gérer les zones protégées de l'archipel qui ont le statut de parc national et qu'elle est également autorisée à éradiquer les animaux introduits (chèvres, chats, chiens, porcs, ânes, rats) qui détruisent les nids de tortues et les jeunes. De son côté, le gouvernement s'engage à faciliter le fonctionnement de la station. □

L'unique tortue de l'île Narborough

■ En 1906, le chercheur Beck trouva sur l'île Narborough une unique tortue. Ce spécimen fut décrit et nommé à l'époque sous-espèce *phantastica*.

Selon une hypothèse plausible, ce vieux mâle aurait été l'unique survivant de toute une population qui aurait élu domicile dans cette île. Celle-ci aurait été anéantie par une éruption volcanique, les animaux n'ayant pas survécu aux coulées de lave et à la chaleur dégagée.

Cela expliquerait qu'aucun livre de bord de baleinier ne mentionne cette île à propos des tortues. □

Élevées sur l'île de Santa Cruz, les tortues nées d'œufs provenant d'animaux reproducteurs ou récoltés sur les lieux de ponte seront relâchées dans l'île d'origine de leur espèce.

JOUBIN
(Louis)

Épinal 1861 - Avrillé (Maine-et-Loire) 1935

Naturaliste français

Louis Joubin effectua des recherches sur de nombreux animaux marins et étudia tout spécialement ceux des grandes profondeurs, comme les étonnants céphalopodes dotés d'organes lumineux perfectionnés.

■ « Il y a près d'un demi-siècle, un naturaliste italien, Verany, rencontra sur le rivage de Nice un céphalopode encore vivant qui émettait des rayons lumineux ; il mentionna le fait sans chercher à en expliquer la cause et personne n'en parla plus. Ayant eu la chance de retrouver ce très rare céphalopode, j'y découvris les appareils producteurs de lumière. » Joubin semble ainsi attribuer au hasard l'une de ses plus importantes découvertes, celle de la luminescence de certains céphalopodes. Mais, quand il la fit, il avait déjà beaucoup travaillé sur ces animaux qui comptent parmi les plus évolués des mollusques.

Docteur ès sciences naturelles en 1885, il entre la même année comme préparateur à la station de biologie marine de Banyuls-sur-Mer, près de la frontière espagnole. C'est là que se précise sa vocation de naturaliste océanographe. Il poursuit néanmoins en même temps des études de médecine et obtient, en 1888, son diplôme de docteur avec une thèse sur « la morphologie comparée des glandes salivaires ». Après avoir été professeur, puis doyen de la faculté des sciences de Rennes, il devient titulaire d'une chaire au Muséum d'histoire naturelle en 1903. Il est nommé, en 1911, professeur de biologie marine à l'Institut océanographique fondé par le prince Albert de Monaco, dont il sera l'un des collaborateurs les plus actifs. Il dirige cet institut de 1933 à sa mort, en 1935. Les croisières du prince lui ont fourni la matière de nombreux travaux sur la faune des grandes profondeurs,

jusque-là mal connue faute de moyens d'investigation vraiment appropriés.

Les observations faites par Louis Joubin sur les céphalopodes soulignent le caractère singulier de ces animaux exclusivement marins, au nombre desquels figurent la pieuvre, le calmar et la seiche. Leur tête est entourée ou surmontée d'une couronne de bras, ou tentacules, souvent munis de ventouses qui leur servent à saisir leurs proies ou à se cramponner solidement à des rochers. Leur cerveau est proportionnellement le plus développé chez les invertébrés, et leurs yeux offrent bien des ressemblances avec ceux des vertébrés. Ils ont la faculté de changer brusquement la coloration de leur peau pour l'adapter à la teinte des objets les entourant, ou pour effrayer leurs adversaires. Joubin a découvert un grand calmar (près de 3 mètres de long) « dont la peau est entièrement couverte d'écailles solides qui forment une véritable cuirasse à la bête ». Il a observé par ailleurs que, dans une famille de céphalopodes, les ventouses des tentacules sont transformées en un filet destiné à capturer les petits animaux du plancton ; chaque filet est formé d'un réseau de filaments gluants sortant des cupules situées le long de gigantesques tentacules que le

céphalopode agite lentement autour de lui ; quand les filets sont assez chargés de petites proies, l'animal les porte à sa bouche.

Le naturaliste a aussi beaucoup étudié les némertiens, vers plats au corps très allongé (l'un d'eux peut atteindre 30 mètres de long). Il s'est surtout intéressé à ceux des grandes profondeurs, « tellement transformés par cette vie pélagique qui les a rendus gélatineux, translucides, conformés pour la nage, que l'on a peine à reconnaître en eux les vers littoraux rampant sous les pierres et dans la vase du rivage ».

On doit à Louis Joubin de nombreux ouvrages de vulgarisation, dont *la Vie dans les océans, le Fond de la mer* et *les Métamorphoses des animaux marins*. Il a également établi plusieurs cartes de répartition de divers animaux marins, dont celle des coraux constructeurs de récifs. □

Les observations faites par Louis Joubin sur les céphalopodes soulignent le caractère singulier de ces animaux exclusivement marins, au nombre desquels figurent la pieuvre, le calmar et la seiche.

UN ASTUCIEUX SYSTÈME D'ÉCLAIRAGE

« Les céphalopodes pélagiques sont doués de la faculté d'émettre de la lumière ; ils ont des organes fort curieux, disséminés dans leur peau, qui sont chargés de cette fonction photogénique. Les petits organes producteurs de lumière se composent d'une lampe et d'un réflecteur argenté. La lampe peut être comparée à un œil qui, au lieu de recevoir à travers la cornée et le cristallin les rayons lumineux impressionnant la rétine, aurait, au contraire, une rétine produisant la lumière et l'enverrait au-dehors à travers un cristallin et une cornée... Les organes lumineux sont tantôt réduits à une paire d'organes, tantôt multipliés par centaines au point que la peau en est couverte. Ces appareils servent à ces animaux à s'éclairer dans les profondeurs obscures de la mer, mais ils les utilisent aussi comme pièges pour attirer les autres bêtes. »

(*Invertébrés*, Larousse, 1923.)

DANS LE PROCHAIN NUMÉRO

le geai des chênes
Un oiseau amateur de glands

VIE SAUVAGE
ENCYCLOPÉDIE LAROUSSE DES ANIMAUX

le geai des chênes

Un vrai talent d'imitateur
Le jardinier de la forêt
Pilleur de nids pour ses petits

HEBDOMADAIRE   N° 66

LAROUSSE

137 FB / 5,90 FS / 137 FL / 2,95 $ CAN

9 SUPERBES RELIURES

pour constituer une collection unique sur la vraie vie des animaux sauvages

DEMANDEZ VOTRE RELIURE À VOTRE MARCHAND DE JOURNAUX

VIE SAUVAGE

ENCYCLOPÉDIE LAROUSSE DES ANIMAUX

le pécari

Un cochon végétarien

Mâles et femelles égaux

Deux marcassins par portée

N° 94

hebdomadaire

Larousse

M 1431 - 94 - 19,50 F

139 FB / 139 FL / 5,90 FS / 2,95 $ CAN

WWF Fonds Mondial pour la Nature

Avec VIE SAUVAGE,
la nouvelle encyclopédie Larousse des animaux,
découvrez la vraie vie des animaux sauvages du monde entier.

Chaque semaine, partez à la rencontre d'un nouvel animal. Surprenez-le dans son intimité, grâce à des photos fortes, prises sur le vif par de grands reporters. Apprenez à connaître son comportement et ses mœurs, racontés par les plus grands experts de la faune sauvage : scènes de chasse, bains, premiers pas des petits... Vous découvrirez les grands principes écologiques de la lutte pour la vie et de l'équilibre de la nature.

Constituez-vous une collection complète des animaux sauvages du monde entier, en les regroupant selon les 11 grands milieux naturels où ils vivent :

Savanes et prairies : éléphant, lion, girafe, bison, kangourou...
Forêts tropicales : tigre, orang-outan, jaguar, perroquet...
Forêts de conifères : loup, aigle royal, lynx, hermine...
Forêts de feuillus : koala, renard, cerf, sanglier, coucou...
Mers et océans : dauphin, baleine, requin, pieuvre...
Côtes marines : otarie, tortue géante, fou de Bassan, iguane...
Rivières et fleuves : hippopotame, loutre, piranha, castor...
Étangs et marais : pélican blanc, crocodile, vison, libellule...
Montagnes : grand panda, condor, ours brun, macaque japonais...
Déserts et steppes : guépard, caméléon, criquet, scorpion...
Toundras et glaces : phoque, caribou, lemming, bœuf musqué...

VIE SAUVAGE est le fruit d'une collaboration entre Larousse et le WWF (Fonds Mondial pour la Nature - France). Cette encyclopédie est née d'une volonté commune d'agir en faveur de la protection des animaux sauvages.

© : 1986. Copyright WWF.   ® : WWF propriétaire des droits.

VIE SAUVAGE est édité par la
SOCIÉTÉ DES PÉRIODIQUES LAROUSSE
Directeur de la publication : Bertil Hessel
Directeur éditorial : Claude Naudin
Directeur de la collection : Laure Flavigny
Rédaction : Catherine Nicolle
Direction artistique : Henri Serres-Cousiné
Direction scientifique : Christine Sourd, docteur en écologie, Conservation Officer au WWF-France
Conception graphique et mise en pages : Frédérique Longuépée assistée de Blandine Serret
Couverture : Gérard Fritsch
Correction-révision : Service de lecture-correction de Larousse
Documentation iconographique : Anne-Marie Moyse-Jaubert, Marie-Annick Réveillon
Composition : Michel Vizet
Fabrication : Jeanne Grimbert

EN VENTE TOUS LES MERCREDIS

Directeur du marketing et des ventes : Edith Flachaire
Service des ventes : PROMEVENTE - Michel Iatca
Tél. : 45 23 25 60
Terminal : EB6
Service de presse : Régine Billot

L'encyclopédie Vie Sauvage se compose de 144 fascicules pouvant être assemblés en 9 volumes sous reliure mobile. La publication est hebdomadaire, mais en juillet et en août, il ne paraîtra que deux numéros au lieu de quatre.
Administration et souscription :
Société des Périodiques Larousse
1-3, rue du Départ
75014 Paris
Tél. : 44 39 44 20
© 1991, Société des Périodiques Larousse
17, rue du Montparnasse, 75006 Paris.
Imprimé en France (Printed in France).
Distribution N.M.P.P. pour la France.
Conditions d'abonnement :
Écrire ou téléphoner à la Société des Périodiques Larousse

Prix du fascicule et de la reliure

	Fascicule	Reliure
France	19,50 FF	49,00 FF
Belgique	139,00 FB	350,00 FB
Suisse	5,90 FS	15 FS
Luxembourg	139 FL	350 FL

Vente aux particuliers d'anciens numéros pour la France.
Envoyez les noms des fascicules commandés et un chèque d'un montant de :
— 25,50 FF par fascicule
— 61,00 FF par reliure
à GPP. BP 46, 95142 Garges-lès-Gonesse

SOMMAIRE

N° 94   LE PÉCARI
Savanes et prairies

LE PÉCARI ET SES ANCÊTRES 1

LA VIE DU PÉCARI
Un végétarien aux goûts éclectiques 4-5
Un animal plutôt placide 6-7
Une véritable égalité entre mâles et femelles 8-9
Des naissances liées à l'abondance 10-11

POUR TOUT SAVOIR SUR LE PÉCARI
Pécari à collier 14-15
Les autres pécaris 16
Milieu naturel et écologie 17-19

LE PÉCARI ET L'HOMME 20

DICTIONNAIRE DES SAVANTS DU MONDE ANIMAL
Yvan Petrovitch Pavlov

LES TEXTES DE CE NUMÉRO ont été rédigés par François Moutou, docteur vétérinaire, Maisons-Alfort ; Mauricette Vial Andru ; Monique Madier.

DESSINS de Guy Michel.

CARTE de Edica.

PHOTO DE COUVERTURE : Pécari. Phot Foott J. Prod.- Bruce Coleman.

Photocomposition : Dawant. Photogravure : Graphotec. Impression : Jean Didier.

CRÉDITS PHOTOGRAPHIQUES   p. 1, Ferrero J. P.- Jacana ; p. 2/3, Fink K. W.- Ardea ; p. 4, Sullivan et Rogers - Bruce Coleman ; p. 4/5, Steelman C.- Survival Anglia ; p. 5, Partridge productions - Oxford Sc. Films ; p. 6/7, Bartlett J. et D.- Survival Anglia ; p. 7, Foott J.- Bruce Coleman ; p. 8, Wormee V.- Bruce Coleman ; p. 8/9, Marigo L. M.- Bruce Coleman ; p. 9, Foott J.- Bruce Coleman ; p. 10, Roberts S.- Ardea ; p. 10/11, Lee Rue L.- Bruce Coleman ; p. 11, Fink K. W.- Ardea ; p. 12/13, Foott J.- Survival Anglia ; p. 14, Foott J.- Survival Anglia ; p. 15 h, Foott J.- Survival Anglia ; p. 15 m, Fink K. W.- Ardea ; p. 16, Rhodes L. L. T.- Animals Animals ; p. 18, Steelman C.- Survival Anglia ; p. 18/19, Ferrero J. P.- Jacana ; p. 20, Bartlett J. et D.- Survival Anglia ;
3e de couv., Ivan Pavlov avec ses collaborateurs, expérience à l'Académie militaire de médecine de Petrograd, 1914. Phot. APN.

NUMÉROS PRÉCÉDENTS :
L'éléphant. Le tigre. Les dauphins. Le loup. Le grand panda. Le lion. L'aigle royal. Le gorille. Le rhinocéros. La baleine. Le kangourou roux. Le condor. L'orang-outan. Les requins. L'ours brun. La girafe. Le guépard. L'hippopotame. Le chimpanzé. Le chacal. Le phoque. La gazelle. Le lynx. Le koala. Le pélican blanc. Le jaguar. Les perroquets. L'hyène. Le renard roux. Le bison. Le crocodile. Le puma. Les abeilles. Les lamas. L'ours blanc. Le macaque. L'autruche. Les chameaux. Le zèbre. Le buffle. Les scorpions. Le caribou. La pieuvre. Le fourmilier. Le manchot. Le coyote. Le lièvre. Le castor. Le chamois. Le guêpier. Les termites. Les calaos. Le mouflon. Les coraux. La marmotte. Le coucou. Le criquet. L'orque. Les caméléons. Les méduses. Le paon. La mouffette. Les tortues géantes. Le monarque. Le paresseux. Le combattant. Le morse. L'élan. L'opossum. Le gnou. Les plongeons. Les renards volants. Le cygne. La poule d'eau. L'hermine. Les fourmis. Le puma. Le suricate. Le crotale. Le saumon. Le maki. Les tisserins. Le daim. Le flamant rose. Le vampire. Le blaireau. Les papillons de nuit. Le cerf. Les colibris. Le chat sauvage. Les paradisiers.

PROCHAINS NUMÉROS :
Les boas. Le martin-pêcheur. La loutre. La mygale. La chouette effraie. Le rat musqué. Le fou de Bassan. Le macareux moine. Le raton laveur. La cigogne. Le triton.

LE PÉCARI

Semblable à un petit sanglier, et cousin américain des porcs sauvages de l'Ancien Monde, le pécari à collier représente l'une des trois espèces de la petite famille des tayassuidés ; une autre de ces espèces n'est connue que depuis 1975.

Les tayassuidés seraient originaires du Nouveau Monde et plus particulièrement de l'Amérique du Nord. Dans le même temps, les suidés — sangliers, phacochères — ont évolué dans l'Ancien Monde. Ces deux familles ont sans doute un tronc commun, mais, dès l'oligocène (début du tertiaire), leur évolution diverge. Les pécaris de cette époque qui ont été retrouvés en Europe, en Asie et en Afrique appartiennent à une sous-famille distincte de ceux d'Amérique, qui semble s'être éteinte en Europe à la fin du miocène et, en Asie, au début du pliocène.

Les tayassuidés font leur apparition en Amérique du Nord au début de l'oligocène, mais leur arrivée en Amérique du Sud est plus tardive. À la fin du tertiaire, quand l'isthme de Panamá émerge et relie les deux Amériques jusque-là séparées, les pécaris du Nord gagnent le Sud. Le pécari à collier apparaît alors et se répand dans toutes les directions, pour reprendre, au quaternaire, le chemin du Nord et repeupler le Mexique et le sud des États-Unis. Pour la plupart des auteurs, les pécaris apparaissent donc en Amérique du Nord il y a 35 millions d'années et en Amérique du Sud il y a 2,5 millions d'années, au pléistocène.

L'un des fossiles les plus connus, *Platygonus*, qui vivait, à la fin du tertiaire et au pléistocène, dans tous les États-Unis et jusqu'au Canada, dans le Yukon, était plus grand que les pécaris actuels, avec des pattes plus longues et une silhouette plus longiligne. Les plus récents habitaient, il y a de 12 000 à 13 000 ans, dans les prairies et les savanes de Pennsylvanie et du Kentucky actuels. Contemporain de *Platygonus*, le genre *Mylohyus* regroupait des pécaris encore plus grands et plus hauts sur pattes et qui possédaient un long museau. Ces pécaris longilignes sont tous deux les ancêtres de ceux du genre *Tayassu* contemporains.

Le pécari du Chaco, *Catagonus wagneri,* qui s'appelait *Platygonus wagneri* avant 1975 — car on ne connaissait de l'espèce qu'un crâne fossile retrouvé dans les terrains de l'holocène du nord-ouest de l'Argentine —, semble être apparu après l'arrivée des genres *Platygonus* et *Catagonus* en Amérique du Sud, qu'ils ont envahie séparément.

Un autre *Catagonus* fossile, *C. brachydontus,* a été découvert au nord du Mexique, dans l'Oklahoma et en Floride. Les trois espèces actuelles de pécaris sont essentiellement sud-américaines. On les rencontre au Paraguay, au Brésil et en Bolivie. □

Les pécaris apprécient les bains de boue et de poussière, excellente façon d'entretenir leur pelage et de nettoyer leur peau des parasites et des impuretés ! Chacun se serre contre son voisin, recherchant le contact physique, pour mieux communiquer avec les autres ou, durant les froides nuits hivernales du désert, pour mieux se tenir chaud.

Un végétarien aux goûts éclectiques

■ Contrairement au sanglier, pratiquement omnivore, le pécari n'avale sauterelles et larves de coléoptères que rarement, et en très petites quantités. Il est surtout végétarien, et sait s'adapter à l'aridité du climat en variant les plantes qu'il consomme.

Amateur de figuiers de Barbarie

Aux États-Unis, le pécari à collier est herbivore. Dans les zones arides du sud du pays, ce sont les cactus qui représentent probablement son aliment de base ; il se nourrit tout autant des tiges que des fruits si c'est la saison et avale, sans gêne apparente, les piquants. Les cactus consommés sont surtout les cactus à raquettes, ou figuiers de Barbarie. Cette plante aux tiges plates en forme de raquettes armées de grands aiguillons jaunes est originaire des semi-déserts de l'Amérique centrale et du sud de l'Amérique du Nord. L'espèce la plus recherchée par le pécari est *Opuntia englemannii,* le cactus à poires piquantes.

Expérimentalement, des pécaris à collier ont été nourris pendant 5 mois exclusivement avec des cactus à raquettes. Les animaux ont dû avaler chaque jour le tiers de leur poids, car cet aliment est très pauvre en substances nutritives.

Dans la nature, l'animal se nourrit d'autres plantes, herbes ou fruits, qui fournissent les compléments indispensables, en particulier au moment de la reproduction. Pignons de pins, glands de chênes, fruits de genévriers, d'acacias et autres légumineuses constituent un apport non négligeable au fil des saisons.

Doté d'un excellent odorat, le pécari est parfaitement apte à localiser bulbes, racines, rhizomes et tubercules souterrains, qu'il déterre habilement en fouillant le sol de son groin.

Le pécari apprécie aussi les agaves, notamment le « lechuguilla », qui pousse au-delà du fleuve Pecos au Texas. Moins glouton que le porc, il mange calmement, lentement, mâchant et broyant sa nourriture par des mouvements verticaux de la mandibule.

Insensible à la sécheresse

Pour maintenir son équilibre hydrique, le pécari a besoin, par jour, de 1,58 l d'eau. En forêt tropicale humide, il pleut beaucoup et les exigences en eau de l'animal sont faciles à assurer. Mais, si l'eau se raréfie, il peut abaisser ses besoins à 0,50 l. Il réduit de 68 % ses pertes d'eau par transpiration, et de 93 % ses pertes par l'urine. Dans les régions désertiques, il survit sans eau libre disponible, se contentant de consommer quotidiennement 1,5 kg de cactus à raquettes, dont la masse est, à 78 %, composée d'eau, et qui suffit à son hydratation. □

Sans crainte des piquants *qu'il mâche et avale, le pécari consomme les raquettes des cactus qui abondent au nord de son aire de répartition (nord du Mexique, sud des États-Unis) ainsi qu'au sud de celle-ci (autour du Paraguay). Il assure ainsi la plupart de ses besoins grâce à ces plantes succulentes, c'est-à-dire retenant l'eau dans leurs tissus. Mais beaucoup d'autres plantes, herbes ou fruits sont également consommés.*

DES ANIMAUX HABILES

Les pécaris sont adroits de leurs pattes antérieures et s'en servent souvent pour saisir leurs aliments. Ainsi, lorsqu'ils épluchent les raquettes de cactus avec leur groin pour en dégager la chair et la débarrasser d'une partie des aiguillons, ils maintiennent le morceau de raquette à l'aide d'une de leurs pattes et retirent la peau et les piquants en les repoussant avec leur nez.

Le pécari aime à mordiller les cactus. Les baies sauvages sont recherchées en été. En automne, les glands sont, en certains lieux, un aliment de choix.

Le pécari localise les bulbes de Dichelostemma pulchelum, jusqu'à 8 cm sous le sol sans repère externe. Après son passage, il reste dans la terre de petits cratères. Si la nourriture souterraine abonde, le sol paraît labouré là où des pécaris ont séjourné.

Un animal plutôt placide

■ Oreilles déchirées et cicatrices sur le groin sont monnaie courante chez les pécaris. Et, pourtant, les affrontements n'ont lieu qu'entre mâles au temps du rut, les dominants se réservant les femelles en chaleur.

Toute contestation provoque des combats et la hiérarchie sociale peut être remise en question toute l'année. Difficiles à observer dans la nature, ces combats ont également lieu en captivité. Les deux pécaris se précipitent de front l'un sur l'autre en visant la tête, les épaules et le cou de leur adversaire. Dans ces bagarres, comme dans les contacts sociaux, et lorsqu'il recherche de la nourriture, l'animal utilise beaucoup le bout de son museau dont les os se soudent précocement, ainsi que ses canines bien développées dont le tranchant est entretenu par frottement, la face postérieure de la canine inférieure frottant contre la face antérieure de la canine supérieure.

Après plusieurs charges semblables, les animaux se fatiguent et cherchent alors à se mordre mutuellement les flancs. Hormis ces échauffourées, l'essentiel des relations sociales des pécaris consiste en contacts entre individus du même groupe, occupant le même domaine.

Pourtant, le pécari a une réputation de férocité, probablement très exagérée eu égard à sa faible masse (entre 13 et 27 kg). Autour des points d'eau, pécaris, cerfs, lièvres et lapins semblent s'ignorer. Qu'apparaisse un prédateur, les pécaris se sauvent au galop, comme les autres ! Les femelles suitées fuient sans chercher à défendre leurs jeunes. □

Un pécari poursuivant un puma : vision rarissime ! Le contraire est plus fréquent, car le gros chat met régulièrement le petit pécari à son menu. Il est vrai qu'un jeune puma inexpérimenté a peu de chances de succès et qu'il ne lui reste que la fuite !

La silhouette massive et la tête bien développée du pécari à collier le rendent impressionnant. Et sans doute les combats entre mâles, lorsqu'ils ont lieu pour établir la hiérarchie, sont-ils violents, les animaux échangeant des morsures.

Dans les déserts nord-américains, les pécaris s'abritent de la chaleur diurne en se mettant à l'ombre. En forêt tropicale au contraire, les animaux se reposent la nuit.

Rarement isolé, les pécaris vivent en petits groupes très homogènes d'animaux des deux sexes et de tous âges. Restant toujours en contact les uns avec les autres par leurs appels, les animaux sont peut-être très proches parents entre eux.

Une véritable égalité entre mâles et femelles

■ Les pécaris à collier vivent en groupes organisés selon une hiérarchie linéaire simple, les individus les plus âgés, qu'ils soient mâles ou femelles, dominant les membres du groupe plus jeunes, encore immatures. En effet, les jeunes pécaris demeurent dans leur groupe de naissance, et, au sein d'un groupe, sur un territoire donné, les animaux finissent apparemment tous par être parents entre eux.

La société apparaît relativement stable et les deux sexes y jouent un rôle comparable. Tous les individus défendent le territoire contre les groupes voisins.

Ceux-ci comportent autant de mâles que de femelles. Pourtant, chez les jeunes, le nombre des femelles excède celui des mâles, le rapport étant d'environ 40 pour 60.

Une densité variable

L'importance de ces groupes familiaux varie. Ils comprennent généralement de 8 à 18 pécaris, mais le maximum peut atteindre 50 animaux. Les groupes peuvent éclater en sous-groupes pour des durées variables, mais des échanges permanents ont lieu entre les pécaris des sous-groupes.

Au Texas et en Arizona, les chercheurs américains ont évalué la surface du domaine vital occupé par un groupe : elle se situe entre 70 et 400 ha, et va jusqu'à 800 ha dans certains milieux pauvres. Ainsi, la densité des pécaris varie de 1 à 20 animaux au kilomètre carré, selon les milieux, augmentant avec l'abondance de cactus à raquettes et d'agaves, mais décroissant si le pourcentage de surfaces boisées est important.

Un territoire parcouru de couloirs neutres

Tout le domaine vital est défendu à la fois physiquement et par des balises olfactives.

Les pécaris marquent régulièrement leur territoire en se frottant l'échine contre les troncs d'arbres, les rochers, les souches, y laissant un liquide gras de couleur ambrée, sécrété par une glande de la ligne dorsale et qui noircit rapidement à l'air. Des muscles entourant la glande permettent à l'animal d'en expulser le contenu à distance.

Les pécaris se marquent également entre eux, aimant aussi se frotter contre un support déjà marqué. Ainsi, tous les membres du groupe ont une odeur commune, vite reconnue.

À la périphérie des domaines vitaux, les territoires se chevauchent parfois, mais de façon peu importante. Certains territoires sont traversés par des couloirs neutres, conduisant par exemple à un point d'eau et pouvant être empruntés par tous les membres des groupes voisins.

Les pécaris déposent leurs excréments en des lieux précis, où ils s'accumulent : ligne de crête, entrée de caverne, ou encore sous des buissons. Ce comportement contribue à marquer le territoire.

En zone forestière tropicale, les animaux sont plus diurnes qu'en zones sèches. Ils passent la nuit sous les racines d'un grand arbre ou au cœur d'un buisson, serrés les uns contre les autres. □

Il est plus facile de surprendre des pécaris au repos que des pécaris éveillés et en activité. Sur le terrain, les observateurs découvrent souvent les animaux serrés les uns contre les autres. Le pécari fuit dès qu'il se sent observé. Mais c'est surtout lorsqu'il est en train de se nourrir, tous ses sens en éveil, qu'il est le plus sur ses gardes. Occupé à rechercher sa nourriture le nez au sol, il peut ne pas repérer un observateur immobile à quelques mètres.

Des naissances liées à l'abondance

■ Dans leur région d'origine, les zones tropicales de l'Amérique du Sud, les pécaris se reproduisent toute l'année. En Amérique centrale, au nord du Mexique et au sud des États-Unis, les naissances sont fortement regroupées en fonction de la disponibilité en nourriture et ont surtout lieu en avril ou en mai. Quand l'alimentation abonde, les femelles se reproduisent plusieurs fois. Si une portée est perdue, la femelle est à nouveau en chaleur. Cycle après cycle, elle revient en œstrus jusqu'à ce qu'elle soit fécondée.

Un reproducteur unique ou presque

Dans le groupe, c'est le mâle dominant qui s'accouple avec pratiquement toutes les femelles réceptives. Selon le chercheur John Bissonette, un mâle dominant effectua 5 des 6 accouplements enregistrés dans un groupe qu'il observa en période de rut. Les autres mâles ne quittent pas le groupe pour autant, mais leur participation à la reproduction est très faible. Ils n'ont quelque chance de succès que si plusieurs femelles sont en chaleur à la même période.

Le mâle dominant demeure avec une femelle réceptive de quelques heures à quelques jours. Durant cette période, il ne la quitte pas et ne laisse aucun mâle s'en approcher.

Une nichée de deux marcassins seulement

Chez le pécari à collier, la gestation dure environ 145 jours, soit un mois de plus que chez la truie (de 112 à 116 jours), ce qui est considérable par rapport à la petite taille de l'animal. Cela pourrait expliquer la précocité des petits pécaris. La femelle met bas de 1 à 4 jeunes entre mai et juillet au Texas, et entre juillet et août en Arizona. Toutefois, le plus grand nombre des portées ne compte guère plus de 2 marcassins, dont le poids varie de 400 à 800 g. Les jeunes qui viennent au monde pendant la saison sèche ont peu de chances de survivre. La femelle dispose de 4 paires de mamelles, mais seules les 2 paires postérieures sont fonctionnelles.

Croissance rapide, tétées fréquentes

La lactation dure en moyenne de 6 à 8 semaines. Le lait contient environ 16 % de matières sèches. Le taux de matières grasses varie de 3 à 4 %, les protéines de 5,1 à 5,7 % et le lactose (sucre) de 6,4 à 6,7 %. En comparaison avec le porc, ce lait est moins gras (6,9 % de lipides chez la truie), mais plus riche en protéines (4,5 % chez la truie). Les femelles étant assez petites, leur capacité à retenir le lait est assez limitée. Ainsi s'explique sans doute le comportement des jeunes, qui tètent très souvent, jusqu'à 48 fois en 3 heures. Chaque tétée dure, en pareil cas, une centaine de secondes.

La croissance des jeunes est rapide. Une petite femelle peut s'accoupler dès l'âge de 8 mois. Une femelle précoce a mis bas à 54 semaines. En captivité, les jeunes mâles sont aptes à se reproduire à partir de 46 ou 47 semaines.

En Arizona, le biologiste Lyle Sowls a étudié la répartition des classes d'âge au sein d'une population de pécaris à collier, à partir de tableaux de chasse établis entre 1957 et 1973. L'état d'usure des dents, le remplacement des dents de lait et l'éruption des molaires permettent d'estimer assez précisément l'âge d'un animal. Sur un total de 2 662 pécaris étudiés, le chercheur a noté que 9,6 % des animaux avaient moins de 1 an, 8,8 % étaient âgés de 1 à 2 ans, 16,7 % de 2 à 3 ans, 21,8 % de 3 à 5 ans, 22,1 % de 5 à 7 ans et 21 % de plus de 7 ans. Le record de longévité du pécari est de 24 ans et 7 mois en captivité. □

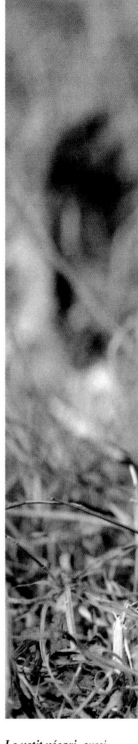

Le petit pécari, aussi appelé marcassin, a un pelage non rayé, plus clair et plus roux que celui des adultes, avec une raie médiane sur le dessus.

Très précoce, le jeune marcassin suit sa mère presque dès sa naissance. Une femelle met généralement au monde 2 jeunes par portée.

Durant les deux ou trois premiers mois, *les marcassins vivent auprès de leur mère en permanence et les tétées sont fréquentes.*

Double page suivante : *les magnifiques canines des pécaris forcent le respect, mais leurs propriétaires s'en servent rarement face à un prédateur.*

Le pécari, 11

Pécari à collier
Tayassu tajacu

PÉCARI À COLLIER	
Nom (*genre, espèce*) :	*Tayassu tajacu*
Famille :	Tayassuidés
Ordre :	Artiodactyles
Classe :	Mammifères
Identification :	Ressemble à un petit sanglier arrondi au pelage brun-gris à noir. Collier clair à la base du cou. Queue très courte
Taille :	Longueur tête et corps : de 0,75 à 1 m ; queue : de 1,5 à 5,5 cm ; hauteur au garrot : 30-50 cm
Poids :	14-30 kg ; les 2 sexes sont comparables
Répartition :	Du sud des États-Unis au nord de l'Uruguay
Habitat :	De la grande forêt aux semi-déserts
Régime alimentaire :	Végétarien généraliste
Structure sociale :	Groupes mixtes, stables et territoriaux
Maturité sexuelle :	À partir de 8 à 12 mois
Reproduction :	Peut se reproduire toute l'année. Dépend du climat local
Durée de gestation :	145 jours
Nombre de jeunes :	2 par portée le plus souvent
Poids à la naissance :	De 400 à 800 g
Longévité :	15 ans en nature, record de 24 ans en captivité
Effectifs, tendances :	Effectifs inconnus, probablement pas menacé
Statuts, protection :	Protégé aux États-Unis. En Amérique du Sud, tué pour le cuir

■ Avec son air de petit cochon ébouriffé et le collier blanc qui lui entoure le cou, et qui lui a donné son nom commun, le pécari à collier est aisément reconnaissable. La tête paraît assez grosse par rapport au corps. Elle se termine par un groin. Le pelage est gris clair ou presque noir, avec toutes les nuances intermédiaires. Les poils sont marqués de bandes de couleurs alternées de leur base à leur extrémité. L'impression d'ensemble est poivre et sel. Sur la ligne dorsale, une rangée de poils érectiles fait apparaître une bande blanche quand elle se hérisse, car tous les poils sont alors parallèles et leurs anneaux de couleur s'alignent.

Sur cette ligne dorsale, à 20-25 cm de la base de la queue, une grosse glande sous-cutanée, mesurant de 5 à 8 cm et légèrement mamelonnée, sert au marquage. Elle comprend plusieurs glandes sébacées et sudoripares ; la sécrétion, qui s'accumule dans un réservoir unique, est expulsée par un orifice, au milieu de cette zone, →

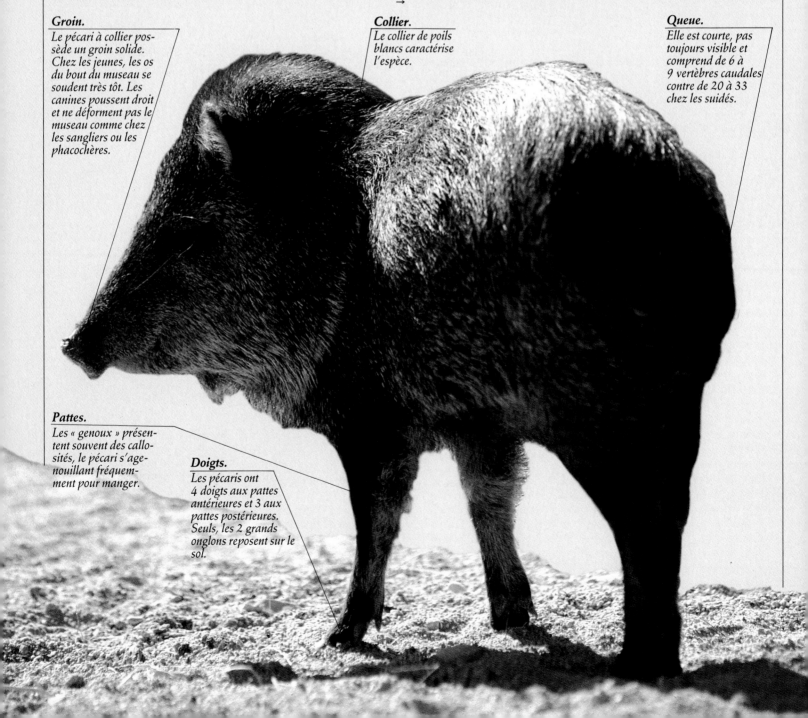

Groin.
Le pécari à collier possède un groin solide. Chez les jeunes, les os du bout du museau se soudent très tôt. Les canines poussent droit et ne déforment pas le museau comme chez les sangliers ou les phacochères.

Collier.
Le collier de poils blancs caractérise l'espèce.

Queue.
Elle est courte, pas toujours visible et comprend de 6 à 9 vertèbres caudales contre de 20 à 33 chez les suidés.

Pattes.
Les « genoux » présentent souvent des callosités, le pécari s'agenouillant fréquemment pour manger.

Doigts.
Les pécaris ont 4 doigts aux pattes antérieures et 3 aux pattes postérieures. Seuls, les 2 grands onglons reposent sur le sol.

qui évoque une petite tétine. Le pécari possède aussi des glandes préorbitaires qui débouchent au milieu des joues. Il utilise ces sources de sécrétions pour marquer le territoire ou les autres pécaris.

Le pécari est un animal agile et rapide, capable de courir relativement vite. Un adulte a été chronométré au galop à 35 km/h. Il est très difficile de surprendre un pécari dans la nature, car son ouïe est fine et son odorat délicat. Sa vision est moins développée, et la position assez latérale des yeux doit limiter sa vision binoculaire. L'animal ne voit pas les objets, même en mouvement, au-delà d'une centaine de mètres.

La richesse des communications sonores prouve à la fois la qualité de l'ouïe et la complexité des relations sociales. D'après les études de Lyle Sowls, il existe au moins huit cris ou types de cris, dont quatre sont des cris de contact et quatre autres des cris d'alarme ou d'agression. Les jeunes accompagnant leur mère peuvent produire un son qui ressemble à un ronronnement. Si la mère s'éloigne, le cri devient plus plaintif. Entre adultes, les cris de contact sont soit un grognement bas, soit un aboiement plus fort. Le premier permet à chacun de rester en contact avec les autres, le second de les retrouver si les membres du groupe sont dispersés. Lorsque les animaux se côtoient sur un site alimentaire, ils émettent un grognement sourd et répété qui tient les autres en respect. Plus agressif est le claquement de dents utilisé pour établir la hiérarchie. Pour se soumettre, le pécari couine. Un « whoof » violent déclenche la débandade.

L'âge est déterminé par l'observation des dents. Entre 2 et 6 mois, le pécari a ses dents de lait, soit 26 dents. Entre 7 et 10 mois, la première paire de molaires apparaît, et, à 11-12 mois, les canines définitives commencent à pointer. À partir de 21 mois et demi, les sujets ont leur denture définitive (38 dents). Les dents de lait peuvent côtoyer les dents d'adulte avant de tomber.   □

Signes particuliers

Pelage
Le pelage couvre tout l'animal, même les oreilles mobiles et le pourtour des yeux, qui sont en position assez latérale. Il est argenté à cause des anneaux contrastés qui ornent chaque poil. Un poil peut porter jusqu'à 6 anneaux colorés. Les poils du dos sont parfois teintés par la sécrétion de la glande dorsale. D'abord ambré, le liquide noircit à la lumière et fonce les poils.

Dents
Le pécari à collier possède 38 dents, soit, par demi-mâchoire : 9 en haut et 10 en bas. Les canines, fortement développées, peuvent mesurer de 30 à 35 mm chez un adulte pour la partie apparente, mais s'usent chez l'animal âgé et ne mesurent plus que 15 mm. Elles se recourbent moins que les dents de sanglier. La racine est aussi longue que la partie apparente. Chez le pécari, seules les pointes des canines supérieures peuvent légèrement dépasser de la bouche fermée entre les lèvres. De forme primitive, les molaires ressemblent aux dents des plus anciens fossiles connus de tayassuidés. Discontinue, la rangée de dents présente 2 espaces sans dents, ou diastèmes, avant et après la canine. Les canines n'ont aucun rôle lors de la prise de nourriture. Ce sont des armes redoutables durant les compétitions.

Pied
Ongulé peu spécialisé, le pécari possède 4 doigts. Au pied postérieur, seuls 3 doigts sont fonctionnels, et le doigt 5, externe, est très réduit. Les métatarsiens des autres doigts sont assez allongés ; ceux des doigts médians 3 et 4 sont soudés dans leur partie supérieure.

Estomac
Le pécari, bien que non-ruminant, peut récupérer de l'énergie à partir de la cellulose. Dans son estomac à 3 poches (4 poches chez les ruminants), la fer- mentation des aliments commence rapidement grâce à la présence de nombreux micro-organismes. Encadrée de 2 poches latérales, la poche centrale est la plus large : 86 % du volume de l'ensemble, alors que la panse, ou rumen, d'un ruminant vrai occupe 90 %, voire plus, de l'estomac.

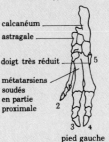

calcanéum
astragale
doigt très réduit — 5
métatarsiens soudés en partie proximale — 2
3 4
pied gauche

Les autres pécaris

■ Les pécaris sont divisés en deux genres, *Tayassu* et *Catagonus*. Le pécari à collier est le plus répandu et le mieux connu des 3 espèces de la famille. Les 2 autres, le pécari à lèvres blanches et le pécari du Chaco, ont été très peu étudiées. Comme ces deux espèces s'adaptent moins bien que la première, la destruction de leur milieu, associée à la chasse dont ils font l'objet, les menace un peu plus chaque jour.

PÉCARI À LÈVRES BLANCHES

Tayassu pecari
Identification : de 0,95 à 1,10 m ; queue toute petite de 28 à 56 mm ; hauteur au garrot de 50 à 60 cm ; poids de 25 à 40 kg. Un peu plus grand que le pécari à collier, mais sa silhouette générale fait davantage penser au sanglier. Pelage presque noir, plus foncé que celui du pécari à collier ; tache blanche sur le menton ; la commissure des lèvres et le bas des joues allongeant la forme de la tête. La teinte générale devient plus rousse dans des habitats moins fermés que la grande forêt tropicale humide.

Répartition : forêts américaines sèches ou humides selon les régions ; Amérique du Nord à partir du sud du Mexique, où il est absent des semi-déserts ; Amérique centrale (forêts humides exclusivement) ; Amérique du Sud jusqu'au nord de l'Argentine (zones les plus arides de son habitat, buissons à épineux) ; plus largement répandu sur la périphérie du bassin de l'Amazone qu'en son centre ; commun dans les forêts sèches du Chaco paraguayen. Sur l'ensemble de son aire de répartition, absent des abords de campements humains.

Alimentation : surtout végétarien ; herbes, fruits et noix de certains palmiers forment l'essentiel de son menu ; mais il consomme à l'occasion quelques invertébrés ou œufs de tortues trouvés au bord des rivières amazoniennes.

Comportement : plus grégaire que l'espèce à collier. Les troupes peuvent compter de 50 à 300 animaux et plus. Ces grandes bandes ont impressionné les voyageurs, mais les pécaris ne sont pas dangereux. Ces grands rassemblements, très bruyants, émettent force grognements, couinements, claquements de dents. S'ils ont peur, ils foncent un peu au hasard pour fuir, se dirigeant parfois vers la cause de leur panique, un observateur par exemple, d'où leur réputation de férocité, sans fondement réel. Ils se déplacent sur de vastes surfaces, mais leur présence est impossible à prévoir : les animaux peuvent rester de quelques heures à quelques jours dans un secteur puis s'en éloigner.

Reproduction : 2 jeunes par portée ; 150 jours de gestation.
En captivité, se reproduit moins bien que le pécari à collier. Hybridation entre les 2 espèces obtenue au zoo de Manaus (Brésil).
Espèce très chassée, plus sensible que le pécari à collier au recul de la forêt primaire, ne parvenant pas à s'adapter aux forêts secondaires qui la remplacent.

PÉCARI DU CHACO

Catagonus wagneri
Aussi appelé tagua.
Identification : de 0,96 à 1,17 m de long ; queue de 3 à 10 cm ; hauteur au garrot de 50 à 70 cm ; poids de 30 à 43 kg. Pelage gris-brun avec taches plus claires ou plus foncées ; ligne dorsale sombre ; collier plus clair ; pattes foncées.
Se distingue du genre *Tayassu* par un groin plus long, des sinus préorbitaires larges, des yeux nettement postérieurs, un volume de la boîte crânienne relativement réduit, des canines assez fines et des molaires à couronne élevée. Il possède 2 doigts aux pattes postérieures.
Le pécari du Chaco est plus rapide à la course que les autres pécaris et peut atteindre 40 km/h environ. Il a également une vue plus perçante.

Répartition : Grand Chaco, forêts semi-sèches et brousses à épineux du sud-est de la Bolivie, du Paraguay et du nord de l'Argentine. Milieu à graminées, bien protégé grâce à l'isolement : quelques espèces disparues ailleurs y survivent. Se rencontre aussi dans la forêt de buissons épineux inextricable, mais, dans l'ensemble, son habitat est plus ouvert que celui des autres pécaris.

Comportement : groupes de 5 animaux en moyenne. Activité plutôt diurne.

Alimentation : se déplace à la recherche de sa nourriture, cueillant branches et rameaux ou ramassant des fruits à terre. Consomme les raquettes des cactus, mais assez peu les graminées. *Opuntia* et *Cleistocactus* forment la base de son régime pendant l'hiver austral. Fréquente les salines naturelles et mange la terre, riche en chlorure de sodium.

Reproduction : semble moins prolifique que les deux autres espèces. Les femelles seraient matures à 3 ans et n'auraient qu'une portée par an.

Pécari à lèvres blanches (Tayassu pecari)

Milieu naturel et écologie

■ Présent en Amérique centrale et en Amérique du Sud, le pécari à collier est le seul tayassuidé existant encore en Amérique du Nord. Au nord de l'isthme de Panamá, on a décrit pas moins de 10 sous-espèces de pécari à collier. La situation est encore plus confuse au sud du canal. À partir du Sud mexicain, l'aire de répartition de l'espèce remonte vers les États-Unis en longeant les deux océans, mais sans gagner le centre du pays. Elle atteint les États-Unis par deux voies : à l'ouest, l'Arizona ; à l'est, le Texas. Entre les deux, le Nouveau-Mexique accueille quelques petites populations dispersées.

Définir les classes d'âge présentes dans un groupe (l'âge de l'animal pouvant être déterminé par l'observation de ses dents) permet de connaître la dynamique de population des pécaris. En effet, les groupes sociaux rassemblent les 2 sexes et tous les âges sans discrimination apparente. Ils représentent donc de bons échantillons des populations locales.

Au Texas, en automne et au printemps, les périodes de repos et d'activité des pécaris alternent entre le jour et la nuit. En hiver et en été, les rythmes sont plus tranchés. En hiver, les pécaris s'activent surtout le jour et essentiellement dans la *bajada,* les basses terres. Au petit matin, quand la température approche de 0 °C, ils se serrent les uns contre les autres pour se tenir chaud. En plein été, en revanche, leurs activités ont plutôt lieu au crépuscule et de nuit, les animaux se reposant à l'ombre pendant les heures chaudes de la journée. Ils fréquentent alors fort peu les cuvettes surchauffées du désert et gagnent les hauteurs. En Amazonie, les pécaris sont diurnes et, la nuit, ils se reposent en groupe, au pied d'un gros arbre, parfois même au fond d'un terrier. Lors des déplacements, ils se suivent en file indienne et se dispersent sur les sites d'alimentation. Par leurs allées et venues, ils tracent, dans la forêt, d'étroits sentiers conduisant à une saline ou à une mare, au bord de laquelle ils se couvrent de boue. Bains de boue, bains de poussière sont des moments importants de la vie des pécaris, qui ne se baignent pas spontanément mais ne résistent guère à la boue bordant une mare. Ils ont certainement leurs lieux favoris pour se vautrer ! Aux États-Unis, les sites pour bains de sable ne manquent pas. Les pécaris en profitent largement pour les soins donnés à leur peau et à leur pelage.

Des animaux de contact

De tous les ongulés, les pécaris, qui restent toujours en groupes, semblent être les plus enclins à se toucher fréquemment. Ces gestes, en plus de l'échange des odeurs, entretiennent des liens extrêmement forts entre les membres du clan et les animaux se frottent souvent, la tête de l'un contre la croupe, les pattes postérieures et la glande dorsale de l'autre. Dans ces démonstrations, le rôle précis des glandes préorbitaires reste inconnu.

Les études statistiques de John Bissonette sur les comportements intraspécifiques du pécari à collier ont montré que, sur 31 attitudes décrites, 55 % concernaient un contact corporel. Sur 709 observations, le chercheur a relevé 67 % de gestes de contact, dont 49 % de frottements de tête (350 fois) et 18 % seulement de gestes marquant l'agressivité.

Cette puissante cohésion dans le groupe, qui laisse supposer une grande solidarité face à un groupe concurrent ou à un prédateur, n'est pas entamée lors des incidents de frontière provoqués par des bandes plus importantes qui empiètent sur le domaine réservé des voisins !

Plusieurs prédateurs supposés

Face à un prédateur, les pécaris ont la réputation de se défendre courageusement. Ainsi, le jaguar, qui peut s'emparer d'un isolé, fuirait devant une troupe entière. Mais cela reste à confirmer. Aux États-Unis, les pécaris doivent sans doute affronter les coyotes, car on a identifié des poils de pécari dans les excréments de ces carnivores. Il reste à savoir si les petits canidés ont capturé leur proie vivante ou s'ils ont consommé un cadavre. Au Texas, dans la région de Big Bend, le biologiste P.R. Krausman estime à 7 % l'importance des pécaris dans le menu des coyotes. Ceux-ci semblent attaquer surtout des jeunes, mais des observations anciennes décrivent la capture d'adultes. Plusieurs auteurs ont recherché si les tayassuidés figuraient au menu des grands félidés, tels que le puma et le jaguar, qui occupent (ou occupaient ?) pratiquement les mêmes niches écologiques que les pécaris. Tous ont trouvé des restes de pécaris dans les fèces de puma ou de jaguar. Il est certain qu'ils en sont la proie, à l'occasion. Il est

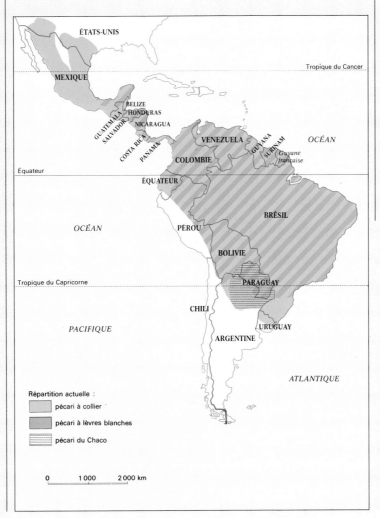

Aire de répartition des pécaris. Aujourd'hui, les tayassuidés sont surtout sud-américains et liés aux régions tropicales du Nouveau Monde (néotropicales). Le Paraguay est la seule région où l'on puisse rencontrer ensemble les trois espèces, mais on ne sait pas comment celles-ci se partagent le domaine vital. Les pécaris évitent la montagne, les régions les plus froides des deux Amériques et se rencontrent pratiquement dans tous les pays d'Amérique du Sud.

moins facile de connaître l'importance réelle de cette prédation. Dans le Chaco du Paraguay, Lyle Sowls a analysé 11 fèces de l'un ou l'autre des deux grands chats : 8 contenaient des poils de pécari et 2 contenaient aussi des sabots de juvéniles.

Dans les déserts nord-américains, les pécaris peuvent aussi rencontrer les crotales, ou serpents à sonnette. Selon une légende, ils les tuent et même les consomment. En fait, la réalité semble autre. En 1956, l'expérience suivante a été réalisée dans les montagnes de Tucson. Un crotale a été attaché au bord d'un point d'eau où les pécaris venaient boire tous les soirs. Dès la tombée de la nuit, trois animaux s'approchent et commencent à se désaltérer. Dérangé, le crotale s'agite et le bruit de la sonnette les fait fuir. Dix minutes plus tard, deux pécaris réapparaissent, mais du côté opposé au serpent — qui, averti, ne cesse de sonner — et vont boire ; puis ils se retirent, sans chercher le moins du monde à piétiner le reptile...

Profiter des terriers des autres

Les pécaris ne creusent pas de terrier eux-mêmes. À l'occasion, ils utilisent ceux des autres. On observe cela fréquemment en Amérique du Sud chez les pécaris habitant la forêt. Au Brésil, au Honduras, ils occupent des terriers de tatou géant ou des troncs d'arbre creux. En Arizona, ils utilisent la chaleur des mines abandonnées, lors des froides nuits d'hiver.

Le risque de concurrents inattendus

Depuis que les Européens ont atteint le Nouveau Monde, des cochons domestiques redevenus sauvages et des sangliers importés d'Europe pour la chasse ont été lâchés au sud des États-Unis. Ces animaux se croisent entre eux. On les rencontre le long des États bordant le golfe du Mexique, de la Floride au Texas, ainsi qu'en Californie et en Arizona. Leurs effectifs sont mal connus. Considérés comme animaux domestiques, ils sont chassés sans réglementation. Les tableaux de chasse sont impressionnants : 36 000 tués en un an en Floride. Même chiffre en Californie pour une population estimée à 70 000 têtes. Seul le tableau de chasse des cerfs à queue blanche et à queue noire est à ce jour supérieur.

Si ces animaux atteignent les zones à pécaris, ils risquent, étant donné leurs effectifs, d'entraîner une concurrence alimentaire au détriment des pécaris et de repousser ceux-ci vers les zones nord-américaines les plus arides. □

L'oreille aux aguets, le pécari cherche à identifier le danger. En présence d'un prédateur, il réagira probablement par la fuite. Les récits de charge collective sus à l'ennemi proviennent sans doute d'une interprétation erronée de la fuite du groupe dans la mauvaise direction ! Il arrive que les animaux s'éparpillent dans l'espoir de dérouter l'agresseur, mais il ne semble pas qu'un pécari affronte un danger pour sauver le groupe ou les jeunes.

Un pécari solitaire est rarement très éloigné de ses congénères, et les grognements échangés en permanence pendant les déplacements ou la recherche de nourriture permettent au groupe de préserver sa cohésion dans une végétation souvent dense. Lorsque le groupe familial réunit de 14 à 50 têtes, il se forme parfois momentanément des sous-unités.

D'un prélèvement modéré à une chasse intensive

En Europe, le mot « pécari » évoque surtout de jolis objets de cuir, alors que l'animal lui-même est souvent ignoré. Les Américains, au contraire, connaissent les pécaris depuis si longtemps que ce gibier convoité est parfois déifié par certaines ethnies.

L'intérêt des scientifiques

■ Dans le sud-est des États-Unis, on commence à étudier le pécari à collier, à effectuer des marquages et des suivis dans la nature. Dans d'autres régions, où la population des pécaris a beaucoup régressé par endroits (dans le seul État de l'Arizona, on tue annuellement 1 000 animaux à l'arc et 4 000 au fusil), des zones entières sont même repeuplées, comme en Arizona et au Texas, par exemple.

Le maintien des animaux passe aussi par une bonne gestion du milieu. Sur les parcelles riches, on recense 1,08 jeune par femelle contre 0,36 sur les parcelles appauvries. La présence de plantes herbacées non graminées est importante pour le pécari. ☐

Gibier courant mais rituel complexe

■ Le nom de famille de ce petit porc au pelage raide dérive du terme améridien *tayassu,* nom donné au pécari par les Tupis-Guaranis. Pour les Indiens d'Amérique centrale et du Sud, les trois espèces de pécaris représentent un gibier courant, auquel de nombreux mythes sont associés. Les Indiens Campas du Pérou croient que leurs gibiers favoris, comme certains oiseaux, les coatis (petits carnivores) et les pécaris, sont élevés par les enfants du Soleil au sommet des montagnes. Ils désignent couramment les pécaris du nom de *shintori,* mais, lorsque ces derniers sont déifiés, ils les nomment *ivirà pavà.*

Les Bororos du Brésil refusent de chasser et de consommer les pécaris. Ils pensent que dans chaque pécari, comme dans chaque tapir et chaque caïman, se réfugie l'âme d'un défunt de la tribu. Jamais ils ne tueront un de ces animaux, sauf en présence d'un sorcier qui pourra exorciser l'âme ainsi dérangée.

Dans d'autres tribus, les chasseurs tuent des pécaris, mais tous ne peuvent en manger. L'âge, le sexe et le statut dans le groupe entrent en ligne de compte. Une jeune femme Yanoama qui attend un enfant ou un couple Jivaro qui vient d'en avoir un ne comsomment pas la viande de pécari. Le rituel peut être très compliqué. Le plus étonnant est le cas des Matacos qui ne mangent jamais de pécari, sauf quand ils ont mal aux dents et qu'elles claquent comme celles des pécaris surpris !

Il est notoire que les chasseurs indiens avaient un comportement spontanément écologique ; ils ne devaient pas tuer plus que le groupe ne pouvait manger.

Les Mundurucus du Brésil craignent d'offenser les mères des esprits des animaux en en tuant trop. Chez les Yanoamas, des sanctions religieuses frappent les chasseurs qui ont abattu trop d'animaux. ☐

Des captures abusives

■ L'arrivée des Européens a changé beaucoup de choses en améliorant l'efficacité des armes, en élargissant considérablement les marchés et en proposant un autre débouché que la viande : le cuir. Les quantités commercialisées sont énormes. Comme le commerce est devenu illégal, les chiffres sont mal connus. On pense que, entre 1946 et 1966, 2 millions de peaux de pécaris à collier et 850 000 peaux de pécaris à lèvres blanches sont sorties d'Iquitos, au Pérou. Localement, le prix peut varier de 0,30 à 1,30 dollar américain par peau. Au début des années 1980, l'Argentine a exporté 312 115 peaux en 7 ans. Au Paraguay, le prix d'une peau varie de 5 dollars pour un pécari à collier à 2 dollars pour un pécari du Chaco. Dans la même période, en Europe, une paire de gants de cavalier en pécari coûte l'équivalent de 140 dollars et une paire de chaussures 345 dollars.

Aujourd'hui, les trois espèces sont protégées par la Convention de Washington, qui interdit tout commerce international de pécari du Chaco et qui réglemente sévèrement le commerce des deux autres espèces. Mais la chasse est toujours autorisée aux États-Unis, où l'on encourage le tir au pistolet, plus difficile que celui au fusil. ☐

Dans le sud des États-Unis, les pécaris à collier sont régulièrement capturés dans des trappes et marqués pour être suivis sur le terrain. Pour veiller à la survie de l'espèce, qui est beaucoup chassée, il est important d'étudier la dynamique des populations locales en tenant compte de la qualité du milieu, de l'influence de la chasse, de la présence d'espèces concurrentes et, éventuellement, de maladies ou de prédateurs particuliers.

PAVLOV
(Ivan Petrovitch)
Riazan, 1849 - Leningrad, 1936

Physiologiste et médecin russe

Par des expériences sur les chiens, conduites pendant de longues années, Ivan Pavlov a éclairé certains aspects du comportement animal et humain. On lui doit notamment la découverte des réflexes conditionnés.

■ Pavlov est l'aîné des onze enfants d'un pope de Riazan, vieille ville russe située au sud-est de Moscou. Dès son plus jeune âge, il doit aider son père dans des travaux de jardinage et sa mère dans des tâches ménagères. À sept ans, il fait une chute qui provoque chez lui une violente commotion et l'empêche de fréquenter l'école avant sa onzième année. Il entre alors directement au séminaire de Riazan. En 1870, il renonce à une carrière ecclésiastique pour s'inscrire à l'université de Saint-Pétersbourg où il étudie les sciences naturelles, puis la physiologie. Son diplôme obtenu, il devient assistant au laboratoire de physiologie de l'Institut vétérinaire. En 1879, il est reçu médecin à l'Académie médico-chirurgicale de Saint-Pétersbourg et obtient une bourse de recherches d'une durée de quatre ans. Après la soutenance, en 1883, d'une thèse portant sur les « nerfs centrifuges du cœur », il passe deux ans en Allemagne pour se perfectionner en psychologie. Il est nommé, en 1890, professeur de pharmacologie à l'université de Tomsk. En 1895, il obtient, à l'Académie militaire de Saint-Pétersbourg, une chaire de physiologie qu'il conservera pendant trente ans. Il dirige jusqu'à sa mort le département de physiologie de l'Institut de médecine expérimentale de Saint-Pétersbourg ainsi que la station biologique de Koltouchi (aujourd'hui Pavlovo), créée pour lui par Lénine en 1921.

Les premiers travaux de Pavlov portent sur la physiologie du système cardio-vasculaire. A partir de 1889, il s'oriente vers l'étude des glandes digestives. Pour ses expériences, il se sert des chiens. À l'inverse de nombre de scientifiques de l'époque, il préfère utiliser des animaux dits « intacts », dans des conditions de laboratoire, certes, mais aussi près que possible des conditions naturelles. Grâce à la mise au point de techniques chirurgicales très délicates (par exemple, la greffe, sur la peau d'un chien, d'un fragment de la muqueuse gastrique pourvue de ses connexions vasculaires et nerveuses), il peut suivre l'activité normale des glandes chez un animal parfaitement sain. Ses recherches, qui lui vaudront le prix Nobel en 1904, lui permettent d'élucider la régulation nerveuse des glandes digestives.

> *Ses recherches sur les glandes digestives amènent naturellement le chercheur à s'intéresser et à définir les réflexes conditionnés.*

C'est grâce à celles-ci qu'il met en évidence le « réflexe conditionné » (ou « conditionnel ») qui porte son nom, et que l'on peut définir comme un réflexe déclenché par une cause apparemment étrangère, mais généralement associée, à la cause véritable. Ainsi, la simple vue de la nourriture déclenche chez le chien un réflexe de salivation et de sécrétion gastrique. Or, si l'on prend l'habitude d'accompagner la présentation de la nourriture d'une perception sensorielle précise, telle l'audition d'une sonnerie, il suffira, au bout d'un certain temps, de reproduire cette perception pour déclencher la salivation et la sécrétion du suc gastrique, même en l'absence de nourriture. Sa découverte des réflexes conditionnés vient éclaircir des mécanismes dont on se servait depuis longtemps, mais d'une manière tout empirique. Selon Pavlov, « le réflexe conditionné est un des faits les plus coutumiers et les plus répandus. C'est sans doute ce que nous connaissons, pour nous et les animaux, sous les dénominations les plus variées : dressage, discipline, éducation, habitude. »

Certaines des conceptions du savant russe sur le conditionnement apparaissent aujourd'hui un peu dépassées parce que les phénomènes sont beaucoup plus complexes qu'on ne le pensait. Il n'en a pas moins donné un élan indiscutable aux recherches sur les mécanismes du comportement, et même du psychisme. □

LE CHIEN ET LE MÉTRONOME

« Supposons que nous obtenions chez un chien une réaction conditionnée au métronome, et que nous provoquions le réflexe plusieurs fois de suite. Nous constaterons que les autres sons cessent peu à peu d'agir, et qu'il arrive un moment où le métronome seul reste efficace pour provoquer le réflexe conditionné. Cette concentration de l'excitation peut même aller plus loin, et, si l'on répète encore et toujours le réflexe au métronome (en le renforçant, bien entendu, de l'excitant absolu, c'est-à-dire la nourriture), on constate bientôt que seule la fréquence du battement que l'on a employé déclenche une action lors de la réponse purement conditionnée (sans apport de l'excitant absolu). La discrimination peut atteindre une grande finesse ; par exemple, le chien réagira à 100 battements de métronome, et il restera indifférent à 96. »
(Ivan Pavlov, cité par Hilaire Cuny dans *Ivan Pavlov et les réflexes conditionnés,* éd. Seghers, 1962.)

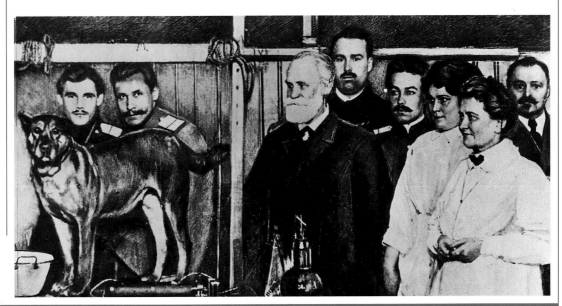

DANS LE PROCHAIN NUMÉRO
LES BOAS

VIE SAUVAGE
ENCYCLOPÉDIE LAROUSSE DES ANIMAUX

les boas

Une vie
dans les arbres

Des proies
étouffées

Un long
accouplement

N° 95
hebdomadaire

Larousse

139 FB / 139 FL / 5,90 FS / 2,95 $ CAN

les plus grands serpents du monde